Judaskus

-

D0120711

Gemeentelijke Bibliotheek
Beveren
Uitleenpost
Kieldrecht

Van dezelfde auteur:

In het vizier

Gerald Seymour

Judaskus

2003 – De Boekerij – Amsterdam

Oorspronkelijke titel: Traitor's Kiss (Bantam Press)
Vertaling: Ronald Beek
Omslagontwerp/artwork: Hesseling Design, Ede

ISBN 90-225-3562-2

Voor Alfie

Proloog

Augustus 1998

Hij hield het pakje stevig vast, alsof hij het niet los wilde laten. Zijn eeltige, met littekens bedekte vingers hadden de envelop van goedkoop bruin papier in een ijzeren greep. De toppen van zijn vingers maakten deukjes in het papier, zo krampachtig omklemde hij hem. De envelop was onbeschreven, niets wat aangaf bij wie hij bezorgd moest worden.

'Ik was in mijn hut. We moesten brandstof hebben en ik was net bezig de wisselkoers te berekenen op mijn rekenmachine, toen hij opeens zonder op de deur te kloppen voor mijn neus stond. Het ene moment was de deur dicht, het volgende moment was hij open en stond hij in de deuropening. Hij haalde dit uit de binnenzak van zijn jasje en...'

Mowbray, de veteraan, zei rustig: 'Ik geloof dat het beter is als we bij het begin beginnen, meneer Harris. Neem de tijd.' Hij glimlachte geruststellend.

Bertie Ponsford, het hoofd van de Rusland-afdeling, glunderde. Achter Harris, met haar potlood in de aanslag, zat Alice North, het stenoblok op haar knie. Aan het eind van de tafel, afgezonderd van de rest, bevond zich de marineofficier, die gekleed ging in blazer en sportpantalon en die zijn das had losgedaan alsof hij de vreemdeling op zijn gemak wilde stellen. In de kast draaide de taperecorder al, maar het was de gewoonte om recorders en microfoons verborgen te houden, omdat burgers erdoor geïntimideerd raakten. Het was halverwege de ochtend en er stond koffie op tafel, met een bord met volkorenbiscuitjes. Alice had Harris een kopje ingeschonken, maar hij had het niet aangeraakt: om het kopje op te tillen en de koffie te kunnen drinken, had hij de envelop los moeten laten die hen bij elkaar had gebracht.

'Ja, begin bij het begin.' Ponsford had een bedrieglijk vriendelijke stem, maar hij zag eruit als een vos op strooptocht. 'U bent Frederick Harris en u bent met twee anderen mede-eigenaar van de *Marie Eugenie*, een trawler die Hull als thuishaven heeft. Dertien dagen geleden, op 13 juli, bent u, op zoek naar kabeljauw, per ongeluk in Russische territoriale wateren terechtgekomen. Wordt u Fred of Freddie genoemd, meneer Harris?'

'Fred.'

'Goed, Fred, daar ben je dan, bezig kabeljauw binnen te halen. Dat is het begin, dus laten we daar beginnen.'

De kamer die voor de bijeenkomst was gekozen, bevond zich in een zijstraat van Pall Mall. Het huis, in een doodlopende steeg, uit het zicht van de herensociëteiten, cafés en restaurants, had een fraaie *Georgian* gevel en de ontvangkamers op de benedenverdieping konden bogen op prachtige, bewerkte plafonds, hoge schuiframen en antiek meubilair, alle kamers behalve deze. Hier was de inrichting opzettelijk armoedig, om te voorkomen dat de ruimte als te indrukwekkend zou overkomen. Er lag een plastic zeil met een primulamotief op de tafel, de stoelen bestonden uit een frame van stalen buizen en een stoffen zitting, het dunne tapijt was helgeel, behalve bij de deur, waar vele generaties voeten het tot een verbleekt oranje getrapt hadden. Van de mensen die werden opgeroepen voor een onderhoud met de geheime inlichtingendienst voelden maar weinigen zich op hun gemak en het uiterlijk van de kamer was erop gericht om het onvermijdelijke gevoel van angst zo klein mogelijk te houden.

'Nou, u weet hoe het zit.' Harris haalde zijn schouders op. 'Het heeft voor een deel met visbestanden en quota's te maken, maar de Noordzee is leeggevist. Ik heb een hypotheek op mijn boot die me een kapitaal kost. Ik moet naar plaatsen waar iets te verdienen valt, ik moet risico nemen. Nóg een paar jaar als de laatste twee jaar en ik ben er geweest. Mijn familie zit al 120 jaar in de zeevisserij, maar mijn kinderen maken het niet meer mee. Dus we varen naar het noorden, proberen het daar. We nemen de route langs de Noordkaap, Noorwegen, en houden een oostelijke koers aan naar de Oostbank in de Russische zone. We zijn zo'n dertig mijl uit de kust, een eind de Barentszzee op, waar we net een heel goede vangst hadden binnengehaald. Het weer was slecht, precies goed voor ons, dichte mist met een zicht van niet meer dan honderd meter. Het had niet beter gekund. Maar toen kregen we binnen vijf minuten twee radio-oproepen binnen. De eerste was van hun visserij-inspectie: we moesten onze naam opgeven. De tweede was van een Russisch schip: ze hadden een gewonde aan boord, zochten hulp en gaven hun positie op. Ik denk over de zaak na en besluit dat we de gewonde zullen gebruiken als reden voor onze aanwezigheid, zodat het allemaal goed voor ons zou aflopen.

De vangst zat in het ruim, de netten waren opgeborgen en we voeren naar het noodgeval. Het was een van hun onderzoeksschepen, op weg naar een plek ten noorden van Spitsbergen en iemand van de bemanning had zijn been op twee plaatsen gebroken. Het weer was te slecht om er een helikopter op af te sturen en ze wilden niet keren en achter raken op schema. Dus we kwamen als geroepen. De man werd aan boord gebracht en ik zei tegen hun schipper dat ik hem rechtstreeks naar Moermansk zou brengen. We kregen een krat wodka voor onze moeite. Ik liet de visserij-inspectie aan de wal weten waar ik mee bezig was. We kwamen in Moermansk aan, de man werd overgebracht naar het ziekenhuis en in plaats van dat er beslag werd gelegd op de *Marie Eugenie* en ik voor de rechter werd geleid, was ik de held van de dag. Begrijp me goed, ik zou mijn vrouw niet gauw voor een weekendje mee naar Moermansk nemen, maar ze waren echt heel gastvrij. Ze deden alles voor ons, de volgende ochtend had ik een enorme kater.

Brandstof kost daar een schijntje, een fractie van wat hij thuis kost, dus ik liet de tank helemaal volgooien. Ik wachtte tot het eb was en berekende wat de diesel me ging kosten. Ik moest elke stuiver die ik aan boord had en die mijn bemanning bij zich had bij elkaar schrapen. En opeens stond hij in de deuropening van mijn hut. Hij droeg een uniform, hij was een heel hoge officier bij de marine, niet van de koopvaardij. Er waren al mensen uit de haven bij ons aan boord geweest, armoedig geklede mensen, maar deze man was onberispelijk. Goed gestreken uniform, vouw in zijn broek, schoon overhemd, das, iemand die op een kantoor werkte, niet op een oorlogsschip. Hij zag er wel uit als iemand die elk moment in zijn broek kon schijten – neem me niet kwalijk – heel gespannen, heel zenuwachtig. Er werd niet om de hete brij heen gedraaid. Ik keek hem aan en hij keek mij aan, met grote, starre ogen. Even was er onvervalste angst van zijn gezicht af te lezen. Hij struikelde over zijn woorden, maar bleef fluisteren toen hij zei: “Ik wil u vragen om een bericht van mij aan uw inlichtingendienst over te brengen.” Daar zit ik dan, honderd mijl van de Noorse wateren vandaan, ik heb een illegale vangst aan boord en die man staat in mijn hut en heeft het over spionage. Volgens mij werd ik heel bleek. Het woord dat op zo’n moment door je hoofd schiet, is provocatie, of je denkt dat het een val is, doorgestoken kaart. Ik wist niet wat ik moest zeggen. Wat ik u wel kan vertellen, is dat hij en ik allebei op het punt stonden om in onze broek te schijten. Hij had wat ik een eerlijk gezicht zou willen noemen, hij had niets achterbaks. Ik heb niet veel mensenkennis; ik ben goed in het kiezen van mijn bemanning, maar daar blijft het wel bij. Hij had een gezicht dat als oprecht op mij overkwam. Hij moet beseft hebben dat ik niet blij met hem was. Hij keek achterom om te zien of iemand ons kon horen en zei toen alleen: "Ik neem een veel groter risico dan ik van u vraag." Ik moest hem geloven, maar stel dat hij gevolgd was? Stel dat hij in de gaten gehouden werd? Ik moet geknikt hebben of misschien stak ik mijn hand uit. Hij haalde deze envelop uit de binnenzak van zijn jasje en gaf hem aan mij. Ik vroeg hem wie hij was, maar hij schudde zijn hoofd. "Zorg alstublieft, alstublieft, dat hij naar die instantie gaat." Even later was hij verdwenen en hield ik de envelop in mijn hand. Toen ik weer uit de patrijspoort keek, zag ik hem de kade opklauteren en gewoon weglopen, alsof er niets was gebeurd. Mijn eerste impuls was om de envelop overboord te gooien, maar zijn blik weerhield me. Toen liep ik snel door mijn hut. Ik deed vliegensvlug de kluis open en borg de envelop daarin weg, ik stopte hem helemaal achterin.

Binnen een uur had ik voor de diesel betaald en voeren we weg. We voeren door de Kolabaai alsof we aan een race meededen, we wisten niet hoe snel we Moermansk moesten verlaten. En al die tijd dacht ik dat als er een patrouilleboot of een sloep van de kustwacht bij ons in de buurt zou komen, ik meteen naar mijn hut terug zou gaan om de kluis open te maken en de envelop zo ver mogelijk overboord te gooien, maar er was geen sloep of patrouilleboot te zien. Twintig mijl verderop in de baai ligt Severomorsk, de grote marinebasis, waar de atoomonderzeeërs liggen en de zware kruisers. Ik beefde als een rietje toen we erlangs voeren, ik kon het roer niet rechthouden en de anderen – niemand had hem aan boord zien komen of weg zien gaan – dachten dat het aan mijn kater lag. Toen zag ik hem. Een klein mannetje aan het eind van een pier, helemaal alleen, en hij moet daar hebben staan wachten om ons uit te zien varen. Ik moest er een verrekijker bij halen om te zien dat hij het was. Hij zwaaide niet naar ons, rookte alleen een sigaret, en toen we hem voorbijgevaren waren, draaide hij zich om en liep weg.

We bliezen de oude motor bijna op tijdens de oversteek van de Noordzee, volle kracht vooruit, en zetten de vangst in Peterhead aan wal. Daarna voeren we door naar het zuiden, naar huis. Een neef van mijn vrouw zit bij de politie. Ik vertelde hem in grote lijnen wat er gebeurd was en er kwam iemand van de Speciale Afdeling bij me thuis om met me te praten. Ik had de envelop meegenomen van de *Marie Eugenie* en die lag onder het matras van het logeerbed. Ik vertelde die man van de Speciale Afdeling niet meer dan ik de neef van mijn vrouw had verteld. Hij wilde de envelop hebben. Niks daarvan. Ik zei dat ik hem persoonlijk wilde overhandigen, omdat hij me dat gevraagd had. De man van de Speciale Afdeling heeft dat toen geregeld en hier ben ik dan.'

Hij schoof de envelop met een bruusk gebaar over de tafel.
'Goed werk, Fred,' zei Ponsford. 'Niets op aan te merken, al zou ik het nog zo graag willen. Alice laat u wel uit en uw reiskosten worden vergoed. Behouden vaart, maar niet naar Moermansk.'
Harris vroeg: 'Wat bedoelde hij met risico?'
Mowbray glimlachte geruststellend. 'Daar hoeft u zich geen zorgen over te maken. Zet het maar van u af, wat u vast ook wel zult doen. Laat het maar aan ons over.'
Toen hij de deur achter hem had dichtgedaan en het ritme van zijn zware voetstappen was weggestorven in een verre gang, keken de drie mannen naar de envelop. Hij lag tussen een koffiekop en de schaal met biscuitjes.
Als hoogste ambtenaar had Bertie het voorrecht om de envelop op te pakken. Hij leek hem in zijn hand te taxeren op gewicht en belang. Hij scheurde hem open en schudde een stapeltje papieren op de tafel. De marineofficier deed een stap naar achteren, hij wist dat zijn tijd nog zou komen. Het bovenste velletje van de circa vijftig bladzijden was met de hand volgeschreven en op de achterkant stonden twee pentekeningen. De bladzijden die over de primula's verspreid lagen waren gedrukt of getypt of gevuld met fotokopieën van diagrammen.
Mowbray voelde hoe zijn hart bonsde. Hij was 61, maar herkende de opwinding die hij gevoeld had bij zijn eerste overzeese opdracht voor de inlichtingendienst, 34 jaar geleden. De met de hand geschreven bladzijde werd hem aangereikt. Hij las hem en de adrenaline schoot door zijn lichaam, net zoals vroeger.

Geachte heren,

Het is een goede vriend die contact met u zoekt, een vriend die uw bondgenoot is geworden in het streven naar waarheid, eerlijkheid en rechtvaardigheid. Ik ben deze strijd aangegaan, na lang en diep over de gevolgen te hebben nagedacht. Ik heb de weloverwogen beslissing genomen om u de hand te reiken. Ik heb veel materiaal tot mijn beschikking dat voor uw regering van belang zal zijn en ik wil dit materiaal aan u doorgeven. Bijgesloten vindt u de bijzonderheden van de afhaalplaatsen en kaarten van de locatie. In een later stadium moeten we elkaar persoonlijk ontmoeten. Ik vraag van u dat u bij onze samenwerking alle regels van uw metier in acht neemt. Bescherm me. Ik wens u een lang leven en een goede gezondheid toe.

Uw vriend

In Mowbrays gedachten doemden vage beelden op van een man wiens gezicht hij niet kon zien, een man die gebukt ging onder angst, eenzaamheid en de bitterheid die hem tot het schrijven van deze brief hadden gebracht. Hij knipperde met zijn ogen.

Ponsford had de andere bladzijden bij elkaar gezocht en aan de marineofficier gegeven, die bij de tafel was neergeploft en nu een leesbril uit zijn borstzakje viste om ze te bekijken.

'En, wat denkt u?' vroeg Ponsford met galmende stem.

'Ik heb natuurlijk meer tijd nodig.' De marineofficier haalde zijn schouders op.

Alsof hij het tegen een zwakbegaafde had, herhaalde Ponsford de vraag, langzamer ditmaal. 'Maar wat denkt u?'

'Het materiaal gaat over onderzeeërs. Het lijkt me een voorproefje. Duikboten van de Kiloklasse zijn toch algauw twintig jaar oud, maar worden opnieuw uitgerust. Deze eerste bladzijden behandelen hun maatregelen om hydrodynamisch geluid te beperken. Daarna worden de vorderingen besproken die ze gemaakt hebben op het gebied van coaxiale tegendraaiende schroeven. Het is technisch, gedetailleerd, het is interessant. Eén ding is zeker, hij heeft toegang tot interessante informatie. Volgens mij is hij een stafofficier, vermoedelijk een kapitein-luitenant-ter-zee in een hoge positie.'

Mowbray wist niets af van hydrodynamica of coaxiale tegendraaiende schroeven. Hij glimlachte koeltjes. 'Is het nieuw?'

De marineofficier trok een grimas. 'Ik denk het wel en ik denk dat het een bevestiging is van wat we geloofden, maar niet zeker konden weten. Is "waardevol" goed genoeg?'

Ponsford zei dat hij met 'waardevol' genoegen nam.

Er werd afgesproken dat ze elkaar over een week weer zouden treffen, als de man van de marine meer tijd had. Aktetassen werden gevuld, het stenoblok van Alice ging weer in haar tas, jassen werden van de kapstok gehaald. Mowbray beet op zijn lip, elk jaar gaf de inlichtingendienst over de hele wereld miljoenen, tientallen miljoenen, uit om officieren van mogelijk vijandige naties door omkoping, verleiding of listen zover te krijgen dat ze de grootste geheimen van hun land prijsgaven en het was altijd weggegooid geld. De mensen die ertoe deden waren altijd de 'binnenlopers', die zich zonder enige waarschuwing of uitnodiging aandienden. In zijn ruim dertig jaar bij de dienst had Mowbray miljoenen zonder rendement zien verdwijnen en nu, in de nadagen van zijn carrière, was er een 'binnenloper' opgedoken. Hij wreef in zijn handen, knakte en strekte zijn vingers en genoot even van het moment.

Op het voorhoofd van de marineofficier was een frons verschenen. 'Ik probeer er alleen achter te komen wat voor soort man hij zou kunnen zijn. Uitschot, denk ik. Als hij een van mijn mensen was geweest, zou een langzame wurgdood nog een te milde straf voor hem zijn geweest.'

'Maar hij is niet een van jouw mensen,' zei Mowbray, hem scherp in de rede vallend. 'Wij hebben het niet over uitschot, wij hebben het over een aanwinst.'

'Waarom? Waarom is voor hem verraad...'

Mowbray verhief zich in zijn volle lengte, nam de houding aan van de docent, toonde het overwicht van iemand die rekruten toespreekt. 'Wij hebben er de afkorting MICE voor. Elke agent die wij van de tegenpartij in dienst hebben, wordt geregeerd door MICE, oftewel Munten, Ideologie, Compromis of Ego. En eerlijk gezegd zal het me een rotzorg zijn wat onze "vriend" beweegt. Tot over een week.'

Een halfuur later was de marineofficier vertrokken en nadat er een afspraak was gemaakt met Bertie Ponsford, stond Mowbray buiten, met Alice naast hem, en zocht hij een taxi die hen naar Heathrow zou rijden voor de vlucht terug naar zijn post in Warschau. Alice had de codenaam voorgesteld, de enige keer dat ze het woord had genomen. De schipper had beschreven hoe snel hij naar zijn kluis was gegaan om de envelop te verbergen. Het was haar gewoonte om alleen maar het woord te nemen als ze iets belangrijks te zeggen had en dat was de voornaamste reden waarom hij van de afdeling Personeelszaken had geëist dat ze met hem werd overgeplaatst naar Polen. Fret, had ze gezegd, kwam van het veertiende-eeuwse Franse woord *furet*, dat op zijn beurt afkomstig was van het Latijn en zich letterlijk liet vertalen als 'dief'.

Het was een warme middag en de zomerzon had een glimlach op de gezichten van de horde voetgangers getoverd die zich met hen verdrongen op de stoep. Hij voelde de zon niet. Een gevoel van kou leek bezit van hem te nemen, terwijl hij nadacht over een man die geen gezicht of naam had en die hem zijn vertrouwen had gegeven. De dief van de dossiers van de Noordelijke Vloot zou de schuilnaam Fret dragen. De kou drong door tot in zijn botten. Naast hem hield Alice een taxi aan. Hij huiverde. Tenzij hij goed beschermd werd, en dat was zelden het geval, was op de lange termijn het enige goede vooruitzicht een kogel die een eind aan zijn lijden zou maken. Hij liet zich moeizaam op de achterbank van de taxi zakken.

1

V. Wat is de thuishaven van de Russische Oostzeevloot?
A. Kaliningrad.

Het heden
Het was er niet.

Gabriel Locke, 28 jaar en in het laatste jaar van zijn eerste overzeese aanstelling, ging rechtop zitten en strekte zijn benen voor zich uit. Daarna leunde hij achterover op de bank en keek om zich heen.

De Duitse toeristen kwamen door de toegangspoort van het kasteel. Hij schatte hun aantal op meer dan honderd. Hij had de twee bussen zien stoppen op het parkeerterrein bij de rivier en had een tijdje naar het gezelschap gekeken, voordat hij voor hen uit naar de perfect symmetrische boog van de poort met het houten valhek erboven was gelopen. Hij was opgeleid om te observeren. Er was bij de IONEC-cursus voortdurend op gehamerd dat hij een *dead drop* met de grootst mogelijke voorzichtigheid moest benaderen en er niet bij in de buurt moest komen voordat hij zich ervan had vergewist dat hij niet gevolgd werd. De Duitsers waren bejaard en luidruchtig. Ze droegen kleurige kleding en waren behangen met camera's. Wat nu Polen was en ruim een halve eeuw geleden Oost-Pruisen had geheten, was tegenwoordig een populaire bestemming voor een gepensioneerde generatie Duitsers uit het westen. Het had met erfgoed te maken en het bezoeken van een plek waar ze geboren waren of waar hun ouders hadden gewoond.

Toen hij de Duitsers aandachtig bekeken had, was hem niets opgevallen wat zijn argwaan wekte. Hij had behoedzaam de gebruikelijke halvemaanvormige baan over de keien van de binnenplaats van het kasteel afgelegd, had vervolgens gewacht tot een groep schoolkinderen was opgestaan van de bank, en was gaan zitten. Hij had op een pepermuntje gezogen, zich voorovergebogen en zijn hand langs de onderkant van de latten van de bank laten glijden. Hij had niets gevonden.

Had hij zich vergist?

Locke – zijn ouders noemden hem Daffyd, maar hij had vanaf het moment dat hij het huis uit was zijn tweede naam, Gabriel, gebruikt – had het kasteel bij Malbork al twee keer eerder bezocht. Hij was de derde week van mei en de derde week van juli vanuit Warschau naar Malbork gekomen. Op die twee dagen was de binnenplaats ook vol met Duitsers geweest – met hetzelfde vrolijke gelach en dezelfde bewondering voor dit middeleeuwse staaltje uit rode baksteen opgetrokken Teutoonse glorie – en had hij zijn hand onder de dicht naast elkaar liggende latten gestoken en het pakje gevoeld dat daar met kauwgom was bevestigd. Na het onopvallend in zijn zak gestoken te hebben, was hij weggelopen om als een gewone toerist verder mee te gaan met de rondleiding. Ten zuidoosten van Gdansk, in Malbork, had de geestelijke orde van kruisridders aan de Nogat het grootste kasteel in Europa gebouwd. Locke, zoals altijd voorzichtig, was er de man niet naar om onnodig risico's te nemen. Zijn geloof in een goede voorbereiding en de zorg waarmee hij dit deed – de reden waarom hij met vlag en wimpel door de toelatingstest van de inlichtingendienst was gekomen – vereisten een studie van de beknopte geschiedenis van het kasteel, dat hij om de twee maanden moest bezoeken om het pakje onder de bank op te halen. Het was de eerste keer dat er niets voor hem op te halen viel. De Duitsers kwamen in rumoerig gelid op hem af, geleid door de lokroep van de gidsen, aangetrokken door de vier reusachtige bronzen beelden. De beelden stelden de vier krijgsheren voor die zeshonderd jaar geleden over het omliggende land geregeerd hadden. Hij keek op naar de glanzende gezichten van de mannen in harnas. Hermann von Salza, Siegfried von Feuchtwangen, Winrich von Kniprode en markgraaf Albrecht stonden op een brede marmeren plaat, ieder op zijn eigen voetstuk. Ze droegen een maliënkolder onder hun lange gewaad en een nauwsluitende helm op hun hoofd. Aan hun brede riemen hingen enorme slagzwaarden. Von Feuchtwangen ging – ondanks het strenge gezicht dat hem door de beeldhouwer was gegeven – gebukt onder het verlies van zijn rechterhand, door vandalen van de pols gescheiden. De mannen zagen er stuk voor stuk meedogenloos uit en tijdens zijn drie bezoeken was Locke tot de slotsom gekomen dat ze elke spion die een bedreiging voor hen vormde met grof geweld aangepakt zouden hebben.

Maar Gabriel Locke had zich niet vergist.

Het was de juiste dag van de derde week in september. Het was de juiste plaats, zoals die volgens het laatste bericht was afgesproken. Het was de enige bank. Een vergissing was uitgesloten. Hij liet zijn ogen over de vier hoge muren van de binnenplaats gaan, zocht de ruimte af naar iemand die de bank in de gaten hield, man of vrouw, maar kon niemand ontdekken. Hij vermande zich, boog zich voorover en probeerde de handeling op een achteloze manier uit te voeren. Zijn rechterhand gleed onder de latten en tastte naar het pakje. Het was er niet. Hij schoof steeds een stukje verder op op de bank en zijn vingers bleven voelen. De toeristen kwamen dichterbij. De gids had haar gekwebbel gestaakt en nam hem nu op. Hij voelde een blos op zijn wangen en een zweetdruppel op zijn voorhoofd. Toen hadden zijn vingers het eind van de onderkant van de bank bereikt. Twee dames, zwaarlijvig en leunend op stokken, kwamen waggelend naderbij. Nog altijd niets. Ze lieten zich naast hem op de bank vallen en hij werd naar de uiterste rand gedrukt. Hij glimlachte naar hen, maar ze negeerden hem en hij ging staan. Hij had niets meer op het bankje te zoeken. Het liefst zou hij nu op zijn knieën zijn gaan zitten of languit in het grind voor de bank gaan liggen om onder de latten te kijken, maar dat zou belachelijk en zonde van de tijd zijn geweest.

Hij kon er niet omheen: er was geen pakje onder de bank achtergelaten.

Locke deed twee stappen naar voren en zijn plaats werd onmiddellijk ingenomen door een oude man, wiens linkerbroekspijp was opgerold tot de knie waar de amputatie had plaatsgevonden, en die zich met een houten kruk op de been hield. Hij aarzelde. In zijn korte, glansrijke carrière was er nog nooit iets misgegaan. Het was uiteraard niet gezegd dat dit zijn schuld was. Er was geen enkele reden om zichzelf verwijten te maken. Hij had niets verkeerd gedaan. Hij was van mening dat dit belachelijk verouderde methodes waren. Dat hij om de twee maanden van Warschau naar kasteel Malbork moest rijden om als een imbeciel onder een bank te graaien om een pakje op te halen, was gewoon pathetisch. De vorige keren dat hij hier geweest was, had hij na het oppikken van het pakje de schatten van het kasteel bekeken en een bezoek gebracht aan het barnsteenmuseum met zijn kistjes, roemers, bestek en sieraden die door handwerkslieden in de zeventiende en achttiende eeuw waren gemaakt, gevolgd door een bezoekje aan de wapencollectie en de porseleincollectie uit de ateliers in Korzec en Baranowka. Hij had door de kloostergangen van de hoge burcht gedwaald en had versteld gestaan van de wederopbouw van het kasteel na de beschieting door het Rode Leger aan het eind van de Tweede Wereldoorlog, en had zichzelf op een lichte lunch getrakteerd, voordat hij de terugreis had aanvaard.

Hij liep weg en de woede gloeide in hem.

Hij had de agent met de codenaam Fret nog nooit ontmoet. Omdat hij zich te laag in de rangorde bevond om in vertrouwen genomen te worden, wist hij niet alleen de echte naam van de agent niet, maar men had hem ook nooit een foto laten zien. Hij was gewoon een koerier. Bepaalde dingen hoefde hij niet te weten en daarom was het hem uitdrukkelijk verboden om het pakje open te maken als hij dit had opgehaald en diende hij het, nog altijd verzegeld, bij zijn afdelingschef op de ambassade af te leveren. Het was een schrale troost dat zijn afdelingschef – Libby Weedon – ook niet naar het materiaal mocht kijken dat hij twee keer had teruggebracht. De documenten – wat die ook maar mochten bevatten – gingen naar Londen in een tas, die met een handboei en een ketting aan de pols van een boodschapper was bevestigd. Hij was een kind van het computertijdperk en het was voor hem zonneklaar dat al het materiaal, na op de juiste manier gecodeerd te zijn, op elektronische wijze verstuurd diende te worden. Het was in zijn zes jaar bij de dienst waarvoor hij met zo veel trots was gaan werken zelden voorgekomen dat hij de methodes uit het stenen tijdperk had moeten hanteren van de paar dinosauriërs die er nog in Vauxhall Bridge waren. Zijn dag was naar de knoppen. Hij ging ervan uit dat de agent met de codenaam Fret óf in een vergadering zat óf verkouden was óf zich in een warme flat bevond en een nummertje maakte. Hij mocht dan jong zijn, maar als Gabriel Locke, geboren en getogen in Wales, kwaad werd, kon hij weinig begrip voor iets opbrengen.

Er was een noodvoorziening. In het dunne dossier dat hij mocht inzien op het kantoor van de inlichtingendienst op de ambassade stond dat als er geen gebruik was gemaakt van de dead drop in kasteel Malbork, er een week later op een andere plaats gekeken moest worden.

Terwijl hij de stad uit reed, over de brug boven de Nogat, had hij geen benul van de gevolgen die zijn vergeefse reis voor veel mensen zou hebben.

Er was weinig beschutting tegen de kou wanneer de snijdende herfstwind uit het noorden van de Beinn Odhar Mhor waaide, door de kloof van het kleine riviertje dat van de berg naar Loch Shiel stroomde. De wind in de Schotse Hooglanden ging door merg en been in die tijd van het jaar, maar de schilder voelde er niets van. De herfst was de beste tijd voor Billy Smith, omdat de wind en de zware regenwolken dreigende luchtgezichten met zuilen van licht opleverden. De donkere, voortjagende wolken en de lichtbundels die de lage zon verspreidde boden hem de taferelen die hij zocht. Weggedoken tussen de met geel mos begroeide stenen boven de boomgrens, had hij uitzicht op het meer, met daarachter de met rots doorschoten helling van de Sgurr Ghiubhsachian en de donkerpaarse wolken erboven. Hij zat niet tussen de keien om warm te blijven, maar om beschutting te zoeken tegen de windstoten terwijl hij schilderde. Het papier werd met stalen, verchroomde klemmen vastgehouden op een formica tafelblad zonder poten; zijn verf zat op een palet naast zijn linkerelleboog en rechts van hem was een pot waarin heel lang geleden koffie had gezeten, maar die nu gevuld was met water dat hij vóór zijn klim naar dit hoge punt uit het meer had gehaald. Hij werkte nooit vanuit zijn geheugen, maar maakte altijd de klim, alsof het belangrijk was dat hij de macht van de elementen ervoer die deze wildernis teisterden. Hij werkte systematisch, tot de schemering zou hij op de berg blijven, of tot hij het papier niet meer kon zien, en zou dan van de steile, verraderlijke rots komen, ontspannen en tevreden, om naar het huisje met het golfplaatdak te lopen dat zijn thuis was.

Het was een goed restaurant, een van de beste in die plaats aan de zuidkust. Het seizoen was afgelopen en de gasten die er nog waren, sprongen zuinig om met hun pensioen en zouden niet in het restaurant komen dat hij gekozen had. Nu de zomer voorbij was, konden de winkeliers en restauranthouders de ups en downs van de laatste vijf maanden evalueren, en veel geluk met het weer hadden ze niet gehad. Zo kwam het dat Hamilton Protheroe, telkens als hij zijn hand opstak, prompt alle aandacht kreeg. Ze hadden champagne gedronken terwijl ze op de krukken bij de bar zaten en Italiaans gegeten, en de fles chianti op het tafeltje was nu bijna leeg. Hij was een zwendelaar. Hij lichtte oudere dames op, weduwen en gescheiden vrouwen. Hij bracht wat plezier in hun leven en ging soms na de lunch met hen naar bed. En wanneer hij dan de beschikking over hun chequeboek en creditcard had, verdween hij stilletjes uit hun leven en ging hij naar de volgende stad, met een nieuwe naam, maar met dezelfde vleiende, innemende babbel. Hij had het die zomer, in tegenstelling tot de winkeliers en restauranthouders, heel goed gedaan. Zijn veroveringen hadden plaatsgevonden in Bournemouth, Swanage, Weymouth en Lyme Regis en hij was nu in Budleigh Salterton terechtgekomen. Hij had genoeg geld opzij gelegd om de winter comfortabel in het noorden door te brengen. De komende lente zou hij dan weer slachtoffers zoeken in de zuidelijkste badplaatsen – Folkestone, Rye en Eastbourne – waar zijn strafblad verlopen en vergeten was. De vrouw die nu tegenover hem in het snel afnemende zonlicht zat tijdens hun lange lunch, was tien dagen geleden uitgekozen. De ringen aan haar vingers en de grootte van de juwelen die erin zaten, hadden haar in de foyer van het hotel als een geschikte kandidate naar voren laten komen. Hij had haar aan het lachen gemaakt en toen hij haar wijn inschonk, had ze zijn hand langs haar met armbanden getooide pols laten strijken. In haar tas had ze een portefeuille met een hele serie creditcards en betaalpassen. Deze trieste schepsels vielen altijd in slaap als hij seks met hen had gehad.

Het regende, wat de schemering die over het kerkhof kroop bespoedigde. Peter Flint had geen ploegbaas die toezicht op hem hield, noch een chef die controleerde wanneer hij 's ochtends in- en aan het eind van de middag uitklokte. Zes dagen per week werkte hij tot hij het onkruid in de aarde om de zerken of het gras dat hij met de schaar geknipt had niet meer kon zien. Hij had geen toezicht nodig in dit dodenoord. Het heette Tyne Cot. Dit was zijn thuis, niet de boerderij aan de andere kant van het dorp Passchendaele, waar hij een kamer onder de dakspanten huurde. Thuis was: tussen de meetkundige patronen van wit steen dat in Portland was gedolven en tachtig jaar geleden naar dit Belgische veld was gebracht. De stenen die voor hem het meest betekenden, die het grootste deel van zijn dag in beslag namen, waren die met de inscriptie: EEN SOLDAAT UIT DE EERSTE WERELDOORLOG en BEKEND BIJ GOD. Zijn thuis, de grootste oorlogsbegraafplaats van het Gemenebest, bestond uit 11.908 graven en een monument met de namen van 34.808 mannen die als vermist waren opgegeven in de laatste twaalf maanden van de oorlog die aan alle oorlogen een eind zou maken. Hij was geen gezelschapsmens en deed zijn werk het liefst uit de buurt van de andere mannen, zijn kruiwagen, schopje en schaar onder handbereik. Hij was van deze plek gaan houden en kreeg er nooit genoeg van om zijn blik over de licht glooiende heuvel te laten gaan, over de rijen stenen, naar de populieren en de kleine, verzonken bunkers die zo veel van deze levens hadden geëist. Wanneer het avond werd en hij niet meer kon werken, lang nadat de andere werklieden vertrokken waren, borg hij zijn kruiwagen en gereedschap op, zette de lamp op zijn fiets aan en fietste de weg naar de boerderij waar hij een kamer had af. Hij had geen gezelschap nodig; hij was tevreden.

Hij duwde de brancard terug door de gang, waar deze een paar minuten geleden in vliegende vaart van de ambulance naar de eerstehulpafdeling door gereden was. Het ziekenhuis lag nog geen twintig kilometer van de snelweg en kreeg daarom te maken met een onevenredig groot aantal verkeersongelukken. Het slachtoffer dat op de brancard had gelegen die nu door Colin Wicks werd voortgeduwd – een jongeman in een duur pak, of wat er van over was, en een wit overhemd dat een weerzinwekkend aanzien had gekregen door al het bloed – had er niet uitgezien als iemand die nog lang te gaan had toen hij door het schreeuwende, hollende team werd binnengereden. Wicks duwde de brancard door de gang en door de klapdeuren naar buiten, de vallende schemering in. Hij ontrolde de slang, draaide de kraan open en spoot het geronnen bloed van het onderstel van de brancard. Hij moest dat altijd doen, de brancards schoonspuiten, omdat zijn teamleden niet tegen dit werk konden. Ze vonden het vreselijk, maar hij niet. Zodra het onderstel schoon was, zou hij een ontsmettingsmiddel en een harde borstel pakken en de bekleding boenen. Daarna zou hij de brancard laten drogen in de avondlucht en terugduwen naar de parkeerruimte van de ambulances, waar hij zou klaarstaan voor het volgende slachtoffer dat ongeduldig of moe was geweest, te veel had gedronken of domweg pech had gehad. Het water gutste van de brancard naar het afvoerkanaal bij zijn voeten. Toen hij zich bukte om de kraan dicht te draaien, zag hij iets glinsteren in het water en hij bukte zich om het op te rapen: een manchetknoop. De manchetknoop was waarschijnlijk door een grootvader, vader of vriendin aan het slachtoffer gegeven. Hij gebruikte zijn zakdoek om hem af te drogen en bekeek hem nauwkeurig om te controleren of er geen bloedvlekken meer op zaten. Hij zou hem terugbrengen naar de eerstehulpafdeling en aan een verpleegster geven. De vondst van de manchetknoop gaf hem een naar gevoel, net als de toestand van de jongeman die hem in zijn manchet had gedragen. Maar hij voelde allang geen heftige emoties meer.

Geen van de vier – Billy, Ham, Lofty en Wicks – was zich bewust van de gevolgen die de lege plek onder de bank van een verafgelegen kasteel zou hebben.

Hij drukte de toets in. Het bericht werd elektronisch verzonden. FRET: NIET VERSCHENEN. Zijn vinger bleef boven het toetsenbord zweven en in die seconde verliet het bericht de ambassade in de Al Roz-straat, bij het Ujazdowski-park in Warschau, en schoot het door het luchtruim van West-Europa, tot het door de schotels en antennes op het dak van Vauxhall Bridge Cross aan de Theems omlaag gezogen werd.

Hij handelde de procedure voor het uitzetten van de beveiligde computer af. Een paar jaar geleden, voordat Gabriel Locke was aangenomen bij de geheime inlichtingendienst, zou een technicus de verzending verzorgd hebben. In die tijd had men agenten van de dienst het schrijven, coderen en versturen van hun berichten uit het veld niet toevertrouwd. Hij wist hoe computers werkten en wat ze voor hem konden doen. Hij had zelfs een verhandeling geschreven, die door zijn afdelingschef aan de administratie was voorgelegd, over een manier waarop hun computers tegen geringe kosten geüpgraded konden worden. Locke vond het een treurige zaak dat oudere, onbekwame figuren zich de nieuwe technologie niet eigen konden maken.

Het bericht was verstuurd. Hij deed de deur van de codekamer achter zich dicht, controleerde of het dubbele slot was omgedraaid en liep door het personeelskantoor, waar de twee meisjes, Amanda en Christine, achter hun bureau zaten.

Libby Weedons deur stond open. Hij liep er behoedzaam langs, in de hoop dat hij niet opgemerkt zou worden, maar haar stem, diep en duidelijk als de stem van een omroepster, hield hem tegen. Hij werd binnengeroepen. Er werd hem verteld dat hij er 'pissig' uitzag en toen glimlachte ze op haar stijve, strenge manier en zei dat het niet zijn schuld was dat Fret niet gekomen was. Natuurlijk was het zijn schuld niet. En ze herinnerde hem eraan dat hij George niet moest vergeten, die in de hal op de tweede verdieping zat te wachten. Maar natuurlijk zou hij George niet vergeten. En ze attendeerde hem nadrukkelijk op de receptie die de ambassadeur die avond zou houden. Ze keek naar hem op van haar monitor en iets van haar strenge uitdrukking ruimde het veld voor een koket lachje. Hij wist dat Libby Weedon 43 was en dat er geen romantische ontwikkelingen in haar leven waren. Nou ja, ze had een oogje op hem. Dronken of tijdens een etentje bij kaarslicht, of zwetend na een uurtje trainen in de fitnessruimte in de kelder van de ambassade, geloofde hij dat ze misschien wel een stapje verder zou gaan dan alleen maar 'een oogje op hem hebben'. Hij zei opnieuw dat hij George niet zou vergeten en dat hij ook niet vergeten was dat het zeer op prijs zou worden gesteld als hij naar de cocktailparty van de ambassadeur zou gaan. Ze had brede heupen en grote borsten, maar haar huid was gaaf en haar keel vrij van rimpels – ze was net zo oud als zijn tantes, die een geïsoleerd bestaan aan de kust van West-Wales leidden. Hij had de indruk dat ze eenzaam was en alleen uit haar werk nog enige troost putte. Buiten haar kantoor, in de open ruimte, grijnsde, knipoogde en zwaaide hij even naar Amanda en Christine. Hij pakte zijn zware jas en glipte door de deur. In de gang toetste hij de code in op het paneeltje aan de muur en duwde het hek met zijn twee centimeter dikke, stalen tralies open dat de afdeling van de inlichtingendienst van de rest scheidde, waarna hij hem met zijn hak weer achter zich dichttrapte.

Aan de andere kant van de hal, op een bank met dunne bekleding, wachtte George. George, een zwaargebouwde, kalende man, met de dubbele kin die bij zijn 59 jaar paste, was altijd punctueel: je kon de klok op hem gelijk zetten. De twee vorige keren dat ze elkaar ontmoet hadden, had hij Locke het grootste deel van zijn levensverhaal verteld. Hij was lang geleden brigadier geweest bij de recherche van de Londense politie, maar had bij zijn pensionering elf jaar geleden besloten om zijn pensioen aan te vullen met betaald reizen. Hij werkte als koerier voor de inlichtingendienst. Er ging geen week voorbij dat George niet in de lucht zat. Lange vluchten, korte vluchten, het maakte hem eigenlijk niets uit. Op vluchten van de nationale luchtvaartmaatschappij reisde George business class, de voorste rij, en werd de stoel naast de zijne altijd vrijgelaten, zelfs al betekende dit dat betalende passagiers geweigerd moesten worden. Libby Weedon had gezegd dat een buitenlandse inlichtingendienst aan de hand van George' komst in en vertrek uit hun hoofdstad zou weten dat de SIS een operatie in hun gebied uitvoerde. Ondanks zijn zwaarlijvigheid was het moeilijk de koerier uit een menigte te pikken; hij kleedde zich onopvallend in een goedkope spijkerbroek, een veelgedragen overhemd met een sobere das die net boven zijn trui uit kwam, en een verbleekte groene parka. In Lockes ogen was ook hij weer een voorbeeld van de oude wereld die nog steeds door een deel van de dienst bevolkt werd. Op zijn knie rustte een versleten aktetas, beschadigd en veelgebruikt, de aktetas van een zakenman, zij het dat het slot van deze tas was aangevuld met een bescheiden hangslot en dat er een dunne ketting tussen het handvat en George' pols hing, waar deze onder de mouw van zijn parka verdween. Zodra hij hem zag, deed George de aktetas open om het pakje in ontvangst te nemen en haalde hij een boekje met bonnetjes uit de binnenzak van zijn jas.

Locke zei kortaf: 'Het spijt me, George, maar ik heb niets voor je.'

'Pardon, meneer Locke?'

'Ik zei dat ik niets voor je heb, George.'

Dat had duidelijk genoeg moeten zijn, maar een waas van verwondering hing om het hoofd van de koerier. Hij knipperde verbaasd met zijn ogen. 'O, juist, niets, niets voor mij.'

'Inderdaad.'

George ging staan en de frons trok een diepere groef in zijn voorhoofd. 'Nou, daar kijk ik van op. Ik kom hier om de twee maanden, al zestien keer, en ben nog nooit met lege handen vertrokken.' Hij kneep zijn ogen samen, alsof hij argwaan koesterde. 'Weet u het heel zeker, meneer Locke?'

De vraag irriteerde Locke. Hij sloeg zijn ogen hautain naar het plafond op. 'Ja, ik weet het zeker, George. Ik denk dat ik het wel zou weten als ik een pakje voor jou had. Ik ben vandaag het halve land doorgereden, heen en terug, dus neem van mij aan dat ik weet of ik wel of niet iets voor je heb.'

George mompelde, met impliciete kritiek: 'Er was altijd iets voor me toen meneer Mowbray hier was.'

'Meneer Mowbray is hier nu niet en is hier al ruim een jaar niet meer,' zei Locke op vlakke toon. 'Ik denk dat ik je over een week wel weer zie, maar daar krijg je nog een bevestiging van.'

De handboei werd opengemaakt, van de pols gehaald en met de ketting in de aktetas gegooid. George keek nors voor zich uit. 'Ja, misschien, over een week, als er niets gebeurd, of misgegaan is.'

'Vast niet,' zei Locke snel.

Hij liep achter George aan de trap af, door de hoofdingang, en zwaaide gedachteloos naar de koerier toen deze, nog steeds met gefronste wenkbrauwen, in de ambassadeauto stapte. Hij besefte dat ook hij alleen maar een koerier was. Ze wisten beiden even weinig van Fret af. 'Misgegaan was'? Wat zou er misgegaan kunnen zijn? Er ging nooit iets mis met Fret.

Locke reed naar het centrum. Danuta zou op hem wachten. Hun geliefde ontmoetingsplaats, aan het eind van de werkdag, was waar ze de beste koffie in de stad konden krijgen. De kleine bar had een belachelijk lange naam, Sklep z Kawq Pozegnanie z Afrykq, maar nergens in de stad kon je uit zo veel soorten koffie kiezen, dertien verschillende, en hij kende geen betere koffiebar in Londen. Met Danuta tegenover hem aan het tafeltje, haar lange en sierlijk dunne vingers in zijn hand, terwijl hij af en toe een slokje nam van zijn koffie verkeerd in de grote, brede kop, kon hij de ergernis van die dag van zich afschudden. Danuta ontwierp websites en hield net zo veel van de nieuwe wereld als hij. Ze hadden een relatie, een feit waarvan alleen Libby Weedon op de hoogte was. Ze zouden koffiedrinken en haar dag bespreken, voordat hij zich op weg zou begeven naar het vervelende feestje van de ambassadeur. Daarna zou hij teruggaan naar zijn flat, waar Danuta op hem wachtte, en zou het gegeven dat een agent bij een dead drop niets had achtergelaten uit zijn gedachten gewist worden.

Het schip lag afgemeerd aan de kade. Zware kabels hielden het op zijn plaats. Zodra het de vracht citroenen uit de stad Palermo op het Italiaanse eiland Sicilië had gelost, zou het om middernacht bij eb weer vertrekken van de prijzige aanlegplaats in de haven van Bilbao. Eenmaal in de Golf van Biskaje zou het schip gaan bijliggen om de stormen die voorspeld waren het hoofd te bieden en wachten tot de agenten een nieuwe vracht gevonden hadden. Dat kon enige dagen duren.

Nu de vracht door de havenkranen van boord was genomen en de ruimen leeg waren, lag het schip hoog in het water. De *Princess Rose*, zendercode 9HAJ6, was in 1983 van de scheepswerf in Den Helder te water gelaten en in de negentien jaar sinds ze via het Marsdiep de Waddenzee had verlaten, had ze als een overbelaste, maar willige pakezel dienstgedaan voor de in Cyprus gevestigde eigenaars. Varend onder Maltese vlag, had ze heen en weer gestoomd op de Middellandse Zee en de oostelijke Atlantische Oceaan, langs de Europese kusten, de Golf van Biskaje, de Noordzee en de Oostzee. De *Princess*

Rose was nu niet meer dan honderdduizend dollar waard en de toekomst was onzeker.

Terwijl de citroenen in vrachtwagens op weg waren naar Franse sap- en frisdrankfabrieken, torende het schip in zijn roestige glorie hoog boven de kade uit. Er was geen enkele aandacht aan het vaartuig besteed. Het was ten dode opgeschreven, een risico voor de eigenaars, en het zou snel verdwijnen, waarschijnlijk na de enige grote reis van zijn leven, naar een Pakistaans strand aan de Indische Oceaan, waar de slopersploegen het schip uit elkaar zouden halen en elke herinnering aan de *Princess Rose* zouden vernietigen.

Die avond of die ochtend of de volgende avond of de volgende dag – of over een week – zouden de instructies van de eigenaars van het schip via de radio worden doorgegeven aan de schipper en zijn bemanning. Geen van hen zou weten waar die instructies hen zouden brengen en niemand geloofde dat ze tot meer zouden leiden dan de saaie routinetrip naar een bekende haven, waar een vracht zou worden ingeladen, alvorens naar een andere bekende haven uit te varen en daar te lossen. Dat was het leven van de *Princess Rose* in de nadagen van het schip.

Rupert Mowbray was geboren voor het podium, voor de schijnwerpers, voor de microfoon op de lessenaar die hij met beide handen beetgreep en waarop de aantekeningen lagen die hij niet hoefde te raadplegen, omdat hij zijn onderwerp beheerste, en een publiek had dat ademloos aan zijn lippen hing.

'Jullie zouden me – als jullie dat willen en het staat jullie vrij – een oude zak kunnen noemen. Daar zou ik geen aanstoot aan nemen. Omdat dit een vrij land is en ik grote waarde hecht aan vrijheid van meningsuiting en mijn leven eraan heb gewijd om die te waarborgen, zouden jullie me ook een fossiel van een strijder uit het conflict tussen Oost en West, tussen dictatuur en democratie, kunnen noemen. En daar zou ik trots op zijn. De Koude Oorlog duurt voort. Hij is voortdurend om ons heen aanwezig en zou de aandacht moeten opeisen van defensieanalisten, studenten zoals jullie, die zich bezighouden met internationale betrekkingen, en de mannen en vrouwen die belast zijn met de bescherming van onze maatschappij. Misschien geloven jullie mij niet, dus citeer ik voor jullie de woorden van kolonel-generaal Valeri Mironov, die, in zijn hoge positie als staatssecretaris van Defensie in het Kremlin, in een zeldzaam interview het volgende zei: "De Koude Oorlog is nog steeds aan de gang. Er is alleen maar een bepaalde periode voorbij." Ja, er is bezuinigd, maar ik kan jullie verzekeren dat er alleen in het vet van het lichaam van het Russische militaire apparaat is gesneden. Aan de belangrijkste pantsereenheden, de modernste eskaders van de luchtmacht en de met kernwapens uitgeruste langeafstandsonderzeeërs wordt nog altijd elke gedevalueerde roebel besteed die de staat kan opbrengen. Vriendschap, vertrouwen en samenwerking bestaan niet. Het zou waanzin zijn om onze waakzaamheid te laten verslappen.'

Hij nam een slokje van zijn water. Rupert Mowbray, tegenwoordig professor bij de recentelijk opgerichte faculteit voor strategische studies, was beroemd teruggekeerd naar de universiteit van Londen, waaraan hij 36 jaar geleden was afgestudeerd. Men had een plaatsje voor hem gevonden. Het waarnemend hoofd van de universiteit was een lunch aangeboden door de directeur van de dienst en er was geregeld dat er een positie gecreëerd zou worden om Mowbrays pensionering soepeler te laten verlopen. Hij had een kamer, een secretaresse, een begroting die voldoende was voor onderzoek en reiskosten en een geboeid publiek van postdoctorale studenten. Daar de geruchten over zijn vroegere werkkring zich reeds verspreid hadden, hadden zijn studenten hem de weinig complimenteuze bijnaam Beria gegeven. Ze zagen hem inderdaad als een oude zak, maar hij vleide zich met de gedachte dat ze hem toch ook amusant vonden. Er waren zelden lege plaatsen bij zijn wekelijkse college.

'President Poetin drinkt thee uit het beste servies van Hare Majesteit in Buckingham Palace, dineert met Chirac en Schröder en wordt op de barbecue uitgenodigd bij Bush, maar dat betekent geen vriendschap. Onder de op leeftijd gerakende drinkebroer Boris Jeltsin ging het snel bergafwaarts met de inlichtingendiensten. Nu niet meer. Poetin kwam aan de macht op grond van een belofte om Rusland weer de status van wereldmacht te geven. Hij is een product van die diensten en heeft zich tot taak gesteld om ze een mate van gezag te geven in het moderne Rusland, die misschien groter is dan ze ooit gekend hebben, zelfs in de verschrikkelijke tijd van de zuiveringen. Kernraketten zijn weer opgesteld in *oblasts* waaruit ze verwijderd waren. De proeven met raketten die ontworpen zijn voor het vervoeren van massavernietigingswapens zijn hervat. De president heeft zich in het openbaar uitgelaten over de noodzaak om het Russische nucleaire arsenaal op te voeren. De lichamelijke en geestelijke vrijheid van het overgrote deel van de bevolking neemt af naarmate er meer invloedrijke posities in het hart van de regering toegewezen worden aan zijn oude makkers bij de FSB, de federale veiligheidsdienst die de opvolger is van het tweede directoraat van de KGB, andere naam, zelfde mentaliteit. Onze eigen veiligheidsdienst heeft zo'n 2000 mensen in dienst, de FSB heeft er 76.000 en daar zijn bewakings- en hulpdiensten niet bij inbegrepen. Het personeel van onze geheime inlichtingendienst komt op een totaal van zo'n 2200 mannen en vrouwen; hun SVR is 12.000 man sterk. De FAPSI, de dienst voor elektronische spionage en beveiliging, heeft een personeelsbestand van 54.000, terwijl onze GCHQ nog geen tiende van dat aantal heeft. Hoeveel mensen denkt men nodig te hebben om de leiders van Poetins regime en strategische faciliteiten te beschermen? Nog eens 23.000. Voeg daar de 12.000 bij die verantwoordelijk zijn voor de militaire inlichtingen, de GRU, en je komt dicht bij de 200.000 personen die belast zijn met de bescherming van het Russische moederland. Ik vraag jullie: waar denken ze dat de bedreiging vandaan komt? Van hier? Van jullie? Van mij? Waar ze op uit zijn, en Poetin eist dit van hen, is de macht over die vrije geesten die wij als een integraal onderdeel van onze samenleving zien. Je moet in het Rusland van vandaag geen milieuactivist zijn, of onderzoeksjournalist of een invloedrijke, maar zelfstandig denkende industrieel of een gemeentelijk bestuurslid met een eigen mening. In Poetins nieuwe leenrijk stelt de burger de status quo niet zonder risico aan de kaak.'

Hij zweeg en nam nog een slokje, en toen hij het glas had neergezet, streek hij zijn zilverkleurige haar met de palm van zijn hand naar achteren.

'Kan het ons iets schelen? Is het onze zaak hoe Rusland geregeerd wordt? Wie zijn wij om te protesteren als de paar dappere mensen, de paar burgers die de moed hebben om voor hun standpunt uit te komen naar een nieuwe generatie kampen worden gestuurd? We kunnen ons als farizeeërs opstellen. Maar, wat niet genegeerd kan worden, is dat er sprake is van een kleptomanische psychologie bij de nieuwe Russische regering. Ze stelen. Ze kunnen hun handen niet thuishouden. Als wij iets hebben, willen zij het ook hebben. Ze stelen onze kennis en blauwdrukken niet om te zorgen dat er zo meer koelkasten en afwasmachines in de afgrijselijke, vervallen woningen van het volk komen of meer auto's op de weg. Ze stelen om hun duikboten sneller en stiller te maken, de doelmatigheid van hun jachtvliegtuigen te vergroten en ervoor te zorgen dat hun tanks minder kwetsbaar zijn voor tegenacties. Ze zijn de kauwtjes van de spionagewereld. Denk aan Walker, Ames en Hanssen – allemaal Amerikanen, godzijdank – aangetrokken om een onverzadigbare honger naar militaire knowhow te stillen. Jullie zouden gek zijn om te denken dat al die eensgezindheid en al die afspraken tussen onze regeringen en de Russische over deze huidige Afghaanse kwestie meer is dan uiterlijk vertoon. Alles in Poetins Rusland is onderschikt aan militaire macht. Dat was zo vóór het World Trade Center en dat is nog zo. Dames en heren, ik stel het op prijs dat u uw tijd hebt willen opofferen aan deze oude zak. Mag ik u met de volgende gedachte verlaten: als wij ons schild, onze dekking, laten zakken, zullen we daar een hoge prijs voor moeten betalen.'

Toen hij een stap terugdeed van de lessenaar, klonk er een bijzonder pover, aarzelend applausje, dat al snel werd overstemd door het schrapende geluid van stoelen. De schijnwerper zette hem in het licht en hij glimlachte. Het was 28 weken, een halfjaar plus een handjevol dagen, geleden dat hij bij de SIS was weggegaan en hij miste de dienst vreselijk. De reden waarom hij glimlachte, was dat de oude, trouwe George op dit moment waarschijnlijk aan de landing op Heathrow was begonnen, met een aktetas die met een ketting aan zijn pols vastzat, en in die tas zou een pakje zitten. Het pakje werd om de twee maanden op dezelfde dag gebracht en dat tijdsschema was voortdurend in zijn gedachten.

Fret was zijn agent, Rupert Mowbrays grote trots.

Het was niet lekker geweest.

Niet lekker, zelfs niet best wel lekker: gewoon waardeloos.

Locke lag op zijn rug op zijn bed. Hij staarde naar het plafond. Ze hadden het plafondlicht boven het bed aan gelaten. Het was waardeloos geweest door de babyolie. De babyolie was voor hen net zo'n gewoonte geworden als het licht laten branden. Zij had zich gedoucht, terwijl hij zijn plicht had vervuld en handjes had gegeven bij de ambassadeur thuis. Ze had zich ingesmeerd met de olie en hij was gehaast binnengekomen, had zich uitgekleed en was op bed gaan liggen, waarna zij zich over hem heen had gebogen, de fles had geschud en voorbereid was geweest op een klein straaltje olie dat op zijn buik zou lopen en dat zij dan in zijn huid zou masseren. Maar de olie was eruit gegutst, was op hem en vervolgens op de sprei geplensd, waarop een lelijke vlek achterbleef. Hij had gevloekt. Tussen het vrijen door, met haar glibberend boven op hem, hun lichamen glinsterend onder het plafondlicht, had hij haar zelfs gevraagd of zij een goede wasserette in de stad wist waar hij met de sprei heen kon. Ze had aanvankelijk nog geprobeerd om er iets van te maken, maar was toen op de automatische piloot overgegaan, met af en toe wat gekreun dat hij als gemaakt herkende. Toen was ze van hem af gerold, was op haar buik gaan liggen en had haar hoofd van hem afgewend. Het was ook een van hun gewoonten om de gordijnen van zijn slaapkamer niet dicht te trekken wanneer ze vreeën en meestal had dat een flinke dosis spanning aan hun liefdesspel toegevoegd. Hij had naar de ramen aan de overkant van de straat gekeken, had mensen in de kamers zien bewegen, had het flakkerende licht van de televisies gezien in de torenflats langs de verste oever van de rivier en hij had kortaf tegen haar gezegd dat als ze dan geen wasserette wist, ze dan de volgende ochtend maar een paar mensen moest bellen om er een te vinden.

'Zou je op kunnen staan? Ik weet niet of je het gezien hebt, maar het zit nu ook overal op de lakens.'

Hij kon er niets aan doen, hij was geïrriteerd en uit zijn humeur. Hij had Danuta twee maanden geleden in Warschau ontmoet. Hun eerste afspraakjes hadden plaatsgevonden in het internetcafé waar ze elkaar ontmoet hadden, voordat ze gepromoveerd waren naar zijn bed of het hare. Haar Engels was vloeiend en zijn Pools kon ermee door. Ze hoorde niet bij het ambassadewereldje en had veel gereisd. Ze behoorde tot de nieuwe generatie jonge Polen die naar hun land waren teruggekeerd, en hij had haar warm, levendig en goed gezelschap gevonden, een welkome afwisseling op de verveling van zijn ondergeschikte positie in een afgezonderde hoek op de tweede verdieping van de ambassade. Hij wist dat hij de relatie had verknoeid, dat als zij vanavond vertrok, ze niet meer terug zou komen, maar zijn woede deed hem volharden.

Ze rolde van het bed, leek het geen punt te vinden dat de gordijnen niet dicht waren, en bewoog langzaam voor hem heen en weer, waarbij ze hier en daar bukte om haar kleren op te rapen. Toen ging ze rechtop staan en begon zich, omlijst door het raam, langzaam aan te kleden.

Danuta was Lockes eerste vriendin in tweeënhalf jaar. Er was geen vrouw in zijn leven geweest toen hij in Zagreb gestationeerd was en niemand vóór Danuta nadat hij onverwacht naar Warschau was overgeplaatst. Er was een meisje van het archief in Vauxhall Bridge Cross geweest na zijn proeftijd, maar het was haar alleen om een trouwring te doen geweest en ze had hem meteen aan haar ouders willen voorstellen. Vóór haar was er een meisje van de natuurkundefaculteit in Lancaster geweest, maar zij was er tijdens een feestje met veel drank aan het eind van een semester tussenuit geknepen en hij had haar op de vloer aangetroffen met de held van het lacrosseteam van de universiteit. Iedereen zei dat hij er goed uitzag en een goede partij was, dat laatste hadden de vrouw van de ambassadeur en Libby Weedon hem tenminste verteld, maar hij had niet kunnen vinden wat hij zocht.

Terwijl zij zich aankleedde, paradeerde ze voor het raam op en neer.

Deden die stomme sprei, die stomme lakens en die stomme kussenslopen ertoe?

Hij had het verknald, maar vond het niet belangrijk genoeg om zich uit deze situatie te redden. Morgenochtend zou hij zijn afdelingschef, zo terloops en achteloos mogelijk, vertellen dat zijn relatie met een Poolse staatsburgeres tot het verleden behoorde.

Danuta zei geen woord. Ze keek om zich heen of ze misschien iets vergeten was, liep toen energiek naar de toilettafel, pakte de kleine, houten fotolijst, schoof er de foto van zichzelf uit, scheurde die in kleine stukjes en liet die op het kleed dwarrelen. Hij hoorde hoe ze de deur van de flat zachtjes dichtdeed. In elk van die lange momenten nadat ze was opgestaan had hij haar terug kunnen roepen en zijn excuses kunnen aanbieden. Hij had kunnen zeggen dat hij een vreselijke dag achter de rug had, maar dat had hij niet gedaan. Hij bleef alleen achter in de stilte van de kamer.

Het was de schuld van die Fret. Er was geen pakje achtergelaten bij een dead drop.

Nadat hij zich had gedoucht en het bed had afgehaald, ging hij er weer op liggen en probeerde te slapen. Hij had niet genoeg ervaring om te weten wat oudere mannen en vrouwen bij de inlichtingendienst hem hadden kunnen vertellen, namelijk dat een crisis zelden als het soort donderslag kwam dat onmiddellijk om aandacht vroeg. De veteranen zouden hem verteld hebben dat een crisis druppelsgewijs in het bewustzijn van de agenten van de dienst doordrong, zich aarzelend en onaangekondigd aandiende om zich vervolgens geleidelijk aan te ontwikkelen, als een kankergezwel. Hij woelde maar kon de slaap niet vatten.

'Ik ben hier voor het pakje, van de afdeling Warschau.'

De al wat oudere man achter het bureau knipperde met zijn ogen, alsof hij door haar komst was gewekt. Achter hem was een gesloten, stalen deur en achter de deur waren de rekken waar de pakjes werden opgeborgen die door koeriers uit het buitenland werden gebracht.

Ze liet haar identiteitsbewijs zien, de kaart die ze door de machine had gehaald bij de veiligheidsinspectie aan de hoofdingang. Omdat ze dacht dat hij geslapen had en het hem uitgelegd moest worden, zei ze: 'Alice North, 48 RD 21. Er moet hier een pakje voor me liggen, uit Warschau.'

De beambte in de kleine ruimte naast de ruime foyer op de benedenverdieping schudde somber zijn hoofd. 'Ik heb niets ontvangen.'

'Uit Warschau. George moet het gebracht hebben. Mijn naam staat erop.'

'George is hier niet geweest en...'

Ze viel hem in de rede. 'George moet het ongeveer twee uur geleden hier gebracht hebben. Had u lunchpauze?'

'Ik heb alleen een paar boterhammen gehad. Ik ken George heel goed. Ik ben hier al de hele avond en heb George niet gezien. Hij is hier niet geweest. Ik heb George trouwens al vijf dagen niet gezien. Ik kan u niet helpen, mevrouw North.'

'Hoor eens, ik wil geen heibel maken, maar George is vanochtend naar Warschau gevlogen, waar hij een pakje opgehaald moet hebben dat aan mij geadresseerd was en dat pakje moet hij minstens anderhalf uur geleden bezorgd hebben.'

'Hij is hier niet geweest.'

'George moet hier geweest zijn en moet een pakje achtergelaten hebben, aan mij geadresseerd.'

De beambte grijnsde geruststellend. 'Misschien is George' vlucht vertraagd, mevrouw North. De nieuwe veiligheidsmaatregelen.'

'Ik heb op mijn mobiele telefoon gekeken en de vlucht was op tijd. Wilt u alstublieft gaan kijken? U vindt het vast wel.'

De beambte duwde eerst het register naar haar toe en draaide het boek toen om, zodat ze de open bladzijde kon lezen. Er stond niets wat voor haar van belang was. George' naam werd niet vermeld. Toch kwam de beambte moeizaam overeind uit zijn stoel, zuchtte alsof hij gedoemd was om het slachtoffer van agressieve, jonge vrouwen te zijn en schuifelde naar de stalen deur. Hij deed de deur open en liep het vertrek in. Alice bracht haar gewicht van haar linker- op haar rechtervoet over en vervolgens weer op haar linkervoet. Als ze het pakje uit kasteel Malbork niet had moeten ophalen, zou ze nog in Fort Monkton geweest zijn. De rest van de groep op de herhalingscursus was overgebleven en zou pas in de loop van de ochtend van de volgende dag komen opdagen. Tijdens de driedaagse cursus had ze met elf anderen een aantal sessies afgewerkt met de instructeurs om haar geheugen op te frissen op het gebied van inbraaktechnieken, defensieve rijtactieken bij terreurhinderlagen en zelfverdediging. Van dat laatste deden haar heupen en de botten in haar lendenen nog steeds pijn. Ze was vanaf het begin bij Fret betrokken geweest en had elk pakje dat sinds die dag was ontvangen afgehaald. Ze kende hem.

De beambte kwam weer naar buiten. 'Zoals ik al zei – maar u wilde niet luisteren, mevrouw North – is hier vanavond geen pakje uit Warschau binnengekomen. Ik heb niets voor u.'

Ze klepperde weg op haar lage schoenen en nam de lift naar de vierde verdieping. Haar kleine kantoortje was in een hoek van de Oost-Europese sectie, naast het steeds kleiner wordende team van de Rusland-afdeling. Ze was acht jaar geleden, na de verhuizing van Century House naar dit schitterende, nieuwe gebouw, toen de Rusland-afdeling nog de meeste aandacht van de dienst genoot, onder valse voorwendselen dit hok binnengeloodst. Ze geloofde dat de afdeling nu hooguit nog vergeleken kon worden met een eens populaire badplaats, waar mensen met een beetje ambitie niet gauw zouden verblijven. Het was bijna middernacht. Ze zat ruim twee minuten voor haar computer voordat ze hem aanzette. Alice North was een zachtmoedige jonge vrouw. In de 34 jaar dat ze nu op aarde rondliep was ze nog nooit genoodzaakt geweest om het geweld van de rijtactieken of de zelfverdedigingscursus in praktijk te brengen. Ze had een voorgevoel en dat maakte haar bang. Rupert Mowbray was niet langer aanwezig om haar angst weg te nemen. Ze tikte haar wachtwoord in en ging de doolhof van het automatische telegramverwerkingssysteem binnen. Ze had toegang tot dat deel van het systeem dat betrekking had op de agent wiens pakje ze in Londen was komen openen. Ze wipte op haar lage draaistoel.

'FRET: NIET VERSCHENEN.'

Terwijl ze door Londen naar huis reed, via de binnenstad naar de nieuwbouwwijken in het havengebied, nam Alice stuk voor stuk twintig redenen door waarom het pakje niet was afgeleverd. Haar flatje keek uit op het donkere water van de Theems, waar alleen de kolken het licht weerkaatsten. Normaal gesproken zag Alice haar huis als veilig, comfortabel en warm. Ze dacht aan hem, waarom hij niet naar Malbork was gekomen, en de rillingen liepen haar over de rug. Haar vingers vonden de gepolijste barnsteen, die aan een dun gouden kettinkje om haar nek hing. Ze hield hem in haar hand.

In zijn bed, waar hij de klok in de toren van de kathedraal in de oude stad de verstrijkende uren hoorde slaan omdat hij niet kon slapen, nam Gabriel Locke zich voor dat hij morgenochtend op de ambassade meteen zijn reis naar de conferentie van de veiligheidspolitie in Krakau moest annuleren. Over een week zou hij zich niet in Krakau bevinden, maar weer op weg zijn naar het noordoosten, om zich naar de straatmarkt van Braniewo te begeven, wat de reserve dead drop was voor het geval dat kasteel Malbork was misgegaan.

Hij lag koud en alleen op het kale matras.

2

V. Welke Russische militaire basis staat als een fort in de frontlinie tegenover de NAVO?
A. Kaliningrad.

Op een heldere dag kon hij vanuit het raam van zijn kantoor de toren van de Heilige Kruis-kerk aan de overkant van de lagune in Braniewo zien. Het raam bevond zich in het hoogste gebouw van de buiten Kaliningrad gelegen marinebasis die eens Duits, toen Sovjetrussisch en nu Russisch was. De Sovjets en de Russen hadden de Duitse naam Pillau uitgewist en de basis, die de thuishaven van de Oostzeevloot was, de naam Baltijsk gegeven. De gebouwen waren opnieuw opgetrokken in Oudduitse stijl, na door artilleriebeschietingen en luchtaanvallen met de grond gelijkgemaakt te zijn. Het complex was ruim opgezet en het raam keek uit op een groot exercitieterrein. Achter de gebouwen lagen de kades, droogdokken en aanlegplaatsen van de oorlogsschepen van de vloot. Hij stond bij het raam en met zijn verrekijker, die in Leipzig was gemaakt en een vergroting van 10x42 had, kon hij die kloof van 37 kilometer overbruggen en het baksteen van de toren onderscheiden. Maar de 37 kilometer van zijn kantoor naar de toren die zo'n prominente plaats innam op de straatmarkt in Braniewo was een illusie, een afstand die de spot met hem dreef. Alleen een meeuw kon rechtstreeks van zijn kantoor op de marinebasis bij Baltijsk in de oblast Kaliningrad naar Braniewo reizen. Hij kon dat niet. De ondiepe lagune werd bestreken door militaire radarinstallaties, verkend met snelle patrouillevaartuigen en voortdurend nauwlettend in de gaten gehouden.

Met de reis van zijn kantoor naar Braniewo zou 121 kilometer gemoeid zijn. Tussen hem en de straatmarkt onder de toren van de kathedraal was de grenspost en bij de grenspost, aan zijn kant, waren versperringen, honden, wapens en achterdocht.

Hij had de toren vanuit het raam van zijn kantoor gezien en had zich verontschuldigd bij de bevelhebber van de vloot, admiraal Falkovski, wiens chef-staf hij was, en gezegd hoe laat hij terug zou komen. De admiraal had hem gevraagd om tabak mee terug te nemen. Hij was weggereden van de basis en aan de omweg begonnen die door de lagune noodzakelijk gemaakt werd. Het was een lange rit over een slechte weg, die van de basis naar Kaliningrad liep en vervolgens naar een secondaire weg, die in zuidoostelijke richting voerde, met de lagune ten westen van hem. Toen hij de stad achter zich had gelaten en de Pregel was overgestoken, reed hij met zijn kleine Lada door het vissersdorpje Usakovo en de kampeerplaats Laduskin. Vandaar was het één rechte weg naar Pjatidoroznoe en Mamonovo, die hun bestaansrecht ontleenden aan de aanwezigheid van een grens. Het was vlak land, dat rechts van hem naar de rietkragen van de lagune leidde; links van hem waren de natte, geoogste, levenloze velden. Een kilometer voor Pjatidoroznoe, waar een school en een winkel stonden en een kerk die honderd jaar geleden door de Duitsers was gebouwd, maar die nu als buurthuis werd gebruikt, ging hij langzamer rijden.

Hij ging langzamer rijden om een bevestiging te krijgen van wat hij al wist, wat hij een week eerder had gezien.

Hij nam gas terug en een Poolse vrachtwagen toeterde en zwenkte toen naar de andere rijbaan om in te halen. Hij had nu vrij uitzicht in zijn spiegels, die de met populieren omzoomde weg achter hem lieten zien. Honderd meter terug reed een rode personenauto, daarachter een smerige, zilverkleurige auto en daar weer achter een zwarte bestelwagen. Hij had goede ogen en had de spiegels schoongemaakt voordat hij van de basis vertrokken was. De zwarte bestelwagen had een donker getinte voorruit. De rode sedan, de zilverkleurige auto en de zwarte bestelwagen waren ook langzamer gaan rijden. Hij nam zijn voet iets terug van het rempedaal en stuurde licht naar rechts. De wielen aan zijn kant gleden van het wegdek in de zachte aarde van de berm. Dit had hij een week geleden ook gedaan. De rode sedan was gestopt. Het leek of de zilverkleurige auto de bumper van zijn voorganger zou rammen, voordat deze ook stopte, maar de zwarte bestelwagen raasde langs de twee auto's en kwam snel over de lege weg op hem af en langszij. De zijruit was ook getint. Hij zag het doffe oplichten van een brandende sigaret, maar kon de gezichten die zich in de auto schuilhielden niet onderscheiden.

Hij was niet naïef. Hij had een praktische kennis van surveillance. Zijn vrienden hadden hem tijdens de persoonlijke bijeenkomsten verteld waar hij op moest letten, maar dat was erg snel gegaan en er waren zo veel andere dingen geweest om over te praten dat er hooguit een uurtje over was voor de instructies die zijn leven moesten redden.

Zijn veiligheid, de discussie erover, kwam altijd aan het eind van de bijeenkomst, wanneer ze elk technisch en tactisch detail uit hem hadden gekregen. Maar ze hadden erover gesproken en er was briefpapier van het hotel bij gehaald om de ontwijkprocedures te schetsen die hij moest gebruiken. En in de vier jaar die verstreken waren sinds hij de hut was binnengelopen van een schipper van een vissersboot die in Moermansk aan de kade lag, had hij geen gelegenheid voorbij laten gaan om een gesprek aan te knopen met de veiligheidsmensen op het hoofdkwartier van de Noordelijke Vloot en de laatste tijd met die op het hoofdkwartier van de Oostzeevloot. Heel voorzichtig had hij hen uitgehoord, had hij gegraven en grapjes gemaakt bij een glaasje wodka en bier, tijdens picknicks en recepties. Steeds weer had hij het gezelschap gezocht van deze mannen om erachter te komen hoe zij te werk gingen. Wanneer hij alleen in zijn kamer was, in zijn stoel, met de radio aan, of in zijn bed in het donker, spookten de beelden van de surveillanceteams en wat hij van ze wist door zijn hoofd. Ze lieten hem geen moment met rust.

Een week geleden was het nog maar een vermoeden geweest, maar dat vermoeden was voor hem voldoende geweest om terug te gaan.

Er liep een zweetdruppel langs zijn nek naar zijn rug. Een week geleden, de eerste keer dat hem het zweet was uitgebroken en zijn handen hadden gebeefd, was hij er niet zeker van geweest. Zijn case-officers hadden hem verteld dat het altijd beter was om de rustige weg langs de lagune te nemen dan de hoofdweg die verder naar het oosten lag. De weg langs de lagune werd nauwelijks gebruikt en gaf hem een betere kans om auto's die hem volgden te zien. Hij dacht koortsachtig na. Hij had de autoradio aan, maar leek de schreeuwerige omroeper en de muziek die door de luidsprekers kwam niet te horen. De zwarte bestelwagen was nu een meter of honderd voor hem gestopt. Een tractor die hem achterop kwam vulde zijn binnen- en buitenspiegels. Er vloog modder van zijn wielen en er kwam rook uit de uitlaat. Een week geleden had het verstandig geleken om terug te keren, hoewel hij niet zeker was geweest van het risico. De tractor trok een aanhanger met een hoog opgetaste lading bieten langs hem en bespatte de zijruiten en carrosserie van de Lada. De bestuurder zwaaide naar hem. Hij zwaaide niet terug, omdat hij zijn aandacht nu bij de rode en zilverkleurige auto's had, die 150 meter achter hem stilstonden. Gouden herfstbladeren dwarrelden op de auto's neer. Er was geen twijfel mogelijk. Hij kon zich er niet aan onttrekken, zoals hij dat verleden week had gedaan, en zichzelf voorhouden dat zijn actie alleen maar een verstandige voorzorgsmaatregel was. De boodschap van wat hij nu zag, trof hem als een mokerslag. Als ze voor en achter hem stopten, was het hun een zorg of hij zich van hun aanwezigheid bewust was. Misschien wilden ze dat hij op de vlucht sloeg en met grote snelheid naar Mamonovo en de grenspost reed. Misschien wilden ze hem naar de hekken drijven, naar de honden en de geweren. Ze zouden hem daar uit de auto halen, handboeien om zijn polsen doen en breed glimlachen, omdat zijn vluchtpoging zijn schuld bevestigd had. Of ze zouden simpelweg een radiobericht versturen en hij zou opgewacht worden door mannen van de Federalnaja Pogranitsjaja Sloezjba, met wapens en honden om hem te achtervolgen en op te sporen voordat hij maar in de buurt van het hek kon komen. Hij zat in de val.

Hij schakelde naar de eerste versnelling en trok op. Het pakje lag onder zijn stoel en in de zak van zijn jasje zat het ongebruikte, ongeopende reepje kauwgom. Hij haalde de zwarte bestelwagen in en zag hoe de rode en zilverkleurige auto de weg op reden. Vervolgens zag hij in zijn spiegeltje hoe de zwarte bestelwagen uit de berm wegreed en zich bij de kleine stoet achter hem voegde. Hij geloofde vandaag, zoals hij ook een week geleden geloofd had, dat ze geen bewijs van zijn verraad hadden, alleen maar een vermoeden. Als hij vluchtte en het pakje gevonden werd, zou hun vermoeden in zekerheid veranderen. Rechts van hem was een weg naar Veseloe en hij sloeg af. Maar hij reed de weg niet uit naar het kleine vissersdorp, waar de mannen forel, karper en snoek in de lagune vingen voor de vismarkt in Kaliningrad. Hij stopte, gooide het stuur om, reed achteruit en zette toen koers naar Pjatidoroznoe, Ladoeskin en Oesakovo. Een meeuw zou misschien in Braniewo kunnen komen, maar hij niet. Het pakje zat klem onder zijn stoel en als het gevonden werd, zou zijn beloning bestaan uit een ochtendwandeling naar de binnenplaats van een gevangenis en de dood. Hij zou er iets langer dan tweeënhalf uur voor nodig hebben om terug te rijden naar zijn kantoor op de basis van Baltijsk. Hij moest niet in paniek raken. Ze wilden hem graag in paniek zien. Hij zou hun niet tegemoetkomen. Hij keek niet naar de twee auto's toen hij voorbijreed. Hij reed langzaam en voorzichtig en alleen de gedachte aan zijn vrienden stelde hem in staat om met vaste hand te sturen.

Dit was de tweede week dat hij zijn rit naar de dead drop had afgebroken.

Hij was Viktor Alexander Artsjenko, kapitein-luitenant-ter-zee bij de Russische marine.

De schildwachten bij de poort salueerden als ze alleen een pistool aan hun riem droegen, maar sprongen in de houding als ze een geweer hadden. Er werd gegroet en in de houding gesprongen, omdat er een foto van hem in het wachtlokaal hing en omdat de dienstplichtige schildwachten wisten dat hij een man was die invloed en macht had. De slagboom ging voor hem open en kwam achter zijn Lada weer omlaag.

Viktor was jong voor zijn rang.

Op zijn 36e waren zijn macht en invloed gewaarborgd, omdat hij als chef-staf onder admiraal Alexei Falkovski, bevelhebber van de Oostzeevloot, diende. Er werd in het wachtlokaal wel gezegd dat de admiraal pas ging kakken als hij dit met Viktor Artsjenko besproken had en zijn kont pas afveegde als hij Viktor Artsjenko had gevraagd welke hand hij moest gebruiken. Maar ook afgezien van zijn gezag en zijn nauwe band met de admiraal was hij populair in het wachtlokaal bij de jonge mannen die ver van huis waren. Ze zeiden dat hij rechtvaardig was en er waren maar weinig officieren over wie dat gezegd werd.

Hij beantwoordde de groeten met een vluchtig handgebaar en reed door.

In zijn spiegels zag hij dat zijn drie bewakers een eindje van het hek hadden geparkeerd en dat de mannen nu uit de auto stapten en een sigaret opstaken. Een van hen, uit de zwarte bestelwagen, sprak een paar woorden in de mouw van zijn dikke jas.

Met het pakje veilig weggestopt onder zijn jas begaf hij zich naar de gebouwen waar hoge officieren zonder gezinnen waren ondergebracht. Voorzover zijn hart wild bonsde en zijn benen slap waren en het pakje dat hij stijf onder zijn jas hield een loden gewicht leek dat zich in zijn buik boorde, liet hij dat niet merken. Hij liep met grote passen. Hij was een meter vijfentachtig, met fijn blond haar dat door de wind in de war raakte, grijsblauwe ogen en een forse neus. Hij had krachtige jukbeenderen en een nog krachtigere kin. Zijn huid was bleek, alsof hij gewend was om zijn dagen in afgesloten ruimtes achter een bureau door te brengen, in plaats van bloot te staan aan het Oostzeeklimaat. De indruk die door zijn gezicht werd gewekt, was dat hij van Duitse afkomst was of in elk geval niet de etnisch Russische achtergrond had die in zijn dossier vermeld stond – zijn ouders in het dossier stonden vermeld als Pjotr en Irina Artsjenko. Alleen hij en zijn vrienden, ver van hier, kenden het geheim van zijn geboorte, de nationaliteit van zijn grootmoeder en het verhaal van zijn verwekking. Hij was een indrukwekkende verschijning, iemand die direct opviel in een menigte, en er leek gezag en besluitvaardigheid van hem uit te gaan. Onder de dienstplichtigen bij de poort en de andere officieren bij de staf van de admiraal, zou men maar moeilijk van hem hebben kunnen geloven dat zijn leven een leugen was. Een luitenant-ter-zee die vlootoefeningen organiseerde, stond in de deuropening die hij nu naderde en begroette hem lachend, voordat hij zijn hand uitstak om de zijne te drukken, maar Viktor kon hier niet op ingaan, daar de hand die hij gebruikt zou hebben het bewijs van zijn verraad vasthield. Hij glimlachte en liep snel langs hem.

Toen hij zijn kamer binnenging, werden zijn handelingen bepaald door de waarschuwingen die zijn vrienden hem hadden gegeven wanneer zij een paar minuten uittrokken om over zijn veiligheid te praten. Als ze hem in het oog hielden, moest hij ervan uitgaan dat ze in zijn kamer waren geweest, dat er microfoons en camera's waren aangebracht. De hele week, sinds hij was teruggekeerd van de reis naar kasteel Malbork, had hij er een gewoonte van gemaakt om enkele haren over de laden van zijn bureau te leggen en hij had dat ook telkens weer gedaan wanneer hij een schoon overhemd, ondergoed of sokken uit de laden had gehaald. Als zijn kamer doorzocht was, als ze een kijkje hadden genomen in de kamer van een populaire officier bij de staf van de admiraal, zou hij weten dat ze er vertrouwen in hadden dat ze zijn schuld konden bewijzen. Toen hij een zakdoek uit de middelste la haalde, zag hij de haar die op het vloerkleed viel. Door die ene haar, hooguit twee centimeter lang, wist hij dat zijn arrestatie nog niet ophanden was.

Was dat een geruststelling?

Toen hij door de leukemie was weggeteerd en er geen hoop meer was, had zijn vader gezegd dat het beter was om snel een eind aan het leven te maken en de dood te bespoedigen. Een week later was hij dood geweest; hij had zich niet tegen het onvermijdelijke verzet.

Voor Viktor Artsjenko zou het een langzaam en langdurig proces worden, omdat het onderzoek grondig en zorgvuldig verricht zou worden. Hij kleedde zich uit en ging naar de kleine badkamer, waarbij hij het pakje in de waterdichte verpakking met zich meenam. Hij zette de douche aan en trok het ondoorzichtige gordijn om zich heen. Hij verwijderde een tegel ter hoogte van zijn enkel, legde het pakje in de holte erachter en zette de tegel, die met kauwgom bij de hoeken op zijn plaats werd gehouden, terug.

Toen hij zich weer aankleedde, stak hij zich in het dagelijks tenue, het uniform dat hij droeg in het personeelskantoor, achter het bureau tegenover de deur van de suite van de admiraal. Hij was nu kalm, maar hij wist dat dit slechts tijdelijk was. Het zou vannacht erg worden, dat was immers al een week zo. Hij dacht aan zijn case-officers en daardoor bleef hij kalm, maar wanneer het nacht werd, zou hij in het gezelschap van de mannen in de auto's en de bestelwagen belanden en zou hij een pistool zien, het wapen gespannen horen worden en de koude loop tegen zijn nek voelen.

Buiten zijn flatgebouw kwam een peloton van het infanterieregiment van de marine in looppas zijn kant op. In de tweede rij liep de spichtige jongeman met de bleke wangen, kippenborst en platte buik, waarvan de camouflagebroek afzakte; plukken bijna zilverkleurig haar krulden onder zijn scheve baret uit. Hij ging gebukt onder het gewicht van een zwaar NSV-machinegeweer en was behangen met patroonbanden die hem nog verder leken te doen doorbuigen. De dienstplichtige met het wapen kon niet salueren zoals de anderen en hun onderofficier, maar grijnsde naar hem en Viktor knikte op een vriendelijke en correcte manier terug. Over een paar uur zouden zijn case-officers het weten en dan zou hun belofte op de proef gesteld worden. Hij voelde een paar regendruppels die door de westenwind uit zee werden voortgedreven en zijn gezicht troffen als kleine, scherpe korreltjes. Hij rook de scherpe lucht van olie, wrakhout en zeewier en zette koers naar de dokken, waar hij ongestoord kon wandelen, waar hij kon bedenken hoe hij zich kon redden, want hij wist niet of de beloftes waar waren.

Achter hem schreeuwde de onderofficier dat de dienstplichtigen in het gelid moesten blijven.

Het machinegeweer was het belangrijkste voorwerp in Igor Vasiljevs leven.

Tot hem het 12,7mm-machinegeweer was gegeven, had het leven hem niet toegelachen.

Zijn vader was een geschoolde metaalarbeider in een staalfabriek in Wolgograd geweest, maar die fabriek was nu gesloten en zijn vader was taxichauffeur geworden. Zijn moeder had bij de administratie van de fabriek gewerkt en verkocht nu bloemen op straat. Naarmate het oude Rusland, vertrouwd en veilig, was afgebrokkeld, was het snel bergafwaarts gegaan met de familie. Ze beschikten niet over de middelen om deel te nemen aan het nieuwe Rusland, dat volgens de leiders een dynamisch en opwindend land was. De familie werd nu achtervolgd door armoede en dat had een gevoel van schaamte en een gebrek aan zelfvertrouwen met zich meegebracht dat was doorgegeven aan hun zoon. Hij was opgeroepen voor de dienstplicht bij de marine-infanterie. Door zijn magere lichaam, meisjesachtige haar, slanke vingers en verlegen natuur was hij een gemakkelijk doelwit voor de agressieve elementen geworden: de andere dienstplichtigen en onderofficieren. Hij was een slachtoffer van de *dedovsjtsjina*-cultuur. Hij wist niet dat de gewelddadige praktijken van dienstplichtigen jegens andere dienstplichtigen en van onderofficieren jegens hun ondergeschikten, door bepaalde hogere officieren werden aangemoedigd. Deze officieren zagen dit als een uitlaatklep voor de ontberingen van de mannen, de onregelmatige uitkeringen van soldij, hun honger door voedselschaarste, de kou die ze in de winter leden, omdat het leger geen stookolie kon betalen. Hij was niet in het ziekenhuis beland en hij was ook niet verkracht. Maar omdat ze hem verwijfd vonden, was zijn uitrusting vernield, was hij geslagen en geschopt en waren er brandende sigaretten tegen zijn rug en onder zijn uitstekende ribben gehouden.

Vorig jaar, tegen de tijd dat de lente zich aarzelend in Kaliningrad had aangediend en het ijs op de lagune was gesmolten, was zijn leven veranderd.

De basis die verbonden was aan de stad Baltijsk, was de oude Duitse militaire haven en was gebouwd op het schiereiland van zand dat zich in zuidwestelijke richting van het vasteland uitstrekte. Toegang van de Oostzee tot de marinedokken wordt verkregen via een kanaal van tweehonderd meter breed, dat regelmatig gebaggerd wordt om de koopvaardij via de Pregel een verbinding te geven met de haven van Kaliningrad. Ten westen van het kanaal loopt de landtong naar de vijftien kilometer verder gelegen Poolse grens. Deze vijftien kilometer vormen het vaste oefenterrein van de marine-infanterie, die de duizend meter brede landtong samen met de artillerie en de raketeenheden gebruiken. Er bevond zich eens een vliegveld van de Luftwaffe, maar de gebouwen worden nu door de infanterie gebruikt voor schietoefeningen in gevechtssituaties en het land erachter is een met bosjes begroeid braakliggend terrein bezaaid met kraters van granaten en mortieren. Boven het vergeelde maanlandschap bevinden zich de sombere batterijen van het afweergeschut en de tactische grondraketten, met erachter de dennenbossen, het hek met de wachttorens en Polen. Voorbij het oude vliegveld en het terrein dat door de artillerie en de raketeenheid wordt gebruikt, is een schietbaan voor infanteriewapens. Het verste punt op de baan tussen de doelen en de schietposities is tweeduizend meter, de maximale afstand waarop het zware machinegeweer nog effectief is.

In april dat jaar was het peloton op de schietbaan geweest. Zijn kwelgeesten hadden het eerst geschoten en Igor Vasiljev had diep in de greppel weggedoken gezeten, met zijn handen over zijn oren, en niet geweten dat het geen van die jongens gelukt was om een treffer te scoren. Hij had een paar minuten toegekeken, terwijl de berichten terugkwamen van de mensen onder de doelen dat de schoten te hoog, te laag of te ver naar links of rechts waren. Igor Vasiljev, het mikpunt van alle pesterijen, was niet door de bevelvoerende onderofficier bevolen om naar voren te komen, en de onderofficier had gevraagd of elke soldaat in het peloton geschoten had, of ze allemaal zo onbekwaam waren als de soldaten die hij had zien schieten. Toen had de onderofficier, die op een vernietigende blik van de kapitein-luitenant-ter-zee was getrakteerd, de eenentwintigjarige naar voren geroepen. 'Is hij in het gebruik van het wapen onderwezen?' had de kapitein-luitenant-ter-zee gevraagd. En de onderofficier had gestameld dat de dienstplichtige in kwestie nog niet met het zware machinegeweer had geschoten, maar zeker de instructies gehoord moest hebben die de anderen hadden gekregen. De onderofficier had de dienstplichtige in de juiste houding achter het wapen geduwd – op zijn hurken, met opgetrokken knieën – en had de theoretische aspecten van kogelbaan en windfactoren afgeraffeld. De dominerende houding van de officier had elke jongeman in het peloton en de onderofficieren duidelijk gemaakt dat als Igor Vasiljev zou missen, ze allemaal zouden blijven schieten tot hun schouders blauw waren en hun uniform naar kruitdamp stonk.

Hij had zich recht achter het zware machinegeweer opgesteld, met zijn billen op de natte zandgrond. Een korporaal ging op zijn buik naast hem liggen om de patroonriem aan te voeren en de onderofficier had zijn hand uitgestoken om te controleren of het vizier niet verzet was. 'Laat hem dat zelf doen,' had de kapitein-luitenant-ter-zee gezegd, 'laat hem het vizier bijstellen als dat nodig is.' Het was laat in de ochtend, de wind kwam uit het oosten en blies de kegelvormige zak horizontaal van de mast af. De windsnelheid moest minstens dertig kilometer per uur geweest zijn. De dienstplichtige had naar de windzak gekeken, naar het wuivende gras, naar een plastic vuilniszak die in de verte over de schietbaan zeilde en had geschoten.

Donderslagen galmden in zijn onbeschermde oren. Hij moest al zijn kracht aanwenden om het machinegeweer stil te houden op de lage driepoot. Tien schoten in drie korte salvo's en toen was de stilte over de greppel neergedaald. Ze hadden allemaal op de schelle radioberichten van de waarnemers in de verte gewacht. Vijf treffers in een doelwit dat twee meter hoog en anderhalve meter breed was.

'Die jongen is een natuurtalent,' had de kapitein-luitenant-ter-zee gezegd. 'Zorg dat zijn aanleg ontwikkeld wordt.'

Nadat de officier naar zijn jeep was gelopen en was weggereden, had de onderofficier hem opnieuw laten schieten, weer een serie van tien schoten. In die paar minuten was de wind wat gaan liggen en had hij rekening moeten houden met de vermindering van de windkracht. Hij had geschoten en de waarnemers hadden zes treffers uit de tien schoten gemeld.

Die lenteochtend had Igor Vasiljev erop gestaan dat hij het zware machinegeweer terugdroeg naar de vrachtwagen. Het hoofdbestanddeel van het wapen woog 55 kilo. Daar kwam dan 9,2 kilo voor de loop bij, de driepoot woog 16 kilo en de munitie 7,7 kilo. Terwijl hij met een uiterste inspanning de 57,9 kilo, het totaalgewicht van het gemonteerde wapen plus patronen, op de laadklep van de vrachtwagen tilde, had hij de bevelvoerende onderofficier hijgend één vraag gesteld: 'Wie was die officier?'

'De chef-staf van de admiraal van de vloot,' had de onderofficier zuur gezegd. 'Overste Viktor Artsjenko.'

Vanaf die dag had Igor Vasiljev op de schietbaan altijd met het zware machinegeweer geschoten. In de zomer had hij tijdens de brigadekampioenschappen voor zijn peloton geschoten én gewonnen en het jaar erop – het laatste jaar van zijn dienstplicht – werd er van hem verwacht dat hij zou uitkomen in de divisiekampioenschappen voor een zilveren beker, die werd uitgereikt door de generaal van de marine-infanterie. En als overste Artsjenko door een chauffeur naar het militaire hoofdkwartier in Kaliningrad zelf gereden moest worden, kreeg hij soms Igor Vasiljev toegewezen en bespraken ze de theorie van het schijfschieten.

Na twintig verloren jaren was zijn leven die dag op de schietbaan echt begonnen. Alles wat hem trots maakte en zin gaf aan zijn leven, had hij aan de tussenkomst van overste Artsjenko op die lentedag te danken. De tijd die hij in zijn gezelschap doorbracht en de kennis die hij opdeed, gaven eindelijk zin aan zijn leven. En het zware machinegeweer was van hem.

Ingesloten door de andere soldaten van het peloton, het gewicht van het zware machinegeweer op zijn schouders, liep Igor Vasiljev in looppas bij de officier vandaan en vroeg zich af of overste Artsjenko erg verkouden was of misschien zelfs de griep had. Hij had hem nog nooit zo bleek en ontredderd gezien.

Eén uitzondering daargelaten, waren alle gebouwen op de marinebasis in 1945 verwoest. Omdat de basis tienduizenden Duitse burgers en militairen een ontsnappingsmogelijkheid had geboden, waren het bombardement van de Russische luchtmacht en de beschieting van de artillerie genadeloos en doeltreffend geweest.

Het enige gebouw dat overeind was gebleven, was de twee eeuwen oude burcht die door Gustaaf Adolf van Zweden was gebouwd. Daar liep Viktor nu. De buitenkant van de wallen bestond uit zware stenen, met daarboven ongemaaid gras, en die hadden de ware regen van zware explosieven doorstaan. Dit was de plek waar zijn grootmoeder misschien een laatste schuilplaats had gezocht. Ze had geen plaatsje gevonden op de boten die de laatste evacuaties verzorgden. De stad die het kasteel omgaf en aan weerszijden begrensd werd door het kanaal en de dokken, had ruim twee weken lang standgehouden na de overgave van de stad Kaliningrad en het vertrek van de laatste boot. Zijn grootmoeder zou meer geluk gehad hebben als ze een plaatsje op het lijnschip de *Wilhelm Gustloff* had gevonden, omdat haar lot dan snel bezegeld was geweest en ze verdronken was met zevenduizend anderen toen de torpedo doel trof, en nóg meer geluk als ze aan boord van de *General Steuben* of de *Goya* was geweest, toen nog eens elfduizend zielen bij een onderzeebootaanval waren omgekomen, vechtend tegen de verdrinkingsdood in de Oostzee. Zijn grootmoeder had misschien in het kasteel gezeten toen het verzet eindelijk was gebroken en het Rode Leger via de brug over de slotgracht was doorgestoten. Haar dood was langzaam geweest, vernederend, schaamtevol en dat was het lot dat ook voor hem in het verschiet lag.

Als hij de zee nu de rug toekeerde, de zee waar het patroon van boeien de vaargeul naar het kanaal aangaf, waar andere boeien en lichten de wrakken, de grenzen van oude mijnenvelden en de vermoedelijke positie van oude stortplaatsen van explosieven aangaven, als hij zich afwendde van de onbegrensde watervlakte met zijn witte rollers, zou hij uitkijken over het kanaal, de schietbaan en de lagune. Viktor draaide zich niet om, keek niet om. Als hij dat wel had gedaan, op deze frisse middag met goed zicht, zou hij de rondcirkelende meeuwen boven de lagune hebben gezien en zou zijn blik zijn afgedwaald naar de kust aan de overkant en de naalddunne spits van de Heilige Kruis-kerk in Braniewo. De koerier moest inmiddels gearriveerd zijn en het pakje zoeken, maar zou de reden voor zijn reis naar de stinkende toiletten naast de straatmarkt niet kunnen vinden.

Viktor Artsjenko wist niet hoe de verdenking op hem was gevallen. Was hij in de fout gegaan of was dat in Londen gebeurd of aan de Poolse kant van de grens? Hij wist nog wat zijn vrienden tegen hem hadden gezegd: 'Je moet voortdurend op je hoede zijn. Wij kunnen heel moeilijk bekijken wat gevaarlijk voor je is en wat niet.' Tijdens een andere bijeenkomst hadden zijn vrienden gezegd: 'God heeft je tot nu toe beschermd, maar er is een grens aan de risico's die je kunt nemen. Wees voorzichtig, want God beschermt geen idioten.' Maar hoe hij zijn hersens ook pijnigde, hij kon zich geen gesprek herinneren waarin hij zich verraden had. Bij de derde ontmoeting hadden zijn vrienden gezegd: 'We willen dat je beseft dat onze betrokkenheid in eerste instantie van humanitaire aard is, ongeacht hoe belangrijk je bent als bron van informatie.' Bij elke ontmoeting was er de nadruk op gelegd dat hij de grootst mogelijke voorzichtigheid in acht moest nemen en niet moest proberen om te snel te veel door te sturen. Hij was, zo zeiden zijn vrienden altijd, een aanwinst op lange termijn. Mooie woorden, maar niet voor iemand die niet kon vluchten.

Het kasteel met de vijf hoekige bolwerken die in de slotgracht uitstaken was herbouwd na de verwoesting van de bombardementen, niet liefdevol en op de manier waarop de Polen kasteel Malbork hadden herbouwd, maar grofweg, op een manier die voldoende was om van het interieur een onderkomen voor marinecadetten te maken. Er waren prefab barakken op de binnenplaats en rijen bakstenen gebouwen met platte daken, maar hij kon de oude bogengang zien en de smalle ramen die Gustaaf Adolf had ontworpen, en misschien had zijn grootmoeder daar een schuilplaats gezocht toen de vijand kwam.

Het verhaal van zijn grootmoeder, haar leven en haar overlijden, was een van de twee redenen geweest die hem tot verraad gedreven hadden. Hij geloofde dat hij naast zijn grootmoeder liep op de borstwering van het kasteel. Ze gaf hem kracht.

Hij keek niet om naar het silhouet van Braniewo, waar de koerier geweest was, gezocht had en nu vertrokken moest zijn.

Met stevige pas liep hij het kasteel uit en begaf zich weer in de richting van zijn kantoor. Hij zag Piatkin bij de Sailors' Club en liep hem voorbij alsof de politieke officier niet bestond. Ze bevonden zich ieder aan een kant van de straat en ze leken elkaar niet te zien. Maar op die dag was Piatkin, de *zampolit*, de belangrijkste figuur in Viktor Artsjenko's leven.

Elke minuut van Vladdi Piatkins leven werd nu in beslag genomen door de activiteiten van overste Artsjenko. Het was zó belangrijk voor hem, dat hij die ochtend vroeg zijn mobiele telefoon had gebruikt om het bezoek van Boris Tsjelbia, importeur en exporteur van goederen, via een achteringang van de basis af te zeggen. Tsjelbia importeerde nieuwe Mercedessen en exporteerde heroïne uit Turkestan en wapens uit Kaliningrad. Door middel van zijn contacten in de oblast kon Piatkin hem de volledige bescherming van het netwerk van de veiligheidsdienst, de FSB, de Federalnaja Sloezjba Bezopasnosi, aanbieden en in ruil daarvoor kreeg hij maandelijks vijfduizend dollar. De wapens kwamen uit het arsenaal, een paar tegelijk, en er werd met de documentatie geknoeid om de ontbrekende automatische geweren te verklaren. Alleen een zaak van het allergrootste belang zou voor Piatkin aanleiding zijn geweest om een bezoek van de belangrijkste figuur in de georganiseerde misdaad van de stad te annuleren.

En dit was een zaak van het allergrootste belang.

Het was met een klein, onbenullig voorval begonnen.

Toen hij een maand geleden op de kade van de marinehaven had geprobeerd om een sigaret op te steken en hem dat met zijn laatste lucifer niet was gelukt, had hij zich tot de officier naast hem gericht en was hem een fraai, geïllustreerd luciferboekje gegeven, met de naam van een hotel erop. Hij had zijn sigaret bij de tweede poging aan gekregen en had de naam van het hotel en de stad gezien, toen hij het boekje teruggaf aan de officier die verantwoordelijk was voor de munitie van de vloot. Met een glimlach had hij gevraagd hoe de officier aan de lucifers gekomen was. Waarop hem verteld werd: 'Van Artsjenko gekregen, ik geloof dat hij daar gelogeerd heeft de laatste keer dat hij in Polen was, tijdens zijn bezoek aan de scheepswerf voor het droogdokcontract. Artsjenko heeft ze me gegeven.' Argwanend, omdat dat zijn beroep was, en in de wetenschap dat er voor Artsjenko en de delegatie kamers gereserveerd waren in het Mercury en niet in het Exelsior-hotel, dat aan de andere kant van het oude stadsdeel van Gdansk lag, begon hij zich het een en ander af te vragen. Zijn nicht was getrouwd met de FSB-agent die op het consulaat in Gdansk gestationeerd was, maar die om de twee weken over de grens naar Kaliningrad kwam om verslag uit te brengen en dan was het een normale zaak dat de man van zijn nicht de logeerkamer kreeg in Piatkins flat.

Het laatste bezoek had twaalf dagen geleden plaatsgevonden. Bij een biertje en plakjes perzik uit de koelkast had Piatkin gevraagd: 'De bezoeken van de vlootdelegatie aan Gdansk, de kwestie van de beschikbaarheid van het droogdok, klopt het dat ze in het Mercury-hotel logeerden?' Dat was bevestigd. Vervolgens had Piatkin gevraagd: 'Is de delegatie in het Exelsior-hotel in de ul Szafarnia geweest?' Dat was niet het geval. 'Kan iemand van de delegatie naar het Exelsior-hotel gegaan zijn voor een maaltijd, een drankje of een afspraak?' Niemand van de viermansdelegatie, die uit twee marineofficieren en twee burgers van het ministerie van Defensie bestond, had een bezoek aan het hotel gebracht. De man van zijn nicht had de delegatie van de vroege ochtend tot de late avond begeleid. Hij kon garanderen dat het hotel niet bezocht was en Piatkin kreeg te horen dat de prijzen van het Exelsior-hotel de dagelijkse onkostenrekening van de delegatie te boven gingen. Hij had gevraagd: 'Wie komen er in dat hotel?' Buitenlanders: Duitsers, Zweden, Amerikanen. Een worm was in Piatkins brein gekropen en nadat de man van zijn nicht de volgende ochtend weer naar Gdansk was afgereisd, had hij de rest van de dag doorgebracht met het opstellen van een rapport voor zijn meerderen. Hij had er zeer veel moeite mee gehad, omdat het een zeer gevoelige kwestie was om een kapitein-luitenant-ter-zee te noemen die de steun en bescherming van de opperbevelhebber van de vloot genoot.

Vier dagen later, acht dagen geleden, was het bericht uit de Loebjanka in Moskou gekomen dat Viktor Artsjenko, chef-staf van admiraal Falkovski, op onopvallende wijze geschaduwd moest worden. De volgende dag, een week geleden, met een onbeperkte volmacht voor zijn reis naar kasteel Malbork, was Artsjenko richting grens gereden, maar was hij om onverklaarbare redenen vijftien kilometer vóór de controlepost teruggekeerd. Het team, in twee personenauto's en een bestelwagen, was ervan overtuigd geweest dat ze niet gezien waren. En vandaag had hetzelfde team, gebruikmakend van twee andere personenwagens maar dezelfde bestelwagen, Artsjenko's tweede afgebroken rit gemeld. Piatkin kon niet weten waar het spoor van de worm hem naartoe zou leiden en het was eigenlijk ondenkbaar dat een zo belangrijke officier onder verdenking zou staan.

De reactie van het hoofdkwartier op zijn rapport over de afgebroken reis van vanochtend bracht Piatkin een moment van enorme opluchting. De zaak was hem uit handen genomen, werd nu behandeld door Moskou. Bij de Sailors' Club, toen hij langs Artsjenko was gelopen, had hij het niet op kunnen brengen om de man een hartelijke groet toe te roepen, maar wel was hem Artsjenko's gezicht opgevallen, dat zeer gespannen had geleken. Het was nu aan Moskou om de volgende stap te nemen.

Viktor liep langs het uit grijze steen vervaardigde, hoge standbeeld van Lenin. Er waren nog maar weinig van dit soort beelden over, maar op de marinebasis in de oblast Kaliningrad was er een overeind gebleven. De grote man was somber en zijn ogen, in voorwaartse blik gebeiteld in het graniet, leken naar Viktor te staren, dwars door de leugen die zijn leven was. Zijn vrienden waren ver van hem verwijderd. Hij ging de trap op van het hoofdkwartier van de vloot. In de hal salueerden de schildwachten en sprongen de schrijvers in de houding achter hun bureau toen hij voorbijkwam. Zijn vrienden waren ver weg. Hij wist niet wat hij moest doen tegen de verdenking waarmee hij geconfronteerd werd of wie tegen hem in de strijd geworpen zou worden om verdenking om te zetten in bewijs.

Hij was een man van bescheiden postuur, maar zijn reputatie was hem voorgegaan. Zijn schouders waren smal, zijn lichaam tenger, hij had een bos donkere krullen en de manier waarop hij liep was niet de soepele, vloeiende gang van de atleet. De gladde huid van zijn wangen onder de stoppels van twee dagen gaf hem een uiterlijk dat te jong leek voor de rang die hij volgens de verbleekte, stoffen insignes op zijn schouders bekleedde. Het waren de ogen die zijn reputatie waarmaakten. Ze waren leigrijs en er leek een fel licht in te branden. De kalmte in de ogen kwam geheel voort uit een diep vertrouwen in eigen kunnen: het waren de ogen van een havik, een roofdier.

Hij had vele verblijfplaatsen, maar er was er niet een belangrijk, omdat hij nergens een thuis had gevonden. Hij was opgegroeid in Gorno-Altaisk, hoofdstad van de Altai-regio in het verre zuiden, en was gestationeerd geweest in Moskou, Novosibirsk en Koersk, waar hij de familie had achtergelaten die hij nooit meer zag, nooit meer schreef en van wie hij ook nooit meer iets had gehoord. Er was een bureau in Moskou, in de Loebjanka, dat in naam van hem was, en een eenkamerflat vier straten verderop, waar twee koffers met kleren onder het bed lagen; maar op dit moment was thuis een kazerne in Grozny, zo'n 1450 kilometer ten zuidoosten van zijn schaarse bezittingen.

Hij was de vorige dag per vliegtuig uit Moskou gearriveerd, was die avond en nacht van de situatie op de hoogte gebracht en nu stond de helikopter voor hem klaar. Hij slenterde over het voorterrein, met een generaal naast zich en gevolgd door vier zwaargewapende mannen. De motor van de Mi-8 transporthelikopter kwam gierend op volle toeren en de schroef beschreef een perfecte cirkel boven het toestel. Hij liep ontspannen en hij straalde kalmte uit, maar het gezicht van de generaal was door bezorgdheid gerimpeld en de vier mannen, wier ogen schitterden door de opening in hun bivakmuts, verrieden angst in de manier waarop ze liepen.

Hij droeg zware laarzen van bruin leer, geen soldatenlaarzen, en de veters waren losjes geknoopt. Zijn dikke, geitenwollen sokken zaten om de pijpen van zijn stevige spijkerbroek en zijn bovenlichaam werd tegen het weer beschermd door een grijs T-shirt, een bruine, wollen trui, een blauw, wollen jasje en de uniformjas. Om zijn middel had hij een riem, waaraan een holster met een automatisch pistool hing, en achter op zijn rug, in het midden van zijn riem, een EHBO-doosje.

De generaal bewoog zenuwachtig naast hem, terwijl het motorlawaai aanzwol. 'Doe je best.'

'Maar natuurlijk.' De stem klonk zacht, bijna mild.

'Hij is een van mijn oudste collega's, zeer gewaardeerd.'

'Ze zijn allemaal even belangrijk, voor iemand.'

De generaal hield vol, moest zijn stem boven de motor verheffen. 'We hebben samen in Afghanistan gediend, twee keer, in Jalalabad en Herat. De laatste brigade die erheen ging. Het is de derde keer dat we hier in dit klotegat zijn.'

Zijn metgezel bleef staan en een frons trok een kleine voor in zijn voorhoofd. Toen verwijderde hij de kolonelinsignes van zijn schouders en gaf die aan de generaal. Een snelle grijns gaf een open uitdrukking aan zijn gezicht. 'Ik denk niet dat ik hier iets aan heb.'

'De schoft,' siste de generaal. 'Schroef zijn ballen eraf.'

'Ik zal doen wat ik denk dat nodig is.'

Het was ingewikkeld. Het zou een delicate en gevaarlijke affaire worden. De collega van de generaal was brigadegeneraal bij de mobiele infanterie en was met drie begeleiders gevangengenomen bij de Argoen-vallei; de rest was gedood. De klootzak in kwestie was Ibn ul Attab, de militaire leider die het oostelijk deel van de vallei bezet had. In de speuractie voor de brigadegeneraal had een patrouille van zes man van de speciale Zwarte Baretten het geluk gehad om Attab en zijn zoon krijgsgevangen te kunnen maken. Ze hadden het tweetal geboeid in een grot hoog boven de vallei ondergebracht, maar de plek waar de brigadegeneraal en zijn begeleiders werden vastgehouden was niet bekend en het weer was omgeslagen. Er lag een dik wolkendek over de beboste rotsformaties en de helikopters konden niet vliegen. De brigadegeneraal kon alleen nog gered worden als Attab vertelde waar hij was, in welke kloof, in welke grot in de rotsen.

Joeri Bikov, 38 jaar oud, nu zonder zijn kolonelinsignes, was de ondervrager met de reputatie.

'We rekenen op je,' zei de generaal schor.

Hij haalde zijn schouders op, legde zijn hand losjes op de arm van de generaal en draaide zich om naar de helikopter. Van een laaggelegen landingsplaats zouden ze met pantserwagens verder reizen en vervolgens te voet de tocht naar het baken van de patrouille van de Zwarte Baretten ondernemen. Er stonden dienstplichtigen en grijze mannen van het grondpersoneel om hem heen. Hij zag het aan hun gezicht: hij was hun idool, ze hadden vertrouwen in hem, omdat zijn reputatie als ondervrager hem was voorgegaan. Tijdens de voorlichting had hij gehoord dat de Zwarte Baretten Ibn ul Attab al halfdood hadden geslagen en dat hij niets had gezegd. Er was nu weinig tijd meer om het leven van de brigadegeneraal te redden.

Hij klom naar het luik en een van de bemanningsleden hielp hem om zich erdoor te wringen.

Bikov ging op een canvas stoeltje tegen de cockpitwand zitten en toen zijn vier mannen zich bij hem hadden gevoegd, namen de machinegeweerschutters hun positie bij de luiken in en zetten hun wapens op scherp. Toen ze opstegen en hij om zich heen keek, zag hij de bloedvlekken op de vloer van de cabine. Er lag een stukje wit bot bij zijn voeten. Aan de binnenkant van de romp zaten stukjes isolatieband die de kogelinslagen afdekten. Zijn reputatie hield in dat hij als enige van de ondervragers van de veiligheidsdienst in staat was om de informatie los te krijgen waarmee een brigadegeneraal en zijn escorte gered konden worden.

Niet lang daarna viel hij in slaap in de rammelende cabine. Hij had geen tijd voor het uitzicht dat de raampjes boden op gebombardeerde dorpen of de bergen in de verte, waar de wolken boven de hellingen hingen. Hij deed zijn ogen niet open toen de mannen achter de machinegeweren een paar schoten losten om de wapens te testen. Als hij al gebukt ging onder de verantwoording die hem gegeven was, dan liet hij dat niet merken terwijl zijn hoofd naar voren knikte en zijn kin op zijn borst bleef rusten.

Viktor Artsjenko was nog nooit in Tsjetsjenië geweest en had nog nooit van kolonel Joeri Bikov gehoord.

'Wat zijn de onderwerpen waar je eigenlijk niet over kunt praten? Wat is hun rampgebied tegenwoordig?' Viktor zat achter in de auto, naast de admiraal.

'Brutale jongen.' De admiraal liet zijn bekende donkere lach horen. 'Je roddelt te veel.'

Viktor was de rechterhand van de admiraal, zijn ogen en zijn oren. Er werd van hem verwacht dat hij vertrouwelijke informatie loskreeg uit collega's in vertrouwensposities bij de andere vloten, het leger en de luchtmacht. Wat hij te weten kwam, ging niet alleen naar kasteel Malbork om door de koerier opgepikt te worden, maar werd ook in het oor van de opperbevelhebber van de Oostzeevloot gefluisterd. Kennis was macht. Als admiraal Alexei Falkovski de bijzonderheden van de problemen van een andere commandant kende of wist welke bijzondere middelen beschikbaar waren gesteld aan anderen, dan had hij de aangeboren sluwheid om deze kennis in zijn eigen voordeel te gebruiken. Als de Noordelijke Vloot wegens een brandstoftekort niet kon uitvaren, speelde Falkovski aan de hogere functionarissen bij het ministerie de informatie door dat hij, in Kaliningrad, kans had gezien om voldoende brandstof te besparen, en dat verleende glans aan zijn reputatie. Hij voer wel bij de roddelpraatjes die Viktor hem bracht.

'En hoe was je dag tussen de ruïnes, Viko?'

'Ik ben niet gegaan,' zei Viktor kalm.

Een dwingende vraag. 'Niet gegaan? Een bezoekje overgeslagen?'

'Eerlijk gezegd ben ik wel gegaan. Heel dom van me, ik was al op weg, toen ik me herinnerde dat Stanislaw – de conservator – met vakantie was. Ik ben omgedraaid.'

Hij keek scherp naar zijn admiraal in het donkere interieur van de auto. Hij was er in de vele jaren achtergekomen dat deze bruuske, sterke, onstuimige man zo sluw als een vos was. Maar de admiraal had zijn ogen amper open en leunde met zijn hoofd tegen de achterbank. De vragen waren geen verhoor geweest, maar kwamen voort uit beleefdheid. Viktor bedacht dat hij hier, met zijn beschermheer naast zich, veilig was. Als deze lichamelijk enorme en geestelijk goed ontwikkelde man geweten had dat er nu verdenking op zijn protégé rustte, had hij hem niet meegenomen in zijn auto. Ze zochten nog steeds naar bewijs en zonder bewijs zouden ze iemand met de autoriteit van de opperbevelhebber van de Oostzeevloot niet durven benaderen om hun aanklacht in te dienen. Hij had nog tijd, maar hij wist niet hoeveel.

Behalve wanneer hij ziek was en de doktoren de moed hadden opgebracht om hem rust voor te schrijven, nam admiraal Alexei Falkovski nooit een dag vrij. Zijn hele carrière, en vooral nu hij het bevel over een oorlogsvloot voerde, had hij zich fanatiek beziggehouden met de controle over de marine die hij had. Hij nam geen vakantie of verlof. Zijn vrouw ging of alleen of met haar vriendinnen met vakantie. Als ze al een weekje naar een badplaats aan de Zwarte Zee gingen, werd zijn vrouw in de steek gelaten terwijl hij zijn dagen doorbracht met het bezoeken van andere legeronderdelen, en 's avonds gingen ze naar dienstdiners. Maar hij legde zich er lichtelijk geamuseerd bij neer dat zijn chef-staf af en toe een vrije dag nam voor een studiebezoek aan kasteel Malbork over de grens met Polen. Waarom een hoge marineofficier zo geïnteresseerd zou zijn in een middeleeuws kasteel en, bij het obsessieve af, een expert in de geschiedenis ervan zou worden, was, zoals Viktor wist, iets wat de admiraal aan het excentrieke vond grenzen. Toch werden de pasjes die Viktor nodig had om over de grens te gaan en Malbork te bezoeken altijd getekend, weliswaar met bars gesnuif, maar ze werden toch getekend.

'Dus je hebt geen sigaretten voor me mee teruggebracht? Hoe moet ik me zonder mijn sigaretten redden?' De admiraal gaf Viktor een stomp. De stomp deed pijn. 'Ik ga dood zonder mijn sigaretten.'

De admiraal rookte soms wel twee pakjes Camel zonder filter per dag. Telkens als Viktor naar Malbork ging, nam hij tien sloffen of meer mee terug, nooit minder dan tweeduizend Camel-sigaretten. Er heerste altijd een gespannen sfeer in het kantoor van de admiraal als het eind van de voorraad in zicht kwam en het volgende bezoek aan Malbork pas over ruim een week plaatsvond. In Kaliningrad kon je, tegen een fikse prijs, altijd wel Marlboro, Lucky Strike of Winston bij de kioskjes op straat kopen, maar pakjes Camel waren moeilijker te vinden.

'Zodra ik kan "ontsnappen", admiraal, zal ik een dagje met het archeologische team gaan werken, stenen schoonmaken, rottende botten opgraven, en dan koop ik de sigaretten voor u.'

'Als ik dan al niet dood ben.' Er kwam een zachtere klank in Falkovski's stem. Voor in de auto met het vaantje van de vloot op de motorkap zaten de chauffeur en de persoonlijke, geüniformeerde lijfwacht van de admiraal. Hij mompelde: 'Vanavond zijn alle luchtmachtbonzen aanwezig. Gaan ze dat nieuwe vliegtuig, de MFI, krijgen of niet? Zijn die varkens ons voor bij de trog? Ik zou dat vreselijk vinden. Ik moet het weten. Ook aanwezig vanavond is die hansworst Gorin, van Raketdefensie, en ik hoor dat ze dag en nacht lobbyen om geld, geld en nog eens geld, en wat zij krijgen gaat aan mijn neus voorbij. Ik wil niet dat je het met ze over stomme kastelen hebt.'

Ze grinnikten samen, als oude vrienden, en toen weerklonk de donkere lach van de admiraal in de auto.

Admiraal Falkovski en zijn vrouw hadden twee dochters. Een onderwees kleine kinderen in Moskou en de ander zat achter een ontvangstbalie in St.-Petersburg. Hij was in beiden diep teleurgesteld.

Ze waren allebei bang voor water, werden bleek bij de aanblik van een woeste zee en ze hadden hun vader ieder op hun eigen manier duidelijk gemaakt dat zijn liefde voor alles wat met de zee te maken had van hem een pathetische en afstandelijke figuur maakte. Ze hadden geen enkel begrip voor zijn leven en hij niet voor dat van hen en ze kwamen hem maar één keer per jaar in Kaliningrad opzoeken. Hij zou geneigd zijn te zeggen, bij zichzelf, niet tegen zijn vrouw, dat hij eindelijk een zoon had gekregen toen hij voor het eerst zijn oog op de jonge Viktor Artsjenko had laten vallen. Hij was nu 56, maar toen was hij 42 geweest en de jongeman op wie zijn oog was gevallen 22. In die tijd had hij het bevel gevoerd over het flottielje torpedobootjagers en fregatten dat Severomorsk als thuishaven had. Zijn reputatie vanwege zijn nietsontziende trouw aan de marine was dertien jaar vóór hun eerste ontmoeting opgebouwd en kwam voort uit de onderdrukking van een muiterij. In 1975, tijdens de viering van de bolsjewistische revolutie, had de Krivak-klasse destroyer de *Storezjevoi* de Oostzeehaven Riga, hoofdstad van de satellietstaat Letland aangedaan, waar de politieke en tweede officier hadden beseft dat de nabijheid van de Zweedse territoriale wateren een unieke kans bood om uit het sovjetkamp te ontsnappen. Terwijl het grootste gedeelte van de bemanning en de commandant onderdeks waren opgesloten, waren de politieke en tweede officier, geholpen door een minimale bemanning die uit medeplichtigen bestond, uit Riga vertrokken. De vlucht was aanvankelijk onopgemerkt verlopen, maar toen had een van de bemanningsleden, die óf aan de wijsheid van hun poging had getwijfeld óf bang was geworden, radiocontact met de wal opgenomen en het opperbevel gewaarschuwd.

Chaos en verwarring moeten het gevolg geweest zijn toen de boodschap werd ontvangen. Falkovski, toen kapitein-luitenant-terzee, had zijn meerderen, die geaarzeld hadden, opzij geduwd en het bevel gegeven. Niemand had er iets tegenin durven brengen. De luchtmacht had de weerloze destroyer gebombardeerd en met machinegeweren beschoten en het schip nog geen 48 kilometer van de veilige Zweedse wateren stilgelegd. Falkovski had de eenheid geleid die aan boord was gegaan om de politieke officier, de tweede officier en bepaalde leden van de bemanning terug te brengen. De politieke officier was zonder vorm van proces gefusilleerd. Tegen iedereen die het maar wilde horen had Falkovski gezegd dat hij trots was op wat hij gedaan had en hij had eraan toegevoegd dat het hem er niet om te doen was geweest om de gewijde viering van de revolutie te beschermen, maar om de goede naam van de marine veilig te stellen. Niemand had aan zijn argument getwijfeld. Hij zou korte metten maken met verraders en geen enkele sympathie aan de dag leggen. De boodschap en de motivatie die aan zijn actie ten grondslag lagen waren overal waar de naam Falkovski werd uitgesproken bekend.

Dertien jaar later had hij de luitenant-ter-zee tweede klas ontmoet. De dag waarop ze elkaar voor het eerst gezien hadden, had hun relatie beslecht. De geleidewapen-destroyer *Gnevnji* had op een dag begin juli 1988 uit Severomorsk moeten afvaren om deel te nemen aan duikbootbestrijdingsoefeningen van de Noordelijke Vloot en was niet uit de haven vertrokken. De bemanning was aan dek in het gelid gezet en kapitein-ter-zee Falkovski was aan boord gemarcheerd en had een van gif doorspekte tirade afgestoken over de inefficiëntie van de officieren, onderofficieren en matrozen van de *Gnevnji* en van luitenant-ter-zee tweede klas Artsjenko. Ze waren een 'aanfluiting', ze waren zó onvoorbereid, dat het 'de marine te schande maakte', ze waren nog niet goed genoeg om 'de latrines van de droogdokken van de vloot schoon te maken' en al hun verlof voor het komende jaar was ingetrokken. Tijdens Falkovski's donderpreek had de kapitein van de *Gnevnji* zijn hoofd laten hangen, zijn laarzen bestudeerd en geweten dat zijn carrière bij de marine afgelopen was. Terwijl kapitein-ter-zee Falkovski naar de bemanning had gestaard, met indringende, onheilspellende ogen, had Artsjenko het woord genomen. Hij had in de vierde rij gestaan en had – Falkovski kon zich de bijzonderheden nog goed herinneren – met opgeheven kin en ogen die recht vooruit keken gesproken, zijn stem vast en zonder angst. Hij had gereageerd toen niemand anders de moed had. 'Kolonel, de *Gnevnji* is niet uitgevaren, omdat er geen brandstof was. Hoewel de bemanning al drie maanden niet betaald is, er slechts genoeg eten aan boord is voor een week en de oefeningen negentien dagen gaan duren, zijn dit niet de redenen waarom we niet zijn uitgevaren. Er zou een dag voor vertrek gebunkerd worden. Dat is niet gebeurd. De brandstof werd op de zwarte markt verkocht. Onze commandant kreeg dit van een officier bij de administratie van de Noordelijke Vloot te horen, toen hij aan wal ging om op zijn knieën om brandstof te vragen. Er werd hem verteld dat de opslagtanks leeg waren, omdat de laatste brandstof onderhands aan *mafija*-leden in Leningrad was verkocht. Als de kolonel ons de brandstof geeft, kunnen we uitvaren en zullen we ons best doen om ons van onze taak te kwijten.' Hij was de enige die de moed had gehad om zich uit te spreken.

De volgende ochtend had men brandstof en proviand ingeslagen en was het schip uitgevaren. Drie officieren bij de administratie waren naar kampen gestuurd en een mafija-bons in Leningrad was bij een verkeersongeluk om het leven gekomen. Twee jaar later, toen Artsjenko's diensttijd op de *Gnevnji* ten einde liep, waarbij scherp gekeken was of hij een betweter was of een officier met een groot plichtsgevoel, had Falkovski hem in een zakelijk briefje van twee regels voor zijn persoonlijke staf gevraagd. Twee jaar later was Falkovski overgeplaatst naar het ministerie van Defensie in Moskou en had hij zijn invloed aangewend om de jongeman op de Gretsjko Academie voor Stafofficieren in de hoofdstad geplaatst te krijgen.

In 1997 had Falkovski de rang van admiraal verkregen en had hij het ministerie verlaten om het bevel over te nemen van de schepen van de Noordelijke Vloot en was de jonge Artsjenko met hem overgeplaatst. Hij voelde genegenheid voor Viktor, maar ook bewondering voor de hoeveelheid werk die de jongeman op zijn schouders nam. Volstrekte betrouwbaarheid, de eerlijkheid die hij van ondergeschikten verlangde en vertrouwen vormden de bouwstenen van hun relatie. Viktor was de zoon die hij nooit gehad had. Twee jaar later, in mei 1999, waren ze samen naar Kaliningrad vertrokken: admiraal van de vloot en chef-staf. Gedurende het afgelopen jaar waren veel jonge officieren uit de marine gestapt en hadden zich in het burgerleven teruggetrokken. Van degenen die bleven waren er maar weinig betrouwbaar. De man was goud waard. Falkovski was van mening dat hij zijn taak niet vervuld had kunnen hebben zonder de altijd aanwezige, altijd betrouwbare Viktor Artsjenko. En Falkovski koesterde de hoop dat hij de allerhoogste positie zou bereiken, admiraal van de vloot van de Russische Federatie, wanneer zijn diensttijd in Kaliningrad was afgelopen en dat Viktor dan nog steeds bij hem zou zijn als zijn rechterhand.

Ze kwamen bij het hoofdkwartier van de luchtmacht. Falkovski zei: 'Laat je geen oor aannaaien.'

'Pardon, admiraal. Maar dat doe ik toch nooit?' antwoordde de zachte stem.

Weer gaf hij de jongere man een stomp. Hij vond Viktor teruggetrokken, afwezig. Toen was hij zijn auto uit en beende hij langs een kleine erewacht. Hij hoorde het geruststellende geknars van Viktors schoenen op het grind achter hem.

Het was het soort avond waar Viktor zijn voordeel mee deed.

Zijn admiraal en de generaals bevonden zich aan de andere kant van de kamer, waar ze als bronstige wilde zwijnen om elkaar heen draaiden, terwijl ze met woorden speelden en hun wederzijdse jaloezie voor elkaar probeerden te verbergen. Viktor stond aan de bar, waar het eten was, in het gezelschap van degenen die de tweede garnituur in de gezagsketen vormden. Hoewel hij aan de bar stond en dicht bij de messbediende, dronk hij opzettelijk weinig bij dit soort gelegenheden – in dit geval het bezoek van een luchtmachtgeneraal uit Moskou, die de leiding had over ontwerp en ontwikkeling – en zorgde hij ervoor dat de anderen om hem heen gevaarlijk veel consumeerden.

De chef-staf van de bezoekende generaal zei tegen Viktor: 'Als we ze niet snel krijgen, kunnen we net zo goed naar huis gaan en aardappels gaan verbouwen. Zonder die vliegtuigen wordt het niks. We moeten het lichte jachtvliegtuig en de zware bommenwerper gewoon hebben, in een verhouding van twee op een. Wat we gaan krijgen is iets anders, het compromis – één toestel met een NSG van zeventien ton – maar het bereik, is ons beloofd, is meer dan 4500 kilometer, en ze gaan er twee motoren in zetten, de AL-41F turbofan, met een stuwkracht van 175 kN. Dat is niet wat we hebben willen, maar wat we zullen krijgen. De MFI is het toestel dat ze ons gegarandeerd hebben. Ze zeggen dat de wendbaarheid beter is dan van de volgende generatie Amerikaanse toestellen en vertellen erbij dat het radarsysteem beter zal zijn dan het NO14-systeem, dat een azimut van +/- 130-150 heeft, met staartradar voor de rest. Ook zeggen ze dat de bewapening zal bestaan uit alle huidige raketten tegen lucht- en gronddoelen. Maar waar is het prototype? De 1-44 staat ergens in een Zjoekovskihangar en ondergaat een paar "basisveranderingen", wat betekent dat het waardeloos is – een hoge mate van statische instabiliteit, is het gerucht. Ze wachten tot de testpiloot de moed op kan brengen om met het ding de lucht in te gaan, de arme stakker. Dat is het toestel dat we gaan krijgen en het geld is er al, sinds verleden week. En hoe staan de zaken bij de marine?'

Viktor praatte een poosje over de stand van zaken bij de Oostzeevloot, maar hield zich voornamelijk bezig met onthouden van wat er gezegd was. De MFI was de Mikojan Multifunctionele Tactische jager. De term NSG betekende normaal startgewicht. Het vliegtuig moest de opvolger worden van de SU-27 en vierde generatie MiG-29 jagers en was ontworpen als reactie op de Martin F-22 jagers van de Amerikanen. Viktor maakte een discreet gebaar in de richting van zijn admiraal aan de andere kant van de kamer en mompelde dat 'de dikke man' een laatste rapport over de MFI, waar het programma heen ging, aan hem persoonlijk gericht, zeer op prijs zou stellen. Hij kreeg te horen dat dit rapport verstuurd zou worden.

Viktor ging naar de volgende kandidaat.

Op dat moment werd aan de andere kant van de grens, ten zuidwesten van de Poolse stad Warschau, achter een stalen deur op de tweede verdieping van de ambassade, een bericht gedecodeerd.

Viktor kwam bij zijn tweede doelwit van de avond, een kolonel bij het departement van Vroegtijdige Waarschuwing, die met zijn generaal op een driedaags oriëntatiebezoek was om de stand van zaken in Kaliningrad te bekijken. Het was Viktor opgevallen dat het glas van de kolonel leeg was en hij bracht hem een nieuw glas met een dubbele borrel.

'Het is hopeloos, nog nooit zo erg geweest. Ik zit al negentien jaar bij dit departement. Het is alsof we met onze broek op onze enkels lopen, alsof het elastiek eruit is. Je gelooft me niet? Dat kun je maar beter wel doen. Het juiste woord is aftakeling. Wij volgen het principe van een snelle reactie op een bedreiging, maar die is gebaseerd op uitgebreide satellietsurveillance van de gebieden waar de lancering kan plaatsvinden en we hebben de satellieten niet vervangen. Ze zijn hun nuttige levensduur voorbij. En niet alleen heb ik mijn broek op mijn enkels, maar ik heb ook een blinddoek voor. Er zouden negen satellieten in de ruimte moeten zijn om snel te kunnen reageren, maar we hebben er maar drie. Dríé! We kunnen geen oogje houden op lanceringen van de Tridents in de Grote Oceaan, waar de raketten afgeschoten zouden worden. Omdat het een hoog, elliptisch satellietsysteem is zijn er tijden waarop we acht uur lang niets zien. Acht! En we zijn onze grondradar ook kwijt – zoals de installatie in Letland. Ze kunnen ons vanuit Alaska bestoken en dan weten we pas dat we aangevallen worden wanneer de explosie plaatsvindt. We hebben geen schild meer. We schreeuwen om meer satellieten, maar ze zijn gewoon doof. Het is hartstikke koud met je broek op je enkels, dat kan ik je wel vertellen.'

Viktor slenterde weg. Hij vermoedde dat de admiraal inmiddels genoeg zou hebben van de bijeenkomst. Hij liet twee mannen achter, die ieder hun hart hadden uitgestort over een nieuw luchtmachtprogramma en een vroegtijdig-waarschuwingsschild dat een mythe was.

Er zou nu een gedecodeerd bericht in Londen aangekomen zijn.

In de stafauto vertelde hij de admiraal wat hij te weten was gekomen en werd beloond met een gestage stroom gegromde scheldwoorden. Ze waren hem op de heenweg niet opgevallen, maar op de terugweg waren er lichten achter hen die eenzelfde snelheid aanhielden als de chauffeur van de admiraal.

Het bericht zou nu gelezen zijn. Zouden zijn vrienden zich aan hun belofte houden? Was er iets wat zijn vrienden voor hem konden doen? Kon het hun iets schelen? Het bericht dat zijn vrienden zouden lezen, was: FRET: NIET VERSCHENEN.

3

V. In welke Russische stad werd in 1998 de noodtoestand afgekondigd, omdat het grootste deel van de bevolking ondervoed was?
A. Kaliningrad.

Elke ochtend dat hij geen ontbijtbijeenkomst bijwoonde, ging Viktor Artsjenko joggen op het strand ten noorden van de basis. Hij liet de haven, het kasteel, de kazerne en administratiegebouwen achter zich, gevolgd door het beeld van Lenin, dat het complex in omvang en voormalig gezag overtrof, voordat hij door de bewaakte poort ging. Hij was gespannen geweest toen hij langs de schildwachten jogde. Was dit het moment waarop er een eind aan zijn vrijheid zou komen? Zou hij teruggestuurd worden? Maar de gewapende dienstplichtigen bij de slagboom hadden hem begroet en hij had zich gedwongen om hun groet te beantwoorden. De zwarte bestelwagen en de zilverkleurige personenauto hadden buiten de poort gestaan, en toen hij ze honderd meter gepasseerd was, had hij de motoren horen starten. Hij had niet omgekeken.

Die nacht had hij op zijn smalle bed gelegen en zich vervloekt om de vergissing die hij op weg naar de grens en Braniewo begaan had. Het was een grote beoordelingsfout geweest om op de zijweg te keren en terug te rijden en hij zou die fout niet nog eens maken. Deze trainingssessie op het strand was zijn laatste poging om zich in veiligheid te brengen. Hij had er tijdens de bijeenkomsten die hij 's ochtends vroeg en 's avonds laat met zijn vrienden in het Excelsior-hotel had gehad over gesproken en ze hadden er met nadruk op gewezen dat hij een gewoonte van deze ochtendsessie op het strand moest maken. Op zijn leeftijd was het volkomen begrijpelijk dat hij probeerde om in conditie te blijven, dus ging hij elke ochtend die hij vrij had joggen op het strand. De schildwachten bij de poort waren op de hoogte van deze gewoonte en hetzelfde gold voor Piatkin, de zampolit, en de mannen die in de zwarte bestelwagen en zilverkleurige personenauto zaten. Zijn vrienden hadden hem gezegd dat hij ervoor moest zorgen dat iedereen die hem in de gaten hield met de gewoonte bekend was, zodat de trainingssessie geen argwaan wekte.

Hij droeg zware sportschoenen en dikke sokken om geen blaren te krijgen, een lichte korte broek en een atletiekhemd met voor en achter het embleem van de Oostzeevloot. Om zijn hoofd had hij strak een rode doek geknoopt om te voorkomen dat het zweet in zijn ogen druppelde. In de zak van zijn korte broek zat een klein stukje krijt, niet groter dan zijn duimnagel. Zijn vrienden hadden hem verteld dat hij dat altijd in zijn zak moest hebben, hoelang hij het misschien ook niet nodig mocht hebben.

De enige toegangsweg naar Baltijsk en de basis liep vanuit het noorden langs de landtong. Bij de stad Primorsk vernauwde het land zich en liep de weg langs een spoorweg die de aanvoer voor de vloot verzorgde. Het kanaal bij Baltijsk doorsneed het schiereiland, dat zich in zuidelijke richting via het schietterrein en de raketinstallaties uitstrekte naar de grens, waar hoge hekken en wachttorens de overgang naar Polen bewaakten.

Zijn sportschoenen zakten weg in het droge zand boven de vloedlijn en de rulle ondergrond maakte het lopen zwaar. Zijn einddoel, die ochtend en elke ochtend dat hij op het strand liep, was een watertoren, die op het hoogste punt van het schiereiland was gebouwd, de voet zo'n dertig meter boven de zeespiegel en het water van de lagune. Snel doorlopend, de geest op de automatische piloot, had hij de basis al snel achter zich gelaten en was er voor hem uit alleen nog maar de zee, het strand en de hoge dennenbomen die de weg en de spoorweg aan het oog onttrokken. Al lopend schopte hij wolkjes zand op en knerpten zijn schoenen op de amberkleurige stenen die door zware stormen op het strand waren aangespoeld. In zijn verdoofde staat vroeg hij zich af of zijn grootmoeder op dit strand had gelopen, zich in paniek had voortbewogen over ditzelfde losse zand, en de koffer met al haar bezittingen had meegezeuld. Als ze dat had gedaan, zou ze uitgekeken hebben over zee, tot ver achter de golven die braken op het strand en de kleine stukjes amber, en zou ze aan de horizon misschien de verdwijnende silhouetten van de lage, overbelaste *Wilhelm Gustloff*, *General Steuben* en *Goya* hebben gezien en misschien gehuild hebben, omdat ze niet op een van die schepen zat.

Hij dwong zichzelf sneller te lopen en de watertoren kwam langzaam dichterbij. De weg was nu dicht bij het strand, maar lag achter de bomen verscholen. Hij hoorde vaak het donkere gerommel van trucks die naar de basis gingen of er vandaan kwamen, maar vanochtend hoorde hij alleen het zachtere geronk van de zwarte bestelwagen en de zilveren personenauto die hem volgden.

Hoog op het zand, voorbij de watertoren, was het wrak van een vissersboot. Het vaartuig moest zo'n zeven meter lang en twee breed geweest zijn en moest een halve eeuw geleden plaats hebben geboden aan zo'n dertig à veertig vluchtelingen. Het was op het strand gezien en beschoten door een vliegtuig, en er zaten gaten van granaten in. Misschien was zijn grootmoeder in de buurt geweest, had ze zich tussen de dennen verscholen en zich tegen de met naalden bezaaide grond gedrukt, toen het vliegtuig laag was overgekomen en haar laatste hoop had vernietigd. Viktor liep altijd zo ver als het wrak in het zand en nooit verder. Hier rustte hij drie minuten, die hij met de stopwatch op zijn horloge opnam, een procedure waar hij nooit van afweek.

Het was zijn kreet om hulp. Hij ging in de wind met zijn rug tegen de oude planken van de boot zitten. De mannen die hem schaduwden, zouden, terwijl ze een sigaret rookten, van de duinen misschien de bovenkant van zijn hoofd kunnen zien. Als hij uit de wind had gezeten, beschut door de boot, hadden ze hem helemaal kunnen zien en tevens kunnen zien wat hij deed. Hij stak zijn hand in de zak van zijn korte broek en haalde er het stukje krijt uit. Bij de boeg, waar eens de naam en het nummer van de boot geschilderd moesten zijn geweest, zette hij twee kruisjes en onder de kruisjes schreef hij de letters J en V. Hij wist niet of zijn vrienden op zijn kreet zouden reageren. Hij drukte zich op; de drie minuten waren voorbij.

Hij was een verrader. Hij stelde zich de meedogenloze, roofdierachtige ogen van de mannen op de duinen voor, voordat ze zich omdraaiden en snel terugliepen naar de bestelwagen en de personenauto.

Hij was een verrader om twee redenen. De feiten die hij te weten was gekomen over het leven en het overlijden van zijn vader en zijn grootmoeder hadden hem over de rand geduwd en tot zijn vrije val naar het verraad geleid. Als ze hem alleen over zijn vader hadden verteld, zou hij de grote stap misschien niet gezet hebben, zou hij misschien niet over de streep zijn gegaan. Een paar maanden nadat zijn moeder hem de bijzonderheden van het leven en het overlijden van zijn grootmoeder had verteld, was Viktor de loopplank van de trawler in Moermansk op gelopen. Het was passend dat hij naar Kaliningrad was overgeplaatst.

Zijn grootmoeder was Helga Schmidt, de dochter van Wilhelm en Anneliese, die voor de oorlog een bloeiend graanexportbedrijf in de Oost-Pruisische stad Königsberg hadden gehad. Wilhelm kwam om bij de luchtaanvallen van augustus 1944, toen de oude stad en de pakhuizen met brandbommen werden bestookt.

Helga en Anneliese hadden pas willen geloven dat het Derde Rijk kon instorten toen het al te laat was. Toen waren de dochter en de moeder met de laatste rij vluchtelingen uit Königsberg weggetrokken, de dag voordat het Rode Leger de stad omsingelde. Ze hadden Pillau lopend bereikt, maar de laatste schepen waren vertrokken. Het garnizoen in Pillau had nog twee weken na de uiteindelijke overgave van Königsberg door generaal Otto Lasch doorgevochten.

Pillau was gevallen toen er geen munitie meer was om de plaats te verdedigen, en de vrouwen hadden achter witte vlaggen gestaan en het Rode Leger afgewacht.

Anneliese was met een bajonet gestoken en had niet lang genoeg geleefd om te zien wat er met haar dochter gebeurde, iets waar ze God nog dankbaar voor mocht zijn.

De zegevierende troepen kwamen uit Centraal-Azië, maar hun officieren waren etnische Russen. De officieren kozen de knapste meisjes uit en Helga was er een van.

Helga Schmidt werd verkracht door een bataljonscommandant, toen door de onderofficieren en ten slotte door de soldaten die nog een erectie konden krijgen, dit soort dingen gebeurden in de donkere dagen aan het eind van een wrede oorlog. Toen ze allemaal leeg en bevredigd waren en geen erectie meer konden krijgen, lieten ze haar achter.

Het meisje, zwanger, werd teruggebracht naar de stad, die nu Kaliningrad heette, en leidde daar het bestaan van een dakloze. Ze hield zich in leven door haar liefde voor haar ongeboren kind.

Uitgehongerd, half bevroren, woonde Helga in de gebombardeerde ruïnes en overleefde ze haar zwangerschap, maar ze was te zwak om haar baby te voeden, een jongetje, dat op 25 januari 1946 werd geboren.

Helga Schmidt schreef op wat er met haar gebeurd was, wikkelde haar zoon in de dikste lappen die ze kon vinden en legde hem met een brief waarin haar levensverhaal stond op de besneeuwde stoep bij een zij-ingang van het stedelijk weeshuis.

De dag waarop ze haar baby had opgegeven, verhing ze zich aan een balk in de ruïne van de kathedraal, waarbij ze de repen die ze van haar rok had gescheurd als strop gebruikte.

De baby, die door een Russische familie geadopteerd werd, kreeg de naam Pjotr. Het gezin, boeren uit het oosten die op een voormalig Duitse boerderij gevestigd waren, droeg de naam Artsjenko.

Pjotr Artsjenko was nog maar twintig jaar oud toen hij met zijn jeugdliefde trouwde, een zekere Irina, die met een bollende buik voor het altaar stond. Hun enige zoon kreeg de naam Viktor.

Op haar sterfbed had Irina's schoonmoeder haar het vergeelde, gekreukte vel papier laten zien waarop Helga Schmidt haar brief had geschreven. Irina had het op haar beurt, op haar eigen sterfbed aan Viktor laten lezen; daarna had ze het hem afgenomen en boven een kaars gehouden tot het brandde en zich blaren op haar vingers hadden gevormd.

Dat verhaal en het verhaal over het overlijden van zijn vader hadden tot zijn verraad geleid.

Viktor had gedaan wat zijn case-officers hem opgedragen hadden en draafde nu weer terug over het strand. De schemering van de vroege ochtend was verdwenen en de zon kroop nu over de toppen van de dennen. Op de terugweg was zijn pas losser. Hij keek niet één keer naar de duinen om te zien of de mannen hem in de gaten hielden. Dat hij leefde had hij aan zijn grootmoeders kracht te danken en dat was een kleine maar toch echte troost voor hem. Zouden ze zijn kreet om hulp opvangen en zouden ze reageren? Hij wist het niet.

Gedurende de nacht was de batterij van zijn wekker leeggeraakt. Het ding was niet afgegaan.

Locke werd wakker, keek naar de digitale klok en wilde zich omdraaien om weer te gaan slapen, toen hij het eerste straaltje daglicht door de dunne gordijnen zag. Hij keek op zijn horloge en sprong uit zijn koude bed.

Een week lang was het door Danuta's afwezigheid ijskoud in bed geweest. Hij schoor zich onder de douche en kleedde zich aan terwijl hij nog nat was. Een van zijn beste overhemden en dassen en zijn beste pak en schoenen werden uit de kast en laden gegrist, terwijl er druppels water van zijn lichaam op het kleed druppelden. Toen hij de voordeur achter zich dichtdeed voor de sprint van de trap, brandden alle lichten nog achter hem, maar hij had geen tijd om terug te gaan en ze uit te doen.

Hij rende naar zijn auto. Hij had niet getankt sinds de rit die hij de vorige dag naar en van Braniewo had gemaakt en de naald trilde in het rode segment van de meter. Hij hoopte dat hij genoeg benzine had om hem naar Okecie te brengen. Als hij vast kwam te zitten in de files van de ochtendspits van de stad, zou hij zijn vliegtuig missen. Hij had de bescherming van een diplomatiek nummerbord, maar dat zou een politieagent er niet van weerhouden om hem, gewoon voor de lol, aan te houden. Hij bevond zich nog steeds op de brede Al Jerozolimskie, was nog niet bij de Zawisky-rotonde aangekomen, toen hij zijn eerste echte beslissing van die dag nam. Hij zou elke politieagent die hem probeerde aan te houden gewoon voorbijrijden en de gevolgen konden hem gestolen worden. Een uur nadat het bericht was verzonden en een kwartier nadat hij in de flat was teruggekeerd, na twintig minuten achter een kop koffie gezeten te hebben in de Sklep z Kawq Pozegnanie z Afrykq – zij was er niet geweest – was zijn mobiele telefoon gegaan. Libby Weedon. Hij moest naar Londen komen, met de eerste ochtendvlucht van LOT, de nationale luchtvaartmaatschappij. 'Mis je vliegtuig niet, want je doet nu met de grote meiden mee,' en ze had opgehangen. Libby Weedon, slimme dame als ze was, had zich van Fret gedistantieerd en had hem, de jongeman die voor het eerst in het buitenland gestationeerd was, de pakjes met de auto laten ophalen. Wat kon hij de 'grote meiden' in godsnaam vertellen? Geen enkele bijzonderheid was veelzeggender dan de drie woorden van zijn bericht: FRET: NIET VERSCHENEN.

Hij overtrad de meeste Poolse verkeersregels op weg naar Okecie en wist de ochtendspits voor te blijven. Hij was vlak bij de luchthaven, toen hem te binnen schoot dat hij een lunchafspraak had met een tekstschrijver van de KPN-partij. Hij toetste onhandig een nummer in op zijn mobiele telefoon en liet een bericht op Libby Weedons antwoordapparaat achter met het verzoek om de dienstdoende secretaresse te laten bellen om hem te verontschuldigen. De naald viel terug naar 'leeg' op de meter, maar de tank liet hem niet in de steek en hij haalde het naar de luchthaven. Hij kwam als laatste aan boord.

Gabriel Locke was in het zuiden van West-Wales opgegroeid. Zijn ouders hadden een boerderij van zestig hectare, met velden die begrensd werden door rotsen die steil omlaagliepen naar een woeste zee. Het was een bar oord, waar het bestaan moeilijk en onzeker was. Hun leven werd gedomineerd door de uitersten van het klimaat, de ongevoelige houding van de onpersoonlijke banken, de melkquota, de prijs per liter, het voortdurend stijgende honorarium voor de bezoekjes van de veearts en, nog zeer recent, de ramp die mond- en klauwzeer heette. Ze hielden zich op het randje van de armoe in leven en waren gedwongen om ponden op te potten, het zilvergeld opzij te leggen en de penny's in potjes te stoppen tot ze genoeg gespaard hadden om ze over de toonbank van de dorpswinkel en het postkantoor uit te storten. Hij had er niets mee te maken willen hebben. Hij was een van de weinigen in zijn klas van de middelbare school die zijn leven gebeterd had en alle banden verbroken had. Hij had geloofd dat hij nooit zo zou lijden als zij volgens hem leden. Hij belde zijn ouders zelden, schreef alleen af en toe een geruststellende boodschap op een kaartje. Hij wilde structuur en zekerheid in zijn leven en hij vond het belachelijk – in dit nieuwe millennium – dat een storm, de beslissing van een pennenlikker in Whitehall of een virus het verschil konden uitmaken tussen een financieel minimumbestaan en faillissement. Toch voelde hij zich voor het eerst in zijn leven onzeker over de toekomst, terwijl hij naar de vertrekpier liep en zag hoe hard de wind over het voorterrein waaide.

Er was turbulentie in de lucht. Ze stegen op en het vliegtuig schudde naarmate het hoger kwam. Het ging een vreselijke vlucht worden. De onzekerheid bleef aan hem knagen. De nieuwe lichting van de dienst, de mensen met wie hij de IONEC-cursus had gevolgd, waren nu over de wereld verspreid: de Golf, Islamabad, Tasjkent, Teheran, Damascus, Tel Aviv, Beiroet, Caïro en Khartoum. En dan was er nog de grote prijs: Kabul. Deze plaatsen bevonden zich in de frontlinie van het werk van de dienst en Gabriel Locke zat in Warschau, waar überhaupt geen belangrijk werk werd gedaan en hij werd naar Londen teruggeroepen, omdat er twee pakjes afgehaald konden worden volgens een procedure die even achterhaald en uit de tijd was als het loodgieterswerk in de melkstal van zijn ouders. De bittere stemming verzwolg hem terwijl het vliegtuig door de lucht dook. Bij gebrek aan een beter onderwerp richtte zijn irritatie zich op het ouderwetse systeem dat Fret in eerste instantie had voortgebracht.

> GL: Het is belachelijk dat we in deze tijd – met alle elektronische middelen die we hebben – afhankelijk zijn van afhaalplaatsen waar we de situatie niet in de hand hebben. Ik weet niet wat er allemaal gebeurt en niemand schijnt dat te weten, maar als de man met de codenaam Fret in moeilijkheden verkeert, geloof ik niet dat er iets voor hem gedaan kan worden.

Alice North zat aan de andere kant van de vergaderzaal, waar ze nauwelijks zou opvallen. Ze zat met haar rug naar het raam en het heldere zonlicht dat over haar schouder naar binnen viel, wierp een schaduw over haar gezicht. Ze had haar benen over elkaar geslagen en op haar dij bevond zich de blocnote waarop ze met een scherp potlood in steno aantekeningen maakte. Ze was uitsluitend aanwezig om de notulen van de vergadering bij te houden, niet om iets bij te dragen. Ze had Gabriel Locke één keer ontmoet, op het afscheidsfeestje van Rupert Mowbray, en had de jongeman direct al niet gemogen. Niet al te lang, leuk gezicht met scherpe trekken en mooi, zwart haar, maar verder koud, zonder humor of menselijkheid.

Voordat iedereen was gaan zitten, had Alice het volgende boven aan haar blocnote geschreven:

> Codenaam Fret
> (Categorie/Topgeheim)
> Vergadering in VBC, 21 september. Aanwezig: Albert Ponsford (AP) afdeling Rusland, Peter Giles (PG) waarn. directeur Geheime Operaties, Gabriel Locke (GL) bureau Warschau, majoor William Courtney (WC)

SAS/Verbinding, luitenant-ter-zee Geoffrey Snow (GS) marine-inlichtingendienst – Alice North.

Haar gezicht, zonder make-up, was een masker. Er werd van haar geen bijdrage verwacht. Van alle mensen in het vertrek wist zij het meest van codenaam Fret.

PG: Wij hebben, terecht, een goede reputatie voor het verlenen van hulp en steun aan de mensen die dat nodig hebben. Maar wat we kunnen doen wordt op twee manieren beperkt: in de eerste plaats door wat onder de omstandigheden mogelijk is en ten tweede door wat in het huidige politieke, diplomatieke klimaat mogelijk is.

Peter Giles was altijd onbetrouwbaar geweest en Alice had ook maar weinig respect voor Ponsford, een man die met veel babbels zijn tijd uitdiende na de laatste lintjesregen en zijn onderscheiding.

AP: Ik wil dit niet torpederen, ook ik ben bereid om het uiterste te doen voor een agent, maar er zijn een paar dingen die we heel goed moeten bekijken. Het beleid van onze regering is nu gericht op een betere verstandhouding met onze Russische buren. Niemand heeft uiteraard voorgesteld dat we in het licht van deze verbroedering onze acties op hun grondgebied moeten afbouwen, maar we gaan hen zeker niet opzettelijk tegen ons in het harnas jagen. Ik mag aannemen dat onze ministers verwachten dat de zaken op hun beloop gelaten worden als onze agent gearresteerd wordt.
PG: De schade beperken, jezus, we hebben tegenwoordig samenwerkingsorganisaties die een keer per maand vergaderen, en Afghanistan zou niet mogelijk geweest zijn zonder al die goodwill en onze bemiddeling. Laat de bui maar overwaaien. We moeten er niet aan denken om onze nieuwe verstandhouding op te geven voor één man. Hij is toch maar een kapitein-luitenant-ter-zee?

Alice keek op van haar blocnote en zag hoe het gezicht van de man van de marine-inlichtingendienst betrok. Iedereen keek naar hem. Ze geloofde niet dat hij iemand was die onnodig risico nam. Hij hoestte. De tijd die hij in de kriebel diep in zijn keel stak en in het uitgebreid zoeken naar een zakdoek, was volgens haar bedoeld om iemand anders de gelegenheid te geven het woord te nemen. Maar hij ontkwam er niet aan.

GS: Het valt niet mee om zijn waarde precies te bepalen. Hij komt niet met de allerlaatste ontwikkelingen, maar het is allemaal wel nuttig. Toegegeven, soms krijgen we echt fantastische informatie, maar meestal krijgen we dingen die slechts interessant zijn. Als ik het moet samenvatten, zou ik zeggen dat we een uniek inzicht in de moderne Russische marine krijgen. Hij heeft voor ons bevestigd wat we al vermoedden maar nog niet zeker wisten en hij heeft ons verbaasd met zijn bijzonderheden over duikbootdiepte, rompbescherming, motorlawaai, paraatheid en bereik van bewapening. Ook duidelijk is dat de kwaliteit van het materiaal een hoger niveau heeft bereikt dan het materiaal dat we in het eerste pakje kregen. Hij heeft toegang tot goede dingen. Oké, ik weet niet voor wie hij werkt, maar ik neem aan dat hij de naaste medewerker van een belangrijke admiraal is. Ik denk dat de mogelijkheid bestaat dat de admiraal de top bereikt en deze figuur, onze man, met zich meeneemt. Conclusie: door deze man maken we ons geen zorgen over de Russische marine. Dan is er het inzicht in de luchtmacht, die door onze collega's op prijs gesteld wordt. Maar zou het er veel toe doen als we hem kwijtraakten? Nee, dat zou niet het eind van de wereld betekenen, ik geloof niet dat we hem erg zouden missen.

Weer keek Alice op en ze zag hoe de hoofden instemmend knikten.

Anderen lieten zich nu leiden door wat de marineman had gezegd. Ze schreef bedrijvig door.

AP: Het gaat om een pijnlijke situatie, officieel ontkennen we dat we hem überhaupt kennen.
PG: Probeer je nooit te rechtvaardigen of je te verontschuldigen, trouwens wanneer ze bij je binnen lopen, moeten ze al een heel aardig idee hebben van het risico dat ze nemen. Wat zou hij krijgen, tien jaar, misschien meer?
AP: Nou, ik denk inderdaad wel wat meer.

Ze had haar hoofd gebogen, dicht bij haar blocnote. Haar pen bewoog geruisloos, maar ze schreef de woorden 'wel wat meer' met nadruk en als ze nog harder had gedrukt, was de punt van haar potlood misschien gebroken.

PG: Ik dacht dat ze de doodstraf hadden afgeschaft in de Russische Federatie.
AP: Nou, ja, over die hindernis komen ze wel heen, maar dat is ons probleem niet. Ons probleem betreft onze ministers en hoe ze de gevolgen van een arrestatie inschatten. We moeten alles inderdaad kunnen ontkennen. Dat materiaal over de nieuwe raketinstallaties in Kaliningrad was heel goed en het was ook geweldig hoe we ze daarop kunnen pakken, ook al moest het lijken of de informatie van satellietfoto's kwam.
GL: Afvoeren die man, vergeet hem. Hij is de problemen niet waard. Op onze afdeling hebben we prima betrekkingen met de Russen en dat werkt naar twee kanten. Zij krijgen technische knowhow en wij krijgen goed ma-

teriaal over de georganiseerde misdaad. Het zou heel jammer zijn als we dat kwijtraakten. Wat is het ergste dat kan gebeuren? Zij zetten een paar van onze mensen het land uit, wij een paar van hun mensen en daarmee is het bekeken. Wat we niet moeten doen is een situatie verergeren, een schone wond infecteren.
PG: Was hij niet een van Ruperts mensen?
AP: Rupert is weg, hij wordt erg gemist. [Ironie] Ik weet niet hoe we het zonder hem redden. Het is een wonder dat het gebouw nog overeind staat.

Ze hoorde het zachte geluid van hun gelach om de tafel.

Hij had zijn kans afgewacht. In de afgelopen twee jaar had ze William Courtney twee keer ontmoet. Hij moest een paar jaar ouder zijn dan zij, 38, en ze geloofde dat zijn militaire carrière over zijn hoogtepunt heen was. Als beloning voor al die jaren trouwe dienst was hij overgeplaatst van Hereford om verbindingswerk met de inlichtingendienst te doen. Het maakte deel uit van de roemrijke traditie van de dienst dat er altijd iemand paraat was in Hereford voor het ruwere werk. Hij had lang grijzend haar tot op zijn schouders en ze geloofde dat een paardenstaart hem beter gestaan zou hebben, maar het was duidelijk dat een snel kapsel niet bij het beoogde imago van hippie/zigeuner paste. Geen jasje, maar een dikke trui die eruitzag of hij die week in een schaapskooi op de hei bij Brecon was gedragen en die rafelde bij de manchetten en ellebogen, en een spijkerbroek die schoon maar niet gestreken was, na een verplichte wasbeurt in een wasserette. Hij had gymschoenen aan die verbleekt waren, maar die waarschijnlijk in dezelfde was gezeten hadden als de spijkerbroek.

WC: Wat is het exfiltratieplan?

Alice kende het dossier van Fret uit haar hoofd. Ze kon elke bladzij vinden zonder naar de inhoudsopgave te kijken. Ze had nergens een exfiltratieplan gezien, alleen een 'waarschuwingsprocedure' met krijttekens op een strand. Ze hield haar potlood boven het papier. Ze sloeg haar ogen op en zag hoe Ponsford zijn blik afwendde, terwijl Giles naar het onbeschreven vel papier voor zich keek en toen zijn glas water pakte. Een glimlach die naar brutaliteit neigde omkrulde de mond van de SAS-majoor.

WC: Sorry, ben ik onnozel? Er is toch een plan om Fret daar weg te halen, of niet?
PG: Op papier? Nee.
AP: Het leek niet nodig, of Rupert is er nooit aan toegekomen.
WC: Geen plan? Is er geen verkenning uitgevoerd, niets van tevoren uit-

geprobeerd? We moeten alles dus nog doen zonder dat we daar tijd voor hebben? Ik heb gisteravond over Kaliningrad gelezen, om me op de hoogte te stellen van de situatie. Het is verdomme een fort. Marine-infanterie, mariniers, gemotoriseerde infanterie. Andere delen van het ouwe trouwe Rusland hebben hun stootkracht misschien gereduceerd zien worden, maar Kaliningrad niet. Het is mijn taak om ervoor te zorgen dat er geen misverstanden zijn en eerlijk gezegd geloof ik niet dat de SAS staat te springen om erheen te gaan, niet naar Kaliningrad.
GL: Deze mensen zullen met de gevolgen van hun daden moeten leven.
AP: Trieste zaak, zonder meer, maar dat is het leven van een spion, Gabriel heeft het bot gesteld, maar redelijk is het wel. Er is geen plaats voor emoties in dit soort kwesties, ook al betreft het de dood van een agent.

Alice zei zacht: 'Bertie, moet jouw laatste opmerking in de notulen opgenomen worden?'

Er kwam een blos op de wangen van de man, bloed dat naar de adertjes aan de oppervlakte stroomde. 'Nee, ik geloof niet dat mijn laatste bijdrage voor het nageslacht was bedoeld, ik dacht alleen maar hardop. Dank je, Alice.'

Die opmerking zou niet uitgegumd worden, niet worden doorgestreept. Wanneer ze de notulen uittikte, zou die opmerking erin staan en zou ze erop toezien dat hij naar de bovenste verdieping ging, waar de directeur-generaal de scepter zwaaide. Ze had zich weer teruggetrokken in haar beschaduwde hoekje. Het zou haar enige interruptie zijn. Niemand om de tafel zag het, maar er stonden tranen in haar ogen. Zij kenden hem niet, wilden hem ook niet kennen, waren niet geïnteresseerd in wat hij doormaakte – de stress, de spanning, de druk – om hun bijzonderheden als rompafwerking, duikdiepte en schroefgeruis te geven. Alice realiseerde zich dat wel. Ze sloeg het blaadje om en schreef verder.

AP: We zijn niet helemaal aan het eind van ons Latijn. God weet dat Ruperts aantekeningen bijzonder summier waren – ik geloof niet dat hij ook maar iemand van ons vertrouwde – maar er is nog een laatste dead drop beschikbaar voor Fret, als hij gelooft dat hij geschaduwd wordt. Wat ik voorlopig zou willen voorstellen is dat Gabriel de rol van 'factotum' op zich neemt...

Alice kende Latijn. *Fac* was doen, *totus* (bn.) was alles. Ze keek naar Locke en geloofde dat hij afwoog of dit goed voor zijn carrière was of dat deze hieronder zou lijden.

... en de beslissingen van de commissie samenvoegt en hardmaakt. Laten we bij het begin beginnen, bij de laatste dead drop. Gabriel, zou jij nog even kunnen blijven?

Alice stopte haar blocnote en potloden in haar tas. Op weg naar de deur hoorde ze Courtney, de officier uit Hereford, laconiek tegen Giles zeggen: 'Begrijp me niet verkeerd – wie waagt, die wint en dat soort onzin – maar ik meende wat ik net zei. We gaan ons echt niet vrijwillig in dat wespennest, Kaliningrad, begeven. Zet dat maar uit je hoofd, laat ons erbuiten.'

Ponsford zei: 'Zoals alles in dit leven, was het goed zolang het duurde. Ik geloof dat als een agent twee keer geen pakje achterlaat terwijl hij nog nooit eerder een keer heeft overgeslagen, hij in moeilijkheden zit. Arme jongen, maar zo gaat dat nu eenmaal.'

Terwijl ze de kamer uit liep, hoorde ze de marinier aan Giles vragen: 'Hoe pakken de Russen dat aan?'

En ze hoorde Giles zeggen: 'Ze halen er een ondervrager bij, iemand die zijn vak heel goed kent...'

Ze deed de deur achter zich dicht en geloofde niet dat iemand haar weg had zien gaan.

Geleid door een rode lichtfakkel, landde de helikopter in een veld bij een uitgebrande boerderij. De luchtverplaatsing van de schroef rukte de restanten van het dak van de boerderij los en slingerde de stukken golfijzer als snippers papier boven een kampvuur weg.

Een ontvangstcomité van soldaten en officieren staarde naar Bikov en zijn escorte toen ze door het luik sprongen. Hij keek om zich heen. Er stonden zes pantserwagens naast elkaar, omringd door de bandensporen die ze hadden achtergelaten toen ze de rij hadden gevormd. De mannen staarden uitdrukkingsloos voor zich uit, wezenloos, als mannen die in een oorlog vochten waarvan ze al heel lang wisten dat hij onmogelijk gewonnen kon worden. Hij begreep waarom de helikopter hem niet verder had kunnen brengen, het wolkendek hing laag boven de grond. Alleen de voet van de heuvels was zichtbaar in het zuiden. De sneeuw viel zacht op zijn schouders toen hij naar de mannen liep die op hem wachtten. Als het hier niet gegaan was om de officier en de manschappen die gevangen waren genomen en vastgehouden werden in de bergen die door de lage wolken werden bedekt en als het hier niet gegaan was om de patrouille van de Zwarte Baretten die zich met hún gevangenen in een grot verborgen hielden en, belangrijker dan dat alles, als het hier niet gegaan was om de reputatie die Joeri Bikov vooruit was gesneld, dan zou niemand – hoe gek ook – de klim gemaakt hebben naar het oorlogsterrein bij de Argoenvallei.

Hij werd op de hoogte gebracht. Hij nam een beker lauwe koffie aan, keek naar de kaarten waar de sneeuw op neerdaalde en zei weinig. De vier mannen die met de directe bescherming van zijn leven waren belast, maakten deel uit van de Wympel-eenheid, die onder leiding stond van het Vijfde Directoraat van de afdeling Geheime Operaties van de FSB, en zij zeiden nog minder. Terwijl hij de kaarten bekeek en de treurige hoeveelheid recente informatie, controleerden zij hun bezittingen, hun wapens en medische uitrusting. Bikov wist niet hoe ze heetten en als hij erom gevraagd had, zouden ze het hem niet hebben verteld. Hij kon niets uit hun gezichten opmaken, omdat ze er maskers overheen droegen die alleen hun ogen vrijlieten, maar hun adem kwam door het katoen en hij voelde dat ook zij dit een waanzinnige plaats vonden. Maar hij vertrouwde hen, moest hen wel vertrouwen. Hij werd met zijn escorte in de derde van de zes troepentransportwagens gezet en deed de drukknopen van zijn kogelvrije vest dicht, voelde het gewicht en de warmte. Er werd hem een helm aangereikt, die hij opzette.

Ze hadden bijna anderhalf uur gereden, waren al hoog in het dichte wolkendek, en gingen door een met waterig ijs en sneeuw bedekte haarspeldbocht, toen de eerste RPG-7-raket de voorste pantserwagen raakte.

Hij werd door een arm gegrepen en op de plaatijzeren vloer gegooid. De tweede raket rukte het rechtervoorwiel los en zijn transportwagen zwaaide en slipte toen in een greppel aan de rand van het pad.

Een van de Wympel-soldaten had zich over zijn benen geworpen en een tweede lag op Bikovs hoofd. De twee anderen zaten aan weerszijden van hem op de krankzinnig overhellende vloer geknield. Hij hoorde niets meer. De machinegeweersalvo's, de over een open vizier afgeschoten antitankwapens en granaten waren afkomstig van de verraste pantserwagens. Het vijandelijke vuur was afkomstig van raketwerpers, mortieren, machinegeweren en snelvuurgeweren. De klap dreunde door de pantserwagen en mannen schreeuwden, een soldaat viel over de soldaat die zijn hoofd bedekte en hij voelde warm bloed. De Wympel-soldaten maakten geen geluid. Ook vuurden ze hun wapens niet af. Ze beschermden hem: zijn leven was het belangrijkste.

Hij hoorde het gegil en de donderslagen van de schoten. Ze zaten als ratten in een donkere kuil en Bikov snakte naar adem in de rook van verbrande autobanden, vlees en diesel. Hij was eerder in gevechtsacties verwikkeld geweest in Tsjetsjenië, maar nog nooit een die zo angstaanjagend was als deze. Hij had in elkaar gedoken op de hoek van gebouwen in Grozny gezeten, toen er met handwapens uit een flat was geschoten en tanks en kanonnen de vermoedelijke vijandelijke positie hadden bestookt, maar had toen niet het gevoel gehad dat hij in gevaar verkeerde. De zijkant van de pantserwagen incasseerde een voltreffer van een raket en de scherven gierden door het interieur. Hij begreep niet hoe het mogelijk was dat hij niet was geraakt. Hij bewoog zijn tenen en vingers, deed zijn ogen open in de bijtende duisternis, liet zijn handen over zijn buik gaan en bewoog zijn heupen. Hij realiseerde zich dat hij niet geraakt was, het was nauwelijks te geloven. Maar de rook zou ook hun dood kunnen betekenen.

Wie zou hem belangrijk genoeg vinden om naar zijn begrafenis te komen als zijn lijk uit de pantserwagen werd gehaald en naar huis werd gebracht? Zijn ouders niet, want hij had hen niet als naaste familie opgegeven in zijn dossier en ze zouden pas horen dat hij dood was als er een paar regels verschenen in een krant die ze lazen. Zijn vrouw niet, omdat ze al twaalf jaar gescheiden waren. Natasja niet, die nu vijftien was, omdat haar moeder het kind tegen hem had opgezet. Misschien zouden er een paar mensen van de Loebjanka met bloemen komen, als een excuus om een paar uurtjes van hun werk weg te zijn. De brigadegeneraal zou hem belangrijk genoeg vinden. Joeri Bikov was het laatste redmiddel voor de brigadegeneraal.

Hij schreeuwde: 'Wegwezen hier.'

Misschien hadden ze buiten minder kans, maar het was toch beter om daar dood te gaan dan om als ongedierte in dit steeds donker wordende hol om te komen. De rook benam hem de adem.

Hij las niets in hun ogen, die uitdrukkingsloos waren. Het ene moment lag hij op de vloer van de pantserwagen, het volgende werd hij als een zak aardappels door de hele lengte van het voertuig gesleept. Hij bleef achter een lijk haken en kon nog net zien dat het linkerbeen bij het kruis was afgerukt. Terwijl hij naar buiten getrokken werd, kwam het losse been met hem mee. Ze doken de greppel in en hun val brak de ijslaag. Hij ging kopje-onder en werd omhooggetrokken. Hij spuugde modder uit. Tussen de rotsen en het kreupelhout en de bomen boven het pad vochten mannen voor hun leven. In de pantservoertuigen schoten de soldaten in de donkere wolken en hoopten dat ze het er levend vanaf zouden brengen.

De Wympel-soldaten liepen de helling met hem af, een sprint van rots tot rots, gevolgd door gemompelde aanwijzingen en de volgende sprint. Ze gebruikten voornamelijk gebarentaal om te communiceren en losten geen enkel schot. Het konvooi pantserwagens en het lot dat die soldaten wachtte waren hun zorg niet; híj was hun zorg. Alleen voor iemand met een reputatie als Joeri Bikov zou een dergelijke missie, met het risico van zo veel slachtoffers, ondernomen worden.

Ze lieten het moorddadige vuurgevecht achter zich. Bikov wist genoeg van de oorlog in Tsjetsjenië om te beseffen dat als de soldaten van het konvooi onder de voet gelopen zouden worden, de mannen nog een laatste granaat of een laatste kogel voor zichzelf zouden hebben. De brigadegeneraal en zijn escorte hadden hier óf de kans óf de moed niet voor gehad, hetgeen de reden was dat hij en de Wympelsoldaten weggedoken zaten tussen de rotsen of voorovergebogen van de ene rots naar de andere sprintten.

Ze gingen ruim een kilometer de helling af en zochten toen dekking tussen de bomen. Nadat ze hem onderzocht hadden om te zien of hij gewond was, gebruikten ze hun kaarten en GPS-systeem om hun positie vast te stellen en de route uit te werken.

Nog heel lang hoorden ze de schoten en de explosies, maar het was Bikov niet duidelijk of de aanval werd afgeslagen of dat de soldaten hun laatste granaat of kogel nodig zouden hebben.

De mist van de wolken omhulde hen toen ze begonnen te klimmen en Bikov had moeite om het tempo bij te houden.

Hij had die middag niet geschilderd, maar had op het dak van zijn huisje gezeten om de spijkers erin te slaan die de vrouwelijke postbode aan de overkant van het meer had achtergelaten. Hij had hard op de koppen geslagen om de platen golfijzer stevig op hun plaats te krijgen. Het had de vorige winter een paar keer flink gestormd en dit was werk dat Billy Smith in de lente of in de zomer had moeten doen, maar had laten liggen. Nu was het herfst en begon de tijd te dringen. De hele dag had hij op het dak doorgebracht, hij was zelfs niet voor een boterham of een kop koffie naar beneden gekomen, en dat was zijn straf. Toen hij begonnen was, had hij gedacht dat hij op tijd klaar zou zijn om nog drie uurtjes te kunnen schilderen, niet op de berg achter het huisje, maar bij de oever van het meer, waar de eenden zich voorbereidden op de wintertrek naar het zuiden. Hij gaf het idee om die dag te schilderen op, hoezeer het hem ook speet. Er heerste een eindeloze stilte om hem heen, behalve wanneer hij al zijn kracht gebruikte om de vijftien centimeter lange spijkers in het hout te slaan en het lawaai door de rotshellingen en kloven werd weerkaatst.

Toen de anderen de kamer hadden verlaten, schonk Albert Ponsford het laatste beetje koffie in zijn kop en die van Locke en zei: 'Ik geloof eerlijk gezegd niet dat dit ergens heen gaat, maar het is belangrijk dat we alles volgens het boekje doen. De laatste dead drop moet natuurlijk bezocht worden en we gaan voor de vorm door de exfiltratieprocedure. Ik wil dat jij dat allemaal afhandelt, Gabriel.'

'Met genoegen, Bertie.' Gabriel Locke was voldoende op de hoogte met de regels en tradities van de dienst om te beseffen dat een uiterst beleefd verzoek in feite een bevel was. Bereidwilligheid werd op het hoofdkwartier altijd op prijs gesteld.

'Rupert heeft zo weinig voor ons achtergelaten. Het gerucht gaat dat hij zijn laatste ochtend hier bezig is geweest om materiaal over Fret te versnipperen. Bijzonder merkwaardig gedrag en zeer beledigend voor zijn collega's. Het mag een wonder heten dat hij de goedheid heeft gehad om ons de bijzonderheden van de procedure te verstrekken die bij deze laatste afhaalplaats komen kijken. Maar die goedheid heeft hij dus gehad en ik geloof niet dat we veel tijd hebben. Het viel me op dat je weinig met Fret ophad.'

Locke zei snel: 'Persoonlijk niet, nee... Ik zou het een pragmatische benadering willen noemen, de realiteit versus een vervlogen tijdperk van sentimentaliteit en emotie.'

Ponsford glimlachte, zoals altijd ondoorgrondelijk wanneer hij zich persoonlijk met ondergeschikten onderhield, en gaf de jongeman een vel papier. Locke geloofde dat hij het juiste antwoord had gegeven, maar wist het niet zeker.

'Jij verstuurt dus het bericht.'

'Uiteraard. Zoals je al zei, Bertie: alles volgens de procedure. Tussen twee haakjes, ik heb geen tas bij me. Ik moet kleren hebben.'

'We kunnen niet hebben dat je ongewassen rondloopt. Koop ze maar en stuur ons de rekening.'

Hij deed er ruim een kwartier over om Alice North te vinden. Eerst naar boven, toen weer omlaag met de lift, vervolgens door verschillende gangen, tot hij haar eindelijk gevonden had, weggestopt op de vierde verdieping, in de Oost-Europese sectie, waar ze druk op haar toetsenbord tikte en haar steno in gewoon schrift omzette. Ze was best knap, niet mooi zoals Danuta en niet elegant, maar ze had blozende wangen en haar donkerbruine haar was uit gemak kortgeknipt, niet om een bepaald effect te creëren. Het enige wat ze aan sieraden droeg was een half verscholen hanger van barnsteen aan een gouden ketting. Hij stond achter haar te wachten. Ze typte gewoon door. Hij las zijn eigen initialen op het scherm, en toen: '*Afvoeren die man, vergeet hem. Hij is de problemen niet waard. Op onze afdeling hebben we prima betrekkingen met de Russen...*' Natuurlijk wist ze dat hij daar stond. Hij hoestte. Ze typte door.

'Sorry, Alice, maar ik moet een bericht verzenden en ik heb alleen maar de kleren die ik nu aanheb. Ik heb toestemming van Bertie om iets te kopen. Zou jij alsjeblieft even naar de Strand kunnen gaan en twee of drie paar sokken, maat 43, voor me kunnen kopen, plus twee medium onderbroeken en hemden, een paar overhemden in een neutrale kleur, boord 38, een pyjama, zo'n pakje plastic scheermesjes en een stuk zeep? Honderd uit de kleine kas zou genoeg moeten zijn. Dank je.'

Ze liet op geen enkele manier merken dat het haar taak niet was om boodschappen voor hem te doen. Ze negeerde hem toen ze de monitor uitzette, de voorgeschreven procedure voor het opslaan van haar materiaal afhandelde en haar blocnote opborg in haar persoonlijke kluisje. Ze trok haar jas aan en was verdwenen.

Locke vond haar een triest geval. Hij grinnikte in zichzelf. Het woord dat hij tegen Bertie Ponsford gebruikt had – 'pragmatisch' – stond hem wel aan. Hij had er zijn visitekaartje mee afgegeven. Toen hij tijdens zijn proeftijd de IONEC-cursus volgde, had de directeur-generaal een bezoekje gebracht aan de collegezaal. Bij zijn binnenkomst waren ze allemaal opgestaan tot de man, die bijna aan zijn pensioen toe was, gebaarde dat ze konden gaan zitten. Hij had gezegd: 'Rusland is een potentiële militaire bedreiging en zal dat ook blijven. Hoewel hun militaire bedoelingen misschien niet langer oorlogszuchtig zijn, hebben ze nog steeds het potentieel. Door de onvoorspelbaarheid en instabiliteit van het regime is Rusland mogelijkerwijs nog gevaarlijker. Onze dienst zal nog jarenlang een belangrijke rol blijven spelen.' Met die woorden had hij zich omgedraaid en hij was weggelopen. De studenten hadden gediscussieerd over wat hij hun verteld had. Locke had het volgende tot de discussie bijgedragen: 'Wat we net gehoord hebben was de ballast van de oude dienst, de ideologie die naar de geschiedenisboeken verwezen zou moeten worden. Ik ben persoonlijk bereid om verder te gaan en de echte strijd aan te gaan die van belang is voor de veiligheid van Groot-Brittannië: de georganiseerde misdaad, het terrorisme in het Midden-Oosten, het islamitisch fundamentalisme, de proliferatie van massavernietigingswapens in de derde wereld. We weten allemaal waar de echte bedreigingen liggen.' De docent had hem niet tegengesproken. De directeur-generaal was nu het veld in gestuurd en de boodschap van de oude garde zou verleden tijd moeten zijn. Fret was verleden tijd.

Hij ging achter het werkstation naast dat van Alice zitten, typte het bericht in het automatische telegramverwerkingssysteem en drukte op de Verzenden-knop om het te versturen. Daarna wachtte hij tot ze terug zou komen met zijn kleren.

Hij zat in een kleine, vochtige cel. De dienstdoende agent had hem zijn das en zijn riem afgenomen, maar hem zijn veters laten houden, en de rechercheurs hadden zijn portefeuille meegenomen. Tot die middag was Ham Protheroe de politie altijd een stap voor geweest, maar hij was nog een dag gebleven: hij was ervan uitgegaan dat hij nog één keer zijn slag kon slaan met de creditcards van die vrouw en dat was stom geweest. Zijn tas had klaargestaan in de hotelkamer en hij was van plan geweest om er even na middernacht tussenuit te knijpen, nadat hij de nachtportier uit de receptie had weggestuurd om een drankje voor hem uit de gesloten bar te halen. De rechercheurs hadden hem opgewacht toen hij van de geldautomaat was teruggekeerd. Zij moest telefonisch haar rekeningen gecontroleerd hebben en daarna de politie hebben gebeld. Hij zou haar niet uitgekozen hebben als hij ook maar een ogenblik gedacht had dat ze de moed zou hebben om hem aan te geven. Hij zat in de cel en voelde het felle licht op zijn huid.

Het is niet eenvoudig maar wel haalbaar om op grond van verdienste gepromoveerd te worden tot een positie bij de geheime inlichtingendienst. Mensen die zich met grote ijver kwijten van administratieve taken kunnen, als ze toegewijd, ambitieus en bekwaam genoeg zijn, een dergelijke promotie verdienen. Daphne Sullivan had die toewijding en ambitie, die bekwaamheid. Toen Gabriel Lockes bericht op de afdeling van de dienst in de Berlijnse ambassade was binnengekomen en gedecodeerd, was het aan haar doorgegeven. Ze had het zonder commentaar in ontvangst genomen en was ermee naar haar bureau gegaan, waar ze drie mensen voor advies had gebeld. Daarna had ze een Duits paspoort met haar foto uit haar kluis gehaald, zich in haar jas gehesen, haar sjaal om haar nek geslagen en het gebouw aan de Wilhelmstrasse verlaten. Een van de telefoontjes was naar collega's bij het departement van Staatsveiligheid geweest, het tweede naar een specifieke employé bij de vereniging van reisbureaus, het derde naar een reisbureau in het uiterste westen van de stad, vlak bij de stadsgrens.

Ze reed zelf naar de Marzahn-wijk, waar onder het communistische regime in tien jaar tijd 60.000 betonnen flats waren gebouwd, de trots van Honeckers regering. Tussen de rechthoekige volkstuinen met houten gebouwtjes voor zomerse weekends en een maanlandschap van braakliggend terrein vond ze een parkeerplaatsje bij het S-bahn-station, in de Allee der Kosmonauten.

Het reisbureau dat haar reisdoel was, was fleurig ingericht, warm en comfortabel en genoot de reputatie uiterst efficiënt te zijn. Het succes van het bureau kwam voort uit een scherp inzicht van de eigenaar in een groeiend gat in de markt. Werner Weigel was een agent in de middelste echelons van de eens oppermachtige geheime politie geweest en zijn vrouw, Brigitte, had een leidinggevende functie op het ministerie van Binnenlandse Zaken gehad voordat de muur neer werd gehaald. Hun verleden was tijdens de laatste dagen van het communistische regime in de overwerkte papierversnipperaars verdwenen. Tegenwoordig waren ze populaire en betrouwbare reisorganisatoren. Ze behandelden bezoeken van bejaarde burgers aan hun oude geboorteland Oost-Pruisen, in het bijzonder naar de stad die vroeger Königsberg was geweest en die nu Kaliningrad heette. Nostalgie lokte deze uitstervende generatie terug naar de omgeving van hun jeugd.

Daphne moest een visum hebben voor dat Russische grondgebied. Onder normale omstandigheden deden de bureaucraten op de Russische ambassade er vijf werkdagen over om een dergelijk visum voor een bezoek aan Kaliningrad af te geven.

Het zou een kwestie van geld zijn. Het was de voormalige Stasiagent en zijn vrouw voor de wind gegaan na de hereniging en ze waren van plan om het nog beter te gaan doen. Euro's werden over een tafel in de achterkamer geschoven. Daphne Sullivan had al lang genoeg in Berlijn gezeten om te weten dat er met geld in het nieuwe Duitsland een hoop deuren voor je opengingen. Elke dag van de week vertrok een Mercedes-bus met een gezelschap bejaarde bewoners naar Kaliningrad. Er ging de volgende middag een bus. Geld verzekerde de medewerking van Herr en Frau Weigel. Fräulein Magda Krause, die van plan was geweest om naar Kaliningrad te reizen om naar het verleden van haar grootouders op zoek te gaan, had de reis in november willen maken, maar haar vakantie was geannuleerd en ze kon nu alleen in deze week, eind september, gaan. Geld zorgde ervoor dat haar Duitse paspoort persoonlijk naar de Russische ambassade in Unter den Linden werd gebracht, waar nog meer geld aan een beambte werd gegeven om te garanderen dat het benodigde visum op tijd werd afgegeven voor de bus die de volgende dag van het parkeerterrein bij het Am Zoo-station zou vertrekken. Het feit dat Daphne vloeiend Duits sprak, was voldoende voor de Weigels, die geen vraagtekens bij haar verhaal plaatsten en de in ontvangst genomen euro's geroutineerd in de la achter het bureau lieten glijden. Het echtpaar had zich kunnen afvragen waarom deze jonge vrouw, die een adres in het noordelijk stadsdeel van Pankow opgaf, zo snel op reis moest, maar hun nieuwsgierigheid werd onderdrukt door de betaling.

De wereld van de Weigels was de nieuwe wereld. Ze zouden de Russische ambassade geen deelgenoot maken van eventuele verdenkingen. Ze hadden een uur geleden een telefoontje gehad van de vereniging van reisbureaus. Ze dreven rond in een zee van wederdiensten. Frau Weigel zou persoonlijk bij de vertrekplaats bij Am Zoo aanwezig zijn met het paspoort van Fräulein Krause en het aangehechte visum.

Daphne reed terug naar de ambassade, bracht rapport uit over de visumaanvraag en ging toen op zoek naar de geschiedkundige van de universiteit van Humboldt die haar achtergrondmateriaal zou verstrekken. Ze zou de rest van de middag in zijn gezelschap doorbrengen.

Volgens zijn papieren heette hij Peter Flint, maar al in zijn tienerjaren en zijn hele volwassen leven had hij alleen naar de naam Lofty geluisterd. Hij harkte de bruine bladeren aan rond de grafstenen op de begraafplaats van Tyne Cot. Er was die dag een dik tapijt gevallen, omdat er een snijdende wind had gestaan, en in een ver hoekje, bij de Duitse bunkers, had hij al een goed vuur gemaakt. Hij verzamelde de bladeren en bracht ze in de kruiwagen naar het vuur, hij kon de snelheid waarmee de bladeren van de bomen vielen niet bijhouden. Er was geen tijd van het jaar waaraan hij een grotere hekel had: het was domweg onmogelijk om de kleine vierkante perkjes met geschoffelde aarde bij de stenen en de paden met kort gras ertussen netjes te houden. Hij zou die middag en avond doorwerken, zolang er genoeg licht was om de bladeren te kunnen zien. Lofty zag dit als een plicht.

Rupert Mowbray was al aan zijn derde whisky begonnen en hij was nog steeds kwaad, toen hij de bel hoorde. Er was die middag laat een verrassingsaanval tegen hem ondernomen. Bij die verrassingsaanval was de spot met hem gedreven. Hij nam aan dat het plan de vorige avond in de kroeg van de studentenvereniging was uitgedacht. Hij was voor gek gezet, wat pijn deed, en voor oude lul uitgemaakt, wat nog meer pijn deed. Hij was thuisgekomen en had de voordeur achter zich dichtgesmeten. Pas bij de derde whisky kon hij het opbrengen om er met Felicity over te praten.

'Ik was al even bezig, stond daar al tien minuten, en had de volle aandacht van de voorste rij. Ze waren allemaal geboeid, nou, ja, alle mensen die voor mijn studenten zaten. Ik had het over Poetin en democratie en de vooronderstelling dat we misschien te snel probeerden om bij een demagoog in de gunst te komen en ik zag hoe die vervloekte studenten in beweging kwamen. Het was georkestreerd, voorbereid. Ze hielden een spandoek omhoog: MOWBRAY IS EEN VOORVECHTER VAN DE KOUDE OORLOG. Ze hadden op stukken karton geschreven: MOWBRAY, HET FOSSIEL UIT DE IJSTIJD en MOWBRAY, VECHT JE OORLOGEN ERGENS ANDERS UIT. Een student sprong overeind, zette zijn hand aan zijn mond en schreeuwde door alles heen: "Je moest je schamen, Mowbray, want je predikt alleen maar haat." Toen waren ze vertrokken. Alle rijen achter de voorste stroomden gewoon leeg en weg waren ze. Het was vernederend. Ik ging door, tot het einde. Ik mocht doodvallen als ik me er door die studenten onder liet krijgen. Het was alsof die jonge mensen niet wisten, ook niet wilden weten, wat ik meegemaakt heb, waar ik geweest ben, wat ik bereikt heb, al mijn ervaring en de basis van mijn kennis, ze maakten me gewoon belachelijk.'

De deurbel ging. Felicity zei zacht dat ze niemand verwachtte en ging opendoen. Rupert Mowbray, in zijn trots gekrenkt, zat met beide handen om het kristallen whiskyglas in zijn stoel. Hij hoorde het geroezemoes van stemmen in de gang, maar het klonk te zacht om de identiteit van het bezoek te kunnen vaststellen.

Hij had zijn land, vanachter zijn bureau bij de geheime inlichtingendienst, bijna veertig jaar gediend. Terwijl het een domme, ondankbare nieuwe generatie had voortgebracht, had dat land hem in Aden, Berlijn en Bonn in West-Duitsland gestationeerd, gevolgd door opnieuw Berlijn, Zuid-Afrika, nog eens Berlijn en Warschau. In totaal twaalf directeurs-generaal hadden op zijn werk toegezien. Hij had de golf van ontslagen in '90 overleefd, het bloedbad van Kerstmis '93, het personeelsafschot van '98. Rupert Mowbray was verdomme een man naar wie geluisterd zou moeten worden, en het beeld van de lege rijen in de collegezaal schoot door zijn gedachten.

Zijn vrouw stond in de deuropening: 'Het is Alice, ze is even langsgekomen om jou te spreken, Rupert.'

Toen deed ze een stap terug om haar door te laten, en Alice North kwam aarzelend over het tapijt op hem af. Ze droeg hem nog steeds, de barnsteen die ze gedragen had toen hij haar voor het laatst had gezien. Hij maakte aanstalten om overeind te komen.

'Blijf maar zitten. Vreselijk om zo binnen te moeten vallen, maar ik moest gewoon even iemand spreken, iemand die...'

Haar stem stierf weg. In Rupert Mowbrays ogen zag zijn voormalige administratieve assistente, vervolgens secretaresse en uiteindelijk factotum, er uitgeblust en doodmoe uit. Ze was bleek en alle kleur was uit haar wangen weggetrokken. Hij dacht dat ze eerder die dag misschien gehuild had; haar ogen waren opgezet, maar droog en er brandde een vuur in. Ze had tien jaar en een maand voor hem gewerkt, tot de dag van zijn afscheidsfeestje. Hij keek onwillekeurig naar haar oren, zocht de ingetogen schittering van de oorknopjes, parels gevat in diamantjes. Het was zijn cadeautje aan haar geweest tijdens het feestje waarop hij de kristallen karaf en de glazen van de directeur-generaal had gekregen. Ze had ze niet in, maar droeg alleen de hanger. Hij had de oorknopjes niet zelf gekocht, dat had Felicity gedaan. Hij wist dat ze in de Docklands woonde. Ze had een heel eind gereden om hem te spreken.

Hij stak zijn armen uit, omhelsde haar zoals hij een lievelingsnicht begroet zou hebben.

'... iemand die zich hier iets van aantrekt.'

Rupert Mowbray wist genoeg. Het ging om Fret. Fret was zijn agent geweest en die van Alice North. Het verslag van een vergadering die was voorgezeten door Bertie Ponsford, van de Rusland-afdeling, werd hem in de handen gedrukt en hij las het.

Hij zat in de late dienst. De andere portiers stelden zich altijd in rijen op om hem te smeken van dienst te ruilen, want iedereen haatte de nachtdienst, en 'Wickso' Wicks stelde hen zelden teleur. Tien minuten na het begin van de dienst, terwijl hij met zijn brancard rondhing bij de ingang van de eerstehulpafdeling van het ziekenhuis, werd er een man die een zware hartaanval had gekregen in aller ijl door zijn vrouw naar de klapdeuren gereden. Ze had niet op een ambulance gewacht. Hij wist wat hij moest doen en dat elke seconde telde; een collega holde naar binnen om de hartbewaking te waarschuwen. De man ademde niet meer en hij had hem languit op de stoep gelegd en zich over hem heen gebogen, toen de eerste verpleegster door de deur was gesprint. Ze duwde hem met haar elleboog opzij. 'Jezus, ga weg. Je bent verdorie maar een portier. Laat hem met rust. Wie denk je wel niet dat je bent?' De verpleegster was jong genoeg om zijn dochter te kunnen zijn en wist niets van hem af. Hij kwam niet voor zichzelf op, deed dat nooit, en wachtte gewoon tot de rest van het team ter plekke was en de patiënt op de brancard lag, waarna hij hem snel naar de hartbewaking reed.

Alleen in zijn kamer, met de duisternis om zich heen, kon kapitein-luitenant-ter-zee Viktor Artsjenko de slaap maar moeilijk vatten. Er danste een draad voor zijn ogen, en hij geloofde dat hij aan die draad hing en dat onder hem de afgrond gaapte. Toen hij de aanblik van de gerafelde draad niet langer kon verdragen, schoot hij uit bed, dat doorweekt was van het zweet, en zette hij water op voor een kop koffie.

4

V. Waar komt negentig procent van de barnsteen vandaan?
A. Kaliningrad.

De mist smolt samen met de zee en de grijs geschilderde muren die het strand aan weerszijden aan Daphne Sullivans blik onttrokken.

Ze had haar tijd goed besteed. In de bus van Berlijn was ze haar opgewekte en onderhoudende zelf geweest. Tijdens de reis van twaalf uur, waarbij in Szczecin en Elblag een sanitaire stop was gemaakt, had ze zich door het levensverhaal van ieder van haar 41 medepassagiers in de bus geworsteld. Stuk voor stuk waren ze blij geweest met de vriendelijke, belangstellende conversatie van deze jonge vrouw, die hen aan het lachen had gemaakt en naar hun verhalen had geluisterd. Ze was moeiteloos een integraal onderdeel van het bezoek aan Kaliningrad geworden. Het was bijna twee uur 's ochtends toen ze voor het hotel waren gestopt en norse portiers de koffers hadden uitgeladen. Zelfs toen de bus met een schok tot stilstand was gekomen, had Dieter Stangl nog steeds luidruchtig naast haar zitten slapen, met het frêle hoofd op haar schouder. Hij had alleen gezeten nadat de bus uit Elblag was vertrokken, en een seconde nadat ze hem zacht had gevraagd of ze naast hem mocht zitten, had ze beseft waarom. Zijn adem stonk naar zijn pijp, zijn tabak en de boterhammen met ham, knoflook en augurken die waren klaargemaakt door zijn dochters in Frankfurt. Van Elblag tot de grens had ze Dieters levensverhaal uit hem getrokken en was ze tot de conclusie gekomen, voordat hij was weggedommeld met zijn hoofd op haar schouder, dat zijn gezelschap precies was wat ze nodig had. Bij het hotel aangekomen, was hij met wankele tred de foyer binnengelopen en had zij ervoor gezorgd dat zijn koffers bij de receptie belandden, waar zij er persoonlijk op had toegezien dat ze snel naar boven werden gebracht, zodra hij zijn sleutel in ontvangst had genomen. De volgende ochtend, bij het ontbijt, had hij al naar haar uitgekeken toen ze door de glazen deuren was gekomen. Hij was met ouderwetse hoffelijkheid bij zijn tafel voor haar opgestaan en had haar stoel uitnodigend naar achteren geschoven.

Ze stond in de duinen, dicht bij een plek waar de afdrukken van twee mannenschoenen zichtbaar waren en daarnaast een paar recentelijk uitgetrapte filtersigaretten.

Ze wist nu dat hij 71 was, dat zijn vader voorman van de kraandrijvers in de dokken van Kaliningrad was geweest, dat zijn familie in de plaats gewoond had die nu Primorsk heette, aan de lagune ten westen van de stad, en dat ze met de laatste trein van Königsberg naar Berlijn waren gevlucht, vier maanden voor de uiteindelijke catastrofe. Het was een bedevaart voor de oude man; er moest een huis in Primorsk zijn dat hij hoopte te bezoeken en een begraafplaats. Misschien zou hij zelfs naar de dokken kunnen, waar nieuwe kranen in de plaats waren gekomen voor de kranen waarover zijn vader toezicht had gehouden. Als ze zich verveeld had in de bus en tijdens het ontbijt, dan liet ze daar niets van merken. Ze vertelde Dieter Stangl dat haar familie uit Povarovka kwam, ten noorden van de eindbestemming van de bus die ochtend, maar dat een oudtante verder naar het zuiden aan het strand had gewoond en dat haar overleden moeder vaak over die plaats had gesproken. De bus zou geen tijd hebben voor een dergelijke omweg, zei ze, maar ze had een auto met chauffeur gehuurd en ze stond erop dat Herr Stangl, Dieter, haar in de auto zou vergezellen, dan konden ze van deze gelegenheid gebruikmaken om samen herinneringen op te halen. Hij had deze kans op haar gezelschap en op vervoer met beide handen aangegrepen.

Achter haar stond de watertoren. Voor haar, verder op het strand, lagen de ribben van het karkas van een vissersboot.

Ze zei tegen de chauffeur, een norse, lompe figuur met een geschoren hoofd en het embleem van de commando's tussen zijn oorlel en luchtpijp getatoeëerd, waar ze naartoe wilde en had een heel verhaal opgehangen over haar familie en die van Dieter Stangl. Het was een goede dekmantel, perfect, als de plek in de gaten werd gehouden.

'Dit herinner ik me niet,' mompelde de oude Duitser.

'O jawel, hoor,' zei Daphne Sullivan beslist. Ze gaf de oude man uit Frankfurt een flinke duw en leidde hem naar het strand en het wrak van de boot beneden hen. Toen haar chauffeur van de weg was gegaan, had ze de verse bandensporen gezien en even later had ze de voetafdrukken en sigarettenpeuken gevonden. De chauffeur bleef achter en rookte een sigaartje. Ze nam Dieter bij de arm om ervoor te zorgen dat hij niet viel en hun schoenen zakten weg in de zachte helling van het duin. Ze kon de basis aan het begin van het strand in het zuiden niet zien, want de mist was dichter geworden, maar ze wist van de kaarten die ze in Berlijn had bekeken dat ze vier kilometer ten noorden van de militaire zone om Baltijsk was. Ze hield zijn arm stijf vast en imiteerde het soort toeristen dat vaak op het strand liep, waar ze rondzwierven om jeugdherinneringen op te halen en zich onder te dompelen in nostalgie. De professor aan de universiteit van Humboldt had haar goed geïnformeerd. De Duitser huiverde en zei weer dat hij zich niet kon herinneren hier ooit geweest te zijn, maar zij zei dat hij zijn pijp maar weer moest aansteken. De rook van zijn tabak werd door de wind naar haar neus gedragen. Ze liet hem hoog op het strand achter, ze had genoeg gedaan om ervoor te zorgen dat ze geen aandacht trokken. Ze kwam bij het wrak.

'Moeten we hier lang blijven?' weerklonk Dieter Stangls stem schor achter haar.

Een meter boven het zand, waar de naam van de boot misschien eens geschilderd was, waren twee met witte kalk aangebrachte kruisjes en de letters J en V zichtbaar. Het bericht dat naar Berlijn was verstuurd, had specifieke aanwijzingen bevat. Ze haalde een oranje stukje krijt van twee centimeter uit haar zak en boog zich voorover alsof haar aandacht door een bepaalde schelp werd getrokken. Haar schoenen waren nu weggezakt in de afdrukken die door iemands sportschoenen waren achtergelaten. Ze wist niet wat de kruisen en letters betekenden, maar ze begreep het belang van wat haar gevraagd was te doen. Met haar oranje krijtje zette ze twee kruisjes onder de witte kruisjes, raapte toen een schelp op die in geen enkel opzicht bijzonder was en riep luid: 'Herinnert u zich dit strand nu?'

Door de rookwolken van zijn pijp schudde Dieter Stangl zijn hoofd. Ze liep vlug naar hem toe. Ze moest nu zo snel mogelijk weg van het strand, het wrak en de krijttekens en ze pakte zijn arm stevig beet om hem weer tegen de helling naar de top van de duinen te leiden. Ze liepen samen terug naar de auto. De chauffeur bekeek hen aandachtig. Ze vertelde hem dat dit de plek was waar haar grootouders haar ouders vermoedelijk mee naartoe hadden genomen om te zwemmen en dat Herr Stangl hier als kind had gespeeld. De chauffeur reed weg. Ze zouden vanmiddag met het reisgezelschap naar het matineeconcert van het filharmonisch orkest van Kaliningrad gaan en nu nog de tijd hebben om een bezoek aan Primorsk te brengen. Ze verwachtte dat Dieter Stangl daar met vochtige ogen voor een oud, bakstenen huis zou blijven staan en zou doorzagen over de Hitlerjugend. Na het concert schreef het programma voor dat ze de bunker bezochten waar de Duitse overgave had plaatsgevonden, en ten slotte werd het oceanografisch museum aangedaan.

Onderweg klaagde Dieter Stangl: 'Ik kan me dat strand niet herinneren.'

Daphne Sullivan glimlachte innemend en zei: 'Het komt allemaal wel weer terug. Vreselijk iets is dat toch, geheugenverlies.'

Ze zou zich natuurlijk vóór het concert van hem ontdoen, met zijn stinkende adem en verschrikkelijke pijp. Het was goed gegaan. Ze zou hier waardering voor krijgen.

De lichtbundel van de zaklamp kroop naar de achterkant van de grot.

Het plafond, op deze afstand van de ingang, was te laag voor Joeri Bikov om rechtop te kunnen staan. De lichtbundel gleed over de stenen van de spleet waar water tussen de ijspegels omlaag druppelde. Op handen en knieën kroop hij voort achter de smalle lichtkegel. Bij de ingang bevonden zich de Zwarte Baretten, die de gevangene en zijn zoon hier gebracht hadden, en zijn eigen manschappen van het Wympel-team. Hij en zij hadden twee dagen lang geploeterd om door het hoogland boven het ravijn te komen, op weg naar de grot. Geen vuur voor warmte of een warme maaltijd. Geen tent om in te schuilen of slaapzak om in te kruipen. Op de laatste middag waren ze overvallen door een sneeuwstorm, maar ze hadden zich geen zorgen hoeven maken over de voetafdrukken die ze achterlieten, want de door de wind voortgejaagde sneeuw had de afdrukken snel uitgewist. Zonder de GPS zouden ze de grot en de mannen die de gevangene en zijn kind bewaakten nooit gevonden hebben. Ze waren binnen tien meter afstand van de ingang van de grot en nog geen twee meter van de dichtstbijzijnde Zwarte Baret geweest, toen ze werden aangeroepen. Bikovs hart had wild gebonsd, geweren en machinepistolen met zeer gevoelige trekkers waren op hem gericht geweest. Een slok wodka was het enige wat hem werd aangeboden, en hij luisterde naar het verhaal over de gevangenneming van de vader en de zoon.

De Zwarte Baretten hadden hun gevangene en het opstandige kind met het norse gezicht en ze konden niet uit de grot wegkomen. Eerst hadden de bewolking en de regen helikoptervluchten onmogelijk gemaakt, nu was het de sneeuw. De zes mannen van de Zwarte Baretten zaten vast en de verwachting was dat het weer de komende vijf dagen niet zou omslaan. Het was niet waarschijnlijk dat de brigadegeneraal en zijn escorte, die in een soortgelijke grot of boerenschuur of houthakkershut werden vastgehouden, het nog vijf dagen zou uithouden. Joeri Bikov wist dat het een bijzonder wrede oorlog was.

Zijn reis was misschien vergeefs geweest. Als de 'bandieten' het besluit namen om de brigadegeneraal te vermoorden, zou dit met een mes gebeuren, dan gingen de ogen eruit, de penis en testikels eraf, werd de maag leeggehaald en werd ten slotte de keel opengesneden. Maar het werk van een ondervrager was geen haastwerk, niet in een politiecel, niet op een vooruitgeschoven legerpost en niet in een grot in de bergen. Het was werk voor een geduldig man. Hij had de mannen bij de ingang van de grot verteld dat hij niet gestoord mocht worden, hoelang hij ook achter in de grot zou blijven. Ze moesten gezien hebben hoe het licht van zijn zaklamp van hen weggleed en diep in de spleet tussen de grote rotsen verdween. Zijn maag rammelde van de honger, zijn kleren waren doorweekt van de sneeuw en de kou leek tot in zijn botten door te dringen. Hij had zijn eigen wapen bij de Zwarte Baretten en het Wympel-team achtergelaten.

Het licht van de zaklamp vond kleine, witte spikkels op de bodem van de grot terwijl hij naar voren kroop.

Hij haalde zijn natte zakdoek uit zijn broekzak en zijn vingers waren gevoelloos van de kou toen hij de tanden opraapte en in de zakdoek legde. Hij hief de zaklantaarn. Als de ogen er niet geweest waren, de ogen van een man en een kind, had hij hen misschien niet gezien. Ibn ul Attab, telg uit een vermogende en invloedrijke familie uit Riyadh, lag op zijn zij en had zijn lichaam in de verste nis aan de achterkant van de grot geschoven. Bikov scheen met de zaklantaarn vol in het gezicht van de man en zag de zwarte baard vol klitten, het bloed bij de neus en de mond en de haat in zijn ogen. De Saoediër, een magere, pezige man, lag op zijn zij, en net zichtbaar boven zijn heup was het hoofd van een kind, wiens gladde huid geplooid werd door dezelfde uitdrukking van haat. Ibn ul Attabs handen waren niet zichtbaar, waren op zijn rug geboeid, en zijn enkels werden met repen plastic bij elkaar gehouden. Bikov rook uitwerpselen en urine.

Met zachte stem zei Bikov in het Arabisch wat hem tijdens zijn opleiding was geleerd: 'Ibn ul Attab, ik ga je vragen om je op je buik te draaien en dan zal ik je armen losmaken. Daarna maak ik je benen los, want het is niet goed dat je zoon zijn vader er zo bij ziet liggen. Ik heb geen pistool en geen mes. Als je me overmeestert en probeert de ingang van de grot te bereiken, zullen de Zwarte Baretten jou doden, maar je zoon niet. Jij bent dan dood terwijl je zoon is overgeleverd aan hun genade en het zal hem slecht vergaan. Niet alleen ben jij een vrijheidsstrijder, je bent ook een intelligente man. Ik vraag je niet om je woord, ik vraag alleen dat je je gedraagt.'

Een blik van walging lichtte op in de ogen van de krijgsheer, die geen moment knipperde tegen de felle lichtbundel van de zaklantaarn. Hij draaide zich niet op zijn buik, maar spoog een fluim naar Bikov door het gat waar eens zijn tanden hadden gezeten.

Gedurende de lange vlucht van Moskou en tot diep in de nacht die hij in Grozny had doorgebracht, had Bikov het dikke dossier over Ibn ul Attab bestudeerd. De man bracht tegenstanders meedogenloos om het leven, maar hij werd door de paar stafofficieren die moedig genoeg waren om objectieve rapporten te schrijven ook gezien als een voortreffelijk commandant, die geen angst kende. Hij zou alleen via het kind bereikt kunnen worden. Het behoorde tot de vaardigheden van een ondervrager om het kleinste teken van zwakte te onderkennen. Het kind zat weggedoken achter zijn vader. Bikov was een belezen man, maar was nog nooit in Griekenland geweest. Hij kende het verhaal van de held Achilles, zoon van Peleus en de zeegodin die bekendstond als Thetis. Als de Zwarte Baretten de vrije hand was gegeven, zouden ze met Ibn ul Attab van de berg naar het pad in het ravijn zijn gegaan, om hem met zijn been aan een pantserwagen te binden en naar de legerpost te slepen. Zijn lichaam zou door de rotsen uit elkaar gereten worden en de dood van de brigadegeneraal was dan onvermijdelijk.

Hij kroop dicht naar de liggende man toe en vouwde zijn zakdoek open om hem de tanden te laten zien die in de plooien lagen. 'Dat had niet mogen gebeuren. Het spijt me. Ik breng u uw tanden terug.'

Ibn ul Attab haalde met zijn laarzen naar hem uit. Bikov werd vol tegen zijn schouder geraakt. Door de plotselinge beweging viel het kind uit de nis en het schreeuwde van angst. Bikov geloofde niet dat Ibn ul Attab zijn kind nog een keer bang wilde maken. Hij bewoog met de trap van de laarzen mee. Een volle minuut staarden ze elkaar aan, de gevangene en zijn bewaarder; toen draaide Bikov zich om en schreeuwde hij naar de ingang van de grot dat hij een reep chocola wilde en dat die reep niet naar hem gebracht maar naar hem gegooid moest worden. Hij wist dat het Wympel-team chocola bij zich had en dat die chocola een belangrijk bezit was; ze zouden hem om zijn verzoek vervloeken. De chocola werd met een boog door de grot gegooid. Het was een kleine reep, tweehonderd gram, maar voor Bikov was de reep meer dan zijn gewicht in goud waard. Hij haalde de wikkel eraf, zodat de chocola zichtbaar was voor het kind, en legde de reep toen op de stenen bodem van de grot. Ze staarden elkaar twee minuten lang aan en de man bewoog zich niet, maar het kind jammerde zacht en keek naar de chocola.

Bikov verbrak de stilte. 'Omdat ik je respecteer als vrijheidsstrijder, Ibn ul Attab, bied ik je mijn excuses aan. De oorlog die mijn regering tegen het Tsjetsjeense volk en hun geloof voert is onvergeeflijk. Mijn verontschuldigingen zijn gemeend en komen recht uit het hart.'

Geen van de Russische officieren die Bikov ooit had ontmoet zou Ibn ul Attab zijn excuses hebben aangeboden. Nadat zijn tanden uit zijn mond waren geslagen, nadat hij met laarzen met stalen punten was geschopt, zou elke Russische officier – als hij nog steeds niet had willen praten – iemand een stuk lont en een detonator hebben laten halen en de lont met de detonator om Ibn ul Attabs penis hebben geknoopt om de lont vervolgens zo uit te rollen en aan te steken, dat Ibn ul Attab, terwijl zij hun vragen op hem afvuurden, het vonkende vuur steeds dichter bij de detonator zou zien komen. En wat zouden ze gedaan hebben als de detonator was afgegaan en het bloed in het rond was gespat? Ze zouden hetzelfde bij het kind gedaan hebben en Ibn ul Attab gedwongen hebben om de doodsangst van het kind te zien. En dan zouden er weer twee martelaren bij zijn gekomen en hadden ze nog niets geweten. Dat was niet de manier waarop Joeri Bikov te werk ging. Hij praatte twee uur aan één stuk door en werd niet één keer beloond met een reactie, maar de chocola bleef voor het kind liggen. Hij sprak over Saoedi-Arabië en de gerechten van het land, over zijn dochter die hij miste en die hem nooit schreef, over de zonsondergang boven de Zwarte Zee en het licht van de vroege ochtend dat zich over de Siberische toendra verspreidde, over de majestueuze pracht van de natuur en de glorie van God en het kind nam zijn blik geen seconde van de chocola. Zijn geduld was onuitputtelijk en dit was nog maar het begin.

Soldij werd niet betaald, het leger had geen brandstof om oefeningen te houden, ontberingen waren aan de orde van de dag in Kaliningrad, de ziekenhuizen kregen niet voldoende geneesmiddelen aangevoerd, het water in de stad was niet drinkbaar, maar het had de Federalnaja Sloezjba Bezopasnosi aan niets ontbroken. Op het platte dak van hun hoofdkwartier in de stad, aan de oever van de Pregel, stond een woud van antennes en schotels. De mannen die het FSB-complex afluisterden zouden het gecodeerde bericht van Daphne Sullivan niet hebben kunnen ontcijferen, maar ze zouden het gecodeerde signaal wel hebben opgevangen als ze het verzonden had en dat zou hen attent gemaakt hebben op het feit dat er een agent van de inlichtingendienst in het gebied rondliep. De instructies die zij in Berlijn had gekregen hadden duidelijk gesteld dat ze geen moderne apparatuur bij zich mocht dragen.

Na het concert werd ze plotseling getroffen door hevige maagpijn. De reisleider was zeer met haar begaan. Iemand met een beetje verstand zou er niet over piekeren om zich vrijwillig aan de Russische medische verzorging in Kaliningrad toe te vertrouwen. Voelde mevrouw zich goed genoeg om naar Polen te reizen of, beter nog, naar Duitsland? Met een gezicht dat ogenschijnlijk van pijn vertrokken was, dubbelgebogen door de krampen, zei Daphne Sullivan dat ze zich goed genoeg voelde voor die reis. Ze kreeg een eigen compartiment in de nachttrein van station Zuid. Ze stapte op de trein met een briefje in het Russisch, waarin voor de grensautoriteiten verklaard werd waarom ze haar reis had afgebroken. Toen de trein laat die nacht

Braniewo binnenreed, voelde ze zich goed genoeg om een beveiligd telefoongesprek met Berlijn te voeren.

Tot diep in de nacht hield Joeri Bikov in de grot de lichtbundel van de zaklamp op de reep chocola gericht.

Het kind, Ibn ul Attabs zoon, keek er verlangend naar en er stroomden tranen over zijn gladde wangen. Hij was geen soldaat. Hij snakte naar de zoete chocola, maar kon er niet bij, omdat zijn vaders lichaam hem tegenhield.

Alles wat Joeri Bikov deed was voorbereid. Hij wist niet waar de moeder van het kind, Ibn ul Attabs vrouw, was. Misschien bevond ze zich in een van de afgelegen boerendorpjes op het vlakke land beneden het ravijn. Misschien had ze zich tegen haar man verzet toen hij haar zoon mee naar de bergen had genomen, misschien was haar kind haar uit de armen gerukt. Hij geloofde niet dat de vrouw bij haar familie in Saoedi-Arabië was of in een veilig dorp in een vallei in Jemen was achtergelaten. Ze was vermoedelijk dichtbij en Ibn ul Attab zou aan haar denken.

De lichtbundel van de zaklamp werd zwakker en het was moeilijker om de reep chocola te zien. Het licht vervaagde op de zilverfolie van de verpakking. Bikov praatte met zachte en afgemeten stem, niet over de oorlog en niet over de islam, maar over de pracht van de bergen en de schoonheid van de herten en wilde geiten, de beren en de adelaars die boven het ravijn zweefden. Hij kreeg geen reactie, maar dat vond hij niet belangrijk, want zijn grootste deugd was zijn geduld, en hij had de strategie van zijn aanval al in zijn hoofd uitgestippeld.

Toen het licht van de zaklamp steeds zwakker werd, boog Bikov zich naar voren, pakte de chocola en brak de reep in kleine stukjes, die hij op de bodem van de grot teruglegde, zodat het kind erbij kon.

'Ik zei dat je een vrijheidsstrijder bent die ik respecteer, Ibn ul Attab. Ik wil je ook als vader respecteren. Wat de verschillen ook mogen zijn, de verschillen tussen twee mannen die tussen jouw God en mijn regering in een conflictsituatie zijn geworpen, jouw zoon heeft daar niets mee te maken. Ik vraag je om hem toestemming te geven om te eten. En het is ook niet goed dat je zoon je zo gekneveld ziet, als een kip die wacht tot zijn strot wordt doorgesneden. Je zoon moet je vrij zien. Ik weet niet hoe hij heet, maar volgens mij is het een prima jongen en is hij trots op jou. Ik vraag je om me de kans te geven de boeien om je polsen te verwijderen en je zoon te laten eten.'

Hij knipte de zaklantaarn uit en de duisternis omhulde hen.

Op de lichtgevende wijzerplaat van zijn horloge zag hij dat er een halfuur was verstreken. Toen bewoog het lichaam van Ibn ul Attab iets en hoorde hij het geritsel van aluminiumfolie en een kleine mond die kauwde. Een ogenblik later was er weer beweging. Bikov wist dat de vader zich van zijn zij op zijn buik had gedraaid. Hij tastte voor zich uit en kroop dichter naar de stinkende gedaante van de man die hij niet kon zien. Zijn handen klauwden over Ibn ul Attabs schouders en langs zijn wervelkolom naar beneden. Gisteravond zou deze man hem vermoord hebben zonder er ook maar een seconde over na te denken. Hij vond de polsen en het vochtige koord dat ze bijeenbond en begon met zijn nagels de knopen los te maken.

Hij jogde op het strand. De mist van de vorige dag was tijdens de nacht opgetrokken.

Van een afstand leek alles hetzelfde, onveranderd. Hij kende elke stap die hij op het droge zand zette. De boeien deinden aan hun ankers, gaven mijnenvelden, gezonken schepen en gedumpte explosieven aan; de watertoren stak boven de duinen uit en voor hem lag het wrak van de vissersboot. Niets was anders. Twee dagen lang was hij weggebleven van het strand, omdat zijn vrienden gezegd hadden dat hij dat moest doen. Nu rende hij over het strand naar het wrak. En in de verte, tegen de wind en het donkere geluid van de branding op de kust in, was het gegons van voertuigen die langzaam op de weg tussen de bomen reden.

Viktor kwam bij de vissersboot.

Terwijl hij zich tegen de boot liet vallen, zag hij de voetafdrukken van vrouwenschoenen, dicht bij de plek waar de kiel in het zand rustte. Hij kon het profiel van de rubberzolen zien in het zand dat nat was gebleven onder de planken. Even deed hij zijn ogen dicht en leunde hij met zijn rug tegen het ruwe hout van de romp van de boot. Zijn hart ging tekeer. Hij zag ze, twee oranje kruisen, met krijt getrokken. Met de muis van zijn hand wiste hij de krijttekens uit. Ze waren gekomen.

Hij nam de volle drie minuten rust voordat hij zich opdrukte en terug begon te hollen.

Hij was gehoord. Terwijl hij tegen de wind in rende, geloofde hij aanvankelijk dat hij gered was.

Later, toen hij moe begon te worden en zijn benen verkrampten en zijn longen pijn begonnen te doen, toen hij in de buurt van de basis kwam, sijpelden de euforie en opluchting uit hem weg. Wat konden ze doen? De auto's die hem schaduwden waren op de weg die verborgen tussen de dennen lag. Hij kon nog steeds de gedaantes in de verte zien en de flard sigarettenrook die boven hun hoofd krulde. Zijn benen hadden net zo goed tussen de tanden van een voetangel kunnen zitten. Het hek bij de grens werd bewaakt en hij werd geschaduwd; radarstralen bestreken de zee die zich naar de verre horizon uitstrekte en er werd met snelle schepen gepatrouilleerd. Hij werd zowel op als buiten de basis in de gaten gehouden. Hij kon zich niet voorstellen wat zijn vrienden voor hem konden doen. Ze hadden zijn kreet gehoord, maar ze hadden hem geen echt antwoord gegeven. Hun nobele woorden galmden door zijn hoofd: 'We gaan nog liever dood dan dat we jou in de steek laten, Viktor. Je bent onze beste agent. Het zou een schande zijn als we je lieten vallen. Je bent een van ons.' Makkelijk gezegd. Hij wist wat er met hem zou gebeuren als zijn verraad werd bewezen, als zijn vrienden niet op zijn kreet om hulp zouden reageren.

Het grijze licht kroop in de ingang van de grot. Bikov zat in kleermakerszit, met zijn armen om zijn borst en keek naar Ibn ul Attab, die zijn zoon stijf tegen zich aan gedrukt had. De ondervrager, het kind en de militaire leider rilden samen en hun lichamen schokten gelijktijdig. Bikov praatte.

'Ik weet zijn naam niet. Je weet dat ik de naam van je zoon niet weet. Hoeveel keer heb ik je om zijn naam gevraagd? Tien keer, twintig keer? Je hebt me zijn naam niet gegeven. Als je me zijn naam niet geeft, Ibn ul Attab, dan zal ik hem een naam moeten geven. Ik zal hem "Sayyed" noemen. Vind je dat een goede naam of heb je een betere naam voor hem? Ik geloof dat "Sayyed" een goede naam is, omdat er gevoeligheid uit spreekt. Ik geloof dat "Sayyed", als hem de kans wordt gegeven, zal uitgroeien tot een bijzondere man, een man met beschaving, een man die geliefd zal zijn, maar dan moet hij wel volwassen mogen worden.'

De stem van Joeri Bikov was een schor gekras. Hij had de hele avond en nacht gepraat en nu was het dag geworden. De kou zat in zijn huid en botten, en door zijn vochtige kleren kon zijn lichaam niet warm worden. Terwijl hij praatte, stelde hij vragen die niet beantwoord werden en deed hij uitspraken die om een reactie vroegen, maar de gelegenheid werd niet te baat genomen. Van alle Tsjetsjeense militaire leiders was dit degene die het meest gevreesd werd door de dienstplichtigen van de binnenlandse eenheden, degene die het meest gehaat werd door de patrouilles van de Zwarte Baretten, de wreedste van alle leiders, de man met de hoogste prijs in roebels op zijn hoofd, wreder dan Gelajev, Basjev en Bekajev, verafschuwd, naarstig gezocht. Het was Ibn ul Attab geweest die de aanval had geleid op het konvooi van speciale politie-eenheden – 98 doden – en op de zesde compagnie paratroepers van het 104e pararegiment, waarbij in totaal 75 doden vielen. Zijn mannen konden in een dag of een nacht meer dan veertig kilometer afleggen en mijnen, mortieren, mitrailleurs, antitankraketten en RPG-granaten met zich meevoeren. Onder de mannen van de 42e divisie en het 205e gemotoriseerde carabinieripeloton was Ibn ul Attab een leider die ontzag afdwong, die gevreesd werd en op fluistertoon besproken werd. Video's van aanvallen en van krijgsgevangen gemaakte dienstplichtigen, hun marteling en dood, werden te koop aangeboden in de soeks, bazaars en de moskeeën in de steden van het Golfgebied om geld in te zamelen en vrijwilligers te rekruteren. Sommige van de video's werden echter in een onbeschreven envelop bij de poort van de kazerne van de binnenlandse eenheden achtergelaten, in de wetenschap dat ernaar gekeken zou worden en dat de angst zich zou verspreiden. In Moskou, in de Loebjanka, ging het gerucht dat steeds meer agenten van de binnenlandse veiligheidsdienst van de FSB nu weigerden om in Grozny te dienen en liever gedegradeerd of ontslagen werden dan dat ze naar dit oorlogsterrein kwamen. Toch was Bikov hier en had hij de handen losgemaakt die hem konden wurgen.

Zijn stem werd zwakker.

'Ik denk dat je "Sayyed" de kans zal geven om een man te worden. Een kind als hij kan alleen maar een belofte waarmaken. Daarom hebben we kinderen, nietwaar? Ik denk dat jij ervoor zult zorgen dat hij niet alleen maar een statistisch gegeven wordt door zijn vroege dood, maar dat hij zelf een held wordt. Ik kan de adem van je kind voelen en ik weet dat hij zich op zijn vaders liefde en bescherming heeft kunnen verheugen. Heb ik gelijk? "Sayyed" is geen soldaat? Dat maakt hem als kind niet minder. Hij zou naar de universiteit in Caïro, Damascus of San'a kunnen en ik denk dat hij leraar zou kunnen worden. Geen militair leider zoals zijn vader, maar leraar natuurwetenschappen of muziek of een expert in het geweldige erfgoed van de islamitische architectuur. "Sayyed" kan zijn hele familie aanzien geven, lang nadat deze oorlog voorbij is. Er zijn te veel soldaten en niet genoeg leraren. Je hebt het zelf in de hand, Ibn ul Attab, wat voor toekomst je "Sayyed" geeft.'

'Hij heet Ahmed. De naam van mijn zoon is Ahmed.'

Bikov hoorde de ijle, hoge stem, zwak van honger en dorst en wist dat succes niet lang meer op zich zou laten wachten.

'Wat zouden ze met hem doen?' Ze had zich naar Rupert Mowbray overgebogen en hem haar vraag ingefluisterd.

'Ik denk dat je daar het antwoord al op weet, Alice.'

Het lijnvliegtuig reed met toenemende snelheid over de startbaan van Gdansk, voor de korte vlucht naar Warschau.

'Inderdaad, maar ik wil het bevestigd hebben.'

Het was na hun tweede debriefing in het Exelsior-hotel.

'Recht voor zijn raap?'

'Ik wil het niet mooier dan het is, ja, recht voor zijn raap.'
Hij was 's ochtends vroeg weggegaan, voordat het licht werd, en teruggekeerd naar zijn hotel, waar de rest van de delegatie logeerde. Later zou hij nog een bespreking hebben bij het droogdok en daarna weer over de grens gaan. Het vliegtuig was opgestegen en Rupert Mowbray had recht voor zich uit gekeken en zó zacht gesproken, dat ze zich had moeten inspannen om hem te horen.

'Kolonel Pjotr Popov werd levend en ten aanschouwen van al zijn collega's in de centraleverwarmingsketel in de kelder van de Loebjanka geduwd en zijn lijden werd op film vastgelegd.'

'Dat was lang geleden.'

'Dat wel, maar de mentaliteit is niet veranderd. Penkovski werd 's ochtends vroeg uit zijn cel gehaald en op de binnenplaats van de Boetirki-gevangenis gefusilleerd.'

'Ook weer lang geleden, Rupert.'

'De mannen die door Aldrich Ames verraden zijn – dat is nog maar kort geleden in ons vak – zijn in het geheim berecht en terechtgesteld.'

'Wat zouden ze tegenwoordig doen?'

'Tegenwoordig is Robert Hanssen ook weer een Amerikaan. Hij is veertien maanden geleden door de FBI gearresteerd, is dat recent genoeg? Dit hoeft jou niet verteld te worden, Alice.'

'Vertel het me toch maar.'

'Degenen die door Hanssen werden aangewezen kregen na een besloten zitting een nekschot. Het zijn dezelfde mannen, alleen een ander uniform en een andere naam, maar het verleden zit hun in het bloed. Er is maar één straf, Alice, voor iemand die zo belangrijk is. Het is smerig werk, maar we verdienen er ons geld mee.'

'Maar we helpen hem toch wel?'

'Zoals ik tegen Fret zei, Alice: "We gaan nog liever dood dan dat we je in de steek laten." Dat meende ik, meid. Maar vanaf het moment dat hij die kajuit binnenliep, riep hij de doodsstraf over zichzelf af. Waarom probeer je niet wat te slapen?'

Ze had niet geslapen. Gedurende de hele vlucht had ze niet stil kunnen zitten en had ze voortdurend met het nieuwe presentje, de barnsteenhanger, gespeeld. Haar vingers hadden hem geen moment losgelaten. Ze had zich toen voorgenomen dat ze hem altijd zou dragen.

Het regende die ochtend in Londen toen Alice North de tafel gereedmaakte voor de bijeenkomst in de vergaderzaal op de vijfde verdieping. Vijf vellen papier en twee scherpe potloden voor elke deelnemer, plus kopjes en schotels. Ze stopte de stekker van de percolator in het stopcontact, vulde een schaaltje met suikerklontjes en legde er een zilveren lepel op. Ten slotte zette ze een stoel in de hoek waar zij zou zitten en waar ze niemand opviel.

Ze had het bericht dat uit Braniewo was verzonden en door Berlijn was doorgestuurd gelezen.

Er was een gedecideerde, krachtige toon in zijn stem gekomen. Bikov verzette zich tegen de vermoeidheid toen hij de militair leider vertelde wat hij wilde en wat de man in ruil daarvoor zou krijgen.

Locke zette zijn kopje nadrukkelijk terug op de schotel en zei: 'We hebben nu een beter beeld van de situatie, maar daar komen we geen stap verder mee. Een kruis betekent toch "surveillance"? Twee kruisen betekent "extra surveillance". Klopt dat? De man met de codenaam Fret staat onder extra toezicht. Ik ben geen atoomgeleerde, maar ik begrijp wel dat dit betekent dat hij onbereikbaar is. Het doek kan wel dicht, zou ik zeggen.'

Zonder ook maar één keer op te kijken, merkte Bertie Ponsford zacht op: 'Dank je wel, Gabriel, kort maar krachtig. Peter, wat is het standpunt van Geheime Operaties? Hoe zie jij dit?'

Zuchtend, alsof de hele wereld op zijn schouders rustte, stak Peter Giles van wal: 'Tja, we zullen een beslissing moeten nemen, hè? Bevelen we exfiltratie, met alles wat er bij een dergelijke actie komt kijken, wel aan of niet? Godzijdank hebben wij het niet voor het zeggen, maar onze leiders en ministers verwachten advies van ons. De moeilijkheid waar ik mij voor geplaatst zie, is dat we dit werk gewoon niet meer doen, het is volkomen uit de tijd. We hebben het al niet meer geprobeerd sinds de muur is gevallen. En als ik de dossiers lees die Rupert voor ons heeft achtergelaten – en die zijn dun, zeer dun – kan ik nergens een garantie vinden die wij Fret gegeven zouden hebben. Dat is belangrijk. We hebben geen officiële ereschuld of zoiets belachelijks. Ik zie niet in wat we kunnen doen, zeker niet bij "extra surveillance"...'

Bertie bewoog zijn vingers langs het potlood op en neer en draaide zich half om in zijn stoel. 'Bondig samengevat, Peter. Mijn dank. Geoff, als we alles in de strijd gooien en het lukt ons Fret hier uit te halen, wat is dan onze beloning?'

De officier van de marine-inlichtingendienst haalde zijn schouders op. 'Niets om over naar huis te schrijven. Ik denk dat we een maand met hem om de tafel gaan zitten, maar dat we het in de tweede week al moeilijk zullen krijgen. Zijn kracht lag in de schriftelijke informatie die hij ons stuurde en het meeste daarvan was geen materiaal dat iemand onthoudt. Het zijn nauwkeurige blauwdrukken geweest: snelheid van onderzeeërs, diepte, radarsensors, rompspecificaties en dat soort zaken. We moeten bijzonderheden hebben. Neem de buitenste laag van de drukhuid, hoe zijn het glas, plastic en keramisch materiaal gemixt? Aan algemene informatie hebben we niets. We hebben de documentatie nodig en dan kunnen we de nodige tegenmaatregelen ontwikkelen. Het is nauwkeurig werk, ik kan me niet voorstellen dat hij het allemaal in zijn hoofd heeft.'

Bertie legde zijn pen neer en stak zijn hand uit naar de koffie. Hij glimlachte en trok toen een gezicht. 'Hoor ik een uitgesproken gebrek aan enthousiasme? Jij was tijdens de laatste bijeenkomst al pessimistisch, Bill. Zijn er dingen die Hereford tot andere gedachten gebracht hebben?'

De SAS-officier schudde het hoofd. Hij droeg dezelfde trui en spijkerbroek als de vorige keer. 'Onze mensen zijn er ook niet happig op. Wat mij is gezegd, komt niet neer op een weigering, maar we zouden de zaak heel ingewikkeld gaan maken. We zouden botweg kunnen gaan praten over voorbereidingstijd, tijd om verkenningen uit te voeren, om op tempo te komen, en na een paar weken op die manier verknoeid te hebben, zouden we kunnen zeggen dat er ook nog eens een flink stuk zee bij komt kijken, plus kilometers kust, en dat dit misschien beter door de bootjongens gedaan kan worden. Ik zou jullie niet willen aanraden om je op ons te verlaten.'

Achter hem klonk het gekras van potlood op papier. Het kwam geen moment bij Ponsford op om Alice North om haar mening te vragen. 'Goed, ik wil niet dat iemand de indruk krijgt dat ik mijn handen van Fret ga aftrekken, maar ik heb kennisgenomen van de standpunten van mijn collega's. Mijn evaluatie: op het moment is de FSB vermoedelijk koortsachtig bezig met het verzamelen van al het mogelijke bewijsmateriaal, dat ze beschikbaar zullen stellen aan de beste ondervrager. Ze willen daar graag duidelijkheid hebben en streven naar een gedetailleerde bekentenis. Het zal de taak van de ondervrager zijn om die los te krijgen. Op het moment wordt de agent in zijn bewegingen beperkt door de "extra surveillance". Hij staat onder druk en is de paniek nabij, maar als hij probeert te vluchten, speelt dat de FSB alleen maar in de kaart en geeft het hun het bewijs dat hem fataal zal worden. We hebben misschien nog een paar dagen speelruimte, maar niet meer dan een paar. Ik heb kennisgenomen van de bedenkingen uit Hereford en hun suggestie dat een mogelijke, maar niet waarschijnlijke exfiltratie van Fret het beste aan de speciale booteenheid overgelaten kan worden. Ik zal Gabriel vragen om direct naar Poole te gaan om hen te polsen. Daarna hoop ik in de positie te zijn om de directeur-generaal een bepaalde aanpak te kunnen adviseren. Ik hoop van harte dat ik ongelijk heb, maar ik moet zeggen dat ik geen licht aan het eind van deze tunnel zie. Uiteraard is dit Ruperts zaak, maar hij is hier niet om uitkomst te bieden.'

De vergadering werd gesloten. Gabriel Locke begaf zich snel naar zijn auto.

In de namiddag kroop Bikov op handen en voeten naar de ingang van de grot en vroeg de Zwarte Baretten en het Wympel-team wat ze aan eten konden missen voor hem, de gevangene en het kind van de gevangene. Er werd een inzameling gehouden, die gedroogde, bevroren linzen, een appel, wat rijst en de resten van een kant-en-klaarmaaltijd opleverde. Er was maar weinig eten en ze gaven het met tegenzin weg. Als Joeri Bikov niet zo veel gezag had gehad, zouden ze niets gegeven hebben. Ze konden geen vuurtje maken en zij zouden kouder en natter zijn bij de ingang dan hij in de grot zelf. Hij had ruim 24 uur diep in de grot doorgebracht, en zij moesten zijn geprevel gehoord hebben terwijl ze onrustig sliepen wanneer ze geen wacht hadden. Ze wisten dat Ibn ul Attabs mannen naar hem zouden zoeken. Toen ze hem het eten hadden gegeven dat ze missen konden, gaf hij de bevelhebbende sergeant een klein stukje glimmend metaal, afgerond als de kop van een schroef, met een diameter van vier millimeter, en vertelde hem wat hij ermee moest doen. Toen liep hij met het eten weer diep de grot in.

In de invallende schemering, voor de poort van de kazerne, zat Gabriel Locke in zijn auto; hij sloot het beveilingssysteem aan en drukte op de toetsen van zijn mobiele telefoon. Achter de poort en hekken met prikkeldraad was hij behandeld als een onbeduidend stuk onbenul. Ze hadden de spot met hem gedreven. Een schildwacht slenterde met de arrogantie van een koninklijke marinier op hem af. De verbinding kwam tot stand. De schildwacht nam zijn hand van de kolf van zijn geweer en klopte op het raampje. Locke draaide het omlaag.

'Neem me niet kwalijk, meneer, maar dit is een plaats om auto's te parkeren, niet om erin te zitten. Als u in uw auto wilt zitten, meneer, zou u dan zo goed willen zijn om dat ergens anders te doen?'

Locke zei hardop dat hij de klere kon krijgen. De kortstondige blik van verbazing op het gezicht van de schildwacht was zijn enige, kleine triomf tijdens zijn bezoek aan de speciale booteenheid in Poole. Hij haatte deze stad in Dorset en iedereen die er woonde, maar een geweer was een geweer en een marinier was een marinier en er waren nog meer mariniers in het wachtlokaal. Hij startte de motor, schakelde in de achteruit en reed een stuk terug. Hij zag de zelfgenoegzame grijns op het gezicht van de schildwacht.

Hij kon Bertie Ponsford niet te pakken krijgen. Hij probeerde Peter Giles, waarnemend directeur van Geheime Operaties, maar de assistente zei dat haar baas het gebouw verlaten had en ze wist niet wanneer hij terugkwam, áls hij al terugkwam. Was het belangrijk? Locke belde het nummer van Alice North.

'Hallo?'

'Alice, met Gabriel...'

'Wie?'

'Gabriel Locke.'

'O, ja. Wat kan ik voor je doen?'

'Ik kan Bertie niet te pakken krijgen en Peter is de hort op. Ik...'

'Meneer Ponsfords kleindochter doet mee aan het schoolconcert en daar is hij heen, in Holland Park. Meneer Giles is op zijn club met meneer Dandridge van Personeelszaken.'

'Ik moet verslag uitbrengen van mijn bezoek aan de SBS.'

De stem aan de andere kant, die blikkerig klonk door de scrambler, antwoordde: 'Nou, dan moest je het mij maar vertellen, hè?'

'Ja, ja...' Locke had gedacht dat Bertie en Peter naast hun telefoon zouden zitten wachten tot hij belde. Hij kreeg de indruk dat de scrambler haar stem een spottende klank gaf.

'Ik wacht.'

'Het zal wel goed zijn. Zorg je dat ze het krijgen? Maak jij er een rapport van? Ik kan niet zeggen dat me een uitbundig welkom ten deel viel. Er was geen kip in die kazerne. Uiteindelijk wisten ze de adjudant van het eskader, een luitenant en twee sergeanten op te trommelen. Ik weet niet waar de mensen met het vereiste gezag waren, die zwierven waarschijnlijk nog in de Hindu Kush rond of schreven samenvattingen voor hun Afghaanse memoires. Ik vertelde hun dat het om Kaliningrad ging en ze vonden een kaart en begonnen toen te lachen alsof ik een sketch had opgevoerd. Het was de kaart van de marinebasis, de aanvaarroute naar Baltijsk en het Kaliningradski Morskoi-kanaal. Toen vroegen ze op de computer informatie op over de troepenmacht in Kaliningrad: hoeveel tanks, hoeveel pantserwagens, hoeveel artillerieregimenten, hoeveel marine-infanterie-eenheden en wat voor luchtmachteskaders er waren. Het was de bedoeling dat ik hun vragen stelde. Nou, geen schijn van kans. De luitenant zei, en ik citeer: "We stellen altijd drie vragen. Eén: waar is hij? Twee: wat doet hij? Drie: gaat het lukken? Drie antwoorden. Antwoord één: hij zit in het midden van een bewaakte Russische marinebasis. Antwoord twee: hij loopt daar rond onder extra surveillance. Antwoord drie: vergeet het maar." Een sergeant zei, en ik citeer: "Vierde vraag, is hij het waard?" Het had volgens mij geen zin om erop door te gaan. Ze wilden er niets van weten. Zijn wij klaar voor wat in feite een oorlogshandeling is? Het is een bekeken zaak, hè? Ik bedoel, het houdt hier toch op, nietwaar? Ik nam kennis van alles wat ze te vertellen hadden en was het ermee eens, alleen hadden ze niet zo verschrikkelijk uit de hoogte hoeven doen. Is hij het waard? Daar komt het op neer. Wij zijn agenten van de inlichtingendienst tenslotte, geen avonturiers. Zorg je ervoor dat Bertie en Peter dit krijgen?'

'Ik zal het doorgeven.'

Hij maakte een eind aan het gesprek. In zijn spiegeltje zag hij hoe een politieagent op hem toeliep terwijl zijn hand naar het boekje in zijn borstzakje ging. Locke geloofde dat hij een bon zou krijgen wegens parkeren bij een dubbele gele streep. Hij zag de plas regenwater het dichtst bij de agent, reed er dwars doorheen terwijl hij langs de man kwam en zag dat hij de pijpen van de uniformbroek nat had gespat. Wat hem nog het meest irriteerde, was dat de mannen van de SBS hadden gedacht dat het idiote plan om een oorlog te beginnen van hem afkomstig was. Dat irriteerde Gabriel Locke mateloos.

Bikov leidde hen de grot uit. Ze waren tot overeenstemming gekomen, vrijheid voor vrijheid, de vrijheid van een militair leider en zijn zoon voor de vrijheid van een brigadegeneraal en zijn escorte.

Er was geen sprake geweest van een symbolische handdruk. Tussen twee mannen van het kaliber van Bikov en Ibn ul Attab was dat gebaar niet nodig.

Bij de ingang van de grot bood hij de andere man zijn arm aan om op te steunen voordat hij rechtop ging staan. Het bloed was uit Ibn ul Attabs benen en voeten weggevloeid, zo strak hadden de boeien om zijn enkels gezeten, en de krijgsman had gewankeld toen hij voor het eerst overeind kwam. Toen leunde hij op de schouder van zijn zoon en dat gaf hem voldoende steun om zijn evenwicht te hervinden. Bikov vroeg de Zwarte Baretten om hem zijn geweer terug te geven. Er moesten woeste blikken in de ogen achter de bivakmutsen van de mannen van de Zwarte Baretten en het Wympel-team te zien zijn geweest. Hij kon hun ogen niet zien, maar een van de mannen verzamelde speeksel in zijn mond en spuugde dat duidelijk hoorbaar in de richting van de laarzen van Ibn ul Attab. De loop van het wapen streek langs zijn mouw en Bikov nam het aan. Hij hoefde geen toespraak te houden over de naaktheid van een krijgsman zonder zijn wapen: dat was impliciet. Bikov hoorde hoe Ibn ul Attab het magazijn van het geweer controleerde en het wapen doorlaadde om een kogel in de kamer te brengen. Even later waren ze weg.

Bikov moest denken aan de tijd dat hij als kind in het stuwmeer aan de rand van de stad Gorno-Altaisk had gevist, toen hij en zijn vrienden grote karpers hadden gevangen bij de dam van het meer. Als ze geen karper voor het avondeten mee naar huis hoefden te nemen, lieten ze hem vrij. Ze zagen de vis dan langzaam in de diepte verdwijnen, voordat ze hem uit het oog verloren.

Hij vertelde de Zwarte Baretten dat ze die nacht nog in de grot zouden verblijven en de volgende ochtend aan de afdaling zouden beginnen.

Zijn stem was schor, weinig meer dan gemurmel.

'Jullie kunnen een oordeel over mij vellen, daar hebben jullie elk recht toe. Het enige wat ik jullie kan vragen is dat jullie je uiteindelijke oordeel uitstellen tot dit allemaal voorbij is. Wanneer het voorbij is, mag je je elk oordeel over me vormen dat je maar wilt.'

Hij kroop de grot weer in. Hij was zo moe, zo koud, en de honger brandde als een vuur in zijn maag. Alleen het kind had gegeten. Hij vond zijn zakdoek, maar de tanden zaten er niet meer in. Toen ging hij met opgetrokken knieën in de hoek van de grot liggen en viel in slaap. Het was een droomloze slaap.

Er was geen andere ondervrager bij de militaire veiligheidsafdeling van de Federalnaja Sloezjba Bezopasnosi die had kunnen bereiken wat hij zojuist bereikt had. Zijn zachte gesnurk vulde de grot.

Als een uil in de nacht, waakzaam wachtend, bleef Rupert Mowbray ruim vier minuten voor het buitenste hek van Vauxhall Bridge Cross wachten. Het was nooit goed om te vroeg te zijn. Precies op het moment waarop hij in het gebouw werd verwacht, toen de klok van het parlementsgebouw het late uur sloeg, meldde hij zich bij de veiligheidsmedewerker.

'Hallo, meneer Mowbray, vreemde tijd om een bezoekje te komen brengen. Hoe gaat het met u?'

'Niet slecht, Clarence, ik mag niet klagen. En jij ziet er goed uit, tot in de puntjes verzorgd. De directeur-generaal verwacht me.'

5

V. Wat is de geboorteplaats van Max Colpet, de joodse componist, die 'Where Have All The Flowers Gone' voor Marlene Dietrich heeft geschreven?
A. Kaliningrad.

Hij maakte schaamteloos gebruik van de status die hij in al die jaren bij de dienst had opgebouwd. 'Als jullie de agent met de codenaam Fret aan zijn lot overlaten, kunnen jullie net zo goed de tekst: "Waag je leven niet voor ons, want het zal ons een zorg zijn wat er met je gebeurt" op de voordeur zetten. Jullie zouden via de wereldomroep van de BBC het nieuws kunnen verspreiden dat elke agent die voor ons werkt genadeloos in de steek wordt gelaten.'

Hij was imposant. Hij had zich in zijn volle lengte opgericht, terwijl de anderen geschrokken om de tafel zaten, en in zijn stem klonk overtuiging door. De vergadering vond plaats in een vertrek op de benedenverdieping, naast het atrium. Zijn gehoor bestond uit de directeur-generaal, Bertie Ponsford, Peter Giles en de jonge Locke. Op een harde stoel bij de deur zat Alice North. Hij was sinds zijn afscheidsfeestje niet meer in het gebouw bij Vauxhall Bridge geweest. Het kwam zelden voor dat een ex-werknemer door de veiligheidscontrole bij de vooringang kwam, maar voor hem waren de regels met voeten getreden en had men een kamer beschikbaar gesteld. Het was vanwege het respect dat de oude strijder was voorbehouden dat de directeur-generaal na Mowbrays telefoontje een etentje had afgezegd en dat Ponsford en Giles op het matje waren geroepen.

'En dan vraag ik: is het leven van een spion belangrijk? We gebruiken hem, zuigen hem leeg, houden hem op zijn positie terwijl overal alarmbellen afgaan en doen – uiteraard – een paar loze toezeggingen over onze bereidheid om tot het uiterste te gaan om hem te redden als de situatie moeilijk begint te worden. Maar zijn we inderdaad bereid om doortastend op te treden? Dat zouden we wel moeten zijn. Niet uit emotionele overwegingen, maar om de reputatie van onze dienst hoog te houden.'

Mowbray concentreerde zijn betoog op de directeur-generaal. Elk woord, elke theatrale pauze en onheilspellende blik was op de directeur-generaal gericht. Hij had de man die twintig jaar geleden in Bonn zijn directe ondergeschikte was geweest nooit voor vol aangezien. De directeur-generaal had echter wel ambitie, had zich het netwerk van de administratieve afdelingen van de dienst eigen gemaakt en was nooit lang genoeg op een van de afdelingen gebleven om zijn tekortkomingen bloot te geven. Hij had een ridderorde, had toegang tot de premier, vergezelde de regeringsleider op al diens buitenlandse bezoeken en was een zwakke figuur. Mowbray verachtte hem, verachtte hem in voldoende mate om een pleidooi te houden voor de eer van de dienst.

'We gaan naar Kaliningrad. We halen hem daar weg en zorgen dat de hele wereld het nieuws te horen krijgt dat de Britse inlichtingendienst degenen die hun leven voor hem wagen niet in de kou laat staan. Dat zou een formidabele boodschap zijn, een boodschap die in Azië, op het subcontinent, in het Midden-Oosten en door heel Europa gehoord zou worden. Het zou een magneet voor dissidenten zijn en dat zijn de mensen van wie we het moeten hebben. Ik verzoek jullie met klem een dergelijke boodschap te versturen.'

Geen van de mannen om de tafel beantwoordde zijn blik. Ze friemelden met hun zakdoeken, strengelden hun vingers ineen en knakten de gewrichten, terwijl ze het plafond, de muren en het glanzende tafelblad bestudeerden. Ponsford was volgens hem gewoon een knecht die zou wachten op de mening van zijn directeur-generaal en die vervolgens zou onderschrijven. Giles had de moed van een gecastreerde huiskat en de fantasie die met een dergelijk verwend beest gepaard ging. Mowbray was gewapend met de afschriften van twee vergaderingen. Hij had snel de getypte notulen doorgebladerd van de tweede vergadering, die Alice hem ter inzage had gegeven toen ze in de gang hadden gewacht tot ze binnengeroepen werden. Hij moest nog een doelwit hebben. De directeur had dezelfde afschriften zeker gelezen. Hij staakte het geijsbeer dat hem steeds weer langs de directeur-generaal had gebracht en bleef als een cobra klaar om toe te slaan achter de jongeman staan. Een minachtende glimlach speelde om zijn mond en hij haalde zijn handen van zijn rug en liet die losjes op de rugleuning van Lockes stoel rusten.

'Ik begrijp dat we ons niet moeten laten leiden door pure emotie, maar onze handelingen moeten wel geïnspireerd worden door trouw. Een machtig woord, een woord misschien voor het vocabulaire van oude mannen, maar trouw geeft ons het recht op een waardig standpunt, het recht om eervol te handelen. Het zou een trieste dag zijn, niet alleen voor mij, maar voor ons allemaal, als waardigheid en eer aan de kant worden gezet voor een misplaatste pragmatische overtuiging. Een pragmaticus is onveranderlijk een lafaard.'

Hij zag hoe Lockes nek rood werd. Het was een meedogenloze, vernietigende aanval, waarover hij geen wroeging had. Hij had de nieuweling één keer ontmoet en dat was tijdens zijn afscheidsfeestje geweest, nadat hij de kristallen karaf en glazen had gekregen, en hij geprobeerd had om zo nuchter te worden, dat hij een paar minuutjes over de waarde van Fret kon praten, maar hij had het onverholen gebrek aan belangstelling van de jongeman gezien toen hij mompelend de techniek van de afhaalprocedures had afgehandeld. Hij dreef de spot met Locke en begon toen weer te ijsberen.

'Als jullie mij vertellen dat de dienst die ik met zo veel trots na een leven van hard werken heb verlaten nu geleid wordt door lafaards, dan zal me dat verdriet doen. Maar ik geloof niet dat dat het geval is. De geschiedenis van de dienst vraagt om een betere beloning. Als jullie last van zenuwen hebben, moeten jullie deze affaire maar overlaten aan mensen die niet bang zijn, aan mij en een team dat ik zal samenstellen en leiden. Ik kom met resultaten.'

Hij sprak met vertrouwen en zekerheid. Hij had geen plan voor de exfiltratie van een agent uit Kaliningrad. Dit was iets wat de oude dienst gedaan zou hebben, in de jaren zestig en zeventig. Hij kon zich de opwinding die in de gangen van Broadway en later Century House voelbaar was geworden nog herinneren als de dag van gisteren, wanneer het gerucht van een overwinning zich vanuit de kantines en bars had verspreid. En hij kon zich ook het gevoel van machteloze wanhoop herinneren dat zich in dezelfde gangen, kantines en bars had aangediend toen het nieuws hen had bereikt dat aan het leven van agent Oleg Penkovski, kolonel van de GRU, codenaam Held, een einde was gemaakt door een kogel op de binnenplaats van een gevangenis. Een secretaresse die bij het team had gezeten dat zich met Penkovski bezighield had openlijk gehuild boven haar schrijfmachine en de case-officers waren tijdens de lunchpauze naar de kroeg gegaan en die middag niet meer teruggekomen. De successen die hij zich kon herinneren hadden zich nooit kunnen meten met het verdriet van de dag waarop het bericht was gekomen dat Penkovski, de grote man, dood was. Mowbray was die stemming, dat schaamtegevoel, nooit meer vergeten. Er was niets gedaan om de agent met de codenaam Held te redden. Hij richtte zich weer tot de directeur-generaal.

'Niet dat het belangrijk is, althans niet voor de pragmatici, maar Fret is een van de moedigste mensen die ik ken. Vier jaar lang, dag in, dag uit, heeft hij zijn leven in de waagschaal gesteld, heeft hij de dood in de ogen gezien. En waarvoor? Voor zijn geloof in ons als mensen die woord houden. Het is ontzettend moeilijk om je een voorstelling te maken van de verschrikkelijke last die op zijn schouders rust, maar dat is niet belangrijk. Dat is maar een bijkomstigheid. Wat belangrijk is, is dat we de wereld laten zien dat we achter onze mensen staan, dat we de moeite nemen om hen te beschermen.'

Mowbray trok zijn manchet iets op en wierp een blik op zijn horloge. Nooit te lang doorgaan, had hij geleerd. Je gehoor nooit vervelen. Zijn stem klonk opeens zacht, zodat iedereen, behalve Locke, zich vooroverboog om hem te kunnen horen.

'Dus dit wordt de grote dag voor de lafaards? Om Fret daar weg te halen zou, zoals ze dat vroeger zeiden, een "fluitje van een cent" zijn. Als we niets doen, als we de zaak op zijn beloop laten en wachten op het geluid van de kogel, of op onze kont blijven zitten tot we het bericht krijgen dat er een jongeman uit een helikopter is gegooid of "bij een verkeersongeluk om het leven is gekomen", kunnen jullie allemaal net zo goed je ontslag aanvragen en met pensioen gaan. Heeft de inlichtingendienst dan nog een toekomst? Ik betwijfel het. Ik denk dat jullie het op prijs zullen stellen als ik me even terugtrek.'

Met een weids gebaar, alsof hij niet méér kon doen, draaide hij zich abrupt om, liep naar de deur en verdween uit het vertrek.

Twaalf minuten later werd Mowbray teruggeroepen.

De directeur-generaal zei: 'Wat je over trouw zei, Rupert, heeft de doorslag gegeven.'

Ze waren van de bergen boven het ravijn gekomen en hadden de legerpost bereikt. De andere passagiers waren er al, zoals Bikov geweten had, en de piloot van de helikopter wilde het liefst meteen weg, omdat de sneeuw aan de schroefbladen en de romp van het toestel bleef zitten. Ze waren laag, op de instrumenten, over de daken gevlogen en rakelings over de elektriciteitskabels gescheerd die tussen de masten hingen. De verwoesting van de oorlog lag zichtbaar onder hen.

Joeri Bikov was er de man niet naar om een moment van succes helemaal uit te melken. Toen ze op het militaire vliegveld van Grozny landden, bleef hij op zijn stoeltje zitten, met zijn veiligheidsriem nog steeds over zijn schouder en zijn borst. Hij kon het ontvangstcomité, aangevoerd door de generaal, zien, maar bleef in de helikopter zitten. De brigadegeneraal ging als eerste de trap af en moest geholpen worden, omdat hij vier dagen lang geslagen was. Hij werd gevolgd door zijn escorte, jonge dienstplichtigen bij wie de angst nog steeds op het gezicht te lezen stond, met de littekens en verwondingen van hun eigen marteling. De helikopter had vol gezeten. De volgende passagiers die uitstapten, waren de zes Zwarte Baretten, die bijna de status van held zouden genieten onder hun collega's, omdat ze Ibn ul Attab en zijn zoon opgespoord en gevangengenomen hadden. Na hen kwamen de vier leden van het Wympel-team, die ook redelijk hoge onderscheidingen konden verwachten voor de manier waarop ze te voet door vijandelijk gebied waren getrokken.

Hij keek door het ronde raampje. De brigadegeneraal werd omhelsd en gekust door de generaal en toen toevertrouwd aan de zorg van de ziekenbroeders. De dienstplichtigen, die allemaal het bleke gezicht hadden van jonge mensen die met de dood waren geconfronteerd, werden met een krachtige handdruk begroet. Er glinsterden tranen in hun ogen. Bikov keek toe. Hij zag hoe andere leden van de Zwarte Baretten, het technisch grondpersoneel en de soldaten om de overlevenden dromden die door een hel waren gegaan en die, tegen alles wat de ervaring geleerd had in, waren teruggekeerd. De generaal stak een korte, spontane toespraak af, die gevolgd werd door klaterend applaus van de mannen die naar hem waren opgedrongen om deel te nemen aan de feestelijkheden.

Hij was nog steeds bevroren toen hij zich voorzichtig van het gammele trapje bij het luik liet zakken en zijn kleren plakten nog steeds aan zijn lichaam. Hij strompelde een paar stappen bij de langzaam stilvallende schroef vandaan. De brigadegeneraal maakte zich los van de overbezorgde ziekenbroeders, wankelde op Bikov af en klemde zich aan hem vast, maar de ondervrager duwde hem zacht en beleefd van zich af. Hij boog zijn rug en rekte zich uit, en de pijn en kramp in zijn ledematen waren nog duidelijker voelbaar. De generaal kwam naar hem toe en salueerde, maar Bikov had nauwelijks de kracht om zijn arm op te tillen om terug te salueren. Het Wympel-team had hem half gedragen, half gesleept tijdens de lange afdaling naar de boerderij waar de helikopter klaarstond. Hij keek om zich heen. Als een baken in het licht van de ochtendschemering stond tussen de uniforme, zachte contouren van de met camouflageverf beschilderde bunkers en vliegtuigen een privé-straalvliegtuig. Het had een glanzend zilveren buik, de bovenkant van de romp was verblindend wit en op de vleugels en staart was het embleem van de luchtmacht aangebracht. De navigatielichten, groen en rood, knipperden in het vroege licht. Het was het transportmiddel van een belangrijk officier. De generaal pakte hem bij de arm. 'Ik ben je zeer dankbaar.'

'Dank u. Ik heb gedaan wat nodig leek.'

'Maar daar hebben we wel een prijs voor betaald, Bikov.'

'Er was me gevraagd om hem terug te brengen, uw collega, en dat heb ik gedaan.'

'Je hebt het op een akkoordje gegooid met Ibn ul Attab, Bikov. Je hebt hem waardigheid gegeven.'

'Ik heb hun vrijheid gekocht, hun vrijheid voor de zijne.'

'Tegen een hoge prijs. Je hebt dat beest de vrijheid gegeven. Hoeveel mensen zullen er nog doodgaan, omdat jij een deal gemaakt hebt die het leven van mijn collega heeft gered? Je hebt gedaan wat er van je gevraagd werd – dit is geen kritiek – maar we hebben er een bittere prijs voor betaald.'

De generaal draaide zich om. Bikov koos dit moment niet voor het effect; dat lag niet in zijn aard. Het was eerder een kwestie van het juiste moment. Hij was van plan geweest om de informatie onder het genot van een kop koffie of een biertje zonder veel ophef door te geven aan het vaste team van de militaire veiligheidsdienst.

'De prijs was niet zo hoog, generaal.'

'Hij is vrijgelaten. Je gaf hem zijn geweer terug. Dat noem je niet zo hoog?'

Bikov zei zacht: 'Ik heb hem zijn geweer teruggegeven. In de kolf zit nu een zendertje, achter de schoonmaakstok. Het heeft een bereik van vijf kilometer en de batterij gaat lang genoeg mee om de actie die ik voor wil stellen mogelijk te maken. Ik zou niet willen dat gezegd wordt dat ik een eerlijke afspraak tussen Ibn ul Attab en mijzelf niet ben nagekomen. Ik zou willen vragen of u de zaak een week op zijn beloop wilt laten en dan naar het signaal van de zender gaat zoeken. Na wat er met hem gebeurd is, kan ik u verzekeren dat zijn geweer zowel overdag als 's nachts niet verder dan een meter van hem af zal staan. Over een week moet u het signaal gaan zoeken en hem genadeloos bombarderen. Gebruik bommen en raketten en dood hem en zijn kind. Dat, generaal, is de prijs van de deal.'

Het gezicht van de generaal toonde een uitdrukking van verbazing. Bikov schoof zijn polshorloge iets terug. Eronder, nog steeds leesbaar, in watervaste inkt, waren een paar cijfers gekrabbeld. Van zijn gezicht viel niets af te lezen. Hij stak zijn hand uit en trok een pen uit het borstzakje van het uniform van de generaal. Toen pakte hij de hand van de hoge officier, stroopte de leren handschoen af en schreef de cijfers op de schone handpalm. Toen deed hij de pen weer in het borstzakje.

'Dat is de frequentie van het zendertje, generaal. Wacht een week en help hem dan naar het paradijs.'

Bikov liep langs de generaal en hoorde het aanzwellende gelach achter hem. Het enige wat hij wilde was koffie of soep, rechtstreeks van het fornuis, en dan slapen. Maar de generaal was achter hem aan gerend en had hem bij zijn uniformjasje gegrepen. 'Ze hebben een vliegtuig voor je gestuurd om je naar Moskou te brengen. Iedereen wil je spreken, zo belangrijk ben je. Ik heb bijna medelijden met het volgende slachtoffer dat met jou te maken krijgt. Bijna...'

Een kwartier later zat Joeri Bikov in de lucht. Naakt onder de warme dekens die hij om zich heen had gewikkeld, zat hij in de cabine, als enige passagier. Zijn kleren zaten in een lekkende, plastic tas, die in het gangpad stond. Voordat ze het Tsjetsjeense luchtruim verlaten hadden, was hij in slaap gevallen.

Twee uur later sijpelde het eerste daglicht door de mist over Kaliningrad.

Kapitein-luitenant-ter-zee Viktor Artsjenko zat op de achterbank naast admiraal Alexei Falkovski, bevelhebber van de Oostzeevloot.

'Ik las gisteravond een geschiedenisboek...'

Er werd van Viktor geen antwoord verwacht. Hij staarde door het zijraampje. Als hij zich had omgedraaid in zijn stoel en door de achterruit had gekeken, zou hij de zwarte bestelwagen en rode personenauto hebben gezien die de stafauto met het admiraalsvaantje op discrete afstand volgden. Hij draaide zich niet om.

'De Slag bij Tsushima. Ik heb het geschiedenisboek er weer op nageslagen, omdat al onze ellende daaruit voortkomt. Ben je het met me eens, Viktor?'

Hij knikte. Minstens vijf keer per jaar moest Viktor aanhoren wat de admiraal te vertellen had naar aanleiding van de dingen die hij over de zeeoorlog in het Verre Oosten had gelezen. De slag had op 27 mei 1905 plaatsgevonden, een strijd tussen de keizerlijke Japanse marine en de Oostzeevloot van de keizerlijke Russische marine. Ze waren op weg naar de maandelijkse bijeenkomst van de bevelhebbers van de landmacht, de raketeenheden, de luchtmacht en de marine op het hoofdkwartier in Kaliningrad. De admiraal raadpleegde maar één boek over de geschiedenis van de marine en Viktor kon de tekst opdreunen die hij gisteravond gelezen had. Bij Tsushima waren 4830 Russische zeelieden omgekomen of verdronken; zo'n 7000 waren krijgsgevangen gemaakt, 1862 hadden neutraal gebied weten te bereiken en waren daar geïnterneerd, en alle belangrijke schepen waren verloren gegaan. Twee of drie keer per jaar speelden Viktor en de admiraal de slag na met schaalmodellen. Viktor nam dan de rol van admiraal Togo op zich en Falkovski nam de identiteit van admiraal Rozjdestvenski aan, waarna ze een hele avond en een deel van de nacht over hun kaarten en modellen gebogen zouden staan, terwijl Falkovski de incompetentie van zijn voorganger bij de Oostzeevloot vervloekte, om vervolgens beslissingen te nemen waarmee hij de loop van de geschiedenis veranderde en de slag won. Viktor vond deze sessies pure tijdverspilling. Ze reden de stad binnen en dankzij het admiraalsvaantje liepen ze geen vertraging op.

'We betalen nog steeds voor Rozjdestvenski's onbekwaamheid. Door zijn stommiteit heeft de Russische marine zich nooit meer hersteld. Al vanaf het begin. Ze vertrekken uit de Oostzee en komen op de Noordzee, ze zijn een halve aardbol van Japanse wateren verwijderd. Ze hebben de Doggersbank bij de Engelse kust bereikt, wanneer ze een paar kleine schepen zien en het vuur openen, omdat ze geloven dat ze elk moment door Japanse torpedoboten aangevallen kunnen worden. Wat denkt Rozjdestvenski dat Japanse torpedoboten in Britse wateren te zoeken hebben? Ze brengen vier Britse vissersboten tot zinken en geloven dat ze een belangrijke overwinning op de Japanse marine behaald hebben. Ze varen verder en het wordt nog erger.'

De auto ging met een schok door een gat in de weg. Viktor keek snel op. Ze reden op de Prospekt Mira en waren het kosmonautenmonument voorbij. De chauffeur vloekte binnensmonds. Huurkazernes verhieven zich aan beide kanten van de weg; het beton zat onder de roest van de metalen kozijnen en er zat schimmel op de muren. De chauffeur week weer uit, ditmaal om een verslaafde te ontwijken die schuifelend de straat overstak. Er was dit jaar in Kaliningrad meer heroïne in omloop dan vorig jaar. Dat was Viktor door de hoogste medische officier op de basis verteld. Hij zag hoe de verslaafde op de stoep in elkaar zakte toen ze voorbijreden. Hij zat net zo vast in deze stad als de verslaafde, die zich er niet meer bewust van was dat hij zich bevuild had.

'Eindelijk komt de vloot bij de Straat van Tsushima, een halfjaar nadat ze uit de Oostzee vertrokken zijn. Ze komen eraan alsof het om een vlootschouw gaat, alsof ze door de tsaar geïnspecteerd worden. Ze doen geen enkele moeite om de Japanse verkenningsschepen die hun bewegingen volgen tot zinken te brengen. Togo weet waar ze zijn en waar ze heen gaan en Rozjdestvenski heeft geen idee waar de Japanners zijn en wat ze van plan zijn. De man was een imbeciel. Hij heeft de beste slagschepen van de Oostzeevloot – de *Kniaz, Soevorov, Imperator, Alexander III, Borodino* en *Orel* – maar hij heeft toegelaten dat de effectiviteit van hun geschut tot een dermate droevig niveau daalde dat ze zelfs niets kunnen raken wanneer ze nog maar 5500 meter verwijderd zijn. Het is maar goed dat Rozjdestvenski op de *Soevorov* om het leven is gekomen. Als hij het overleefd had, had hij opgehangen moeten worden.'

Het bordje voor de dierentuin was achter hen. Ze reden via de Leninski Prospekt naar het Bunker-museum, de Investbank en het grote hotel met de bar die te duur was voor een kapitein-luitenant-terzee. Ze kwamen langs het Huis van de Sovjets: twee, door middel van twee horizontale wandelgangen met elkaar verbonden betonnen blokken, bekend onder de naam het Monster. Het telde zestien verdiepingen en onder de gebouwen waren elfhonderd palen in het drasland geheid. Ernaast was de ruïne van het oude Duitse fort in Königsberg. Dat gebouw was zeven eeuwen overeind gebleven, voordat de bombardementen het in puin geschoten hadden, maar het Monster had nooit een eigen leven geleid. De gebouwen verzakten, waren niet veilig en er was geen geld meer geweest toen de elektriciteit en verwarming nog aangelegd moesten worden. Telkens als Viktor langs het Huis van de Sovjets kwam, zag hij het als een symbool van de staat die hij verried. Viktor, alleen en ver van een veilige wijkplaats, had behoefte aan symbolen.

'De *Soevorov* wordt de grond in geboord, de *Alexander* kapseist, de *Borodino* vliegt de lucht in, de *Orel* geeft zich over en de rest, aan hun lot overgelaten, wordt in de pan gehakt. Hij mocht zich gelukkig prijzen – Rozjdestvenski mocht zich bijzonder gelukkig prijzen – dat hij aan zijn wonden bezweek. Het was de laatste keer dat we een machtige vloot hadden, en die werd verkwist. En met die vloot ging de toekomst van onze marine verloren.'

Aan de andere kant van de weg visten een paar mannen in een kanaal dat op de Pregel uitkwam. Viktor wist dat Kaliningrad door de andere landen aan de Oostzee als een vervuilende beerput werd gezien. Net licht en er werd al gevist. Hij kon zich niet voorstellen welke vissoorten in dat stinkende water konden leven. Die mannen zouden niets vangen, zouden naar een stille dobber op dat olieachtige wateroppervlak staren en hopen dat ze konden vergeten waardoor ze omringd werden. Hij gooide zijn hoofd met een ruk in zijn nek, zodat hij het kanaal niet meer zag. Hij was een vis. Er zat een roestige haak in het kraakbeen van zijn bek. Hij voelde de druk van de hengel en de lijn. Hij probeerde weg te vluchten en kon het open water niet vinden. Hij probeerde weg te duiken, maar ook dat lukte niet, en de druk op hem nam toe. Ze waren op het militaire hoofdkwartier. Nu keek Viktor om. Hij zag de zwarte bestelwagen afremmen in het verkeer achter hen, terwijl de rode auto hen passeerde en voorbij de poort stopte. En hij zag Piatkin, de zampolit, voorin naast de bestuurder zitten. Hij vouwde zijn handen om het beven te onderdrukken. De auto ging door de poort, langs onberispelijk geklede schildwachten en stopte voor de hoofdingang. Een adjudant stevende op de auto af om het portier van de admiraal open te doen, maar de chauffeur wuifde hem weg, omdat de admiraal nog aan het woord was.

'De reden waarom het belang van de marine niet wordt erkend, is de Slag bij Tsushima en de vernedering van de Oostzeevloot. Lenin wist van Tsushima af en Stalin ook. Het leger en de luchtmacht hebben Chroesjtsjovs en Brezjnevs mening over ons vergiftigd door hun over Tsushima te vertellen. Gorbatsjov en Jeltsin zijn waarschijnlijk op dezelfde manier aangetast door het gif van Tsushima en heden ten dage is het al niet anders. De ongelooflijke onbekwaamheid van die halve dag en halve nacht heeft ons, de Russische marine, onze rechtmatige positie gekost. Ik heb gisteravond over Tsushima gelezen om beter op de bijeenkomst van vandaag met deze schijtlijsters voorbereid te zijn. Zelfs nu worden we nog niet als gelijken gezien. Neem van mij aan dat als ze het voor het zeggen hadden, onze vliegtuigen onder het bevel van de luchtmacht zouden komen, onze onderzeeërs naar de raketeenheden zouden gaan en de landmacht onze amfibievoertuigen zou krijgen. Voor mij is er geen toekomst, omdat een idioot 97 jaar geleden bij Tsushima een machtige vloot heeft verkwist. Je zegt niets, Viktor. Wat is er?'

'Ik ben het met alles wat u zegt eens, admiraal.'

'Voel je je wel goed? Je bent doodsbleek.' Falkovski keek hem doordringend aan.

Hij wist niet hoelang het zou duren voordat admiraal Alexei Falkovski te horen kreeg dat zijn chef-staf gearresteerd zou worden wegens verraad. Hij geloofde dat de admiraal – zijn beschermheer – bij de anderen in de rij zou gaan staan voor de kans om hem met zijn blote handen te wurgen.

'Niets aan de hand,' zei Viktor.

'We zullen deze klootzakken hard aanpakken en we geven ze niks, helemaal niks. Parasieten die het zijn.'

Eerbiedig op één pas achter hem ging Viktor met zijn admiraal het gebouw binnen.

Met zijn verdachte minstens twee uur veilig weggestopt in het militaire hoofdkwartier, liep Piatkin bij de rode auto vandaan en ging het jaagpad langs het kanaal op, waar hij een eindje van de paar vissers met zijn mobiele telefoon Boris Tsjelbia belde. Hij bood uitvoerig zijn excuses aan voor de afgezegde ontmoeting van een week geleden. Vanwege al het geld dat hem door Tsjelbia in buitenlandse valuta werd betaald, hadden zijn excuses een kruiperig karakter. Piatkin bevestigde hoe laat de vrachtwagen die door Tsjelbia werd verstrekt die avond naar de basis kon komen, hoe het noodzakelijke pasje voor de chauffeur geregeld zou worden en waar de lading van de truck op de terugweg uit zou bestaan. Weer verontschuldigde hij zich voor het ongemak dat het uitstel had veroorzaakt. Hij beëindigde het gesprek. Hij voelde zich niet gevangen, maar dat was hij wel. Deze officier van de FSB, Vladdi Piatkin, behoorde Boris Tsjelbia toe. Hij was in dienst van een gangster. Hij trok zijn jas om zich heen tegen de kou van de ochtend.

Een uur nadat de dag aanbrak op de Oostzee, viel hetzelfde licht op de Golf van Biskaje. De *Princess Rose* was uit het zicht van de Spaanse kust en deinde met zacht draaiende motor op de golven. Het schip stampte als een onhandelbare, koppige ezel, viel in de golfdalen, beklom de toppen en slingerde.

De stuurman liep, koffie morsend uit een beker, naar de kapiteinshut met het bericht dat hij via de radio had binnengekregen opgerold achter zijn oor. Het erfgoed van Tihomir Zaklan lag ver van de zee. Hij was de afgelopen nacht zeeziek geweest, werd dat bij een storm altijd. Hij was geboren in de Kroatische stad Karlovac, tachtig kilometer van Senj aan de Adriatische kust. Zijn opleiding had de oorlog hem gegeven, niet een of andere universiteit. Hij had tegen de Serviërs gevochten om zijn stad te redden en had vervolgens in de kroegen van Split gewerkt om het geld bij elkaar te krijgen om naar Hamburg te reizen voor zijn stuurmansdiploma. De zee was zijn vlucht uit de oorlog geweest. Toen hij zijn diploma had behaald, had hij 68 keer naar de betrekking van stuurman gesolliciteerd, had hij elke rederij in het Middellandse-Zeegebied aangeschreven, en had hij een jaar lang thuis in Karlovac rondgehangen en óf niets gehoord óf via de post een afwijzing ontvangen. Aan het eind van dat jaar, 1997, toen er van zijn spaargeld nog maar een paar kunar over was, was zijn gebed verhoord. Hij was naar Napels gevlogen, had het schip dat zijn thuis zou worden afgemeerd aan het eind van de kade zien liggen en had het direct de Zeerat genoemd.

Hij zette de beker koffie naast het bed neer, en de hond, die op de vloer lag, gromde zacht tegen hem. Hij schudde de schouder van de kapitein, pakte het bericht vanachter zijn oor en legde het naast de beker. Hij klauterde via het steigerende trapje naar de brug.

Het bericht, van de eigenaars van de *Princess Rose*, dat hij voor de kapitein had achtergelaten, was hem volstrekt onduidelijk. Waarom, als ze naar Gdansk moesten om kunstmest te laden voor de Letse haven Riga, werden ze eerst naar een positie bij de zuidwestkust van Engeland gestuurd om een vracht van minder dan een ton aan boord te nemen?

Tihomir Zaklan was in de war en dankbaar tegelijk, maar vooral dankbaar. Als er werk voor het schip was, bleef de *Princess Rose* in elk geval in de vaart en had hij een dak boven zijn hoofd.

Een uur nadat de zon was opgekomen boven de Golf van Biskaje, gloorde het daglicht in het centrum van Londen.

Niet dat het een dag was die de moeite van het wachten waard was. De regen striemde neer op de paar straatvegers die al aan het werk waren en op de trucks die de zakken vuilnis van de trottoirs verwijderden. Kleine beekjes stroomden door de straten, en de hoge dakgoten werden overrompeld door de stortregen. Het water kletterde tegen de ramen van een gebouw ten noorden van Leicester Square, aan de rand van Covent Garden. Op de begane grond roffelde de regen op het brede etalageraam van een pizzeria en de smalle deur ernaast. Deze deur gaf toegang tot een trap, en op de eerste verdieping, die werd aangegeven door een bel en een klein kaartje, bevond zich een impresariaat. De tweede verdieping huisvestte een postorderbedrijf, dat zich toelegde op feestartikelen, terwijl de derde bezet werd door een klein accountantsbureau, dat zich alleen inliet met cliënten die werkzaam waren in de kledingindustrie. De bovenste verdieping stond het meest bloot aan de regen. Onder het licht hellende dak kregen de ramen de volle laag. De bovenverdieping werd bij de voordeur alleen aangeduid met een bel en een intercomroostertje waar geen naam bij stond. Op die vroege ochtend was dit de enige verdieping waar licht achter de jaloezieën brandde.

Alice North had de waterkoker aangezet. Mowbray sliep op een veldbed dat onder zijn gewicht doorzakte.

Locke was een uur geleden vertrokken. Mowbray was in de badkamer geweest toen hij wegging. 'Het is je reinste waanzin, dat weten jullie toch, hè?' had Locke tegen Alice gezegd. 'Dit loopt slecht af en verdient ook niet beter.' Hij moest nu van de RAF-basis Northolt zijn opgestegen.

De directeur van Security Shield Ltd, ene Wilberforce, was inmiddels ruim twee uur weg. Hij was een man van in de veertig, die altijd een pas geperst pak, een schoon overhemd en een strak gestrikte das leek te dragen en altijd gladgeschoren was. Alice had hem al eens eerder ontmoet. Security Shield Ltd leverde freelancers aan de dienst. Ze konden lijfwachten, inbrekers en surveillanceploegen verzorgen. Mensen die werk zochten na hun tijd bij speciale eenheden en die bedreven waren in zaken als bewaking, inbraak of het aanbrengen van microfoons en camera's, meldden zich bij hun discrete kantoor aan Mayfair en werden in dienst genomen. Wilberforce was om twee uur 's nachts in dit gebouw aangekomen, had zijn doorweekte regenjas uitgetrokken en was eronder onberispelijk gekleed geweest, alsof hij een vergadering bijwoonde die om tien uur 's ochtends plaatsvond. Hij had een aktetas met dossiers meegenomen Na de kaarten bestudeerd te hebben, had hij een lijst met namen doorlopen, alvorens zijn keus op vier dossiers te laten vallen. Hij was om vier uur vertrokken. Vlak voordat hij vertrokken was, had hij een gebaar naar de dossiers op de tafel gemaakt en energiek tegen Rupert Mowbray gezegd: 'Als de vaste troepen er niet aan willen – en ze worden behoorlijk kieskeurig tegenwoordig – dan zijn dit de beste krachten die je krijgen kunt.

Hun vertrek uit de dienst was een beetje problematisch, iets waar ze alle vier bij betrokken waren. Ik betwijfel of ze elkaar sinds die tijd gezien hebben, maar ze hebben in elk geval samengewerkt. Ze vormen een beter team dan wanneer je vier vreemden bij elkaar brengt. Wat ik natuurlijk niet kan zeggen, is hoeveel overredingskracht eraan te pas moet komen om hen naar de gewenste plaats te krijgen. Maar goed, als ze besluiten om jullie geld aan te nemen, dan wil ik graag mijn gebruikelijke commissie, vooraf, voordat ze op reis gaan. Beter kun je niet krijgen.'

Locke had de dossiers doorgebladerd voordat hij ze in zijn aktetas had gegooid. Hij had een diepe, afkeurende frons op zijn voorhoofd gehad, maar Mowbray had scherp gezegd dat hij zich niet zo arrogant moest opstellen en alleen maar iets moest zeggen als hij iets positiefs te melden had. Alice was blij geweest toen Locke met de dossiers naar Northolt was vertrokken.

De ketel floot hees.

Later zou ze haar buurvrouw bellen, die een sleutel van haar flat had en wist hoe ze het alarm af moest zetten, om haar te vragen naar haar flat te gaan en de post van de mat te halen terwijl ze weg was. Alice North was de enige dochter van Albert en Roz. Tien jaar geleden hadden ze hun Ford-filialen in Hertfordshire, Essex en Kent verkocht. Ze waren bijzonder vermogend en legden tevens een niet-aflatende trots aan de dag waar het hun enige kind betrof. Na haar opleiding in een klooster in Weybridge in Surrey, had Alice zich als tiener afgewend van het pad dat de meeste van haar schoolvriendinnen kozen, een pad dat óf tot een vroeg huwelijk leidde óf tot een goed betaalde positie. Ze was niet geïnteresseerd in een huwelijk, omdat ze volgens haar dan snel een aanhangsel van het leven van haar ouders zou worden door kleinkinderen voort te brengen op wie zij zich konden storten, en ze was nog minder geïnteresseerd in geld verdienen. Ze had geen geld nodig: ze genoot de bescherming van een beheerd fonds, dat niet was aangetast door de koersdalingen. Albert en Roz hadden de flat in Docklands gekocht om als pied-à-terre in Londen te dienen voor hun gelukkig schaarse reisjes vanuit de villa in de Algarve. Ze was nu 34 en haar moeder had tijdens haar bezoeken de gewoonte om te vragen wanneer ze nu eens met een 'aardige jongeman' thuis zou komen. Haar moeder had geen idee.

Ze roerde in de oploskoffie.

Alice had een nauwere band met Rupert Mowbray dan met haar vader. Aan haar ergste dag bij de dienst was een einde gekomen toen hij, enigszins onvast, uit Vauxhall Bridge was weggelopen en zij de doos met de karaf en de glazen naar de taxi had gebracht. Hij lag op zijn rug op het veldbed en gromde in zijn slaap. Zijn das was losgetrokken en zijn boord was groezelig van de vorige dag. Hij had flinke stoppels op zijn wang. Ze haalde zoetjes uit de kast boven de magnetron en liet er twee in de koffie vallen. Ze liep met de beker naar het bed, knielde en gaf hem een kus op zijn voorhoofd.

Hij had haar gerekruteerd. Rupert Mowbray had haar de kans gegeven om te ontsnappen aan de dodelijke greep van haar ouders. Ze werkte in een wereld waar haar vader haar niet kon leiden en die haar het perfecte excuus gaf om niet met haar moeder te roddelen: 'Sorry, mam, ik kan het niet met je over mijn werk hebben, zo ligt het nu eenmaal.' Ze wisten dat ze in Polen was geweest, maar ze wisten niet dat ze drie keer van Warschau naar Gdansk was gereisd en ook niet dat ze vier keer naar Moermansk was geweest om met Mowbray een pakje op te halen. Wat ze ook niet wisten, was dat ze op de avond van zijn pensioen gehuild had en nog eens gehuild had toen het bericht FRET: NIET VERSCHENEN uit Braniewo binnen was gekomen.

Hij werd wakker. Eerst ging het rechter-, toen het linkeroog loom open. 'Heel lief van je, kind. Hoe laat is het?'

'Zes uur en het regent nog steeds. Het wordt een rotdag.'

'O, dat weet ik niet, Alice. Het kan best nog leuk worden.' Mowbray grijnsde, en er lag een ondeugende blik in zijn ogen.

Ze was in februari 1992 gerekruteerd. Ze had in een late trein uit het centrum van Londen gezeten om in Thames Ditton bij een vriendin uit haar kloostertijd te logeren en de volgende dag te gaan winkelen. Een streng ogende, al wat oudere man met zilvergrijs haar had tegenover haar gezeten en documenten uit zijn aktetas gelezen. De trein kwam met een schok tot stilstand in Teddington. Hij had zonder het te beseffen papieren op de grond laten vallen, was snel naar de uitgang gelopen en weggelopen na de deur achter zich dichtgeslagen te hebben. Ze had de papieren gezien en ze opgeraapt. Op de documenten prijkte het stempel GEHEIM. Ze had het portier van de coupé geopend toen de trein begon op te trekken en was het perron op gestruikeld. Er hadden fluitsignalen geklonken en kreten van het stationspersoneel, maar ze had niet geluisterd. Ze was naar de slagboom gerend, had gezien hoe de man zich in een auto had laten zakken die door een vrouw gereden werd, en had de auto weg zien rijden van het parkeerterrein voor het station. Ze was voor haar beurt gegaan bij de taxistandplaats en had, met de geheime papieren stijf in haar hand geklemd, tegen de chauffeur geroepen dat hij de auto voor hen moest volgen. Ze waren de auto kwijtgeraakt en hadden hem na een kwartier langzaam rondrijden gevonden. Hij had voor een halfvrijstaand, geel bakstenen gebouw in een zijstraat gestaan. Ze had aangebeld en een vrouw had opengedaan. Ze had haar de papieren toegestoken, met het GEHEIM-stempel zichtbaar boven aan de bladzijden, en had haar alles uitgelegd. 'U moet maar even binnenkomen,' had de vrouw gezegd en vervolgens had ze met harde stem geroepen: 'Rupert, je bent een stomme idioot, maar de Heer is je welgezind geweest, ook al verdien je dat niet.' Ze hadden haar gevraagd om te gaan zitten, hadden haar een groot glas whisky gegeven, en ze was getuige geweest van Rupert Mowbrays dankbaarheid. Ze had de vrouw horen zeggen: 'Ze zouden je opgehangen hebben, Rupert, en ze zouden je weer omlaaggehaald hebben om je ingewanden eruit te trekken en voor je eigen ogen te verbranden. Daarna zouden ze je in moten gehakt hebben. Ze zouden je kop, op een stok geprikt, voor Century House gezet hebben.' Ze had de laatste trein naar Thames Ditton gemist. De vrouw had erop gestaan dat ze bleef logeren, en ze hadden veel werk van haar gemaakt. De volgende ochtend had Rupert Mowbray haar tijdens het ontbijt om haar adres gevraagd, voordat Felicity Mowbray hen naar het station had gereden. Ze had hem bij het vertrek van de trein naar Londen uitgezwaaid en hij had zijn aktetas omhooggehouden, erop getikt en schaapachtig geglimlacht. Het sollicitatieformulier was vijf dagen later bij haar flat in de bus gevallen. Ze voelde zich thuis bij de inlichtingendienst.

Alice gaf hem nog een kus op zijn voorhoofd.

Hij nam een slokje koffie. 'Ik ben niet jarig, Alice, maar ik stel het toch zeer op prijs.'

Ze wilde blijk geven van haar dankbaarheid. 'Je hebt gisteravond een goed stukje werk geleverd voor Viktor.'

Hij grijnsde. 'Ja, ik heb mijn nek uitgestoken.'

Ze liep naar de aangrenzende kamer, een piepklein vertrek onder de overhangende dakrand, met een eenpersoonsbed dat van haar was als ze ooit de kans kreeg om er gebruik van te maken. Ze deed de kast open. Ze had er de afgelopen nacht niet in gekeken, had het te druk gehad met de telefoontjes naar de scheepsbevrachter die de inlichtingendienst altijd gebruikte en de telefoontjes die Wilberforce naar Covent Garden hadden gebracht. En dan was er nog eindeloos veel te regelen geweest voor Lockes vliegreis vanaf de RAF-basis Northolt. In de kast was een rek met mannen- en vrouwenkleren, in verschillende maten en stijlen. Ze haalde eruit wat ze zelf nodig zou hebben en wat hij nodig had. Ze had het met Locke niet over de kast gehad: hij kon zelf kopen wat hij niet had. Ze kwam weer in de grote kamer.

'Je hebt nog een uur de tijd.'

Mowbray ging rechtop zitten en wreef in zijn ogen. 'Ik denk dat ik liever een eindje ga lopen.'

'Dan zul je nu op moeten staan.'

Mowbray glimlachte breed. 'Zoals ik al zei: ik heb mijn nek uitgestoken. Het moet een prima operatie worden, de beste tradities van de dienst waardig, want anders kan ik alleen maar hopen dat de bijl scherp is. Wist je, kind, dat toen de door niemand betreurde hertog van Monmouth onthoofd werd, de beul veertien keer moest hakken? Hem moet ik zeker niet hebben. Goed, de laatste hindernis.'

Hij stond moeizaam op van het veldbed.

De laatste hindernis was de politicus.

'Dit is het echte strijdperk, dit is geen partijtje "Taliban afranselen" of een spelletje "Stammen bij de Khyberpas uitroeien", dit is terrein dat telt. Dit is waar we goed in zijn, een operatie die om bezieling, vakmanschap en een heldere geest vraagt.'

Politieke goedkeuring was noodzakelijk. De minister die in naam en tot op zekere hoogte verantwoordelijk was voor de inlichtingendienst, was moe na een laat diner in Den Haag en de vroege vlucht terug. Zijn ministerie was door de directeur-generaal verteld dat een beslissing in deze zaak noodzakelijk en dringend was, en de minister-president was met vakantie. De minister was alleen en kwetsbaar. Gevangen in het licht, zat hij achter zijn brede bureau, terwijl de directeur-generaal in een gemakkelijke stoel bij het bureau hing, dichtbij genoeg om een geruststellende factor te zijn.

Mowbray vervolgde: 'Ik wil niet dat u denkt dat we een operatie voorstaan waaraan veel risico verbonden is. Integendeel. We hebben het over een klinische exfiltratie die door getraind personeel wordt uitgevoerd, mannen met een eersteklas staat van dienst. Het ene moment is onze agent daar nog, het volgende moment krabt zijn surveillanceteam zich op het hoofd en vraagt zich af waar hij in godsnaam gebleven is. We zijn hier heel goed in. Erin en eruit, zonder ophef of tamtam, maar we moeten snel te werk gaan. Met elk uur dat voorbijgaat, dienen zich nieuwe problemen voor een dergelijke operatie aan. Geef ons nu groen licht en het risico blijft beperkt.'

Een ambtenaar had de deur opengedaan en was in het gezichtsveld van de minister blijven staan. Hij wees op zijn horloge.

'We doen het. Ga je gang. Ik zal hem graag ontmoeten wanneer jullie hem hier gebracht hebben.' De minister lachte schril. '"Het risico blijft beperkt." Dat zei je toch, hè, Mowbray?'

'U hebt me goed gehoord, meneer. U hebt een bijzonder verstandige beslissing genomen. Dank u. U zult er geen spijt van krijgen.'

Het was een van de grootste bravourestukjes van Rupert Mowbrays leven. De steun van de directeur-generaal was uiteraard van doorslaggevend belang voor zijn succes. Hij had hen beurtelings in de val laten lopen. Het verschil was dat de minister niet had beseft dat er een net over hem heen was gegooid. Toen de minister ging staan, kreeg hij een eerbiedig knikje van Mowbray. De politicus zou nu de trap van het ministerie van Buitenlandse Zaken en het Gemenebest afrennen, maar Mowbray en de directeur-generaal zouden in een waardiger tempo volgen. Tegen de tijd dat ze op de stoep stonden, elk onder zijn eigen paraplu, reed de dienstauto door de poort, met pal erachter een andere auto.

'Heb ik je ooit iets over Betty's tante verteld, Rupert?'

'Ik geloof niet dat je ooit de familie van je vrouw met mij besproken hebt.' Mowbrays wenkbrauwen schoten omhoog.

'Ze is een voorname, ongetrouwde dame van inmiddels 82, en Betty is haar lievelingsnicht. Ze komt met Kerstmis altijd bij ons, het is een regeling waar nooit van afgeweken wordt. Een van onze jongens gaat naar Euston en wacht daar op de trein uit de West Midlands, waar deze oude dame woont, en gaat dan met haar naar de metro, waar ze op de Northern Line stappen. Ze nemen die naar het eindpunt Waterloo, komen daar boven de grond en stappen op de metro naar Wimbledon, waar Betty en ik op hen wachtten. Redelijk simpel, nietwaar. Jij wekte de indruk, Rupert, dat het weghalen van agent Fret uit Kaliningrad even simpel is als het reisje van Betty's tante. En ik geloof je nog bijna ook.'

'Een goed plan en goede mensen zijn de sleutel tot een goed resultaat,' zei Mowbray. 'Jij zult de geschiedenis van de inlichtingendienst ingaan als de man die de dienst zijn waardigheid teruggaf.'

'Wees voorzichtig. Er zijn niet zo veel bataljons van de marine-infanterie tussen Euston en Waterloo. Zet me niet voor schut.'

Mowbray liep de regen in.

De piloten van Lockes vliegtuig moesten zich aan een zeer intensief schema houden. Ze landden in Inverness, waar een helikopter van de RAF gereedstond. Wanneer de helikopter hem weer terugbracht naar Inverness, zou hij naar een vliegveldje ten westen van Wolverhampton gevlogen worden. Na Wolverhampton zou hij het kanaal oversteken naar Brugge. Van België zou het vliegtuig in westelijke richting gaan en de zuidelijke kustlijn van Engeland volgen naar een landingsbaan in Torbay, die door een vliegschool werd gebruikt. Het was een bijzonder krap schema, maar de piloten zeiden dat het mogelijk was.

Na zijn terugkeer van de vergadering op het hoofdkwartier, ging de dag geheel aan Viktor voorbij. Hij zag de papieren amper die door iemand van het secretariaat voor hem neergelegd werden. Admiraal Falkovski deed een dutje in zijn eigen, grote kantoor en had hem niet nodig. Was zijn kreet om hulp gehoord? Werd erop gereageerd? Viktor wist het niet. Niets wees erop dat de strop werd aangehaald. Alles was normaal om hem heen, maar toch had hij het gevoel dat hij langzaam maar zeker verpletterd werd.

De bergeenden, zwartkeelduikers en zaagbekken verzamelden zich overdag vaak in het ondiepe water aan de oever van het meer bij zijn blokhut, waar hij ze altijd voerde, maar ze waren door de helikopter die op het kiezelstrand landde in doodsangst naar alle windstreken verspreid en niet meer teruggekomen.

William Smith, beter bekend als Billy voor de weinigen die hem goed kenden, voormalig sergeant bij de Special Boat Service – wat hij het Eskader noemde – maakte zich klaar om te vertrekken. De schemering was over het water gevallen. Waar gaten in het wolkendek zaten, boven de beboste uitloper onder Beinn Resipol en de steile wand van Rubha Leathan, in de richting van Acharacle, hadden zich duidelijk omlijnde plassen goud licht gevormd. Alleen een militaire helikopter, en dan nog wel een die een urgente missie te vervullen had, zou in het grijze licht van de vroege dag op de zacht glooiende oever geland zijn. Hij werd teruggeroepen. Dit schonk hem geen voldoening, maar hij had niet geweigerd. Hij spijkerde planken voor de ramen aan weerszijden van de deur. Het met creosoot bewerkte hout aan de buitenkant van de blokhut was verbleekt en de ramen waren van een degelijke constructie, zij het dat de stopverf die het glas op zijn plaats hield was aangevreten door boommarters. Het had hem verstandig geleken om de planken voor de ramen te timmeren. De jongeman die uit de helikopter kwam, had gezegd dat hij binnen tien dagen weer terug zou zijn. 'Het is een snelle expeditie, meneer Smith, erin en eruit.' Maar Billy had de ontwijkende blik gezien en had geloofd dat hij de hut maar beter tegen het winterweer kon beveiligen. Zijn ingepakte rugzak stond naast hem terwijl hij met de hamer zwaaide en zijn hond lag er vlakbij. Hij was klaar in de hut. Na het vertrek van de helikopter had hij het grootste deel van de dag besteed aan het opruimen van de blokhut. Achter de hut rookte het vuur van zijn huisvuil in een olievat, bijna uitgebrand. Hij had zijn schilderijen in zijn oude kist gestopt; die kist had hij zowel bij de commando's als in zijn tijd bij het Eskader bij zich gehad.

Billy raakte oude gewoontes maar moeilijk kwijt. Hij had zijn beddengoed keurig opgevouwen en het op de kale matras gelegd. De schuilplaats verlaten die zijn thuis was, naast het meer en onder de hoge bergen, deed hem geweldig pijn, maar hij had geen moment overwogen om de aangeboden klus te weigeren. Aan de overkant van het meer knipperden de lichten van de bestelwagen van de postbode. De jongeman had de regeling via zijn mobiele telefoon getroffen. Billy Smith deed het hangslot op de deur van de blokhut. Hij tilde zijn rugzak op, riep de hond en liep naar de oever, steentjes wegtrappend met zijn laarzen. De hond sprong in de boot, waar zijn mand en blikjes hondenvoer al ingeladen waren, en Billy duwde de boot af. Hij roeide over het gladde water van het meer naar de overkant en de gereedstaande bestelwagen, en zijn hut werd steeds kleiner terwijl hij zich met krachtige slagen verwijderde, tot hij hem niet meer onder de hoge Beinn Odhar Mhor kon zien. Hij had geen moment overwogen om het werk te weigeren, omdat de schuld nog steeds zwaar op zijn schouders drukte en zijn vlucht naar de blokhut en zijn waterverfschilderijen uiteindelijk geen kans hadden gezien om hem van die schuld te bevrijden.

Billy Smith was de sergeant geweest, de leider van de patrouille. De anderen hadden hem gevolgd. Hij roeide het meer over. Twaalf jaar geleden, op een vroeg-zomerse avond, had hij de patrouille langs de oostkant van Carlingford Lough geleid, tussen Causeway Bridge en Duggans Point. Hij had zich toen niet schuldig gevoeld, maar daar had de tijd verandering in gebracht. Hij trok de boot op de kant en de hond rende naar de postbode. Hij keek niet om. Wat voor hem lag, was de nachttrein uit Fort William en de reis naar het zuiden.

Er werd gevochten op de eerstehulpafdeling. Meestal gebeurde dit later, wanneer de kroegen hun bezoekers uitbraakten in de nacht. Dit handgemeen, mannen en vrouwen, was het gevolg van een verjaardagsfeestje dat rond lunchtijd had plaatsgevonden. Ze waren allemaal op hun paasbest gekleed, beste pakken en blouses, en het was in de bar begonnen, waarna het zich verplaatst had naar het parkeerterrein. Ten slotte was het de ambulance gevolgd naar de wachtkamer van de afdeling.

Colin 'Wickso' Wicks, ex-marinier en lid van het Eskader, had zijn dienst beëindigd. Andere portiers klaagden steen en been wanneer ze eerst de nachtdienst hadden en dan de abrupte omschakeling moesten maken naar de dagdienst; ze bleven maar doorzeuren over de druk die dit veroorzaakte. Hij had er geen last van. Hij was klaarwakker. Hij had zich van zijn groene overall ontdaan en zich in burgerkleding gestoken, voordat hij naar de wachtkamer was gekomen om zijn supervisor te spreken. Tijdens zijn lunchpauze, toen hij een pasteitje met patat in de kantine at, was hij naar de gang geroepen waar een jongeman op hem wachtte. Ze hadden met elkaar gesproken. Er werd hem verteld dat men van zijn diensten gebruik wilde maken. Na zijn vertrek uit het Eskader had hij zich, net als de anderen, laten inschrijven bij Security Shield Ltd. Hij had het twee jaar uitgehouden als lijfwacht voor zakenlieden die naar Kazachstan, Albanië en Colombia reisden, maar hij was een elitesoldaat geweest, geen lakei, bediende of man die deuren opendeed voor anderen, en hij had als reden verveling opgegeven toen hij werk ging weigeren. Hij was opgeleid voor het medisch korps, maar voor banen in de verpleging waren referenties noodzakelijk en hij wilde niet dat een werkgever contact opnam met Poole om zijn staat van dienst te bekijken. Referenties deden er niet toe, waren niet belangrijk voor iemand die brancards duwde. Hij negeerde de vechtpartij en liep soepel op de ballen van zijn voeten naar de deur, waar hij de gloed van de sigaret van zijn supervisor zocht in de donkere avond. Hij bleef in conditie, omdat hij elke avond op straat jogde wanneer hij in de dagdienst zat en elke ochtend wanneer hij nachtdienst had. Verleden jaar had een verpleegster hem overgehaald om de halve marathon van Wolverhampton te lopen en Wickso had de race met een voorsprong van ruim honderd meter gewonnen, maar was niet gebleven om de prijs in ontvangst te nemen, omdat hij dan misschien op de foto zou komen. Hij wilde per se niet dat zijn foto in de krant kwam, de kans dat zijn ouders zijn foto in een lokale krant zouden zien, was nihil, want zij woonden in het westen van Londen, onder de vliegroutes van Heathrow. De laatste keer dat hij thuis was geweest, na zijn ontslag, had hij het altaar gezien dat ze in de voorkamer voor hun held hadden: foto's, bekers, medailles, en hij was weer vroeg vertrokken, want wat er met hem was gebeurd, werd door zijn ouders als een diepe, pijnlijke wond ervaren. De aanbeden jongeman was een outcast geworden en hun dromen lagen aan scherven.

Zijn supervisor kwam terug door de deur en hoestte hard. Wickso vertelde hem dat hij een tijdje weg zou gaan, minstens twee weken, maar misschien langer. Naar het buitenland… 'Nou, denk maar niet dat wij je tegemoet zullen komen, jongen, als jij zomaar aan je stutten trekt en ons hier maar aan laat modderen met toch al te weinig personeel. Je hoeft hier niet op je knieën te komen smeken. Wickso had nog nooit om iets gesmeekt. Hij liet zich niet uit zijn tent lokken, maar liep gewoon door, de deur uit, en jogde losjes de anderhalve kilometer naar zijn zitslaapkamer. De jongeman in de gang had hem verteld waar hij de volgende ochtend moest zijn en hoe laat. Hij leefde met de schande van wat er die avond in het begin van de zomer aan Carlingford Lough bij Duggans Point was gebeurd. Het doelwit van de patrouille was Sean O'Connell geweest, kwartiermeester van de Provisionele IRA, en vanuit hun bivak hadden zij gezien hoe de man een boot op het strand had getrokken en er een zware zak uit had getild. Het was waar dat de inlichtingendienst verwachtte dat O'Connell de wapens van het zuiden naar het noorden zou smokkelen. Billy had gefluisterd dat ze de klootzak te pakken zouden nemen. Niet op hem gingen schieten, maar ervoor zouden zorgen dat hij het in zijn broek deed. Ze waren op hem afgerend. Er had een worsteling plaatsgevonden. Billy en Lofty in het water met de man, die wild met zijn armen maaide terwijl zij zijn hoofd onder water hielden om zijn verzet te breken. Wickso had met een zaklantaarn bijgelicht en hij had de keel van de man gezien toen deze omhoogkwam uit het water en op de keel was niets zichtbaar. Sean O'Connell, was hun verteld, had een moedervlek op zijn keel, maar Wickso had niets gezegd, was niet tussenbeide gekomen. Hij liep terug naar zijn zitslaapkamer, waar hij zijn schaarse bezittingen zou inpakken, een paar uurtjes zou slapen en dan een vroege trein zou nemen.

Het eind van de avond, het begin van de nacht, was de tijd waarop de geesten zich aandienden; ze gingen in een kring zitten, rookten, zetten thee en praatten over de meisjes thuis. Er zaten nog genoeg bladeren aan de populieren bij de bunkers aan het eind van het kerkhof om te ritselen in de wind. De geesten kwam uit hun rustplaats onder de zerken van Portland-steen.

Aan het eind van de meeste dagen ging 'Lofty' Flint – eens marinier en lid van het Eskader – bij hen zitten om met hen te praten. De andere tuiniers die voor de oorlogsgravencommissie van het Gemenebest in Tyne Cot werkten, geloofden dat Lofty aan 'grafkoorts' leed, maar op zijn werk viel niets aan te merken en zijn contract werd elk jaar verlengd. Bovendien deed hij niemand kwaad. In het donker, met het zware wolkendek boven hem en de wind in zijn gezicht, kon hij niet langer zien waar hij harkte. De jongeman was laat in de middag in een taxi langsgekomen. Lofty had geen moment van zijn werk opgekeken, maar had de jongeman gedwongen om met hem mee te lopen, zich naar hem over te buigen en naast hem te blijven staan terwijl hij de bladeren in het vuur gooide.

Hij borg zijn gereedschap en zijn kruiwagen op. Alleen de geesten zagen hem vertrekken. Hij zette zijn fietslamp aan en het licht wierp een flakkerende straal voor hem uit. Eerst had hij de jongeman verteld dat hij onmogelijk twee weken lang of zelfs maar twee dagen uit Tyne Cot weg kon, omdat de viering van de herdenkingsdag al over twee maanden plaatsvond en alle bladeren dan aangeharkt moesten zijn en alle graven schoongemaakt. De jongeman had zonder een teken van medeleven gezegd: 'Na wat jij gedaan hebt, zou je zeggen dat je een kans om iets goed te maken met beide handen zou aangrijpen. Deze mannen hier hebben hun land gediend, kan jij dat niet opbrengen?'

Hij fietste op de rechte, vlakke weg naar de boerderij in Passchendaele, waar hij op kamers woonde, bij de enige plaats vandaan die hij als zijn thuis zag, en hij hoorde het gezang van de geesten. Hij had maar één keer voor Security Shield Ltd gewerkt, als chauffeur/escorte/klusjesman voor de recentelijk gepensioneerde commandant van de 39ste Brigade in Noord-Ierland, die het slachtoffer kon worden van terroristische wraakacties. De zes jaar in Wiltshire, in het huis van de brigadegeneraal, waren een zegening geweest voor iemand die het psychisch zo moeilijk had. Als hobby had de gepensioneerde brigadegeneraal een comité geleid dat geld inzamelde voor de oorlogsgravencommissie van het Gemenebest. Lofty had hem twee keer naar België gereden om de begraafplaatsen van Hop Store, Essex Farm, Spanbroekmolen en Bedford House te bezoeken en ze waren twee keer naar Tyne Cot geweest. De brigadegeneraal was overleden, het huis in Wiltshire was verkocht en de weduwe had op Lofty's verzoek een brief naar de commissie geschreven om hem aan te bevelen als tuinier. Hij hoopte dat hij daar de rest van zijn leven kon slijten, omdat Tyne Cot de enige plaats was waar hij de demonen met zijn hark, schoffel, schaar en hooivork kon uitbannen.

Het primaire doelwit van de patrouille was de kwartiermeester Sean O'Connell geweest. Lofty Flint, die lang, slank en sterk was, leefde in de schaduw van Billy, zijn sergeant. Hij volgde Billy waar Billy hem leidde. In het water met het doelwit, nadat Ham het had uitgeschreeuwd vanwege de schop in zijn ballen en de beet in zijn hand; en toen het verzet van de Ier gebroken was, was het Lofty geweest die hem onder water had gehouden tot er geen belletjes meer omhooggekomen waren. Ze hadden het lijk naar de kant getrokken en Ham had de zak opengemaakt en in plaats van geweren een zak vol krioelende, door elkaar kruipende krabben gevonden. De portefeuille in de borstzak van het spijkerjack vermeldde zijn identiteit als Huey Kelly, parttime visser. Als Billy, Wickso en Ham er niet geweest waren, zou hij gepraat hebben toen het onderzoek werd ingesteld, zou hij bekend hebben. Tyne Cot was zijn vlucht uit de werkelijkheid, was zijn boetedoening. Hij fietste naar zijn pension. Hij zou tegen Marie zeggen dat hij onmiddellijk weg moest en dat hij niet wist wanneer hij terug zou komen, als hij al terugkwam. Hij zou zijn tas inpakken en in het donker naar Brugge fietsen. In Brugge liet hij zijn fiets dan bij het station achter om een trein naar Brussel en de eerstvolgende Eurostar-verbinding naar Londen te nemen. Iets in de ogen van de jongeman – twijfel of onzekerheid – had Lofty het idee gegeven dat hij niet terug zou komen.

Zwak licht viel door de open celdeur. De gevangenen waren naar bed, de verslaafden kreunden, de alcoholisten snurkten en een vrouw schreeuwde dat haar baby haar nodig had.

Hamilton Protheroe zat op het bed met het betonnen onderstel, zijn schoenen op de deken, en liet zijn blik over de gevangenen gaan. Bij de mariniers was hem door een onderofficier de naam 'Ham' gegeven en hij had die naam gehouden. De onderofficier had gezegd dat hij een grote mond had en dat zijn houding niet deugde, maar hij was moeiteloos door de conditietest en de psychotechnische test voor het Eskader gekomen. Bij de deur van de cel stonden de agenten die hem gearresteerd hadden, de rechercheurs die het verhoor hadden afgenomen, de agent die hem had opgesloten en een jongeman. Hij had zitten dommelen, was bijna in slaap gevallen, toen hij het geschuifel van voeten in de gang had gehoord en het gerinkel van sleutels, en de jongeman bij hem in de cel was gelaten. Ze hadden de deur niet achter hem dichtgedaan, hadden hem open laten staan, en op dat moment had hij beseft dat ze hem vrij zouden laten. De jongeman had er doodmoe uitgezien, de uitputting nabij, en misschien was hij de imposante toespraak die er voor hem geschreven was vergeten. Ze hadden hem via zijn advocaat gevonden. 'Nou, je mag van geluk spreken dat ik hier ben,' had de jongeman gezegd. 'De vrouw die jou beschuldigd heeft, heeft haar aanklacht ingetrokken. Ik haal je hier weg voor twee weken buitenland en dan laten we je lopen.' Er moesten formulieren getekend worden en verklaringen in de prullenbak gegooid. De rechercheurs keken vijandig naar hem, alsof ze diepe minachting voor hem voelden. Hij had de jongeman gevraagd wat hij eraan over zou houden en de jongeman had hem dat verteld. Hij had geknikt en gezegd dat hij ermee akkoord ging. De reden waarom de jongeman er die dag zo afgepeigerd had uitgezien, was dat hij de andere drie had ontmoet – hij had zowaar de rest van het team ontmoet: Billy, Wickso en Lofty. Eén missie en een goed honorarium, fluitje van een cent. Hij had op het bed gelegen, kussen in zijn rug, hoofd tegen de muur. 'Ja, doe ik. Ik ga wel naar Kaliningrad, geen probleem.' Ham Protheroes Russisch had het predikaat eersteklas gekregen. Niet iets wat hij ooit kwijt zou raken. Hij had gegrijnsd om de verwarring die zijn Russisch teweegbracht en vervolgens onderhandeld met de kleine gluiperd. 'De helft vooruit en de rest contant bij terugkomst. Oké?' Het was hem om het geld te doen. Hij voelde geen wroeging over Carlingford Lough. Ze zouden allemaal nog steeds in de gevangenis hebben gezeten als hij zijn hoofd er niet bij had gehouden. Hij had het lijk weer in het water gegooid, zodat het meegevoerd zou worden. Godzijdank hadden ze geen radiocontact met de basis opgenomen. Ze waren allemaal snel anderhalve kilometer naar het noorden gelopen, bij Duggans Point vandaan, voorbij Greencastle, naar Cranfield Bay. Ham was de man die de radio bediende. Hij had zich gemeld. 'Alfa Vier Kilo: niets te melden.' Een uur later, bij Greencastle, had hij zich weer gemeld: 'Alfa Vier Kilo: patrouille gaat verder.' Hij had voor het laatst contact opgenomen toen ze ruim zes kilometer verwijderd waren van de plek waar Huey Kelly wegdreef. 'Alpha Vier Kilo: niets te melden. Keren terug naar de basis.' Hij had het team bij elkaar gehouden toen het hoofd van de militaire politie hen de volgende avond bij de poort had opgewacht en hen naar de rechercheurs van de Criminele Opsporingsdienst had gebracht om verhoord te worden. 'Ze zullen het met de boot in verband brengen. Er was geen boot toen wij voorbijkwamen. We hebben niets gezien. Wij waren bij Cranfield Bay,' had hij gefluisterd. 'Blijf bij dat verhaal.' Hij had één klus voor Security Shield Ltd gedaan, na het onvermijdelijke verzoek om ontslag te nemen. Had als lijfwacht voor een zangeres in Londen gewerkt, maar de verdiensten waren belabberd geweest en hij had geld van haar geleend. En hij was al negen jaar niet meer thuis geweest, omdat hij geld van zijn vader had gestolen toen zijn ouders met vakantie waren en hij de beschikking had gehad over het huis in Cheshire. Hij had niemand. Zijn familie bestond uit weduwen en gescheiden vrouwen, zijn thuis werd gevormd door de hotels aan de zuidkust en nu de politiecel. De brigadier van dienst gaf hem een plastic zak met zijn horloge, zijn portefeuille, losse munten, riem en das, en Ham zette zwierig zijn handtekening onder het formulier en zwaaide zijn voeten toen van de deken. Er was geen spiegel in de cel, maar hij kamde zijn haar zo goed mogelijk, knoopte de das en deed de riem om zijn middel. Het groepje mannen hield zich op de achtergrond, gaf hem de ruimte, en hij wenste hun het beste. Hij volgde de jongeman naar het parkeerterrein. Er werd hem verteld waar ze de rest van de nacht zouden verblijven en hij zei dat hij hoopte dat het een driesterrenhotel was, omdat hij daaraan gewend was. Hij bedankte de jongeman niet voor zijn komst en het aanbod van werk, maar hij had het werk wel aangenomen. Iemand in zijn positie kon niet kieskeurig zijn en hij nam aan dat Billy, Wickso en Lofty zich in een vergelijkbare positie bevonden.

6

V. Welk deel van Rusland wordt beschreven als de 'corridor van de misdaad'?
A. Kaliningrad.

'Hij is een bijzonder hoge officier,' mompelde Bikov. De manier waarop hij zijn ogen samenkneep verried zijn verbazing over wat hem verteld was.

'Waar je ook graaft, vind je morele verwording, in dit geval waarschijnlijk de verloedering door alcoholmisbruik.' De generaal vuurde de woorden op hem af.

Bikov betwijfelde het, maar sprak de man niet tegen. Hij hield zich op de vlakte. 'Er zijn veel redenen waarom iemand tot verraad overgaat.'

'IJdelheid, verwaandheid…'

'Hij zal zeker een groot ego hebben.' Hij reageerde zelden op wat hem verteld werd. Hij verliet zich bij voorkeur op wat hij zelf aan het licht bracht.

'… een kwaadaardig en verwrongen gevoel van eigenwaan. Ontevredenheid met zijn werk en graag nog meer van die materiële dingen willen hebben die hem ongetwijfeld gegeven zijn.'

'Wie weet, maar bepaalde redenen zullen diep in de psyche van de man begraven zijn.'

'Er is op deze aarde geen plaats voor een soldaat die zijn moederland verraadt. Hebzucht moet hem op het criminele pad gebracht hebben.'

'Het zal ver in zijn verleden zitten, ver, heel ver terug in het leven van Viktor Artsjenko,' mijmerde Bikov. 'Het gaat misschien wel terug tot zijn kinderjaren. Het is een raadsel dat uitgeplozen moet worden.'

'Uitgeplozen met tact en uiterste zorgvuldigheid.'

'Maar natuurlijk.'

De generaal boog zich voorover, dempte zijn stem. 'Uitzonderlijke tact en zorgvuldigheid. Artsjenko is een hoge officier, een man met een aanzienlijke staat van dienst. Hij geniet de bescherming van een officier naar wie door de mensen aan de top geluisterd wordt. Eén fout en we zijn de sigaar. Eén vergissing en jij én ik hebben geen toekomst meer, maar komen op straat te staan.'

'Ik begrijp het.' Bikov glimlachte koel.

Het was een uitdaging die Joeri Bikov ten zeerste aansprak. Hij gaf weinig om de reputatie die zich rond zijn persoon gevormd had. Hij was een roofdier dat zijn krachten mat met zijn prooi. Hij zocht uitdagingen die hem waardig waren, maar de lof die hem bij succes werd toegezwaaid, liet hem koud. Andere roofdieren verlieten zich op tanden of klauwen of een geweer, maar Bikovs wapen was zijn brein. Hij had nog nooit iemand die hij verhoord had pijn gedaan, lichamelijk letsel toegebracht. Het was gewoon primitief om penthatolwaarheidsserums te gebruiken, nog primitiever om nagels uit te trekken en je te verlaten op gummiknuppels of elektroden. Hij had boeken over psychologie gelezen, en als hij de tijd had in Moskou, bezocht hij de kantoren van professoren die zich op dit gebied hadden gespecialiseerd. Hij zat dan op een harde stoel en vroeg hun om met hem te praten. Joeri Bikov genoot de reputatie dat hij nog nooit door iemand tegenover hem aan een kale tafel in een verhoorkamer verslagen was. Wat er naderhand met de prooi gebeurde lag buiten zijn verantwoordelijkheid.

De jongste luitenant-kolonel bij de militaire veiligheidsdienst was in het donker in Moskou aangekomen. Zijn piepkleine flat was onderverhuurd en niet beschikbaar. Dus was Bikov naar het wooncomplex van de FSB in de hoofdstad gegaan, waar hem een klein, koud hok was toegewezen. Het dossier was hem door een koerier gebracht en hij had het de hele nacht gelezen, had de weinige bladzijden van het rapport steeds weer herlezen. Het dossier was in twee delen opgesplitst. Het eerste deel behandelde Artsjenko's carrière bij de marine en las als het succesverhaal van een man die de bescherming genoot van de opperbevelhebber van de vloot.

Er had een foto bij gezeten. Hij had hem uit het dossier gehaald en naast zich op het bed gelegd, en terwijl hij de bladzijden omsloeg, had hij steeds weer gekeken naar de foto van een man met een open gezicht en de kaak van iemand die beslissingen nam. Het was een vriendelijk gezicht, dat kalmte en gezag uitstraalde. Vader, inmiddels dood, was een volprezen luchtmachtpiloot geweest, zoon was opgegroeid in een militaire gemeenschap en was bij de marine gegaan, waar hij als cadet goede cijfers had behaald. Aanstelling bij de staf van admiraal Falkovski, de vier onopmerkelijke jaren op de Gretsjko Academie voor Stafofficieren, waar men geen klachten had gehad, terugkeer naar de Noordelijke Vloot, de aanstelling in Kaliningrad, de dagelijkse conditietraining door te joggen op het strand. Hobby's: middeleeuwse, militaire archeologie. Er stond geen relatie vermeld. Er was geen vrouw. Hij had er een aantekening van gemaakt op het kaft van het eerste dossier en had toen weer naar de foto gekeken. Een knappe man met goede vooruitzichten, een man die gezocht zou zijn, maar er stond geen vrouw vermeld. In Joeri Bikovs leven was wel een vrouw (gescheiden) en een kind dat nu vijftien was (vervreemd). Er werd als grapje over hem gezegd dat hij met zijn werk getrouwd was. Hij ging af en toe met de vrouwen van andere officieren naar bed, vrouwen die zich verveelden of rusteloos waren, maar nooit meer dan twee of drie keer.

Hij had alles wat hij geschreven had onderstreept. Het tweede dossier was dunner. Een luciferboekje was in een plastic zakje aan de binnenkant van de map geniet. De lucifers waren afkomstig uit een hotel in de Poolse stad Gdansk, waar een delegatie, waartoe ook Artsjenko behoorde, een nieuw droogdok had bezocht. Piatkin, de zampolit op de marinebasis van Baltijsk, had de andere leden van de delegatie ondervraagd en zij hadden gezworen dat de delegatie dat hotel niet bezocht had. De laatste bladzijden in dat tweede dossier behandelden de gasten die in het hotel aanwezig waren geweest tijdens de drie data van Artsjenko's bezoek aan het droogdok in Gdansk. Verschillende nationaliteiten kwamen op de lijst voor: Zweden, Duitsers, Amerikanen en Noren waren op een van die dagen in het hotel aanwezig geweest. Een Brits stel was op elk van de drie dagen waarop Artsjenko naar het droogdok was gegaan in het hotel geweest en Roderick Walton en Elizabeth Beresford hadden op geen enkele andere datum in het hotel gelogeerd. Deze informatie was ingewonnen door FSB-agenten die de vorige week uit Warschau gekomen waren – met behulp van een royale schenking aan het pensioenfonds van de nachtportier – maar de ruimte voor de adressen op de inschrijfkaarten van het hotel was niet ingevuld. Interessant, maar niet echt doorslaggevend bewijs. De twee laatste bladzijden die aan het dossier waren toegevoegd, leken er meer op. Deze beschreven de surveillance die Piatkin had uitgevoerd op bevel van de generaal in de Loebjanka. De chef-staf van de admiraal had in het kader van zijn hobby twee keer officieel verlof gekregen om het kasteel in Malbork en de kerk van het Heilige Kruis in Braniewo te bezoeken en de eerste keer waren hem mogelijk de twee voertuigen die hem schaduwden opgevallen en de tweede keer had hij ze vermoedelijk gezien. Beide keren was de reis over de grens afgebroken. De dossiers hadden hem de nodige stof tot nadenken gegeven, maar hij geloofde niet dat ze doorslaggevend bewijs van schuld leverden.

Het zou hem zijn leven kosten, Artsjenko zou óf wettig óf onwettig om het leven gebracht worden als hij schuldig was. Wanneer of waar was voor Joeri Bikov van geen enkel belang. Het loskrijgen van een bekentenis was van belang, dat was de uitdaging die hem wachtte.

De generaal maakte een zenuwachtige indruk. Hij stond bij het raam en zijn handen bewogen onrustig op zijn rug. 'We zullen op eieren moeten lopen, want hij geniet bescherming. Ik vertrouw op jou. God, kom eens hier, kijk daar eens. Hij leeft nog, ongelooflijk. Kom...'

Bikov kwam uit zijn stoel en liep naar het raam. Hij ging naast de generaal staan en volgde de richting van diens priemende vinger. Een man schuifelde voort aan de overkant van het plein. Hij was stokoud, gebogen, en droeg een zware jas en een wollen muts die dunne pieken wit haar vrijliet; een verwilderde, grijze snor hing om zijn mond. Hij had het uiterlijk van een reeds lang gepensioneerde schoolmeester. Hij liep met een stok en had een kleine plastic tas vol boodschappen bij zich. Zijn voeten waren in pantoffels gestoken en hij hief opstandig zijn stok om het verkeer tegen te houden toen hij het plein overstak en tussen de auto's door liep. De generaal leek terug te deinzen.

'Ik dacht dat hij dood was. Ken je hem? Hij moet minstens negentig zijn. Hij heeft hier gewerkt. Dat is Ivan Grigorejev. Ze zeggen dat zelfs de honden niet bij hem in de buurt durfden te komen. Werkte voor Stalin en Beria. Hij was de beul. Hij volgde Maggo op als beul. Was hier actief in de jaren veertig. Tien jaar lang heeft hij mensen om het leven gebracht, altijd met een revolver, hier, onder ons raam. Er werd van hem gezegd dat hij zijn werk bijzonder serieus nam. Geen vuurpeloton, hij deed het alleen. Hij stond zo dichtbij dat hij met bloed werd bespat. Generaals, professoren, doctoren, intellectuelen, ze knielden allemaal voor hem neer. Ik heb gehoord dat hij naar bloed stonk. Hij werkte met twee emmers naast zich. Een met eau-de-cologne om de lucht te verbergen en de andere met wodka. Het enige waarvoor hij op een drukke dag zijn werk onderbrak, was om zijn revolver te herladen en wodka te drinken. Ze zeggen dat hij doof aan zijn rechteroor is. Hij was hier, verleden jaar, toen ik voor het eerst in de Loebjanka kwam werken. Ik dacht dat hij dood was.'

De generaal schudde zijn hoofd en wendde zich van het raam af. Zijn gezicht was bleek geworden. Ergens diep in het gebouw bevond zich de opvolger van Ivan Grigorejev, een man die nu weinig werk zou hebben. Er was een binnenplaats aan de achterzijde van het gebouw, met een deur naar de cellenvleugel. Wanneer hij de bekentenis had losgekregen, zou Bikov kapitein-luitenant-ter-zee Viktor Artsjenko naar dit gebouw brengen, naar die cellenvleugel, en hem op een paar meter van de binnenplaats achterlaten.

'Er staat een vliegtuig voor me klaar. Ik hoop dat u me wilt excuseren.'

'Zorg dat je hem te pakken krijgt, die schijtlijster.'

Mowbray en Alice kwamen na de lunch aan. Hij had geen chauffeur van de dienst gewild en zij had gereden. Ze waren al vroeg voor een sandwich bij een café gestopt om de reis vanuit Londen te onderbreken.

'God, wat hebben ze het huis verwaarloosd.'

'Dat komt door de bezuinigingen,' zei Alice. 'De klusjesman is weg, alleen Maggie is er nog.'

Het grote, naargeestige huis van verweerde, rode baksteen was een eeuw geleden uit de winst van een brouwerij gebouwd en tijdens de Tweede Wereldoorlog door het leger gevorderd. Na de oorlog was het huis niet aan de eigenaar geretourneerd. Het was in het bezit van het ministerie van Buitenlandse Zaken gekomen, dat het in de jaren vijftig en zestig voor opleidingscursussen had gebruikt en vervolgens in de jaren zeventig aan de inlichtingendienst had gegeven. Tegenwoordig werd er nog maar zelden van het gebouw gebruikgemaakt. De verf bladderde van de kozijnen en de wilde wingerd had zich over de hele voorgevel verspreid. In een van de bovenramen was een ruit gebroken en de dakgoot boven het portiek lekte. De woning stond in de boeken als een huis met vijftien slaapkamers en een eigen terrein van vier hectare. Het gras was al een maand niet gemaaid en Alice mompelde iets over achterstallig onderhoud. Natte esdoornbladeren lagen op de oprijlaan en verstopten de afvoerpijpen. Ergens binnen reageerde een hond met schor geblaf op hun komst.

'Het was een bijzonder nuttige accommodatie.'

'Het zal best meevallen,' zei Alice opgewekt.

Ze pakte zijn tas en die van haar van de achterbank en liep achter hem aan naar de deur. Ze bevonden zich diep in het heuvelachtige landschap van Surrey, niet ver van Chiddingfold. Mowbray gaf een ruk aan de bel. Er klonk een luid gerinkel binnen en het geblaf van de hond werd hysterisch. Hij bleef met gefronst voorhoofd wachten tot de deur openging en Maggie – midden veertig, met brede heupen – haar armen in de lucht gooide en een natte kus op elk van zijn wangen drukte. Toen grijnsde hij.

'Wat ben ik blij om u te zien, meneer Mowbray. Dit wordt weer net als vroeger. Welkom, welkom.' Ze trok haar wenkbrauwen op en zei zacht, schuchter: 'Dat moet een belangrijke zaak zijn.'

Hij gaf haar een knipoog. 'Allemaal aanwezig?'

'In de zitkamer. Ik heb de open haard aangestoken. Die is dit jaar nog niet gebruikt, dus misschien rookt hij een beetje. Meneer Locke is in zijn kamer.'

'O ja?' Mowbray keek naar de trap. De loper was versleten en een van de leuningen langs het onderste gedeelte was losgeraakt. Hij schreeuwde: 'Meneer Locke, Gabriel Locke, uw aanwezigheid is gewenst.'

Locke verscheen op de overloop, een norse blik op zijn gezicht. Hij kwam de trap af en zei snel, staccato: 'Is die hond opgesloten? Hij zou doodgeschoten moeten worden, dat beest is vals. Het zou niet moeten mogen, een wilde hond in huis.'

'Ik heb gehoord dat ze er zijn.'

'Het was een belachelijk schema. Ik heb helemaal niet geslapen, geen kans gehad om even op adem te komen.'

'En wat doen ze nu?'

'Ik ben verdomme hun oppasser niet. Ik zou het niet weten.'

Alice zei: 'Ik breng de bagage wel naar de eetkamer. O, en ik zal Jerry bellen en zeggen dat hij je kan verwachten.' Ze had geleerd om zich nooit op de voorgrond te dringen en dat waardeerde hij. Hij wist dat ze Maggie later met koken zou helpen, en daarna zouden ze allemaal vertrekken, maar hij als eerste. Het huis was een soort doorgangsstation, uit het oog en uit het hart.

Aan het eind van de donkere gang was een dichte deur en achter de deur klonk het geroezemoes van stemmen. Locke deed snel een paar stappen naar voren, draaide zich om en versperde Mowbray de weg. 'Mag ik zeggen wat ik denk?'

'Als het relevant is...'

'Ik kan eerlijk gezegd niet geloven dat dit gebeurt,' beet Locke hem toe.

'... en de tijd dringt.'

'Dit is een zielige vertoning die tot mislukken gedoemd is.'

'De directeur-generaal en de minister hebben er hun goedkeuring aan verleend.' Het was opzettelijk luchtig gezegd. Hij wilde Locke kleineren.

'Het loopt verkeerd af.'

Mowbray geloofde dat dit het moment was waar Locke op gewacht had. Hij had zijn argument zeker gerepeteerd. Zijn glimlach was vaderlijk. 'Wie niet waagt die niet wint. En bij mij loopt niets verkeerd af.'

'Die wereld van u is volkomen achterhaald. U leeft buiten de werkelijkheid.'

'Als je weg wilt, jongeman, moet je weggaan. Ik geloof niet dat ik je zal missen.'

'Maar ik kan niet weg, verdomme. Die mannen daar...' Locke zwaaide zijn arm naar achteren en gebaarde naar de deur. 'U had bij me moeten zijn, dan had u kunnen zien waar ik ze weg heb gesleept. Gekken, drop-outs, vierderangs...'

'Ze zullen zeker aan de eisen voldoen. Bezorgd wat voor invloed dit op je cv zal hebben?' Er kwam een harde klank in zijn stem.'Je zult nog zien wat voor invloed het heeft als je wegloopt, jongeman. Goed, als je zover bent?'

'Aan de eisen voldoen? Het zijn nietsnutten, een van die mannen is zelfs een misdadiger, verdomme. Is dat uw idee van aan de eisen voldoen?'

'Voor wat we van die mannen verlangen – en wil je nu alsjeblieft ophouden met zeuren – voldoen ze ruimschoots aan de eisen. Mag ik er nu door?'

Locke deed een stap terug. Mowbray bleef even staan. Hij viste een kam uit zijn binnenzak en haalde die door zijn haar. Hij trok de knoop van zijn das met een klein rukje recht en veegde een enkel vlokje roos van zijn schouder. Hij deed de deur open. Eerste indrukken waren altijd belangrijk. Hij ademde diep in. Zelfvertrouwen en gezag waren een eerste vereiste. Hij marcheerde de kamer binnen. Het was er schemerig, de gordijnen waren niet opengetrokken en de leunstoelen waren met stoflakens afgedekt. Hij rook de bedompte lucht die de open haard niet had verdreven. De vier mannen, die om de tafel zaten te kaarten, keken op.

Mowbray glimlachte breed. 'Welkom, heren, wat een vreselijk huis. Mijn excuses. De naam is Mowbray en zoals de mensen die me kennen zullen bevestigen, vertel ik zelden dingen die niet waar zijn. Evenals jullie ben ik afgezwaaid, met pensioen, maar ik ben voor deze ene operatie teruggeroepen, omdat de huidige generatie helden haar handen liever niet vuil maakt. Voor mij zijn vuile handen nooit een punt geweest. Waarom zijn jullie hier? Jullie zijn hier, omdat die rechtschapen, dappere mannen in Hereford zeggen dat ze er niet "erg op gebrand zijn om naar dat oord te gaan". "Dat oord" is Kaliningrad, een vreselijke plek, de Russische enclave tussen Polen en Litouwen. De eveneens rechtschapen mensen in Poole, die jullie een heel stuk beter moeten kennen dan ik, zeiden dat ze er niet aan wilden en vroegen me: "Is hij de moeite waard?" "Hij" is een marineofficier op het hoofdkwartier van de Oostzeevloot, die de laatste vier jaar mijn beste agent is geweest. Hij staat nu onder extra surveillance en op het punt om gearresteerd te worden, en als hij gearresteerd wordt, zal hem uiteindelijk een nekschot wachten. Het is mij een waar voorrecht geweest om deze man te hebben leren kennen en ik zal – met jullie hulp – zijn leven redden. Als iemand van jullie weg wil, dan is dit het moment.'

Hij keek een voor een in de ongeschoren gezichten. Ze droegen een uniform van sportschoenen, spijkerbroek en sweatshirt. Geen van hen verroerde zich. Geen van de stoelen werd schrapend achteruitgeschoven over het parket. Mowbray hoorde Lockes ademhaling achter zich.

'We beginnen vanavond aan onze reis. Er zal ontzettend veel informatie verwerkt moeten worden, maar dat lukt ons wel. We beginnen met de kaarten: Kaliningrad, de grenzen, de marinebasis, enzovoort. Jullie zijn allemaal ten zeerste aanbevolen, jullie zijn de besten op jullie gebied en jullie zullen het beste resultaat bereiken. We zullen ervoor zorgen dat die lafaards met hun schone handen tegen ons opzien.'

Ze begonnen met de kaarten en bestudeerden die tot de helikopter Rupert Mowbray kwam halen.

Er werd verderop op het strand geschoten.

De wind was gedraaid en kwam uit het noorden, anders had de visser de korte salvo's niet gehoord. Roman hoorde vaak de schietoefeningen achter het hek dat het Poolse gedeelte van het strand van de duinen scheidde waar de Russische soldaten hun oefeningen hielden. Hij was bezig met het boeten van zijn netten. De schade was waarschijnlijk veroorzaakt door de troep die deze week door een passerend vrachtschip overboord was gezet en die een tijdje was blijven drijven alvorens naar de bodem te zinken. Hij geloofde – en met hem alle andere vissers die vanuit het dorpje Piaski visten – dat hij wist waar elk obstakel lag in het water dat hij beviste. Roman was de expert en hij kwam altijd met de meeste schar, bot en schol thuis. Zijn vingers bewogen snel, met een overhandse beweging, terwijl hij de scheuren in zijn net repareerde. Als dit in het begin van de zomer was gebeurd, zou hij naar het café in Piaski zijn gegaan om een biertje met de andere vissers te drinken en had hij het boeten van zijn netten tot de volgende ochtend uitgesteld. Maar het was herfst geworden en de winter zou weldra invallen. Over twee weken, op zijn hoogst drie – en Roman was net zozeer een expert op het gebied van het weer als van de visgronden – zouden de stormen de meeste dagen op het strand beuken en kon er onmogelijk uitgevaren worden. Er werd dan tot de lente niet meer gevist. Dan kon er geen geld meer verdiend worden en zouden Roman en zijn gezin en de andere families in Piaski moeten schrapen, elk dubbeltje om moeten keren, om het hoofd boven water te houden. Elke dag dat hij kon vissen voordat de stormen zich aandienden, werd aangegrepen. Er waren zo'n twaalf boten op het strand getrokken, wit geschilderde planken onder een geel dolboord, stuk voor stuk genummerd, maar de bemanningen van de andere boten, de collega's die met hem uitvoeren, waren al lang naar het dorpscafé vertrokken. De grens was twee kilometer naar het zuiden. Als hij opkeek, zijn blik van de netten nam waarop hij zich concentreerde

– en hij was gezegend met ogen die net zo scherp waren als die van de aalscholvers die met de meeuwen concurreerden om de koppen en karkassen, die hij over zijn schouder gooide als hij zijn vangst schoonmaakte en fileerde – kon hij de lege Poolse wachttoren zien en daarachter de Russische wachttoren, die altijd bemand werd. Als hij zijn ogen iets toekneep, zag hij zelfs het hek bij de grens, dat van het dennenbos op de landtong over het strand naar de eblijn liep. Erachter waren de oefenterreinen, de raketinstallaties en de schietbanen. Hij kende het geluid van de verschillende wapens die de Russen gebruikten. Eenendertig jaar geleden had hij als dienstplichtige in het Poolse leger gezeten en hij herinnerde zich het geluid van schietende tanks, mortieren en machinegeweren nog goed. Maar vandaag had hij de wind nog niet het bekende donkere geluid van het zware 12,7mm-machinegeweer horen aandragen.

De *Princess Rose* ging voor anker op een deining die verergerd werd doordat de wind druk uitoefende op de kabel en het schip in de richting van de rotsen en de kust probeerde te duwen.

De machinist keek vanachter de reling toe. De kapitein en stuurman waren op de brug en hadden de boot op nog geen zeemijl afstand van wat op de kaart als Mew Stone was aangegeven gebracht. Hij kon de lichten van de stad Dartmouth aan de monding van de rivier zien en de witte golven die in het donker door de snel naderende sloep terug werden geworpen. Hij kwam uit Rostock, de belangrijkste haven van het voormalige Oost-Duitsland aan de Oostzee. Hij had in de dokken gewerkt tot zijn leven in elkaar was gestort en hij ontslagen was, een van de slachtoffers van de nieuwe heilige graal van het kapitalisme. De hereniging had hem zijn veilige baan en de geborgenheid van de voorzieningen van de wieg tot het graf gekost. Zijn vrouw en dochter woonden in Rostock en de coaster zou dicht bij de haven komen waar de scheepswerven nu stillagen, maar hij zou niet de gelegenheid krijgen om van boord te gaan om hen te bezoeken. Hij was een zwaargebouwde man, met een kaalgeschoren hoofd, en de volgende week zou hij, met de kapitein en de stuurman, zijn achtenveertigste verjaardag vieren. Zijn leven aan boord van de *Princess Rose* bestond uit eten, het bekijken van natuurfilms op video en zijn werk om de dieselmotor gaande te houden. Die motor liep op zijn laatste benen; zonder de tedere verzorging die Johannes Richter hem gaf, zou hij er allang mee opgehouden zijn. Hij zei wel eens dat de motor vergeleken kon worden met een 'temperamentvolle vrouw' en hij liet de kapitein en de stuurman er niet bij in de buurt komen. Hij droeg er de verantwoording voor en hij gaf de motor liefde. Toen de *Princess Rose* de Mew Stone had bereikt en ze het anker hadden laten vallen, had de kapitein radiocontant opgenomen met de kustwacht en de douane aan de wal – Richter had het hem horen doen – en ze hadden direct toestemming gekregen om een kleine lading aan boord te nemen. Richter begreep niet hoe er zo weinig belangstelling kon zijn van de autoriteiten voor een schip dat 's nachts zo dicht langs de kust kwam en een lading aan boord nam.

De rubberboot kwam langszij en stampte onder de romp. Hij gooide een touwladder omlaag en zag dat de bemanning van de rubberboot marinebaretten droeg, maar dat ze zwarte wetsuits aanhadden. De kapitein had de Filippino's, de matrozen en de kok, benedendeks gestuurd, alsof het laden van de vracht hen niet aanging. Ze hadden geen vaste kraan op de *Princess Rose*, maar twee mannen van de rubberboot klauterden tegen de touwladder op en de twee die in de rubberboot bleven, gaven vier zware, zwarte canvas plunjezakken door, gevolgd door vier grote kartonnen dozen van meer dan een meter lang en een halve meter breed en diep en, ten slotte, een opgevouwen rubberboot met een buitenboordmotor. De laatste man in de rubberboot die beneden hem op de deining danste, was geen zeeman. Hij droeg een waterdichte oliejas en gepoetste schoenen en had lang zilverkleurig haar dat door de wind in de war waaide. Toen de plunjezakken, de dozen en de opgevouwen rubberboot met buitenboordmotor aan boord waren, werd deze oudere man geholpen bij het beklimmen van de touwladder, waarbij een van de mannen uit de rubberboot hem vanboven bij zijn kraag hield en een tweede beneden hem de sporten voor zijn voeten vond. De man gaf geen blijk van angst toen hij van de opspringende, zwarte golven die tussen de romp en de rubberboot kolkten aan boord klom. De schipper was van de brug gekomen. Richter zag hoe de man hem een dikke bruine envelop gaf en hij keek toe hoe de schipper ter ondertekening een kwitantie overhandigd werd. Hij geloofde dat de man was gekomen om persoonlijk een oogje op het laden te houden, alsof hij anderen deze taak niet toevertrouwde. Richter vond het indrukwekkend, maar toch ook verwarrend, dat iemand die duidelijk een hoge positie bekleedde de moeite nam om aan boord van de *Princess Rose* te komen om toe te zien op het stouwen van een vracht van nog geen ton.

Richter kreeg gezelschap van de stuurman en samen begonnen ze de plunjezakken, de dozen, de rubberboot en de buitenboordmotor van het dek te halen, en toen had hij geen tijd meer om onder de indruk of in de war te zijn. Hij zag de man en de bemanning van de rubberboot niet weggaan. Toen de laatste doos naar de bak was gebracht, kwam de kapitein naar hem toe en zei dat hij het schip vaarklaar moest maken. Hij daalde af naar het binnenste van de *Princess Rose*.

Binnen vijftien minuten was het Richter gelukt om de dieselmotor op toeren te krijgen en hoorde hij het metaalachtige, schurende geluid waarmee de kabel met de lier werd opgehaald. Even later voelde hij de beweging van het schip toen het tegen de wind van het kanaal in ploegde. Als hij het uiterste uit zijn motor wist te halen, zouden ze er vier dagen over doen om de Poolse haven Gdansk te bereiken.

Hij kwam zonder enige tamtam, als een geestverschijning in de donkere avond.

Er was oponthoud in Moskou geweest, omdat een waarschuwingslampje dat betrekking had op het onderstel van het vliegtuig kuren had gekregen. Joeri Bikov had tegen het eind van de middag in de kazerne van Kaliningrad moeten zijn. De problemen met onderhoud werden met de dag nijpender. Het kwam hem beter uit om in het donker te landen. Hij had via de radio het verzoek laten versturen om geen ontvangstcomité van het hoofdkwartier van de Federalnaja Sloezjba Bezopasnosi in Kaliningrad naar het vliegveld te sturen, noch de medewerker van de FSB van de marinebasis in Baltijsk. Eén auto en één chauffeur, meer niet. Hij wilde geen aandacht op zichzelf vestigen, wilde per se niet dat zijn komst werd aangekondigd.

Toen zijn vliegtuig naar een uithoek van het voorterrein was getaxied, waren de twee mannen die met hem meegereisd waren eerst uitgestapt en het trapje af gegaan dat doorboog onder hun gewicht. De mannen waren zijn majoor en zijn sergeant. De majoor was een expert op het gebied van administratieve organisatie en de sergeant op het gebied van persoonlijke bewaking. Ze hadden eerder met hem samengewerkt en er was sprake van wederzijds respect tussen de mannen. De majoor droeg het dure pak van de jonge, succesvolle zakenman en de sergeant droeg een dik jack, dik genoeg om het Macharov-pistool in zijn schouderholster en het machinepistool met weggeklapte kolf in een binnenzak van het jack te verbergen. Bikov volgde de mannen.

Zoals de bedoeling was, zou het grondpersoneel de indruk krijgen dat de majoor de man was die belangrijk genoeg was om met een militair toestel uit Moskou overgevlogen te worden. Bikov viel niet op. Hij had een overvolle duffelse tas over zijn schouder geworpen. Hij droeg laarzen die schoongespoten waren, maar nog niet vrij waren van de Tsjetsjeense modder die aan de stiksels en veters kleefde, en de spijkerbroek die hij daar had aangehad en die gewassen maar niet gestreken was. Er zat een kleine, gerafelde scheur op de rechterknie. Hij had zich voor zijn onderhoud met de generaal in de Loebjanka de vorige avond geschoren, de eerste keer sinds zijn bezoek aan Tsjetsjenië, en hij zou zich pas weer scheren na zijn vertrek uit Kaliningrad met zijn gevangene en diens bekentenis. Er waren al stoppels zichtbaar op zijn wangen en kin.

Ze werden weggereden via een weg om de basis, langs een stille, donkere batterij luchtdoelraketten, om de lichten van de hal die voor burgers werd gebruikt te vermijden. Ze gingen op weg naar de stad en een hotel dat gefrequenteerd werd door toeristen uit Duitsland en dat vrijwel zeker niet door militairen werd bezocht. Daar zouden ze zich van hun bagage ontdoen. Later zouden ze dan naar de achteringang van het hoofdkwartier van de FSB gaan.

Als iemand bekend was geweest met de reputatie van luitenant-kolonel Joeri Bikov, zou hij de bitterkoude wind die over de oblast van Kaliningrad waaide eens te meer gevoeld hebben. Ze zouden een man van formaat herkend hebben, een gevaarlijk man, die zich niet met onbelangrijke zaken bezighield. Hij voelde zich ontspannen en op zijn gemak. Het enige wat Bikov van het leven vroeg, was dat hem uitdagingen werden voorgezet. Hij zat op de achterbank, tussen zijn sergeant en zijn majoor in. Zijn sergeant vroeg de chauffeur om de verwarming van de auto af te zetten en zijn majoor draaide het raampje omlaag. Geen van beiden hoefde verteld te worden wat hij wilde. Hij snoof de lucht op, en de kille wind voerde de zilte geur van de zee aan.

Hij glimlachte.

Op hemelsbreed 475 kilometer van Kaliningrad landde een ander militair vliegtuig. Een Hercules C-130 van de transporteenheid van RAF-basis Lyneham, landde op Tempelhof, het vliegveld ten westen van het centrum van Berlijn.

Nadat ze aan boord waren gegaan had Gabriel Locke geprobeerd om zich van de rest van Mowbrays leger te distantiëren, én van Mowbray zelf, die nog steeds naar zout water rook na zijn helikoptervlucht, maar de loadmaster had geweigerd hem de stoel voorin, aan de andere kant van het gangpad, te geven. Hij zat bij hen, maakte deel uit van het gezelschap. Toen ze wachtend op hun beurt boven Tempelhof hadden rondgevlogen, had hij Mowbray van wal horen steken met een beschrijving van de luchtbrug, alsof wat er in de zomer van 1948 was gebeurd tegenwoordig nog van enig belang was. Locke had geprobeerd om niet te luisteren en Smith, Protheroe, Flint en Wicks hadden geen enkele schijn opgehouden en geslapen. De vrouw had ijverig met een vijl aan haar nagels gewerkt. In het gedempte licht van het transportvliegtuig, waar beenruimte werd beperkt door de vracht van houten kratten op laadborden die voor de militaire attaché op de ambassade bestemd waren, was alleen Locke Mowbrays onwillige gehoor geweest. In Mowbrays stem was een spoor van opwinding te horen, alsof hij thuis was gekomen, alsof hij waarde hechtte aan de stad die zich onder hem uitstrekte met zijn talloze lichtjes.

Ze landden zo zacht als een veertje.

Met het enthousiasme van een kind dat een geliefd spelletje gaat doen, had Mowbray zich al van zijn veiligheidsriem ontdaan voordat het toestel tot stilstand was gekomen en voordat de loadmaster hem toestemming had gegeven om uit zijn stoel te komen. Toen de Hercules uiteindelijk met een schok tot stilstand kwam, moest Mowbray zijn hand uitsteken om zich in evenwicht te houden en greep Alice zijn arm beet. Gabriel Locke vond het maar een zielige vertoning. Het hydraulische luik achter in het vliegtuig ging knarsend open en er werd een vorkheftruck zichtbaar, die klaarstond om de lading uit het vliegtuig te tillen. Mowbray ging als eerste naar de opening. Locke vroeg zich af of de oudere man een pauselijke act ging opvoeren en zou knielen om het met olie besmeurde beton te kussen. Dat deed hij niet. Hij maakte een sprongetje door het luik naar de grond en bleef toen staan met zijn handen op zijn rug, terwijl hij de lucht leek op te snuiven. Locke vroeg zich af waarom Mowbray zo'n verregaande affiniteit met Berlijn voelde. Het team zette zich in beweging. Ze waren stil. Alice volgde hen met Mowbrays aktetas en weekendtas, plus haar eigen weekendtas en koffer; ze was beladen als de portier van een hotel. Locke sloot de rij.

De loadmaster was al druk in de weer met de heftruck en hield een oogje op het transport van de kratten. Er stonden drie auto's voor hen klaar, met draaiende motor en rook uitbrakende uitlaat. Er kwam een vrouw naar voren.

Locke hoorde haar zeggen: 'Welkom in Berlijn, meneer Mowbray. Ik heet Daphne. Daphne Sullivan.'

Hij hoorde Mowbray zeggen: 'Goed gedaan, Daphne. Mijn felicitaties. Eersteklas vakwerk.'

Daphne Sullivan stelde hen voor aan een Duitser, die een paspoortstempel bij zich had. Hij deed eerst Mowbrays valse paspoort en toen dat van Alice North, dat ook op een andere naam stond. Locke was ziedend. Zijn paspoort was echt, stond op zijn eigen naam. Waarom werd hij niet belangrijk genoeg geacht om een nieuw paspoort met een andere naam te krijgen? Nadat hun paspoorten waren afgestempeld, volgde het team Mowbray naar de auto's. Alice liep naast de vrouw die hen verwelkomd had, Daphne Sullivan. Locke hoorde haar zachte stem: 'Maar is hij daar geweest?'

'De krijttekens waren vers. De voetafdrukken waren heel duidelijk. Ik kon zien dat hij over het strand gehold had. Ja, hij is daar geweest.'

'Er waren twee kruisen en een J en een V?'

De vrouw werd aan de tand gevoeld. Locke hoorde hoe Daphne Sullivan scherp zei: 'Dat heb ik in mijn rapport geschreven. Is het staatsgeheim? Zijn die J en V belangrijk?'

Locke dacht dat hij iets van een snik in de stem van Alice North hoorde, die hem niet opgevallen zou zijn als hij niet zo dichtbij had gestaan. 'Zijn eerste bericht aan ons, nadat hij zich bij ons gemeld had, ondertekende hij met "Jullie vriend" – JV – en in de laatste regel van de brief had hij "Bescherm me" geschreven. Bedankt dat je erheen bent gegaan.'

Locke had misschien meer kunnen opvangen, maar hij was doodmoe en het lawaai van de motoren van het transportvliegtuig dreunde nog na in zijn oren. Bovendien liep Alice al snel met haar aktetassen en koffers naar de auto's en gebaarde Mowbray gebiedend dat hij op moest schieten.

Hij vroeg zacht: 'Hoe was het daar?'

'Vreselijk,' zei Daphne Sullivan kortaf. 'Het is een legerkamp. Ik weet niet wat voor jongensstreken jullie daar uit gaan halen en ik wil het niet weten ook. Ik ben blij dat ik er niet aan meedoe.'

Locke nam de laatste plaats in de derde auto. Waarom had Alice North zo ingespannen geluisterd toen haar iets over voetstappen in het zand op een strand werd verteld? Ze reden weg. Waarom had Alice North een agent van de Berlijnse afdeling bedankt voor wat gewoon haar werk was? Ze reden via de inhaalstrook door het avondverkeer.

Bij het heldere licht van een spot las Joeri Bikov de dossiers die hem gebracht waren. Zijn majoor had de kamer gekozen en de keus kon Bikovs goedkeuring wegdragen. De deur van de kamer gaf toegang tot een gang en aan het eind van de gang was de brandtrap, die rechtstreeks naar het parkeerterrein achter het gebouw leidde. Terwijl Bikov las, was de sergeant in de weer met een zware schroevendraaier om het slot op de deur te veranderen. Zijn majoor installeerde het nieuwe telefoonsysteem waarmee gecodeerde gesprekken met de Loebjanka in Moskou gevoerd konden worden.

Tegen middernacht had het fotokopieerapparaat al een viermaal levensgrote kopie van een foto van kapitein-luitenant-ter-zee Viktor Artsjenko gemaakt, die nu met plakband aan de muur bij de deur was bevestigd. Geen van de twee mannen stoorde Bikov. Hij zou tot de volgende ochtend doorwerken, tot het licht zich aandiende bij het raam waarvoor de gordijnen waren dichtgetrokken. Hij las en dacht na, liet zijn gedachten rondgaan en keek dan naar het gezicht dat op hem neer staarde. Hij draaide om de man heen, op zoek naar zwakke plekken. Het stond altijd in de dossiers; het zou er te vinden zijn als hij er oog voor had.

'Land of zee, dat is het eerste wat we moeten bekijken. Wat willen we, land of zee?' vroeg Billy aan het team.

'Hebben we een keus?' Lofty haalde zijn schouders op.

'Natuurlijk hebben we een keus.' Ham snoof. 'Daarom zijn we hier, de deskundigen, God sta ze bij. Gaan we over land of over het water? We vertellen Rupert de Almachtige wel wat we willen.'

'Land. Land is beter,' zei Wickso. 'We gaan er over land heen, komen er over het land weer uit, het laatste stuk gaat dwars door de campagne. Dat is beter dan via de zee.'

Locke luisterde. Het hotel aan de Hardenbergstrasse was groot en anoniem; ze hadden geen tweede blik aan de overwerkte meisjes achter de balie ontlokt. Rupert Mowbray was niet bij hen en Alice had Locke verteld dat 'meneer' Mowbray naar een pension om de hoek was gegaan, waar hij in de 'goeie ouwe tijd' altijd logeerde. Locke had de woorden 'goeie ouwe tijd' sarcastisch herhaald, maar ze had er niet op gereageerd. Zodra ze haar sleutel in ontvangst had genomen, was Alice naar de kamer gegaan die haar was toegewezen in plaats van met hem nog iets te gaan drinken. Locke had twee biertjes gedronken in de bar en was toen naar de vijfde verdieping gegaan, waar hun kamers waren. De tv stond aan in de kamer van Smith en hij had op de deur geklopt, te wakker om te gaan slapen. Kaarten lagen uitgespreid op het bed. Ze gaven hem een stoel bij de tv, waarop een corpulente zanger in een korte broek met bretels een lied zong. Ze negeerden hem.

'We hebben geen tijd om te ouwehoeren. Als het "land" wordt, wat hebben we dan nodig?' vroeg Billy.

'We moeten van de weg af, door open terrein en een opening in het hek knippen,' zei Wickso.

'Lofty rijdt, daar is hij steengoed in,' zei Billy. 'Dus de Almachtige moet zorgen dat er een auto aan de andere kant beschikbaar is en een chauffeur, dat kunnen wij niet doen, niet op de heenweg. Lofty rijdt wanneer we teruggaan.'

'Wat betekent "extra surveillance" precies?' vroeg Lofty.

'Dat betekent dat je rijdt of er een bajonet, en een heel scherpe, bij je kont gehouden wordt wanneer we hem opgepikt hebben.'

'Hoe noemen we hem?' Ham had het woord genomen.

'Zijn codenaam is Fret, dus noemen we hem Fret.'

'Hij moet op de goede plek zijn, dat is Frets probleem,' zei Wickso.

Locke zag dat de man die Lofty genoemd werd zijn hoofd achterover hield, alsof dat hem misschien zou helpen een probleem te begrijpen. Hij had zijn ogen toegeknepen en staarde met gefronst voorhoofd naar het plafond. Locke geloofde dat Lofty de traagste van het stel was; hij was ook het moeilijkst te rekruteren geweest. Dat iemand bereid was, zich vrijwillig aanbood, om zijn tijd in Tyne Cot door te brengen, ging zijn verstand te boven; het was een verschrikkelijk oord, echt verschrikkelijk. Het gesprek verstomde en Billy vouwde de kaarten van Kaliningrad, kust en land, op. De zanger schalde door.

Lofty zei, terwijl hij zijn hoofd bleef schudden: 'Wat mij nog steeds dwarszit, is waarom ze ons hebben genomen.'

Ham grijnsde, zonder enige warmte. 'Ben je nou echt zo stom, Lofty, stommer dan anders?'

'Waarom niet het Regiment of het Eskader?'

Wickso zei: 'Omdat wij niet bestaan, Lofty.'

Billy zei: 'Omdat we ontkend kunnen worden, ouwe reus.'

Locke glipte de deur uit en zijn vertrek scheen niemand op te vallen. Hij liep langs de deur van Alice North. Hij was een buitenstaander en daar zou hij verdomme verandering in brengen.

Hij zag het groepje mannen dat zich aan het eind van de werf verzameld had.

Viktor had doelloos door de stad gelopen. Aangezien hij de ogen en oren van de admiraal op de basis was, was van hem bekend dat hij vaak 's nachts door de straten sloop om zich een idee te vormen hoe de zaken erbij stonden met het hoofdkwartier van de vloot, om rapport te kunnen uitbrengen over stemmingen en omstandigheden. Hij liep in de richting van aanlegplaats 58 van dok nummer 1 in de marinehaven. Het was na twee uur 's nachts. De schijnwerpers beschenen de kranen boven de aanlegplaats en de bovenbouw van de torpedojagers. Alle torpedojagers en fregatten van de Krivak-klasse van de vloot lagen in dok 1 en zouden daar de hele winter blijven, omdat er geen brandstof was om uit te varen. In dok 2 lagen de onderzeeërs, een van de Kilo-klasse, twee van de Tango-klasse en een van de Foxtrot-klasse. Het was iets waar hij zich mee had beziggehouden. Sinds de eerste bijeenkomst in het Excelsior-hotel in Gdansk was hij in zijn hoofd de Russische benamingen voor de diverse klassen van oorlogsschepen gaan veranderen in die van de NAVO. Soms was een onderzeeër van de Kilo-klasse en soms van de Vasjavjanka-klasse, en het was dit soort details dat hem het leven kon kosten. Er vielen schaduwen tussen de plassen licht die door de booglampen over de haven werden geworpen. Hij liep, omdat het nu elke nacht moeilijker werd om alleen te slapen in de stilte van zijn kamer. Als hij liep, lag hij niet te woelen in zijn bed en hoefde hij zich niet te beschermen tegen de kou die hem omgaf. Soms hoorde hij de voetstappen van de mannen die hem volgden. Hij wist niet hoe het zou aflopen, wanneer en waar. Hij was in de buurt van het eerste dok gekomen, bij aanlegplaats 58, waar de torpedojager, leeg en donker, lag afgemeerd, toen hij de kreet hoorde.

Het geluid klonk als het gekrijs van een meeuw. Op de plek van de kreet leek het groepje mannen uitzinnig te dansen op een vierkante meter beton.

Hij bleef staan en werd weggerukt van zijn doffe gedachten over zelfbehoud. De dichtstbijzijnde booglampen bereikten de groep niet, maar hij kon de silhouetten van de mannen zien. Zijn geest werd helder en zijn adem stokte. De voeten dansten niet, ze schopten. De groep bewoog, alsof dat de figuur van de dans was, naar de rand van de kade en de zwarte kloof tussen het beton en de romp van de torpedojager die daar lag. Er klonk een zacht gekreun en hij hoorde het geluid waarmee de laarzen of schoenen van de mannen tegen een voorwerp schopten dat een zak graan zou kunnen zijn. In het midden van de groep bevond zich een donkere vorm, die zonder de energie van hoop bewoog, langzaam en apathisch. Het groepje mannen, zo'n vijf à zes, dromde eromheen en schopte de vorm naar de rand van de kade. Hij vergat zichzelf, zijn eigen leed. Vijf of zes mannen dreven een andere man door hem te schoppen naar het donkere water onder de romp van de torpedojager. Hij begon te rennen.

Viktor probeerde te schreeuwen, maar zijn stem bleef in zijn keel steken.

Hij hoorde de laatste schreeuw en de doffe plons. Hij rende alsof zijn eigen leven ervan afhing. Er klonk gelach toen het groepje omlaag tuurde in de duisternis. Nu hoorden ze hem. Ze draaiden zich als één man om. Viktor holde onder een booglamp door. Ze moesten de officier die op hen afsprintte in zijn beste uniform voor een diner in de officiersmess nu goed gezien hebben. Ze vluchtten in verschillende richtingen. Twee of drie gingen rechts, richting aanlegplaats 58, en twee of drie gingen links, om de hoek van het dok, richting aanlegplaats 60. Hij zag de onderscheidingstekens op hun mouwen die hen als onderofficieren aanduidden, maar hun gezicht zag hij niet en hij verspilde verder geen gedachte meer aan de mannen. De rand van de kade was nu leeg en hij hoorde het gestamp van hun voeten. Viktor rukte aan zijn knopen en toen zijn uniformjasje openwaaide, schudde hij het uit. Hij was ter hoogte van de voorste lanceerinstallatie van het schip gekomen en de torpedojager verhief zich donker boven hem. Hij schreeuwde in de nacht, maar hij kreeg geen antwoord. Onder hem was een dikke, zwarte duisternis en zijn ogen konden er niets in zien. Het antwoord op zijn schreeuw was een zwak geplas in de diepte.

Viktor kwam in actie.

Hij sprong met zijn voeten naar voren in het niets. Even was hij los, vrij, hij viel tien meter, toen raakte hij het water. Hij ging kopjeonder. Wat hij het eerst voelde, was de verdovende kou. Hij graaide om zich heen. Zijn vingers grepen losse stof, toen een arm, maar verloren hun greep. Hij kwam boven. Viktor watertrappelde, tastte achter en voor zich en naar beide kanten. Zijn handen vonden de man niet. Hij sputterde, haalde diep adem, hield zijn adem in en boog zijn lichaam dubbel om te duiken. Hij ging diep. Zijn ogen konden hem niet helpen. De lucht sijpelde uit zijn longen, de pijn verspreidde zich door zijn borst. Aan het eind van zijn duik, toen hij aan het laatste beetje lucht toe, kregen zijn gestrekte vingers een snel wegzakkend been in de totale duisternis beet. Hij hield het krampachtig vast en schopte zich omhoog. Even leek de dood onvermijdelijk, toen brak hij door de waterspiegel en had hij het been nog steeds in zijn hand. De man die hij vasthield verzette zich niet meer. Viktor draaide zich op zijn rug, hield het lichaam van de man over zijn maag en borst en zwom de tien slagen naar de kade.

Een zaklamp scheen omlaag en verblindde hem waar de olie fel oplichtte.

Hij vroeg zich af of hij doodgeschoten zou worden, of dit zijn laatste moment was. Een pikhaak prikte in zijn schouder en schramde zijn nek, maar hij zag kans om zich er met één hand aan vast te klampen, terwijl hij met de andere nog steeds de man beethield voor wie hij in het water was gesprongen. Zijn zicht werd scherper, maar de pijn en de messteken in zijn longen namen ook toe. In plaats van de pikhaak waren het nu handen die hem vasthielden. Hij kon het gezicht zien, jong en bleek, van Igor Vasiljev, de jeugdige dienstplichtige. Redders stonden nu op de ijzeren trap aan de kademuur en hielden hem als in een bankschroef, en er werden meer handen omlaaggestoken om het gewicht van de jongen van hem over te nemen.

Hij zag liefde en dankbaarheid in de ogen van de dienstplichtige.

Ze werden samen, verstrengeld, tegen de ladder op getrokken. Zonder hulp zou Viktor niet de kracht gehad hebben om de tien meter van de ladder met het gewicht van Igor Vasiljev te beklimmen. Ze waren boven en Viktor viel op zijn knieën. Hij hoestte, kokhalsde en spoog het water en de olie uit zijn longen, terwijl anderen zich over de dienstplichtige hadden gebogen en op zijn borst beukten tot hij de inhoud van zijn longen had opgehoest. Hij schreeuwde zijn naam en rang tegen de mannen die hem tegen de ladder hadden opgetrokken en beval hun ruimte te maken. Er klonk een woede in zijn stem die niemand durfde te negeren. Ze vormden een kring om hem heen. In de verte klonk de sirene van een naderende ambulance. Hij knielde en boog zijn hoofd, zodat hij in het oor van de dienstplichtige sprak.

'Ik moet weten wie dit gedaan hebben.'

Geen antwoord, alleen de angst in de ogen van Igor Vasiljev.

'Geen gelul. Wie heeft dit gedaan?' Hij moest zich inspannen om het gejammerde antwoord te horen.
'Mijn sergeant.'
'En wie nog meer? Je sergeant en wie nog meer?'
'Korporaals.'
'Waarom hebben je sergeant en de korporaals geprobeerd om je te vermoorden, om je te verdrinken?'
'Ik zei dat ik ze zou aangeven.'
'Bij wie zou je de sergeant en de korporaals aangeven?'
'Bij u, overste Artsjenko.'
Hij hield Vasiljevs hand vast. 'Waarom ging je ze aangeven?'
'Vanwege de verkoop.' De adem van de jongeman kwam hortend en stotend.
'Wat? Wat voor verkoop?'
'Met majoor Piatkin. Ze hebben wapens uit het arsenaal verkocht.'
Viktor kalmeerde hem. 'Oké, ze hebben wapens gestolen uit het arsenaal, en die aan majoor Piatkin doorverkocht. Begrepen. Wat voor wapens?'
'Geweren, mortieren, munitie en granaten, en alle NSV's.'
'Ga door.'
Het kostte Igor Vasiljev de grootste moeite. Hij probeerde rechtop te zitten. De ambulance was dichtbij. Hij kneep in Viktors hand. 'Alle zware NSV machinegeweren. Het machinegeweer waar ik mee schoot en alle andere. Ik kon vandaag niet schieten, want het was weg. De sergeant zei dat het verkocht was. Ik ben hem vanavond op gaan zoeken en heb hem verteld dat ik het tegen u zou zeggen als ik mijn machinegeweer niet terugkreeg. Ze gingen me in het water gooien, zeiden ze. Ze zeiden dat ze me zouden vertellen hoe het zat, omdat ze me toch in het water zouden gooien, en ik dus niks tegen u zou kunnen zeggen. Ze hadden de wapens op bevel van majoor Piatkin in vrachtwagens geladen. Ze waren bestemd voor een man die ze Tsjelbia noemden. Ze krijgen allemaal een deel van de opbrengst van Tsjelbia. Het was mijn machinegeweer en dat hadden ze verkocht. Ze noemden hem Boris Tsjelbia. Ze zeiden dat hij belangrijker was dan overste Artsjenko, belangrijker zelfs nog dan admiraal Falkovski. Ze hebben mijn machinegeweer verkocht.'
Viktor ging staan. Het water droop van hem af. Hij wenkte de mannen met de brancard.
Toen de ambulance was vertrokken, liep hij terug naar zijn kwartier. Het zeewater sopte in zijn schoenen. Hij sloeg het aanbod van hulp, een deken of een lift in een auto af. Hij raapte zijn weggegooide uniformjasje op en werd verteerd door een withete woede. De nacht was al grotendeels voorbij; hij zou morgenochtend stappen onderne-

men. Hij zou zich geen rekenschap geven van wat het hem ging kosten, hij was toch al ten dode opgeschreven. Wat maakte het uit wat het ging kosten? Hij vroeg zich af waar Alice was, waar ze sliep, of ze aan hem dacht en wat ze om haar nek droeg.

Hij liep langs de slaapverblijven van de dienstplichtigen en het hoofdkwartier van de opperbevelhebber van de vloot. Vandaar stak hij het exercitieterrein over en hij passeerde het arsenaal waaruit alle zware NSV machinegeweren waren gestolen om verkocht te worden. Hij sprak Alice' naam zachtjes uit en er was niemand die hem hoorde.

7

V. Van welke Russische stad meldde een rapport van de Europese Unie: 'De georganiseerde misdaad heeft een diepgaande negatieve invloed op het zaken- en investeringsklimaat'?
A. Kaliningrad.

Het team was in actie gekomen, maar niet snel. De snelheid werd bepaald door het aantal zeemijlen dat per uur werd afgelegd door de kustvaarder *Princess Rose*.

Het schip had het Noord-Oostzeekanaal via de sluizen die het scheidden van de zee verlaten en was op maximumvermogen aan het eerste stuk van de reis tussen het Duitse vasteland en de Deense eilanden begonnen. De *Princess Rose* maakte goede vorderingen, hierbij geholpen door de achteropkomende zuidwestenwind.

Toen de fabrieksschoorstenen van Kiel achter de horizon waren verdwenen, waren ze 279 zeemijlen van hun bestemming verwijderd. Als de motor niet opspeelde, zouden ze zich binnen 24 uur in de vaargeul naar die bestemming bevinden. De stuurman stond op de brug. De kapitein had vertrouwen in de Kroaat, ondanks het feit dat Tihomir Zaklan 21 jaar jonger was dan hij. De schipper had nog meer vertrouwen in zijn machinist, Johannes Richter, die zich diep in het schip in de zweterige machinekamer ophield. Hij voerde Feliks, zijn hond, op de vloer van zijn hut. Toen de bak was leeggelikt, belde de kapitein via de scheepstelefoon naar de machinekamer en verzocht de machinist om over vijf minuten op de brug aanwezig te zijn.

De kapitein heette Andreas Yaxis; hij was 52 jaar en had er daarvan 36 op zee gezeten. Hij had, op een van zijn verloven, de tijd gehad om te trouwen, maar het huwelijk met Maria was niet met kinderen gezegend. Ze woonde bij de thuishaven Korinthos, vanwaar hij als tiener voor het eerst was uitgevaren. In haar brieven en wanneer hij haar belde vanuit een verre haven, leek zij hem niet zo te missen als hij haar. Alleen de hond leek te treuren wanneer zijn baas van boord was en het dier een paar uur aan zijn lot werd overgelaten. Hij was soms maandenlang weg van zijn vrouw en hij vond het nu wel mooi geweest. Hij wilde geld op de bank en een olijfgaard en citroenbomen en af en toe werk als kapitein op een van de veerboten tussen de eilanden, wanneer de vaste kapitein ziek of met verlof was. Hij verlangde intens naar de warmte van de zon op zijn gebruinde gezicht, terwijl hij in een leunstoel op het terras van een villa zat. Hij had bijna het benodigde geld op de bank, in een rentedragende depositorekening, om zijn droom te verwezenlijken, maar hij kon er nog niet echt een punt achter zetten. In de brandkast lag misschien het verschil tussen een droom en de werkelijkheid. Andreas Yaxis was een solitair, een man die geen vrienden zocht; maar degenen die zaken met hem deden – reders, agenten en beambten in het gebouw waar Rupert Mowbray had gewerkt – zouden stuk voor stuk van oordeel zijn dat de zwijgzame Griek een man van zijn woord was. Voor geld, voor de kans om zijn droom te verwezenlijken, was hij bereid om de risico's te nemen die van hem gevraagd werden. Hij liet zich niet door morele overwegingen van zijn jacht op geld afhouden. Hij had in het verleden drugs uit Palermo gesmokkeld en sigaretten uit Brindisi, en hij had een heel leger vluchtelingen van Istanbul naar Venetië getransporteerd. Hij nam ook 'materiaal' mee voor mannen als Rupert Mowbray. Hij hield er geen geweten op na, dus de rekening op zijn bank bevatte bijna genoeg geld. Hij had niet veel tijd meer. Volgend jaar zou de *Princess Rose* een strenge zeewaardigheidstest moeten ondergaan, de speciale inspectie voor classificatie. Als het schip niet door die inspectie kwam, was het ten dode opgeschreven en rijp voor de sloop. De eigenaars van de *Princess Rose* zouden geen ander schip aan hem geven.

Hij haalde de bruine envelop uit zijn kluis. De envelop bevatte 10.000 pond in biljetten van vijftig en twintig. Hij telde 2500 pond uit, deed dat bedrag terug in de kluis, deed wat speeksel op de lijm van de klep en plakte hem weer dicht, met de rest van het bedrag er nog in.

Ze wachtten op hem op de brug.

Hij had een raspende stem, alsof deze zelden werd gebruikt en dan alleen bij een belangrijke zaak. 'Jij, Johannes, krijgt een salaris van niks van onze eigenaars. Jij, Tihomir, wordt nog erger behandeld. Ik ben een oude man, die niet bejegend wordt met het respect dat een levenslange carrière op zee verdient. Af en toe krijgen we de kans om de gierigheid van onze eigenaars te compenseren. We hebben materiaal van een Britse organisatie bij ons om af te leveren in Gdansk, voordat we onze lading kunstmest aan boord nemen en naar Riga varen. Wanneer we Gdansk verlaten, zullen we nog een man oppikken, misschien wel twee mannen. Zij zijn in naam vertegenwoordigers van de eigenaar en het zal misschien nodig zijn dat we een tijdelijke motorstoring hebben voor de kust van Kaliningrad, in Russische territoriale wateren. Dergelijke dingen brengen beloningen met zich mee.'

Wanneer de *Princess Rose* drugs, sigaretten of mensen smokkelde, waren er altijd soortgelijke beloningen geweest, maar de laatste tijd niet meer. Andreas Yaxis maakte het grote gebaar en scheurde de verzegelde envelop open. Hij legde de bankbiljetten op de richel voor het raam van de brug. Hij telde drie stapeltjes uit, telde de bankbiljetten een voor een, zodat elk een even groot deel kreeg. De kapitein zag hoe hun gezichten begonnen te gloeien naarmate de stapeltjes biljetten groeiden.

'Wij zijn gelijk in Gods ogen, zoals we dat voor elkaar ook zijn. Ik geloof niet dat wat er van ons gevraagd wordt gevaarlijk is. We zijn een veilig eind uit de kust als de motorstoring van ons verlangd wordt. Dit is de helft van wat ze ons bieden, de rest krijgen we in Riga, wanneer we de kunstmest lossen.'

Tihomir Zaklan stopte zijn geld in het borstzakje van zijn jack en de met olie besmeurde handen van Johannes Richter lieten zijn geld in de broekzak van zijn overall glijden. Andreas Yaxis vroeg zijn stuurman een bericht van de *Princess Rose*, zendercode 9HAJ6, naar de haven van Gdansk te versturen, om hun aankomst over 24 uur te bevestigen en om de diensten van een loods aan te vragen. Hij ging naar zijn hut benedendeks.

Het ging om het verleden en de waardigheid van het verleden en om het zelfrespect dat hij voor zichzelf instandhield.

Zoals een goede maaltijd zijn maag tot rust kon brengen, zo bracht het uitzicht op de Glienicker-brug Rupert Mowbrays geest tot rust. De brug ging over het smalste gedeelte van de Wannsee en was de belangrijkste verbinding tussen het oude West-Berlijn en Potsdam. De brug had twee rijbanen, twee fietspaden en aan beide zijden een voetpad. Het geheel was gebouwd op twee stel verzonken betonnen steunpilaren en het licht gebogen bovengedeelte was lichtgroen geschilderd.

Hij had goed geslapen, omdat hij in het Charlottenberg-pension in elk geval weer op bekend terrein was, waar ze hem bij naam kenden en behandelden als een belangrijke gast wiens terugkeer op prijs werd gesteld. Hij had gedoucht, zich geschoren, een prima ontbijt genuttigd dat uit versgebakken broodjes, ham en fruit bestond, en had toen van het station bij de dierentuin de trein naar Wannsee genomen, gevolgd door de bus naar de brug. Bij het bruggenhoofd bracht hij enige tijd door in de tuinen van het jachtslot, het Glienicker Schloss. De brug maakte deel uit van zijn verleden, was een klein symbool dat kracht had gegeven aan zijn voornemen om Viktor Artsjenko, zijn agent, uit Kaliningrad weg te halen en hem niet daar te laten sterven.

Hoewel het nog erg vroeg was, zaten er al jongetjes met een hengel langs de oevers van het meer. Ze vielen hem nauwelijks op. Hij staarde naar de brug en de verhoging in het midden van de rijbanen. Het hoogste punt van de bult was een halve eeuw lang de lijn geweest die het oosten van het westen scheidde, een grensplaats tussen de Amerikaanse zone en het door de Russen beheerste gebied, waar de clandestiene activiteiten van geheime agenten plaatsvonden. Hij was niet bij de Glienicker-brug geweest in 1962, zijn eerste jaar bij de inlichtingendienst, toen de piloot Gary Powers naar de bult in het midden was gelopen en de spion kolonel Roedolph Abel was gepasseerd zonder hem een blik waardig te keuren. Hij was er evenmin geweest toen de dissident Anatol Stsjaranski langs Karl en Hana Koecher was gekomen, elk op weg naar hun case-officers; hij had toen in Zuid-Afrika gezeten. Andere gelegenheden, die niet te boek waren gesteld, niet waren gerapporteerd, hadden Rupert Mowbray naar de brug gebracht op uitnodiging van collega's bij de CIA. De Amerikanen deden dit, voor een paar Britten die in aanzien stonden, zoals bij golftoernooien wel goede plaatsen voor het bedrijfsleven worden vergeven, een prima uitzicht gehurkt achter de bosjes in het park van het Glienicker Schloss, met daarna een goed ontbijt in een restaurant. Hij had er nooit genoeg van gekregen om naar de kleine figuurtjes te kijken die 's ochtends vroeg naar de verhoging waren gekomen en die in hetzelfde, gerepeteerde tempo liepen als de man of vrouw die aan de andere kant was losgelaten. Hij had deze schemerige gedaantes in de vroege ochtend nog nooit een woord of glimlach uit zien wisselen wanneer ze elkaar passeerden, elk op weg naar hun eigen versie van de vrijheid. Er was een oversteekplaats, een voetbrug, in de Britse sector geweest, waar hij vaker was gekomen, maar die plek had bij Rupert Mowbray nooit die tintelende emoties veroorzaakt als de Glienickerbrug. De code van trouw maakte deel uit van het materiaal waaruit de brug was opgebouwd, trouw aan een agent die een goede dienaar was geweest.

Hij dronk de sfeer en de herinneringen van de plek in, toen liep hij energiek de weg op en stak de brug over, zonder erbij stil te staan dat de wereld veranderd was.

Rupert Mowbray ging op zoek naar Jerry de Pool.

Hij liep langs de douanepost aan de overkant, dichtgespijkerd nu en vervallen. In de tijd van zijn herinneringen waren de uitwisselingen van de bovenramen achter de planken gevolgd door Oost-Duitse soldaten en door Russen van de KGB, de vijand, de reden voor zijn carrière. Hij ontdekte dat vele van de villa's in de Königstrasse, de weg naar Potsdam, gevonden waren door de huidige generatie projectontwikkelaars. Deze huizen hadden in zijn tijd, toen hij van de andere kant van de brug naar deze straat had gestaard, leeggestaan. Kinderen speelden in de tuinen en er hing was achter de huizen. Hij vroeg zich af of deze laatste huiseigenaren de geschiedenis van dit kleine hoekje van Europa kenden; hij dacht niet dat het ze iets zou kunnen schelen, want zo ging dat in de moderne wereld en hij vond dat verschrikkelijk. De projecten, zo vermeldden de borden, waren *exklusif*. Hij kwam langs Timmermans café, een gebouw van één verdieping, niet veel meer dan een barak, en hij geloofde dat hier misschien de Russen, de mannen van het derde directoraat van de KGB – zijn tegenstanders, zijn vijanden – bijeen waren gekomen voor een klein feestje, terwijl hij en de Amerikanen iets aten en dronken in het restaurant in het Glienicker Schloss. In het voorbijgaan controleerde hij de nummers en Alice North had haar werk goed gedaan.

Het gebouw stond meer dan vijfhonderd meter van de brug. De projectontwikkelaars waren zo ver nog niet gekomen. De kleine, smeedijzeren balkonnetjes bij de manshoge ramen op de eerste, tweede en derde verdieping werden door houten stutten overeind gehouden en de muren waren beklad met graffiti uit verfspuiten. De naam bij de bel was een krabbel, alsof hij geschreven was door een hand die niet meer door hoop werd geleid, maar hij had de man nodig. Jerry de Pool maakte evenzeer deel van zijn leven uit als de Glienicker-brug en het pension in Charlottenberg. Hij drukte op de bel, lang en hard. Het maakte niet uit of hij hem daar wilde of niet, maar Jerzy Kwasniewski maakte deel uit van Rupert Mowbrays leven, zat hem in het bloed.

De deur ging krakend open. De ogen van de man glansden vochtig. Misschien had hij het niet echt geloofd toen Alice North hem gebeld had. Hij droeg pantoffels, een vormeloze broek die door bretels werd opgehouden, een vest tot aan de nek toe dichtgeknoopt en een blauw sjaaltje dat los om zijn schrale nek was gewikkeld. Nee, hij had niet geloofd dat Rupert Mowbray zou komen. Hij ging rechtop staan. De gang achter hem was donker. Er werd een magere hand uitgestoken. Mowbray rook het riool. Toen hij de hand beetpakte, boog Jerry de Pool eerbiedig het hoofd.

Het was de oude wereld, een wereld die er al lang niet meer was – de meester en zijn bediende, de werkgever en zijn ondergeschikte.

Op de tweede verdieping was een enkele zitslaapkamer die naar oud zweet rook, met een keuken ernaast en een badkamer die volgens Mowbray met anderen gedeeld werd. De kamer keek uit op een achtertuin, waar het gras en de struiken tot een jungle verwilderd waren.

Het licht was niet aan en de straalkachel stond op zijn laagste stand. Mowbray telde geld uit zijn portefeuille uit, genoeg voor een week, en, omdat hij de eerbied had gezien, vermoedde hij dat het minimum aanvaardbaar zou zijn. Hij geloofde dat Jerry de Pool zelfs een zak snoep dankbaar had aangenomen. Toen de muur omlaag was gekomen, waren de agenten van de inlichtingendienst weggetrokken uit het Olympisch stadion en was er een eind gekomen aan de dienstbetrekking van de mannen die voor hen gereden, schoongemaakt, vertaald en gekoerierd hadden. In de tijd van de muur, toen er nog grote activiteit heerste op de kantoren in het Olympisch stadion, had Jerry de Pool in een aardige tweekamerflat in het dorp Wannsee gewoond. De laatste keer dat ze elkaar ontmoet hadden, anderhalf jaar na de sloop van de muur, was Jerry de Pool naar een goedkopere straat bij de brug verhuisd. Nu was hij weer verhuisd. De financiële situatie moest nijpender geworden zijn, het werk lag niet meer voor het oprapen. Hij was in de vergetelheid geraakt en Alice had lang en ingespannen in dossiers moeten zoeken om hem op te sporen.

'Ik geloof dat het beter is, meneer Mowbray...'

Jerry de Pool droeg nu een pak dat te groot was voor zijn verschrompelde lichaam, een pak om in begraven te worden. Hij had een bijna schoon overhemd aangetrokken en zich geschoren. Hij kamde zijn dunne, peperkleurige haar.

'Als u bij mij terugkomt, meneer Mowbray, iemand opzoekt op wie u kunt vertrouwen, dan weet ik dat het een grote operatie wordt.'

'Groter zijn er niet,' zei Mowbray. Hij vertelde Jerry de Pool wat er van hem verwacht werd. De man kwijlde van genot. Mowbray betaalde hem en zag de teleurstelling even oplichten toen het geld werd geteld. Nadat het in een klein, leeg blik onder het bed was geschoven, vroeg hij Jerry de Pool om een kwitantie te tekenen. Daarna gaf hij hem nog wat geld om een auto te huren en vroeg hem om ook daar een kwitantie voor te tekenen

Mowbray schonk hem zijn brede glimlach vol zelfvertrouwen. 'De grootste operatie die we ooit hebben uitgevoerd.'

Een kapitein-luitenant-ter-zee raadpleegde zijn aantekeningen en zei: 'Ik moet zeggen, admiraal, dat de situatie met de leverantie van aardappels kritiek is. We hebben nog voor drie weken voorraad, wat een ernstig tekort is. Aardappels op de open markt zijn 22 procent duurder dan van de leverancier die onder contract staat, maar deze leverancier heeft geen aardappels meer te koop. Bovendien zijn de aardappels die in deze tijd op de open markt te koop zijn van inferieure kwaliteit en ik schat dat minstens vijftien procent niet voor menselijke consumptie geschikt is. Het is moeilijk, we moeten aardappels hebben, maar om ze te kopen, moet er meer geld beschikbaar gesteld worden. Zonder aardappels lijdt de vloot honger.'

Viktor woonde de vergadering in admiraal Falkovski's kantoor bij. Zijn aandacht was half bij wat er in de rokerige kamer gebeurde, de andere helft was ver weg. Hij huiverde nog na van de duik die hij de vorige avond in het water van het dok had genomen. Hij had vanochtend niet gejogd op het strand, niet vanwege de kou in zijn lijf, maar vanwege het verkillende gevoel dat hij kreeg van het besef dat hij in de gaten gehouden zou worden vanaf het moment dat hij zijn kwartier verliet. Heel voorzichtig, in een poging om de achterdocht niet verder aan te wakkeren, had hij zijn slaapvertrek drie keer doorzocht. Hij had geen speldenknopmicrofoon of een groothoeklens gevonden, maar hij had de kamer niet kunnen slopen, want dat zou hun iets van het bewijs gegeven hebben dat ze zochten. Het draaide om moed: als hij de moed verloor, was hij verslagen; en als hij verslagen was, was hij dood. Er zaten zeven mannen om de tafel, de admiraal aan het hoofd, zijn geliefde chef-staf op de ereplaats, aan zijn rechterhand, en het verst naar links Piatkin, de zampolit, die toekeek, maar verder niets bijdroeg.

'Kopen die aardappels, we kunnen niet zonder,' gromde de admiraal. Hij drukte een sigaret uit, hoestte en stak een verse sigaret op. 'Volgende onderwerp: wat is het volgende onderwerp op de agenda?'

Een andere kapitein-luitenant-ter-zee nam het woord. 'Het is nog vroeg dag, maar we zullen beslissingen moeten nemen over de voorjaarsoefeningen. Op het moment bereiden we een landing met amfibievoertuigen voor tussen Pionerskij en Zelonogradsk, waarbij volgens afspraak een regiment aan land wordt gezet. Moeten wij een eenheid van de mijnendienst inzetten? Kunnen we met enig vertrouwen aannemen dat we de middelen hebben om mijnenvegers uit te laten varen met de aanvalsvloot? Ik wil u eraan herinneren dat de mijnenvegers al twee jaar geen oefeningen meer hebben gehouden en dat hun doelmatigheid bijzonder beperkt is. Maar het is onmogelijk om de bemanningen het mijnen vegen bij te brengen in een klaslokaal of op een schip dat eeuwig afgemeerd ligt. Hebben we de middelen?'

Admiraal Falkovski's hoofd draaide naar rechts. 'Viktor, wat doen we?'

Zijn hoofd kwam met een ruk omhoog. 'We hebben geen keus,' flapte hij eruit. 'We kopen de aardappels.'

Even heerste er stilte. Viktor zag de verbazing om de tafel en toen de scherpe blik van Piatkin. De officier rechts van Viktor verbrak de stilte met een spontaan gegiechel. Het gelach werd overgenomen, verspreidde zich om de tafel. Hij wist niet wat hij gezegd had om deze reactie te veroorzaken. Hij was de uitverkoren medewerker van de admiraal, hij werd gerespecteerd omdat de admiraal naar hem luisterde, en ze lachten hem uit. Viktor keek naar zijn beschermheer en zag de woede van admiraal Falkovski.

De admiraal zei: 'We hebben de aardappels al besproken, we hebben het nu over mijnen vegen. Als we je belangstelling niet waard zijn, Viktor, stel ik voor dat je vertrekt. Nú!'

Hij ging staan en zocht zijn paperassen bij elkaar. Hij werd weggestuurd. Dit was nog nooit eerder gebeurd. Hij knikte kort naar de admiraal en liep om de tafel naar de deur. Hij had geleerd om nooit te discussiëren, te smeken of het oneens te zijn met de admiraal. Hij zag de spottende, zelfvoldane grijns om Piatkins mond verschijnen. Hij had zitten dromen en de droom had hem zijn bescherming gekost.

Hij deed de deur achter zich dicht. Uit de droom kwam opeens een geweldige opwelling voort. Hij beende naar zijn bureau in het personeelskantoor en gooide de papieren neer. Het personeel keek een andere kant op. Hij griste de telefoon van de haak en belde het nummer van de politiecommissaris van het district Kaliningrad.

'Met overste Viktor Artsjenko, chef-staf van de opperbevelhebber van de vloot, admiraal Falkovski. Ik wil het privé-adres van Boris Tsjelbia. Het gaat hier om een veiligheidskwestie. Ik wil het adres nu hebben.'

Toen hij het adres had opgeschreven, ging Viktor naar het arsenaal. Hij voelde zich duizelig, in de greep van een ongewone roekeloosheid. Het kon hem niet schelen dat hij gevolgd en in de gaten gehouden werd.

De *Princess Rose* ploegde voort. Met nog twaalf uur te varen naar Gdansk, nam de kapitein opnieuw radiocontact op met de havenautoriteiten en gaf hij weer een geschatte aankomsttijd door. Het schip maakte nu gebruik van de hoofdvaarroute die ten zuiden van de Rennebank en het Deense eiland Bornholm voerde. Zelfs de machinist gaf toe dat de dieselmotor een topprestatie leverde. Onder de brug, waar de kapitein de wacht hield en onafgebroken het radarscherm bestudeerde, was een opslagruimte. Dit vertrek bevond zich op dezelfde hoogte als de voornaamste hutten en achter het verblijf van de bemanning, boven het voorste gedeelte van de machinekamer. Door een deel van de metalen wand van de opslagruimte te verwijderen, kwam men bij een verborgen ruimte. Hier waren drugs, sigaretten en mensen ondergebracht. Nu waren er vier zware, canvas plunjezakken en vier grote kartonnen dozen in die ruimte opgeborgen. Door alle voedselvoorraden en onderdelen die er voor die metalen plaat waren opgestapeld zou de geheime opslagplaats elk onderzoek dat niet zo intensief was als een volledige douane-inspectie doorstaan. Een scherpe, glinsterend witte boeggolf viel weg van de voortploegende *Princess Rose.*

'Heb je hem gekend?' De vraag zat er al geruime tijd aan te komen, maar nu was hij ten slotte als een luchtbel naar de oppervlakte geschoten.

'Natuurlijk heb ik hem gekend,' zei Alice.

'Heb je hem ontmoet?'

'Ik heb hem gekend en ontmoet.' Er was een onverzettelijke toon hoorbaar in haar stem, een uitdaging, alsof hij zich met privé-zaken bemoeide.

Gabriel Locke hield vol, zonder te weten waar dit toe zou leiden. 'Waarom is hij zo bijzonder?'

Ze leek even na te denken. Ze keek door de voorruit van de auto. Ze stonden in de harde berm bij een hek naar een boerderij. Achter hen lag de hoofdweg naar de stad Braniewo en voor hen was de grenspost. De tweede auto stond half verscholen in een bosje met hazelaars en berken voor hen. Het team was drie uur geleden vertrokken en terwijl ze wachtten, had Locke nauwelijks een woord tegen Alice North gezegd. De vragen waren in zijn gedachten gesijpeld tot ze deze gevuld hadden.

Ze schudde haar hoofd, alsof ze lastiggevallen werd door een vlieg. 'Dat zou je niet begrijpen.'

'Ik wil het graag begrijpen. We zetten een actie op touw, iets uit een geschiedenisboek, een uit pure ijdelheid ondernomen trip door een man die zijn beste tijd gehad heeft – Mowbray dus – die elk voorschrift in de handleiding van de moderne inlichtingendienst aan zijn laars lapt, en als ik erachter probeer te komen waarom, waarom dit gebeurt, word ik behandeld als een stuk stront, word ik het bos in gestuurd. Wat is er zo bijzonder aan die man?'

Ze stapte uit de auto. Ze waren voor de ochtendschemering uit hun hotel in Berlijn vertrokken, voordat de stad was wakker geworden, en waren geruime tijd voordat het echt dag werd in Polen aangekomen. Ze waren over de oude wegen door bossen geraasd, langs vlakke, ondergelopen weilanden en door riet omzoomd veenland. Buizerds en wouwen hadden boven de velden en moerassen gezweefd, op jacht naar prooi, en twee keer hadden ze herten zien grazen. Ze waren door een uitgestrekt leeg landschap gereden en hij had het idee gekregen dat ze het niemandsland tussen de Duitse beschaving en de Russische wildernis doorkruisten. Dit was niet waarom Gabriel Locke bij de inlichtingendienst was gegaan. Hij had zijn rekrutering doorgezet om deel uit te maken van een dynamische, progressieve organisatie, die zich op een uiterst intelligente wijze inzette voor de bescherming van het rijk. Ze waren even bij het kasteel in Malbork gestopt en Alice North was bij hem weggelopen. Hij was achtergebleven en zij had een halve minuut, niet langer, op de bank bij de bronzen beelden van de ridders gezeten. Nu stonden ze bij een hek van een boerderij, kilometers van de grens van Kaliningrad. Gabriel Locke was een keer in Hereford geweest en men had hem daar verteld – zo vaak dat het hem ging irriteren – dat verkenning van vitaal belang was. De tijd die aan verkenning werd besteed, was nooit verspild, hadden ze gezegd. De auto zakte naar voren toen zij met haar volle gewicht op de motorkap ging zitten.

Gabriel Locke verloor zijn geduld. 'Ik heb verdomme het recht om te weten waar dit om gaat.'

Ze draaide zich niet om. Haar stem bereikte hem vaag in de auto. 'Zoals ik al zei: je zou het niet begrijpen.'

Hij riep: 'Wanneer deze hele zaak een puinhoop wordt, en dat zal zeker gebeuren, ga ik verslag uitbrengen, reken maar. Ik moet aan mijn carrière denken.'

Haar stem klonk kalm, alsof hij haar het leven niet moeilijk maakte. 'Je zou het niet begrijpen, Gabriel. Geniet nou maar van het uitzicht.'

Er stond een oude, vervallen boerderij aan het eind van een inrit, een kleine halve kilometer verderop, met schuren zonder dak, groepjes grillig gevormde bomen, waar de wind de bladeren van gescheurd had, gele velden, een paar koeien met kalveren en de rij bomen van een bos in de verte. De zon wierp lange schaduwen. Ze was een aantrekkelijk meisje, maar dat viel hem nauwelijks op. Wanneer deze operatie mislukte, en dat zou zeker gebeuren, zou zijn carrière op losse schroeven staan. Hij zou zich in de frontlinie bevinden en een belangrijk doelwit vormen. Hij zou alles in het werk stellen om zich te redden. Hij kon niet door de bomenrij kijken en hij wachtte.

Wickso hoorde het fluitsignaal, als het gekras van een uil, en toen de motor. Het was dezelfde motor die hij in het afgelopen uur twee keer had gehoord en zes keer sinds hij zijn positie had ingenomen in de holte die door de wortels van de boom werd gevormd. Hij had onthouden hoe vaak de jeep over het bospad was gekomen. Hij beantwoordde het teken, ook weer met het gekras van een uil, zodat Billy en Lofty hem zouden horen en gewaarschuwd zouden zijn. Het was de motor van een jeep, die slechte brandstof gebruikte, want telkens als hij voorbijkwam, bleef de lucht van diesel op het pad tussen de dicht opeenstaande dennen hangen. Hij had een goede plek gevonden. De boom was tijdens een storm omgewaaid, misschien wel twee jaar of langer geleden, en hij had de holte met dode takken gecamoufleerd. Hij zou met geen mogelijkheid vanaf het pad gezien kunnen worden. De jeep reed voorbij. Het was een open jeep; er zaten twee mannen in en de soldaat naast de bestuurder, aan Wickso's kant, had een automatisch geweer over zijn benen. Het was twaalf jaar geleden dat Wickso voor het laatst een goede plek had moeten zoeken om zich schuil te houden. Toen de jeep weg was, had hij de kreet van de uil geïmiteerd en gewacht tot ze bij hem waren gekomen. De jeep was regelmatig langsgekomen, maar er was ook een patrouille te voet geweest, zes mannen en een hond. De hond had hij een groter probleem gevonden dan de jeep. Het beest had in het midden van de groep gelopen en niet voor de groep uit, waar het de kans had gehad om de geur van Billy en Lofty op te vangen of om hem aan te wijzen in zijn schuilplaats. Ze kwamen snel over het pad. Er werd niet gepraat, maar alleen gecommuniceerd met handgebaren. Wickso kroop uit de schuilplaats en deed de oude takken eroverheen, zodat de kans op ontdekking klein was voordat hij hem de volgende keer nodig had, echt nodig had. Het was driehonderd meter naar het hek, waar Ham wachtte bij het gat dat ze in het gaas hadden geknipt. Wickso keek niet om en een paar keer hoorde hij Billy's en Lofty's voetstappen in het bos, maar dat kwam niet vaak voor. Ze bewogen zich goed, alsof het niet twaalf jaar geleden was dat ze voor het laatst door vijandelijk gebied waren gelopen. Toen hij het gat kon zien, liet Wickso het gekras van de uil horen, dat door Ham beantwoord werd. Een greppel, met ruim een decimeter stilstaand water erin, was de route die van het bos door de velden leidde. Dan moesten ze op hun buik door een oud bietenveld. Ze waren met modder besmeurde, natte bosgeesten tegen de tijd dat ze bij de auto's kwamen.

Ze werkten zich uit de overalls. Het meisje zei niets, alsof ze wist dat praten geen goed idee was, maar de man, Locke, begon te kwebbelen, alsof hij moest pissen en het niet op kon houden. 'Hoe was het? Ging alles goed? Wat hebben jullie gevonden?'

Billy zei: 'We hebben een goede kroeg gevonden, waar ze lekker bier tappen.'

'Jezus christus, kunnen jullie nooit een keertje ernstig zijn?'

Billy zei: 'We zijn drie kilometer het gebied binnengetrokken. Er is een boerenschuur even buiten het dorpje Lipovka, aan de Vituska. Hij ligt aan een weg, best een goede plek om iemand op te pikken. Nu zou ik alleen graag een bad willen. Hebt u een beter idee, meneer Locke?'

Het meisje had niets gezegd. Ze had Lofty en Ham uit hun overall geholpen en een plastic zak opgehouden. Wickso mocht haar wel. De beste verpleegsters in Wolverhampton hielden hun mond dicht wanneer niemand met praten geholpen was.

Hij was opgeroepen.

Een plotselinge toevloed van boodschappen had Joeri Bikov gewaarschuwd. Kapitein-luitenant-ter-zee Viktor Artsjenko was vroeg uit een vergadering op het hoofdkwartier van de vloot gekomen. Hij was naar het arsenaal gegaan en had daar een dienstpistool met twee volle magazijnen en vier handgranaten opgehaald. Toen had hij de basis verlaten en was richting Kaliningrad gereden.

De boodschappen van Piatkin kwamen via de radio binnen en werden door Bikovs majoor verwerkt. Piatkin meldde dat er extra patrouilles bij de grens waren ingezet en dat de grenspost was gewaarschuwd. Toen hem de berichten werden gegeven, voelde Bikov in eerste instantie een zekere teleurstelling, alsof hem iets ontnomen ging worden. Probeerde Artsjenko naar de grens te vluchten? Dat zou mislukken, mislukken door een bloedige en ordinaire arrestatie en dan zou zijn reis naar deze stronthoop van een stad vergeefs zijn geweest. Toen was de teneur van de boodschappen van Piatkin veranderd in opperste verbazing en kreeg hij een adres in een noordelijke buitenwijk van de stad.

Toen hij in de mooie straat aankwam, die verschilde van alle andere straten die hij in de stad had gezien, zag Bikov een stafauto voor een hoog hek in een hoge muur geparkeerd staan. Er blafte een hond. Er waren zulke huizen, met hoge hekken en hoge muren, in Moskou. Hij wist wat de mannen die door hekken, muren en honden verdedigd werden deden. Niet al te ver van de stafauto, half op het gras en onder de bomen, stonden een zilverkleurige personenauto en een zwarte bestelwagen met getinte ruiten. Hij liep naar de personenauto en zei scherp tegen Piatkin: 'Wiens huis is dit?'

'Dit is het huis van Boris Tsjelbia.'

'Wie is Boris Tsjelbia?'

Piatkin bloosde. 'Een plaatselijke zakenman.'

'Een zakenman van de mafija?'

'Ik zou het niet weten.'

'Kent Artsjenko hem?'

Piatkin stotterde: 'Bij mijn weten hebben ze elkaar nog nooit ontmoet.'

'Maar je kent Boris Tsjelbia?'

'Ik heb hem wel ontmoet bij bepaalde gelegenheden...' Piatkin had het moeilijk en dat ontging Bikov niet.

'Zou Boris Tsjelbia, van wat je van hem van die "gelegenheden" weet, geïnteresseerd zijn om een dienstpistool met twee magazijnen en vier handgranaten te kopen?'

'Ik weet niet waarom Artsjenko hier is.'

Bikov liep terug naar zijn auto, maakte het zich gemakkelijk op de achterbank en wachtte.

Er werd Viktor een stoel aangeboden, maar hij ging niet zitten.

Het huis van Boris Tsjelbia stond in de oude stad, het deel dat de bombardementen had overleefd en zich buiten de verdedigingsgordel van versterkte punten bevond die generaal Lasch had gebouwd. Er was om deze straten niet gevochten; de man-tegen-mangevechten, van gebouw tot gebouw, waren aan deze straten voorbijgegaan. De oude koopmanshuizen waren overeind gebleven en waren de huizen van de nieuwe elite. Het grootste huis in deze met bomen afgezette laan, een zijstraat van de *ulica* Borzova in het noorden van de stad, had hoge ijzeren hekken, die voorzien waren van stalen platen, en er hadden honden geblaft toen hij voor het hek gestopt was. Mannen met kaalgeschoren hoofden en leren jasjes hadden hem door de hekken laten lopen. Omdat hij een vergadering van de admiraal had bijgewoond, droeg hij zijn beste uniform, met glanzend goudgalon bij zijn schouders en mouwen en lintjes op zijn borst. Zijn overjas droeg hij over zijn arm. Een man van dergelijk formaat, een man alleen, werd niet door de bewakers bij de hekken gefouilleerd. Hij was de majestueuze oprijlaan opgelopen, met het dienstpistool onder zijn uniformjasje en de granaten in de zakken van zijn overjas. Hij had over niets wat hij zou gaan doen verder nagedacht: het kwam allemaal voort uit intuïtie die door woede was ingegeven.

'U hebt wapens in ontvangst genomen van de basis in Baltijsk. Die wapens zijn aan u verkocht. Uw aankoop van die wapens komt neer op diefstal van de staat. Onder die wapens bevonden zich vijf zware NSV 12,7mm-machinegeweren met bijbehorende munitie. In de kolf van een van die machinegeweren staan de initialen I.V. gekerfd. Dit machinegeweer wordt gebruikt door ene Igor Vasiljev, een dienstplichtige. Ik wil het terug, dat machinegeweer, en alle munitie van dat kaliber.'

Hij sprak met de korte, scherpe zinnen waarvan zijn chef zo graag gebruikmaakte als er gezag gevestigd moest worden. Tsjelbia zat onderuit in een lage, zachte stoel; een lijfwacht keek met over elkaar geslagen, getatoeëerde armen toe vanuit de deuropening. Geen reactie. Viktor geloofde dat zijn grootmoeder uit een dergelijk huis of een dergelijke straat gevlucht kon zijn. Het meubilair was oud, Duits en zwaar, de schilderijen aan de muur waren weelderig romantisch en lieten strandtaferelen zien met vrouwen in lange, mousselinen gewaden die blootsvoets op een strand liepen. Het reliëfbehang alleen al zou een halfjaar salaris van een kapitein-luitenant-ter-zee gekost hebben. Met een snelle beweging haalde Viktor twee van de RGO fragmentatiegranaten uit de zak van zijn overjas, legde ze op de schaal in het midden van de notenhouten tafel en liet ze zo ver als de rand van de schaal maar toeliet uitrollen met hun wat lompe, slecht gebalanceerde ananasvorm. Met zijn tweede snelle beweging – te snel voor de lijfwacht – nam hij een derde granaat in zijn hand. Hij trok de pin eruit, hield de hendel stijf in zijn rechterhand, onder zijn jas, en gooide de pin over het kleed in Tsjelbia's schoot. Volgens de specificaties was de granaat dodelijk op een afstand van twintig meter. In het metalen omhulsel zat negentig gram explosieven opgesloten. Als zijn hand de hendel zou loslaten, zou dat zijn dood betekenen, en die van Tsjelbia. De pin lag op het kruis van Tsjelbia's broek.

'Dat is alles wat ik wil. Ik ga hier weg met dat ene NSV machinegeweer en de munitie. Wilt u dat alstublieft even regelen.'

Hij geloofde dat Tsjelbia een straatvechter was, een man uit de goot, en hard was geworden door zijn tijd in de strafkampen. Er was geen spoortje angst op Tsjelbia's gezicht te zien en zijn handen bewogen niet nerveus. Zijn gezicht was kalm. 'Alleen dat wapen?'

'Het machinegeweer waar met een mes de initialen I.V. in de kolf zijn gekerfd, plus de munitie.'

'En de rest?'

'Dat is voor mij niet belangrijk, uw vriend Piatkin vertelt u nog wel wat ik belangrijk vind.'

'En u hebt een vaste hand?'

'Dat is maar te hopen.'

Een nauwelijks zichtbaar knikje van Tsjelbia, terwijl zijn ogen langs Viktor en Viktors hand op de lijfwacht bij de deur gericht waren. De deur ging open en weer dicht.

'Het wapen van uw dienstplichtige komt eraan. Wij zouden zaken moeten doen, overste Artsjenko, zaken waar we beiden beter van worden. Whisky, gin, wodka, cognac. Wilt u iets drinken, met uw ene vrije hand?'

Viktor zei: 'Ik zou wel twee sloffen Camel-sigaretten willen hebben, als dat mogelijk is.'

Hij liep over het vloerkleed, boog zich over de lage stoel en pakte de pin van Tsjelbia's broek. Met de hendel stijf omlaaggedrukt, deed hij de pin terug in de granaat.

'Kunt u niets aan mijn pensioen doen, meneer Mowbray? Is dat te veel gevraagd? Ik...' Er lag een vleiende klank in de stem.

'Let jij nou maar op de weg, Jerry, let op het verkeer en zoek een parkeerplaats.'

Voor Rupert Mowbray was het een bedevaart, maar de stem blaatte door: 'Ik heb geen pensioen. Er zijn Duitsers die een pensioen hebben en die niet half zo nuttig waren voor u en uw collega's als ik. Ik begrijp niet waarom ik geen pensioen heb.'

'Ik denk dat je hem daar wel kwijt kunt.' Mowbray boog zich voorover op de achterbank van de Mercedes en legde één hand op de schouder van het jasje van Jerry de Pools pak, terwijl hij met de andere een weids gebaar maakte naar de ruimte tussen de geparkeerde auto's in de Friedrichstrasse. Hij had Berlijn nog nooit bezocht, niet voordat de muur omlaag was gekomen en ook niet erna, zonder een bedevaart van zijn reis naar deze stad te maken. Hij was de ware gelovige. De auto kwam hortend tot stilstand.

Jerry de Pool draaide zich naar hem om. 'Meneer Mowbray, ik wil alleen maar eerlijk behandeld worden en een redelijk pensioen krijgen.'

'Blijf hier wachten, Jerry. Wacht maar in de auto.'

Hij schoof uit de auto, deed het portier achter zich dicht en keek om zich heen. Checkpoint Charlie was een bedevaartsoord voor Mowbray. Zijn ogen schoten over de nieuwe omgeving en er verscheen een minachtend trekje om zijn mond. Er was een symbolische barricade van zandzakken in het midden van de straat, een grote, hangende foto van een Amerikaanse soldaat en, even verderop, een modern museum. Steigers onttrokken de gevel van Café Adler aan het oog. In de tijd dat hij in Berlijn gedetacheerd was, van '69 tot '73, en gedurende zijn dienstperiode van '78 tot '82 in Bonn, toen hij vaak in Berlijn kwam, had hij altijd de voorkeur aan Checkpoint Charlie als oversteekplaats gegeven en dit een veel betere plek gevonden dan waar ook in de Britse sector. De Amerikanen waren altijd voorkomend geweest. Hij had vele uren in het gezelschap van Marty, Dwight en Alvin van de CIA in Café Adler doorgebracht, had er koffie en flesjes bier gedronken en gewacht. Hij had gewacht en voortdurend uit het raam van het café naar de lege, door schijnwerpers beschenen straat voor de oversteekplaats gekeken. En verderop in de straat, in een ander café, hadden dan de tegenstanders gezeten, ook met koffie en bier. God, dat was een wereld vol zekerheden geweest, waar plaats was voor dappere mensen. Hij zag zichzelf als een vaandeldrager voor de agenten die in het donker naar de controlepost waren gekomen. Amerikaanse veteranen met petten lieten zich fotograferen bij de slagboom en Japanse toeristen bestreken de straat met hun digitale videocamera's. Soms, op een slechte avond, had ver achter de schijnwerpers het grillige geknetter van geweervuur geklonken en soms, op de ergste avonden, zagen ze een agent naar de laatste controlepost lopen en sloeg de Volkspolizei op dat moment toe. Vele avonden had hij gewacht op een stoel bij het raam van Café Adler en was hij pas de volgende ochtend vroeg weggegaan.

Hij vertelde Jerry de Pool waar hij hem heen moest rijden.

'Kan ik erop rekenen dat u een pensioen voor me verzorgt, meneer Mowbray, niet echt een groot bedrag, maar iets wat mijn waarde weergeeft?'

'Ik zal zien wat ik kan doen, Jerry.'

'Dit zijn moeilijke tijden voor me, meneer Mowbray. Ik heb Londen zes keer geschreven.'

Het was het laatste gedeelte van de muur dat het stadsbestuur had laten staan. Hij zag het straatnaambordje: NIEDERKIRCHENSTRASSE. De muur was beschilderd met popart. Mowbray zou geneigd zijn te zeggen dat de muur beklad was. Hij had de muur zo gewaardeerd. Hij had er elke dag, elke week en elke maand uren naar gestaard, alsof de muur geheimen had die alleen door voortdurende observatie werden ontsloten. De lengte van dit gedeelte was tweehonderd meter. Tja, die verschrikkelijke autoriteiten wilden gewoon geen geschiedenis, nietwaar? Geschiedenis was niet plezierig. Uit geschiedenis kwamen helden en lafaards voort. Zonder de druk van de geschiedenis kon een agent in de steek worden gelaten, gezien worden als overbodig. Achter de muur, voor hem verborgen vanaf zijn plaats op de achterbank in de Mercedes, was de krater van wat eens het hoofdkwartier van de Gestapo was geweest, en op de verhoogde puinhoop, waar zich de kantoren, martelkamers en cellen hadden bevonden, was de oude uitkijkpost waar Rupert Mowbray met zijn verrekijker had gestaan. Wanneer hij daar stond, had hij het idee gekregen dat hij communiceerde met de agenten die aan de andere kant van de muur voor hem werkten. Het was het minste wat hij kon doen, want hij kon niet bij hen zijn waar zij waren, waar ze van zijn bescherming gescheiden werden door bewakers, automatische geweren, honden en mijnen. Hij had zich verplicht gevoeld om daar te staan, alsof hij op die manier in hun gevaar kon delen. Die dag lag het gevaar als een schaduw over Viktor Artsjenko.

Ze waren bij de laatste halte van zijn bedevaart aangekomen. Hij zou graag bloemen meegebracht hebben, maar dat zou te demonstratief zijn geweest. Hij liep van de Mercedes door de brede ingang naar de ruime, geplaveide binnenplaats. Rondom de binnenplaats waren de ramen van wat eens het oorlogsministerie van het Derde Rijk was geweest, het kloppend hart. Precies in het midden van de binnenplaats stond een bronzen beeld, twee meter hoog, van een naakte man, waarmee het leven en de dood werden herdacht van graaf Claus von Stauffenberg, die de bom in de vergaderzaal van de Wolfschans had gelegd. Een gedenkplaat gaf aan waar hij voor het vuurpeloton had gestaan. De man had zijn leven gegeven. Mowbray vond hem een edele figuur en boog zijn hoofd eerbiedig voor het standbeeld. Niemand keek naar hem. Duitsers kwamen er zelden. Een verrader zaaide verwarring onder de dommen. Ze praatten elkaar na, zeiden dat men een verrader niets verschuldigd was. Dat hadden ze helemaal verkeerd. Viktor Artsjenko was een verrader. Hij verliet de binnenplaats.

'Ik ben heel blij dat u de kwestie van mijn pensioen wilt uitzoeken, meneer Mowbray.'

'Ik geloof dat we dat onderwerp nu maar even moeten laten rusten, Jerry.'

'Want met de winter in aantocht en de kou – u weet hoe koud het 's winters in Berlijn kan zijn, meneer Mowbray – en de griep en bronchitis, is het belangrijk om goede verwarming te hebben. Om mezelf warm te houden, moet ik een pensioen hebben.'

'Zoals ik al zei: ik zal zien wat ik kan doen.'

'U hebt de oude Jerry de Pool gekozen voor een operatie die volgens u van het allergrootste belang is, hè, meneer Mowbray. Zo belangrijk ben ik. Dan ben ik toch zeker ook een maandelijks bedrag waard, een pensioen?'

'Vertrouw nou maar op mij, Jerry.'

Ze stopten bij de ambassade. Het gebouw werd zwaar bewaakt door soldaten van de Bundesgrenzschutz, gewapend met machinepistolen, die bijzonder veel aandacht besteedden aan de passagier in de Mercedes. Mowbray ontmoette Daphne Sullivan, die hem liet weten dat zijn team veilig in Gdansk was gearriveerd en hem de positie van de *Princess Rose* gaf. Hij dicteerde een kort, neutraal situatierapport, dat naar Londen gestuurd moest worden. Het werd donker in de stad.

Het was zesenhalf uur rijden, had Jerry de Pool gezegd. De Mercedes was minstens tien jaar oud en had meer dan 200.000 kilometer op de teller, maar de auto was warm en comfortabel en hij kon een dutje doen achterin. En als hij sliep hoefde hij niet te luisteren naar het gezeur van die vervelende man over zijn stomme pensioen. Tegen de tijd dat Mowbray in zijn bed lag, zou hij zich, zo stelde hij zich voor, op een steenworp afstand van Kaliningrad bevinden.

Als hij maar niet te laat was. Voor wat hij gedaan had, zou hij een plaats in de hel verdienen als hij te laat was.

De kapitein had de kaarten van de aanvaarroute uitgevouwen. Hij hield een scherp oog op zijn instrumenten om er zeker van te zijn dat de gekozen koers tussen de gebieden door liep die op de kaarten stonden aangegeven als stortplaatsen voor explosieven (niet langer in gebruik) en mijnenvelden (geruimd). Andreas Yaxis vertrouwde er niet op dat de Poolse marine, hetzij onder communistisch, hetzij onder democratisch bewind, de mijnenvelden of stortplaatsen van explosieven veilig had gemaakt. Toen hij op een zeemijl afstand van de boei aan het begin van de vaarroute naar het kanaal was gekomen, ontspande hij zich. Hij vouwde de kaart op, beval de machinekamer om het vermogen terug te brengen en voelde hoe de hartklop van de *Princess Rose* wegviel, alsof de motor door slaap werd overmand. Hij tuurde ingespannen door de verrekijker en werd beloond. De loodsboot stoof op hem af en in de verte glinsterden de lichten van Gdansk.

Viktor duwde de deur van de donkere slaapzaal met zijn elleboog open. Het gewicht werd hem bijna te veel. Hij leunde met zijn rug tegen de muur tot hij de lichtknop voelde en de slaapzaal in het volle licht werd gezet. Hij liep moeizaam, onvast, door de gang tussen de bedden. Bleke gezichten staarden hem aan. Zijn publiek zat rechtop en wreef de slaap uit de ogen. Viktor zocht het bed van de dienstplichtige. Bij het bed van Vasiljev gekomen gooide hij het wapen neer. Het machinegeweer viel op de grond en de klap galmde door de slaapzaal. Hij ging rechtop staan, boog zijn rug naar achteren, trok de patroonbanden met 12,7mm-kogels van zijn schouders en liet die kletterend op het beton vallen. Hij zag hoe het ongeloof op Vasiljevs gezicht plaatsmaakte voor dankbaarheid. Hij hijgde en wees toen op de kolf van het machinegeweer, waar het licht op de gekerfde initialen viel.

Hij zei: 'Maak het wapen schietklaar.'

Vasiljev, die alleen een gerafeld hemd en een broek droeg, kroop uit bed en knielde bij het machinegeweer neer. Met zekere handbewegingen trok hij de poten van de standaard uit en zette ze vast. Hij gebruikte zijn hemd om de open kamer schoon te vegen. Niemand zei iets. Het geluid waarmee de metalen onderdelen bewogen maakte een eind aan de stilte. Hij laadde een van de gordels, klapte het sluitstuk over de kogels en keek op. Hij moest het spoor van waanzin op Viktors gezicht gezien hebben. Boven Viktors hoofd was de lamp die de slaapzaal verlichtte, een enkele peer met een kap van bakeliet.

Viktor wees naar het licht en beval: 'Schiet het uit.'

De veiligheidspal klikte luid. Vasiljev knielde achter het wapen, bracht de loop omhoog en schoot. De slaapzaal werd plotseling in duisternis gehuld en de stank van de schoten vulde de lucht. Viktor kon de gezichten die naar hem gekeken hadden niet meer zien. Hij stelde zich voor dat ze in hun kussens gedrukt waren en dat de mannen hun handen over hun oren hielden.

Hij schreeuwde: 'En nu weer gaan slapen.'

Het laatste wat ze van hem hoorden was waarschijnlijk het ritme van zijn voetstappen toen hij naar de deur liep. Hij gooide die open en weer achter zich dicht en liep naar buiten. Het was je reinste waanzin geweest, maar een paar minuten lang had hij de nachtmerrie van zich af kunnen zetten. Hij liep naar zijn verblijf; de waanzin was afgereageerd en de nachtmerrie had weer bezit van hem genomen.

Een brede glimlach vertrok Joeri Bikovs mond.

Voordat hij zijn moeder verlaten had, had zijn vader gezegd dat de jonge Joeri niet genoeg glimlachte. Zijn vrouw had hem niet tegengesproken.

Maar wanneer het donker was, kon hij glimlachen.

Toen Viktor Artsjenko door de hekken was gekomen, uitgelaten door twee gangsters, zijn gezicht verborgen achter het staartstuk van een zwaar machinegeweer, had Bikov het gezicht van zijn prooi niet kunnen zien. Bij de kazerne, in het donker, had Bikov tegen zijn chauffeur gezegd om zich afzijdig te houden toen Artsjenko moeizaam de trap naar het kazernegebouw op was gegaan met het zware machinegeweer. Hij had gevoeld dat de man gebukt ging onder de druk van de positie waarin hij zich bevond en dat het machinegeweer het symbool was voor een streven naar zelfrespect. Het was een geweldig gebaar geweest. De kogels waren door het dak van het gebouw gevlogen en Artsjenko was naar buiten gekomen.

Het was een sterk gezicht, waar wilskracht uit sprak. Artsjenko kon hem niet gezien hebben. Bikov had zich teruggetrokken naar een pakhuis; zijn sergeant stond voor hem en zijn majoor naast hem. Hij was onzichtbaar voor Artsjenko, maar hij zag de vastbeslotenheid op het gezicht. Er waren beren in het Gorno-Altaisk-gebied waarop werd gejaagd door scherpschutters, mannen die hun prooi tot diep in de bergen en bossen volgden. Een jager had hem eens verteld dat de beren het gevaar leken te voelen als de scherpschutter dichterbij kwam, maar nog steeds verborgen was, en dat ze zich altijd omdraaiden om dit gevaar het hoofd te bieden, zelfs al konden ze het niet zien. Grote en trotse dieren, een waardige prooi voor een jager. Hoog boven Artsjenko brandde een licht. Artsjenko leek hem recht aan te kijken. En Bikov dankte Artsjenko, want hij zag een hardnekkige, koppige opstandigheid. En dat was precies waar hij op gehoopt had.

Toen viel de schaduw over Artsjenko's gezicht en leek zijn lichaam te verschrompelen. Artsjenko miste een tree, struikelde, deed zwaaiend een paar stappen en hervond toen zijn evenwicht. Bikov wist dat het allemaal heel moeilijk voor hem was. De surveillance werd strenger, de druk nam toe. Deze toestand met het machinegeweer was om de druk te verlichten, maar er was geen ontsnapping mogelijk. Achter hem bleven zijn bewakers hem gezelschap houden, van hoek naar hoek, deur naar deur, schaduw naar schaduw.

Geen dossier, hoe uitgebreid ook, had Joeri Bikov meer kunnen leren dan die vluchtige glimp van iemands gezicht. Het was een goed gezicht. Hij zoog diep de lucht met de geur van de zee in en voelde de opwinding.

Locke wilde praten, Mowbray niet.

Jerry de Pool was weggewuifd, gevraagd om een zeemanshuis te vinden, ergens in de buurt van de Solidariteitsdokken. De auto bleef bij het Excelsior-hotel staan.

De nacht lag zwaar over Gdansk.

Locke wilde over de verkenningsexpeditie van het team praten, maar Mowbray ging er niet op in. Hij liet de jongeman achter in de bar, haalde zijn sleutel en tas op en beklom moeizaam de trap. Het kwam zelden voor dat hij zijn leeftijd voelde, maar vanavond was dat wel het geval. Hij moest nog één ding doen. Het belangrijkste van die dag.

Hij klopte op de deur, zei zijn naam en hoorde de blote voeten naderen. De deur werd van het slot gedaan en de ketting losgemaakt.

Ze droeg een eenvoudig, katoenen nachthemd, wit, met een patroon van kleine bloemetjes, en er lag een wollen ochtendjas om haar schouders. Hij zag de barnsteenhanger om haar nek.

'Sorry, ik wilde alleen even zien of alles goed met je was.'

'Alles is prima.'

'Deze kamer, hebben ze je die gegeven? Ik hoop dat je me niet brutaal vindt, maar heb je erom gevraagd?'

'Ze hebben me deze kamer gegeven. Maak je geen zorgen, Rupert, het is geen punt.'

'Welterusten, Alice.'

'Welterusten.'

De kamer was zoals hij zich hem herinnerde: dezelfde gordijnen, hetzelfde meubilair, hetzelfde bed als toen hij voor het eerst met Alice North naar Gdansk was gekomen. Die kamer was haar gegeven toen ze naar Gdansk waren gekomen om de agent met de codenaam Fret voor het eerst persoonlijk te ontmoeten. De deur ging achter hem dicht en hij hoorde hoe het slot werd omgedraaid en de ketting werd teruggeschoven. Hij voelde zich oud en moe en werd verscheurd door schuldgevoelens.

In het kalme water van de uitgebaggerde vaargeul in de haven sliep de kapitein, de hond aan het voeteneind van zijn kooi. Andreas Yaxis hoefde niet op de brug te zijn. De loods bracht de *Princess Rose* naar een aanlegplaats bij de kunstmestfabriek en de laadinstallatie. Pas toen de motor stilviel, kwam hij uit bed. Hij streek zijn lakens glad en klopte zijn kussen op, voordat hij zich in zijn jasje hees en zijn schoenen aantrok. Hij beklom het trapje naar de brug en bedankte de loods beleefd. Toen de loods was verdwenen en ze met meerkabels vastlagen, zette hij zich aan de kapiteinsverklaring, de laadbrief en de bemanningslijst voor de douanedienst van Gdansk. Het was een goede reis geweest en de motor had goed gepresteerd. Via de scheepstelefoon bedankte hij de machinist voor zijn moeite. Mocht het echter nodig zijn, dan zou het voor een bekwame machinist als hij niet moeilijk zijn om 'problemen' te veroorzaken in de machinekamer. Hij verwachtte Rupert Mowbray de volgende ochtend aan boord.

8

V. Waar werd de filosoof Immanuel Kant geboren?
A. Kaliningrad.

Ze trok de ochtendjas om zich heen en de tocht van de vroege ochtend kwam door de open keukendeur. Als Gail Ponsford haar man beneden hoorde rondlopen wanneer het nog donker was, kwam ze altijd haar bed uit, ging ze naar de keuken en zette ze een pot thee. Ze wist dat hij van slag was, piekerde. Ze zag hoe hij in de tuin de pindakoker voor de vogeltjes vulde. Dat was vergeefse moeite: de eekhoorns zouden de pinda's al op hebben voordat hij uit de trein stapte, lang voordat hij het gebouw aan Vauxhall Bridge Cross binnenstapte. Ze wachtte tot hij haar zag.

'Thee?'

'Dat zou zalig zijn.'

'Kon je niet slapen?'

'Een beetje nare zaak, sorry.'

'Wil je erover praten, of mag je er niet meer over vertellen?'

Bertie, de man met wie ze 28 jaar was getrouwd, grijnsde zuur. Gail Ponsford had bij de algemene dienst in Century House gezeten. De toenmalige chef van de afdeling Rusland was hun getuige geweest en een of andere matrone van Personeelszaken haar bruidsmeisje. Ze was bijzonder goed van de inlichtingendienst op de hoogte, kende de mensen en de procedures.

'Herinner jij je Rupert Mowbray nog?'

Ze kon geestig uit de hoek komen. 'Rupert de Professor, Rupert de Pompeuze, Rupert de Patriarch, Rupert de Principiële, maar hij is nu toch Rupert met Pensioen?'

Ze had water opgezet en hij was aan de tafel voorover gezakt. 'Hij is teruggekomen, als Lazarus uit de dood, en heeft een heel verhaal tegen de directeur-generaal afgestoken. Het geeft niet wie hij is, het gaat om waar hij is, aan de andere kant van het hek, waar de beschaving ophoudt, is een agent in moeilijkheden geraakt. Wordt waarschijnlijk gearresteerd, is misschien al gearresteerd. Rupert was vroeger zijn case-officer. Herinner je je Alice North? Vast wel, die kleine, grauwe, ongetrouwde dame. Zij heeft Rupert getipt. Wat moest ik doen toen hij voor de poort stond? Hem wegsturen? Kon ik niet. Hij pakte me in, maakte me enthousiast, gaf me het gevoel dat ik groot en belangrijk was – hij zou nog walvisspek aan Groenlanders verkopen – en deed hetzelfde met de directeur-generaal en voerde de voorstelling nog eens op voor een minister. We gaan de agent daar weghalen. We aten allemaal uit zijn hand. Hij had het over trouw en integriteit en hoe we de dienst weer groot konden maken, door iedereen bewonderd, dat soort taal. Het leek allemaal zo simpel als je hem hoorde en wij slikten het. Weet je, het zou heel sullig geklonken hebben als ik mijn hand had opgestoken en gevraagd had: "En als het allemaal misgaat?" Er ging in Ruperts tijd nooit iets mis.'

Ze schonk kokend water in de theepot.

'Een paar uur geleden is er een schip in Gdansk aangekomen – dat betekent dat alle voorbereidingen voltooid zijn.'

'Hebben we het over Kaliningrad, Bertie?'

'Geen eerlijke vraag.'

'Maar is dat geen gesloten militair gebied?'

'En trek je wenkbrauwen ook niet zo op. Alle voorbereidingen zijn getroffen. Ik overleef het niet als het fout gaat en ik denk dat de directeur-generaal het ook niet overleeft. We zullen met stille trom vertrekken, na een maandje of wat, maar vertrekken doen we zeker. Alleen Rupert zit goed, hij heeft een hek om zich heen gecreëerd. Hij is met pensioen en wij hebben onze goedkeuring aan zijn plan gehecht. Als het goed gaat en wij brengen onze agent thuis, met trompetgeschal en applaus, dan worden de mensen in hun kamp op een trein naar de zoutmijnen gezet. Wie blijft er nog overeind? Iemand moet verliezen. Ik, onze partij – zij, hun dienst – wie blijft er overeind?'

'Gebeurt het vandaag?'

'Morgen gaan we Kaliningrad in om onze dubieuze agent er gewapenderhand weg te halen. Jezus christus, daar heb ik mijn fiat aan gegeven en hetzelfde geldt voor de directeur-generaal en de minister.'

Gail Ponsford schonk thee in, sterke thee.

'Zou je me de marmelade willen aangeven?'

De eetzaal van het Excelsior-hotel keek uit op de Stara Motlawa en de Nowa Motlawa, de waterwegen die Gdansk doorkruisten. Vanuit het raam was de oude Hanzestad aan de overkant van het water zichtbaar. Bij zijn vorige bezoeken had Rupert altijd de plaats met het panoramisch uitzicht gekozen. Hij kon dan genieten van de glorie van de historische gebouwen, maar werd tegelijkertijd beschermd tegen het onplezierige uitzicht op weer een Oost-Europese stad die het er moeilijk mee had om na het communistische bewind het hoofd boven water te houden. De hijskranen van de dokken – Solidariteitsterrein waar de rotte appel de mand met communistische satellietstaten had aangestoken – vielen buiten zijn gezichtsveld. Wat hier gebeurd was, de stakingen, de uitsluitingen, de politiecharges en de verregaande koppigheid van de dokwerkers, had het hele kaartenhuis doen instorten en had een eind gemaakt aan de zekerheden in Rupert Mowbrays leven.

Gabriel Locke gaf hem de marmelade aan en richtte zijn aandacht weer op de *Herald Tribune*.

'Hartelijk dank.'

Locke had yoghurt en fruit gegeten, Rupert had een volledig Engels ontbijt genuttigd en was nu aan het geroosterde brood toegekomen. Locke, achter zijn krant, en Rupert, met zijn rug naar de deur, hadden haar de eetzaal niet zien binnenkomen. Hij smeerde boter op zijn toast toen Alice zich in de stoel naast hem liet zakken zoals ze dat die eerste keer had gedaan, na de eerste lange nacht.

Rupert Mowbray herinnerde het zich nog glashelder.

De avond: Rupert Mowbray had met Alice op zijn hotelkamer gewacht. De berichten waren doorgegeven; ze konden alleen nog maar wachten. Eerder waren er pakjes afgehaald in Moermansk en Malbork, maar tot die eerste avond in Gdansk was het nog nooit tot een ontmoeting gekomen. De aarzelende klop op de deur, het moment dat ze elkaar even hadden aangekeken, en toen was ze overeind gekomen en had ze de deur opengedaan. Hij had naar de deur gestaard en hem gezien. Had hem 'Fret' genoemd en hij had het niet begrepen. Rupert had hem omhelsd en Alice had hem ernstig de hand geschud, terwijl de spanning van Fret was afgedropen. Zo'n knappe jongeman, zo'n waardigheid en zo veel pijnlijk zichtbare stress. Alsof het om een blind date ging, had hij in zijn rapport voor Londen geschreven. Een kwartier lang, zeker niet langer, want daar hadden ze de tijd niet voor, hadden ze elkaar afgetast en over koetjes en kalfjes gesproken: over het weer, over de reis van Kaliningrad naar Gdansk, over het bezoek van de delegatie aan het droogdok en toen over werk. Stapels papier, blauwdrukken, handboeken, werkprocedures en diagrammen die de bevelstructuur lieten zien. Daarna het gesprek. Een taperecorder die draaide en Alice die het in steno opnam, haar ogen voortdurend op hem gericht. Een emotionele en opwindende ontmoeting, waarbij Fret de sandwiches naar binnen had geschrokt en was blijven praten alsof elke minuut in hun gezelschap zijn laatste op aarde was. Rupert had hem geen moment onderbroken. Het was het beste materiaal, onbewerkt maar duidelijk, dat hij ooit had gekregen. Fret die gezweet had, straaltjes die van zijn voorhoofd waren gelopen, de schouders gespannen, de handen voortdurend in beweging, das omlaag, jasje op de grond. Vier uur had het geduurd en Fret was afgedwaald toen hem gevraagd werd waarom. Zijn vader en zijn grootmoeder en door zijn vermoeidheid was hij de draad kwijtgeraakt. De eerste keer dat de agent die ze Fret noemden een gezicht voor hen werd.

De nacht: hij had er geen punt achter willen zetten, maar de samenhang was verdwenen. Ze waren het stadium van nuttige communicatie gepasseerd. Fret begon zijn concentratie te verliezen. Rupert had een paar minuten aan de kneepjes van het vak gewijd, want deze man wist van toeten noch blazen. Ze hadden het over persoonlijke veiligheid gehad en hij had zich voorovergebogen in zijn stoel naar het bed waar Fret zat, met een kussen in zijn rug, en had de hand van de man vastgehouden alsof hij de bevingen eruit wilde knijpen, zoals hij de handen van zijn kinderen had vastgegrepen na een crisis. Het was geen enkel probleem voor hem, voor Rupert Mowbray, in een kamer van het Excelsior-hotel, met een diplomatiek paspoort in de kluis, om een verhandeling af te steken over persoonlijke veiligheid. Hij had niet weg gewild, had niet weg willen lopen om ongemerkt terug te keren naar het hotel waar de rest van de delegatie logeerde. Rupert had gezien hoe Fret vol ontzag naar Alice North, die lieve, kleine Alice, had gekeken. Hij had gezegd: 'Ik ben een beetje moe, ben niet zo jong meer als ik eens was.' Hij had wrang gegrijnsd en toen zacht en o zo onschuldig gezegd: 'Alice, jij hebt drank in je kamer. Wat zou je zeggen van een nachtmutsje voor onze vriend, een borreltje?' Als een volleerd acteur had hij uitgebreid gegaapt, zich in de ogen gewreven en even met de ogen geknipperd – dit allemaal heel natuurlijk – en hij had Frets hand losgelaten en was gaan staan. 'Ja, ik heb drank,' had Alice gezegd. Hij had Fret omhelsd, hem het beste gewenst en iets over de volgende collectie gemompeld, hoe hij zich reeds verheugde op het volgende bezoek van de delegatie om de onderhandelingen over het gebruik van het droogdok voort te zetten. Hij had weer gegaapt voordat hij hen had uitgelaten en had toen bliksemsnel de papieren die hem gebracht waren bij elkaar gezocht en de spoel van de taperecorder getrokken.

De ochtend: hij had aan het ontbijt gezeten toen zij was binnengekomen en plaats had genomen aan de tafel. Hij had 'Goedemorgen' tegen haar gemompeld. Er was op haar gezicht, om haar mond en in haar ogen, een mengeling van opstandigheid en verlegenheid zichtbaar geweest, wat hij de 'eerste-keer-blik' had genoemd. Geen mascara op, niets op mond of wangen, geen vleugje parfum of eau de cologne in haar hals. Ze had haar hoofd gebogen gehouden, met een stukje toast gespeeld en niets tegen het meisje gezegd dat een kop koffie kwam brengen. Ze was zoals Rupert Mowbray gehoopt had. Het was wat Fret nodig had gehad. Het ergste wat voor Rupert Mowbray uit die eerste persoonlijke ontmoeting in een hotelkamer voort had kunnen komen, was een verzoek van een agent om een asielregeling, wanneer het hem te veel was geworden en hij weg wilde. Dan was hij nutteloos geworden. Maar het beste, het allerbeste, was wanneer de agent de bijeenkomst met opgeheven hoofd verliet, enthousiast was, vrijwillig terugging naar het gebied achter de hekken, de bewakers en de geweren, wanneer hij gesterkt terugkeerde en meer probeerde op te graven, te stelen of af te luisteren. Hij had niet gedacht dat Alice North nog maagd was, wie was dat op die leeftijd? Hij kende geen enkele vrouw met een leuk gezicht die nog maagd was. Zijn eigen dochters waren dat zeker niet meer. Ze had er die ochtend aan het ontbijt als een ontmaagd meisje uitgezien. Niet voor het eerst seks, maar liefde, emotie, romantiek en lust. Het was hem een zorg geweest wat Alice North precies gevonden had. Hij had iets gezegd over de tijd waarvoor hij een taxi had aangevraagd en ze had afwezig geknikt. In de weken en maanden daarna had hij Alice in de gaten gehouden, zowel op de afdeling in Warschau als in Londen, en hij durfde te wedden dat geen andere man toegang had gehad tot waar Fret geweest was. Hij had het mannen zien proberen en gezien hoe ze acuut werden afgewimpeld. De tweede en derde keer dat ze naar het Excelsior-hotel waren gekomen voor een onderhoud met Fret, had hij telkens op slinkse wijze een eind gemaakt aan de gesprekken over onderzeeërs, raketkoppen en de carrière van bevelhebbers om het tweetal de kans gegeven naar haar kamer weg te glippen. En de volgende ochtend was ze steeds weer met die opstandige en verlegen blik die tot haar knappe uiterlijk bijdroeg aan het ontbijt verschenen. Hij had haar gebruikt, zoals hij ook Fret had gebruikt, en de eer die hem uit deze praktijken was toegevallen, vervulde hem met schaamte.

Ze droeg geen make-up, maar haar ogen waren rood en hij geloofde dat ze die nacht had gehuild.

Hij gaf haar een vel papier van zijn in leer gevatte blocnote. 'Dit is het nummer, toestelnummer en de boodschap. Waarom pak je niet even een zakdoekje. Goed, het gaat een drukke ochtend worden, dus laten we maar eens aan de slag gaan.'

Zoals te verwachten had het schip motorstoring gekregen. Johannes Richter, de machinist van de *Princess Rose*, had de beambten van het douanekantoor en hun collega's van het kantoor van de havenmeester die aan boord waren gekomen laten weten dat het misschien de hoofdaandrijfas of de zuigers van de motor waren. Iedereen die maar luisteren wilde, kreeg een tirade te horen over de ouderdom van de motor en het werk dat deze motor in negentien jaar op zee had gedaan, maar, en Richter had zijn argument kracht bij gezet door hard in zijn met olie besmeurde handen te klappen, hij had er het volste vertrouwen in dat de *Princess Rose* weer zou kunnen uitvaren wanneer de lading kunstmest in het ruim zat, volgens schema dus. Niet alleen werd zijn verhaal dat de motor weldra weer bedrijfsklaar zou zijn kracht bijgezet door de verzekering van de kapitein en de stuurman, maar er was ook een vertegenwoordiger van de eigenaars uit Cyprus aan boord, plus een extra machinist.

Gedurende de ochtend werden er onderdelen van de *Princess Rose* verwijderd en nieuwe onderdelen aan boord gebracht.

Er was geen reden voor de beambten van de douane en het kantoor van de havenmeester om argwaan te koesteren. De vereiste pasjes voor het verlaten en betreden van het dokkengebied aan de Moltawa werden uitgevaardigd en schepen uit Hamburg, Toulouse, Piraeus, Tallinn en Stettin zorgden ervoor dat hun aandacht elders vereist werd. Rupert Mowbray, de vertegenwoordiger van de eigenaar, bevond zich op de brug bij de kapitein en Jerry de Pool speelde de rol van de andere machinist. Terwijl Mowbray diep in gesprek was verwikkeld met de kapitein en de kaarten van de oblast Kaliningrad bestudeerde, trad Jerry de Pool op als koerier. Tegen de avond, tegen de tijd dat de *Princess Rose* bij hoogtij zou moeten uitvaren, zou er negenhonderd ton kunstmest in zakken van vijftig kilo in het ruim geladen zijn. Vier pistolen, drie verdovingsgranaten, zes rookgranaten en een EHBO-kist zouden van boord gehaald zijn en een hypermodern communicatiesysteem zou aan boord zijn gebracht.

Rond twaalf uur 's middags daalde de beambte van het kantoor van de havenmeester het trapje naar de machinekamer af om zich nog één keer gerust te stellen. Hij werd geconfronteerd met een beangstigende puzzel van onderdelen, die op met olie besmeurde kranten waren uitgespreid. Was het zeker dat het schip zijn aanlegplaats bij de kunstmestloods op tijd zou verlaten? 'Als ik met rust gelaten word, zodat ik kan werken, is het zeker,' gromde Richter. De kapitein voegde daar nog als commentaar aan toe dat zelfs als het werk niet tot zijn volle tevredenheid en dat van de eigenaar was gedaan, het schip toch nog genoeg vermogen zou hebben om de aanlegplaats te verlaten en een eindje verder op de Motlawa af te meren, dat garandeerde hij.

Verborgen in een zak onder de vette motoronderdelen werden de pistolen en granaten uit het dokkengebied gesmokkeld en door Jerry de Pool naar het hotel gereden. Daarna ging hij naar het Excelsior-hotel, waar hij van Gabriel Locke de speciale radioapparatuur in ontvangst nam die gecodeerde signalen kon verzenden en ontvangen en hij keerde vervolgens weer naar de *Princess Rose* terug.

De douane kreeg te horen dat de vertegenwoordiger van de eigenaar aan boord zou blijven om erop toe te zien dat het schip op tijd uitvoer.

'Waar word ik ondergebracht?' vroeg Mowbray.

'Ik beloof niets,' zei de kapitein. 'We hebben zelden passagiers aan boord.'

'U kunt maar beter een goede plek vinden en vergeet niet dat het hier om een passagier gaat die het volle pond betaalt.'

Toen hij nog niet zo lang bij de inlichtingendienst zat, had Mowbray een aanstelling gekregen bij de ambassade in het protectoraat Aden en was hij eens per maand, voordat het te gevaarlijk was geworden, naar het noorden van het land gegaan om bij bepaalde stamhoofden te verblijven. Hij had de rol van de jonge Lawrence gespeeld, had op zandvloeren geslapen en het ongemak en de stank vervloekt. Hij geloofde dat deze ervaring zijn geduld op de proef zou stellen.

De *Princess Rose* was smerig en oncomfortabel en hij had alleen nog maar het dek gezien, de benauwde brug en de machinekamer, waar hij bijna was gevallen toen hij in een plas olie was gestapt en dus zijn nek had kunnen breken, plus de opslagruimte waar de pistolen en granaten uit waren gehaald. Het schip zou anderhalve dag zijn basis zijn, zijn commandopost, als zijn voorbereidingen zich optimaal voltrokken. De koffie die hem door het Filippijnse hulpje van de kok werd gebracht was niet te drinken. Hij had een reusachtige kakkerlak uit een hoekje van de brug zien komen terwijl de stuurman een boterham at, maar dit was de laatste keer dat hij de leiding had bij een missie in vijandelijk gebied.

De *Princess Rose*, zijn nieuwe onderkomen, deinde aan haar trossen en hij hoorde de hamerslagen benedendeks, een zware sleutel op metaal, ten gerieve van de man van het kantoor van de havenmeester.

Het was spijtig dat hij niet aanwezig kon zijn bij de hereniging van Fret en Alice. Hij zou opgesloten zitten in deze schroothoop wanneer zij elkaar door zijn toedoen weer ontmoetten. Hij, de goochelaar die hun levens manipuleerde, vond het jammer dat hij morgenavond niet in Braniewo zou zijn om het te zien.

De boodschap op het blocnoteblaadje dat ze van Rupert Mowbray had gekregen lag voor haar.

Alice zat op het bed, haar benen opgetrokken, haar rug tegen het hoofdeinde van het bed, en zocht naar een zakdoek in haar tas. Toen pakte ze de mobiele telefoon.

Jerry de Pool had die eerder die dag op de straatmarkt achter de bloemenzaken in de Podwale Staromiejskie gekocht. Daar werden onder de toonbank mobiele telefoons uit Polen, Duitsland, Zweden en Kaliningrad verkocht. Als die telefoons al ergens geregistreerd waren, en dat was niet waarschijnlijk, zou als herkomst Kaliningrad opgegeven zijn en zou de aangifte van de diefstal weggewerkt zijn.

De tweede keer dat ze elkaar ontmoet hadden, had Viktor hun alle telefoon- en toestelnummers voor het personeelskantoor op de afdeling van de admiraal gegeven. Ze toetste het nummer van het internationale kengetal in, gevolgd door dat van de centrale van het hoofdkwartier van de vloot.

Een vrouw nam op, scherp en autoritair.

Ze hield haar zakdoek over het mondstuk van de telefoon, zoals Rupert haar had aangeraden, en gaf in het Russisch het verlangde toestelnummer, voor de schrijver die aan een klein bureau naast het grotere bureau van de bewapeningsofficier van de vloot zat. Het nummer van Viktors directe telefoonverbinding en zijn eigen toestel zou inmiddels afgeluisterd worden.

De schrijver klonk kortaf. Ze vroeg of dit het toestelnummer van overste Viktor Artsjenko was en kreeg te horen dat dit niet het geval was. Kon overste Artsjenko dan misschien even aan de telefoon komen? Hij zat in een vergadering. Zou hij alsjeblieft een boodschap voor overste Artsjenko willen aannemen? Dat wilde hij wel. Rupert had altijd gezegd dat een Brit die Russisch sprak er verstandig aan deed om een zakdoekje te gebruiken en zo de woorden een beetje te smoren om een verkeerd accent te camoufleren. Ze sprak zacht, de stem van een vriendin, omdat Rupert had gezegd dat de schrijver de boodschap eerder zou doorgeven als deze privé was. Ze verslikte zich, kon er even geen woord uit krijgen, en de schrijver vroeg om haar boodschap. In gedachte zag Alice hem en raakte ze hem aan, voelde ze zijn vingers op haar lichaam.

Ze deed wat hij vroeg en las de boodschap die Rupert voor haar had opgeschreven door de zakdoek voor. Toen hing ze op.

Die ochtend was Viktor teruggegaan naar het strand en had hij als een gek gerend, omdat hij door de pijn de toenemende druk vergat. Hij was doorgelopen tot het wrak van de vissersboot: de krijttekens waren niet meer zichtbaar en de wind had de voetsporen van de vrouw uitgewist. Hij was niets te weten gekomen en hij was troosteloos teruggehold naar de basis, waar hij zich had gedoucht en verkleed voordat hij naar het werk was gegaan.

Hij pakte de sloffen Camel en legde ze op het bureau van de admiraal. De admiraal grijnsde. De sloffen werden in een van de onderste laden gestopt.

'Maar je bent helemaal niet naar Malbork geweest om tussen de ruïnes rond te scharrelen. Waar heb je ze vandaan?'

'Van een straathoek?'

'Welke straathoek?'

'Ik kwam de vrouw van een generaal tegen, hij gaat over bewapening, maar het kan ook de luchtmacht geweest zijn. Ze wilde dat ik haar daar op die hoek neukte. Ik zei dat ik alles deed voor twee sloffen Camel.'

De bulderende lach van de admiraal verspreidde zich door zijn kantoor. 'Weet je, Viktor, ik geloof dat ik je zowaar bijna heb zien glimlachen. Wanneer heb ik je voor het laatst zien glimlachen? Heb je de afgelopen week geglimlacht, de afgelopen twee weken? Hoelang is het geleden dat ik je voor het laatst heb zien glimlachen? Dank je. Wat was dat voor flauwekul met die aardappels?'

Viktor had al twee keer zijn excuses aangeboden. Hij voelde een waanzinnig verlangen om zijn last met zijn beschermheer, de opperbevelhebber van de vloot, te delen en onderdrukte deze opwelling. Het idee dat hij er zelfs maar aan gedacht had vervulde hem met afgrijzen. 'Ik weet niet wat er met me aan de hand was, het zal niet weer gebeuren.'

'Ze gedroegen zich als wolven. Je zag hun hoon. Ik zie niet graag dat de spot wordt gedreven met mijn rechterhand, dat het duidelijk wordt dat hij zit te pitten.'

Viktor zei vlak: 'Ik kan opnieuw mijn excuses aanbieden, als u dat graag wilt.'

'Wil je met verlof, wil je een vrouw? Voel je je niet goed? Wat is verdomme het probleem, Viktor?'

Hij had kunnen zeggen dat zijn leven vier jaar lang een leugen was geweest en dat hij nu scherp in de gaten werd gehouden. Hij had de admiraal naar het brede, gelapte raam kunnen leiden en hem de mannen aan kunnen wijzen die bij de vooringang van het hoofdkwartier en aan de overkant van het exercitieterrein stonden. 'Ik ben gewoon moe, maar ik ben u zeer erkentelijk voor uw bezorgdheid.'

Hij sorteerde het bakje voor de binnenkomende post van de admiraal, wat gelezen moest worden, wat getekend, en glipte weg.

In het personeelskantoor ging Viktor achter zijn bureau zitten, hij pakte zijn potlood en begon de documenten en memoranda af te handelen. Een van de schrijvers kwam naar hem toe en gaf hem een opgevouwen velletje papier.

Hij las: *We moeten elkaar morgen, woensdag, in de dierentuin ontmoeten, bij het nijlpaardenverblijf, om vier uur 's middags. Liefs, Alicija.*

Even dacht Viktor dat hij flauw zou vallen. Om weer een beetje tot bedaren te komen, beet hij op het eind van zijn potlood en zijn mond vulde zich met houtsplinters. Hij dacht aan haar, Alice, dacht aan de aanraking van haar huid. Hij verfrommelde het vel papier en begon, afwezig, zijn werk voor die dag door te nemen. Bij de eerste gelegenheid drukte hij op de knop van de shredder naast zijn bureau en duwde er een document over een opleidingscursus voor twee fregatbemanningen in, gevolgd door het velletje papier en een memo met de weersverwachting voor de komende week voor de kustwateren van het oostelijk deel van de Oostzee. Vervolgens zette hij het apparaat af. Hij dacht aan haar glimlach en haar liefde en hij beefde. Een officier, een luitenant-ter-zee, stond opeens voor hem en zei dat er een probleem was met een van de torpedolanceerbuizen van een duikboot van de Vasjavjanka-klasse die in het tweede dok lag. Kon hij persoonlijk poolshoogte komen nemen voordat er een rapport voor admiraal Falkovski werd geschreven?

Hij ging met de officier mee naar het marinedok. Hij werd vaak als een soort filter gebruikt voordat er rapporten geschreven en ingediend werden. Hij was zich niet van het trucje bewust.

'U hebt een uur de tijd,' zei Piatkin. 'Een vol uur.'

Hij wuifde Piatkin weg. Een uur was genoeg. Joeri Bikov liep naar de vooringang van het officierskwartier, bleef even staan om zijn voeten grondig te vegen op de mat en controleerde toen zijn zolen om te zien of er geen modder of vuil meer onder zat. Het drie verdiepingen tellende gebouw was bestemd voor alleenstaande mannen, niet voor officieren met gezinnen, die grotere woonruimtes toegewezen kregen. Er was niemand bij de deur en ook het trappenhuis was verlaten. De alleenstaande officieren zaten achter hun bureaus of in de collegezalen, niemand zag hem met zijn majoor en zijn sergeant naar binnen gaan. Hij droeg dezelfde kleren die hij tijdens zijn reis had gedragen; iemand die hem opgemerkt had, zou hem voor een loodgieter of verwarmingsmonteur hebben aangezien.

Hij had de dossiers uitgespeld, die konden hem niets meer vertellen. Hij wachtte op nieuws uit Gdansk, maar dat was een klein kansje. Hij had het gezicht van Artsjenko, zijn prooi, gezien. De kamer zou hem meer over de man vertellen dan wat hij elders zou kunnen vinden: de geheimen van een kamer waren altijd van primair belang bij een onderzoek. De problemen met een torpedolanceerbuis zouden hem de tijd geven die hij nodig had. Zijn sergeant stak de loper in het slot. De deur ging krakend open en de stilte spoelde het gebouw in.

Hij knielde in de deuropening. Hij zocht op de grond naar een katoenen draadje of een blond haartje of een doorzichtig stukje plakband. Hij vond niets. Hij ging de kamer binnen. De majoor liep achter hem aan; de sergeant deed de deur dicht en draaide hem weer op slot.

Bikov ging naar het midden van de kamer en zijn majoor en zijn sergeant bleven bij de deur staan. Zij zouden hem niet afleiden. Hij had een uur, hoefde zich niet te haasten. Iemands kamer gaf inzicht in iemands ziel. Vóór hem stond een Spartaans, ijzeren bed, zorgvuldig opgemaakt, met gladde lakens en dekens, precies omgevouwen, en het kussen was zo opgeklopt dat het nieuw leek. Naast het bed stond een nachtkastje met een telefoon, een blocnote plus pen die er evenwijdig naast lag, een klein wekkertje en een transistorradio. Naast het nachtkastje stond een raam waarvan de gordijnen open waren, maar de vensterbank was leeg. Voor het raam stond een kaal bureautje met lege laden en een kleine draaistoel.

Bikov draaide zich een kwartslag. Links van hem, tegenover het tv-toestel, was een leunstoel met een gerafelde overtrek. Naast de stoel was een laag tafeltje met een marinetijdschrift, niet lukraak neergelegd, maar precies tegen twee van de hoeken van het tafeltje geplaatst. Boven de televisie was een boekenkast met twee planken aan de muur geschroefd. Vanwaar hij stond kon Bikov de titels lezen: marinehandboeken in het Russisch, middeleeuwse archeologische werken in het Duits. Tussen de boekenkast en het eind van de muur hing een enkele, ingelijste foto. Het was een vergroting van een rood bakstenen kasteel met een rivier op de voorgrond, met aan de oever de buitenste, met kantelen uitgeruste verdedigingsmuren.

Hij draaide zich weer om.

De twee deuren van de kast waren dicht. Naast de kast was de open doorgang naar de douche en het toilet en daar weer naast stond een harde, rechte stoel. Er lagen geen kleren, militair of burger, op de stoel en er slingerden geen schoenen rond. Bikovs eigen kamer, waar hij zich ook maar mocht ophouden, was bezaaid met op de grond gegooide kleren: broeken en overhemden, ondergoed en sokken. Waar de muur ruimte bood, naast de kast en de deur en boven de stoel, waren een jaarplanner en een traditionele reproductie van een schilderij van een jagereskader op zee opgehangen en verder niets.

Hij keek in een hoek van de kamer, waar het keukentje was. Langs de muur was een aanrecht aangebracht dat doorliep naar een klein, elektrisch fornuis. Onder de gootsteen en het aanrecht waren kastjes. Boven de kastjes hingen haken voor pannen en rekken voor borden, kommen en koppen. Hij tuitte zijn lippen en liet zijn tong langs zijn tanden glijden. Alles was afgewassen en opgeruimd. Geen gebruikte pannen in de gootsteen, geen gespoelde borden of kopjes die te drogen stonden in het droogrek.

Nu keerde Bikov zich naar de deur.

Er hingen een overjas en een regenjas aan haken. Er stonden geen meubels tegen de muur aan weerszijden van de deur en er waren ook geen schilderijen. Bikov begon te praten. Zijn majoor en zijn sergeant beseften maar al te goed dat hij het niet tegen hen had. Hij sprak tegen zichzelf.

'Wat zo bijzonder is, is dat deze man, Artsjenko, zich verbergt. Dit is zijn kamer, waar hij alleen is, alle privacy geniet, en de kamer is schoon. Niet het soort schoon dat je met bezem, blik en schoonmaakmiddel krijgt, maar verschoond van karakter. Dit is niet een spontaan gebaar, dit schoonmaken is niet van de ene dag op de andere gebeurd, omdat hij gelooft dat hij geschaduwd wordt. Al die tijd dat hij geschaduwd wordt, waardoor hij gewaarschuwd werd, heeft hij niet aan deze kamer gewerkt of er iets weggehaald wat hem zou kunnen verraden. Dat zou gezien zijn. Als hij van de trap was gekomen en het gebouw door de achter- of vooringang had verlaten met een tas vol spullen die weggegooid moesten worden, zou dat gezien zijn. Ik geloof dat de kamer er al maanden of jaren zo uitziet, misschien al sinds de dag dat hij hier gekomen is. Hij moet dan de bewuste beslissing genomen hebben om er zo min mogelijk dingen op na te houden die een boodschap omtrent zijn persoonlijkheid uitdragen. De staat waarin deze kamer zich bevindt is een aanwijzing – geen bewijs – van schuld. Het is de kamer van iemand die zich indekt, die niet wil dat er iets van hem gezien wordt. Dit is geen netheidsmanie, het gaat verder. Waar zijn de foto's? Er is geen foto van iemand die belangrijk is: een grootmoeder of moeder of meisje. Er zijn geen foto's van vrienden of andere officieren, van hem zoals hij nu is of eens was in zijn jeugd. Zelfs hier, op zijn eigen kamer, is hij op zijn hoede voor buitenstaanders. De kamer is gesaneerd en ik geloof dat dit altijd al zo geweest is. Hij is geen emotionele eunuch. Ik vermoed dat hij alles met overleg doet. Hij gaat drie of vier keer per jaar naar kasteel Malbork in Oost-Polen en dat is toegestaan, omdat hij opzettelijk een bijna obsessieve belangstelling aan de dag legt voor middeleeuwse kasteelbouw. Het is de enige hobby waar zijn medeofficieren, zijn commandant en de zampolit Piatkin van op de hoogte hoeven te zijn. Dus heeft hij een foto van wat vermoedelijk kasteel Malbork is en boeken die zijn belangstelling onderschrijven, en niets meer. Hij moet weten dat ik of iemand zoals ik, tegenover wie hij zich onherroepelijk geplaatst zal zien bij een verhoor, familie als eerste aanknopingspunt zal aangrijpen en er is geen familie. Hij probeert het mij, de ondervrager, moeilijk te maken. Ik ben niet van plan om de laden te doorzoeken. Dit is de kamer van een intelligente man. Als we ook maar één haar van een la of van de kast of van de ruimte onder het aanrecht van zijn plaats halen, zal hij dat zien en ik wil nog niet dat hij gewaarschuwd wordt.

Ik zei dat hij intelligent is, maar ik geloof dat de mogelijkheid bestaat, heel misschien, dat Viktor Artsjenko in de waan verkeert dat hij slim is, geslepen, en dat zou een vergissing zijn. Deze kamer vertelt me veel, zelfs wel genoeg over hem.'

Toen hij de flat verliet, knielde Bikov opnieuw en bekeek hij de mat en de vloerbedekking nog een keer. Hij hoorde de voetstappen die de trap op kwamen, laarzen met ijzerbeslag op het beton. Hij ging staan en deed een stap naar achteren, terwijl zijn sergeant de deur dichttrok. De voetstappen bleven de trap op komen. Zijn sergeant was onhandig in de weer met de loper. Bikov draaide zijn hoofd naar de deur, zodat zijn gezicht niet gezien werd, en zijn majoor en zijn sergeant volgden zijn voorbeeld. De voetstappen gingen verder, bewogen zich met rustige pas over de overloop en beklommen de volgende trap.

Joeri Bikov was zich niet bewust van de fout die hij had gemaakt.

Toen hij hen had horen vertrekken, kwam de dienstplichtige van de bovenste overloop naar beneden. Hij ademde zwaar. Hij wachtte tot hij de klik van de deur van de hoofdingang op de begane grond hoorde en volgde toen. Igor Vasiljev zag zichzelf als de uitverkoren vriend van overste Artsjenko. Hij was van de verdrinkingsdood gered. Hij had zijn machinegeweer teruggekregen. Hij was gekomen om zijn vriend, de chef-staf van de opperbevelhebber van de vloot, te vertellen wanneer de volgende schietoefening voor zijn peloton op de baan gehouden werd, omdat hij hoopte dat zijn vriend zou komen om hem te zien schieten. Er hadden mannen bij de deur van zijn vriend gestaan, ze hadden die deur dichtgetrokken en op slot gedaan, en hadden zich van hem afgewend alsof ze hun identiteit verborgen wilden houden. Hij wist niet hoe belangrijk het was, wat hij gezien had, maar het maakte hem bang.

Laag in het water door de vracht van negenhonderd ton voer de *Princess Rose* voorzichtig de rivier op tussen een lange rij hijskranen en afgemeerde schepen. Ze waren bijna ter hoogte van het Westerplattemonument aan stuurboord gekomen en de nieuwe veerbootwerven bevonden zich aan bakboord. Dicht bij het open water ving Mowbray de zilte lucht van de zee op en hij klemde zich aan de reling vast, terwijl het schip langzaam de riviermonding op stoomde.

Hij beklom het laatste trapje naar de brug en wrong zich door de smalle deur. Hij droeg een schoon overhemd, de das van het pararegiment – niet dat hij ooit een sprong had gemaakt, maar hij had hem tijdens een feestje in de mess in Aldershot gekregen – zijn tweed pak, de golfschoenen die zo'n goed profiel hadden en die Jerry de Pool voor hem had gepoetst en een reddingsvest. Hij had op het reddingsvest aangedrongen. Over een uur, wanneer ze de haven achter zich hadden gelaten en op zee waren, zou hij het bericht naar Londen verzenden en Vauxhall Bridge Cross vertellen dat de operatie de volgende ochtend van start zou gaan. Hij kwam naar de brug om de kapitein, wiens hut hij had gekregen, op te zoeken en uitdrukking te geven aan zijn ergernis.

'Er is daar een hond.'

'Waar, meneer Mowbray?'

'In uw hut. Er is een smerige hond in uw hut. Hij krabde aan de deur.'

'Dat is onze hond, Feliks.'

'Ik deed de deur open en hij rende naar binnen. Ziet eruit als een vlooienbaal. Hij ligt onder het bed.'

'De kooi, meneer Mowbray.'

'Onder het bed en hij gromt.'

'We zijn gek op die hond. Hij brengt ons geluk.'

'Hij stinkt en we hebben geen geluk nodig. We vertrouwen niet op geluk, kapitein Yaxis, omdat we vakmensen zijn. Wilt u die hond verwijderen?'

Ze waren nu voorbij het Westerplatte-monument. Hij bleef nog even op de brug om de kapitein de tijd te geven om de stuurman erbij te roepen en de stuurman in de gelegenheid te stellen de hond uit de hut te halen. Hij keek om naar het monument, een afzichtelijke, hoekige chaos van gebeeldhouwd graniet, met een dunne vierkante zuil op de sokkel. Het had geen schoonheid, maar wel woeste kracht, en het gaf een belangrijk moment in de geschiedenis aan. Mowbray was een man van de geschiedenis: hij werd erdoor geregeerd.

Zij zou daar morgenochtend vroeg zijn. Hij kon het voorspellen. Alice zou daar staan, wanneer het licht werd, op de hoge kaap die de zee van de rivier scheidde, bij het monument. Voor haar was daar geschiedenis. De *Princess Rose* voer puffend de vaargeul in en de deining werd voelbaar, maar toen draaide het schip naar stuurboord en ging op een niet langer gebruikte kade af.

De kapitein vertelde hem dat de hond uit de hut was gehaald en dat hij de havenmeester had laten weten dat hij nog steeds niet tevreden was over de prestaties van de motor en dat de loods van boord was gestuurd.

Rupert Mowbray verdween benedendeks om de boodschap op te stellen die hij naar Londen zou versturen.

Ze had de leiding genomen. Locke kon zien dat de mannen haar gezag op prijs stelden. Ze gaf hun elk een vel papier en een pen. Ze waren in Billy's kamer, hoog in het Mercury-hotel, en Billy had de leunstoel genomen. Wickso en Lofty zaten op de grond en Ham had de rechte stoel bij het bureau. Hij vond het kinderachtig gedoe.

Ze las de vragen voor. 'Een: wie was de Duitse bevelhebber die Kaliningrad vanuit de bunker verdedigde? Twee: in welke straat is het kosmonautenmonument waarmee Leonov en Patzajei herdacht worden, beiden uit Kaliningrad?' Locke had zich beziggehouden met de uitgebreide voorlichting aan de hand van de kaarten, zoals hem dat geleerd was, en had het nauwelijks onderdrukte gegaap gezien en beseft dat hij zijn gehoor niet kon boeien. Zij had zijn rol overgenomen.

Alice had dezelfde onderwerpen aangeroerd en erop los gepraat alsof ze een reisleidster was. Hij geloofde dat ze nu op het publiek speelde. 'Hebben jullie dat, jongens? Volgende vraag. Drie: in welk jaar bezocht Peter de Grote wat nu Kaliningrad is? En vier: wat was de laatste kerk die in Kaliningrad werd opgeblazen, om elk spoor van de Duitse cultuur te verwijderen? Blijven schrijven, jongens.' Hij had een uur tegen hen gepraat en toen had zij zich ermee bemoeid en had ze dezelfde stof in 35 minuten behandeld, zonder hun aandacht te verliezen. Dat was hem niet gelukt.

Locke werd verder genegeerd. 'Vijf: hoe heet het restaurant in Sovjetski 19? Dat is een goeie, niet zo moeilijk.' Het ging moeiteloos en maakte hen aan het lachen. Ze aten uit haar hand, zoals hij dat niet voor elkaar kreeg. 'Zes: de klinkers in de straten om de kathedraal van Kaliningrad werden door de Russen opgegraven. Waar werden ze weer gelegd? Hebben jullie niet naar me geluisterd?' Hij zat op het bed en geloofde dat hij verder niets bij te dragen had. Ze kleineerde hem.

Hij begreep wat ze deed: ze schiep een band met de mannen, stelde hen op hun gemak, maakte de documenten, kaarten en boeken die ze bestudeerd hadden om meer over Kaliningrad te weten te komen interessant. Ze liet hen nadenken over wat Locke en zij uitgelegd hadden. Ze waren allemaal gepasseerd, in ongenade vervallen, en zij bracht hen terug in de familie, hield rekening met hun wensen, gaf hun het gevoel dat hun medewerking belangrijk was en bracht hen tot rust. 'Doorgaan, jongens. Nog maar veertien vragen. Zeven: wat is de naam van het schip dat bij het Oceanografisch Museum ligt en waarmee met een paar reizen naar Denemarken 20.000 Duitsers uit Kaliningrad geëvacueerd werden? Dat waren de bofkonten, de meesten hebben het niet gered. Acht: wiens graf redde het gebouw toen Brezjnev de kathedraal wilde slopen? Gaat het een beetje, jongens?'

Locke drukte zich op van het bed. Hij wilde weg, zo snel mogelijk, kon de vernedering niet meer aan. Zij hingen aan haar lippen en hadden bij hem gegaapt. Toen haalde ze een zakje van een boetiek uit haar tas. Ze glimlachte naar de mannen. Ze haalde vier kleine doosjes uit het zakje. De uitdrukking op haar gezicht werd gemaakt ernstig en ze gaf hun elk een doosje. 'Ga je gang, maak het maar open.'

Locke besefte dat geen van hen wist wat erin zat. De dekseltjes werden van de doosjes gehaald. In elk doosje zat een barnsteenhanger en een fijn gouden kettinkje. Ze bloosde. Ze had haar vingers naar haar eigen hanger gebracht.

'Doe me een plezier en draag die dingen wanneer jullie aan land gaan.'

Billy kwam naar haar toe: 'Ik wilde niet dat die kwijlende knakkers dit deden, mevrouw, maar dit is van ons allemaal – bedankt.'

Zijn ruwe handen pakten haar hoofd en hij kuste haar op beide wangen en de blos werd dieper.

De slotjes waren te fijn voor hun vingers. Ze liep van Billy naar Lofty, toen naar Ham, deed de slotjes los, maakte de kettinkjes vast en liet de hangers op hun borst vallen. Ze kwam bij Wickso en haar handen gingen naar zijn nek.

'Wurg me niet, mevrouw. O ja, ik heb nog een probleem,' zei Wickso.

'Wat is er, Wickso?'

'Die foto die we van hem te zien hebben gekregen. Die is niet goed genoeg. Hij is niet scherp en de flits heeft al het leven uit hem geslagen. Wat ik bedoel is dat we hem zomaar voorbij kunnen lopen.' Billy hield de foto omhoog. Fret lag moe in een stoel in een kamer van het Excelsior-hotel, in zijn overhemd. Mowbray had de foto genomen. Het was de enige foto van Fret in het dossier.

'Wat ik wil zeggen, mevrouw,' zei Ham, terwijl Lofty knikte, 'is dat we er niet genoeg aan hebben.'

Nou, dat was in elk geval niet de schuld van Gabriel Locke. Niets was zijn schuld. Die foto had beter in het dossier kunnen blijven en het dossier had in het archief moeten blijven. Hij slenterde naar de deur. Ze zocht weer in haar tas, haalde er een klein leren foto-etui uit en gooide dat naar Billy. Hij ving het op en deed het open. Locke kon de foto niet zien. Billy keek ernaar. Ham schuifelde naar hem toe; Wickso en Lofty kropen over het kleed. Ze staarden naar het foto-etui, prentten de foto in hun geheugen en keerden naar hun plaats terug.

Billy deed het etui dicht, gaf het terug aan Alice en zei: 'Daar zijn we mee geholpen, mevrouw. Leuke foto – en we dragen die hangers met genoegen. Vuur de vragen maar weer af, mevrouw.'

Locke stond bij de deur. 'Ik zie jullie morgenochtend allemaal.'

Alice zei: 'Oké, weer aan de slag. Waar waren we? O ja, negen...'

Hij deed de deur dicht, liep de gang door, nam de lift en marcheerde naar buiten. Ze waardeerden hem niet, omdat hij zich als enige tegen de wildwestcultuur van de hele operatie had gekeerd.

Het was na middernacht en het hotel sliep. De man boog zich over de balie, haalde het dikke vel papier uit zijn aktetas en liet dat aan de nachtportier zien. Hij was getrouwd met de nicht van de zampolit, Piatkin, en was één rang lager bij de Federalnaja Sloezjba Bezopasnosi dan hij, maar hij wist dat hij een goede reputatie genoot en hij had de nodige aanbevelingen. Zijn werk op het consulaat was saai; in het kantoor dat uitkeek op de Batorego vierde de verveling hoogtij en toen, opeens, was dat luciferboekje zomaar uit de lucht komen vallen en dat had geleid tot het onderzoek naar de vraag wie er op de drie relevante data in het Excelsior-hotel aan de rivier bij de jachthaven hadden gelogeerd. De taak die hem was toegewezen was de vertrouwelijkste die hem tot nu toe ten deel was gevallen. Hij was de vorige avond laat gekomen. Een jonge nachtportier met een fris gezicht had dienst gehad en de man die hij vertrouwde was vrij geweest en op bezoek gegaan bij een ziek familielid buiten Gdansk, in Torun. De laatste keer dat hij het hotel in het holst van de nacht had bezocht, had hij de nachtportier geld toegeschoven en had hij de namen van Roderick Walton en Elizabeth Beresford gekregen, die op zekere data in het hotel hadden gelogeerd, en was hij vertrokken met een vage beschrijving van de al wat oudere Walton. Het karton dat hij uit zijn aktetas haalde bevatte een montage van 24 in het geheim genomen foto's van oudere mannen. De foto's waren afkomstig uit de Loebjanka, waren naar Warschau gevlogen en vervolgens per koerier naar Gdansk overgebracht. Onder elke foto stond een nummer. De foto's waren met een telelens genomen en betroffen agenten van de Britse inlichtingendienst. 'Zit Roderick Walton erbij?' Had een hoge en ervaren agent van de Britse inlichtingendienst in het Excelsior-hotel gelogeerd op de dagen dat Artsjenko naar de stad was gereisd om over de faciliteiten van het droogdok te onderhandelen? Het was de reden waarom hij bij de FSB was gegaan. Ze hadden in de Loebjanka gezegd dat de oorlog nog niet afgelopen was, misschien tijdelijk stil was gelegd, maar niet voorbij. Dit was het strijdtoneel dat belangrijk was, zeiden ze in de Loebjanka, niet het geklooi in Afghanistan, Tsjetsjenië en de islamitische satellietstaten in het zuiden. De oude ideologische discipline bestond misschien niet meer, maar er was nog altijd sprake van achterdocht en wantrouwen jegens de mensen die nu uit het westen kwamen met een minzame houding en schouderklopjes, mensen die naar talkpoeder en lotion stonken en die geloofden dat ze het moederland verpulverd hadden. Hij liet de foto's zien en had een bundeltje zloty's over de afbeeldingen verspreid. In de boodschap die hij via een koerier had gekregen was hem verteld dat als een foto herkend werd, dit betekende dat ze bewijs hadden.

Locke liep het hotel in. Bij de receptie stond een man in een lange regenjas over de balie gebogen en de nachtportier tuurde omlaag naar iets wat tussen hen in lag.

De portier keek op met een serviele glimlach, herkende hem en pakte een sleutel.

Een lage lamp verlichtte de balie maar de rest van de foyer was donker. Locke nam de sleutel in ontvangst. Het gezicht van de man was van hem afgewend. Hij deed een stap in de richting van de trap en aarzelde toen. Wilde hij een ochtendkrant? In Gdansk waren er de *Gazeta Morska* en de *Dziennik Ballycki*. In het vooruitzicht lag een dag van rondhangen en wachten; hij had geen boek. Moest hij een krant bestellen? Hij draaide zich om. Ze hadden beiden hun hoofd gebogen over iets wat op de balie lag. Hij zag een vel met foto's. De vinger van de nachtportier zweefde boven een van de foto's in de linkerrij en hij hoorde hoe de adem van Regenjas even stokte van opwinding. Toen tikte ook hij met zijn vinger op de foto. Locke zag de foto, zag het achterovergekamde, zilverkleurige haar, de haviksogen en de trotse kin van Rupert Mowbray onder hun vingers. Hij draaide zich om en liep naar de donkere hoek van de foyer.

In het Pools: 'Die man, op elk van die dagen.'

In het Russisch: 'Zeker weten?'

Het Pools van de nachtportier: 'En ook hier vannacht. Is vanochtend vertrokken.'

Het Russisch van Regenjas. 'Ook hier vannacht?'

Regenjas duwde de bankbiljetten van het vel met foto's en de nachtportier liet ze in zijn heupzak glijden. Regenjas greep zijn hand, drukte die, draaide zich om en liep snel naar de deur. Dit was geen oefening tijdens een cursus, hij bevond zich niet op Fort Monkton. Hij was ver van zijn instructeurs verwijderd, ver van de lezingen over werkprocedures op de heuvel naast de golfbaan die door leden van de Gosport and Stokes Bay-club werd gebruikt, ver van waar iemand hem bij de hand zou nemen en bevelen zou geven. Het zweet liep koud in zijn nek en over zijn rug. Hij volgde blind. De deur zwaaide in zijn gezicht en hij wurmde zich erdoor. Hij had gezien hoe een agent van de Russische inlichtingendienst uitsluitsel had gekregen over een foto van Rupert Mowbray. Hij voelde de kou van de buitenlucht. Regenjas liep vijftig meter voor hem uit, ging op een auto af die bij de pontonbrug van de jachthaven geparkeerd stond. Er bewoog niets buiten, alleen hij en Regenjas, geen auto's, geen voetgangers. Ze waren alleen in het donker. Locke begon te hollen.

Regenjas ging sneller lopen. Locke verkleinde de afstand, begon te sprinten.

Waarom? Zijn brein was een chaos. Wat was hij van plan? Hij was geheel van zijn stuk gebracht door wat hij gezien had.

Regenjas had zijn Fiat gezinswagen bereikt. Locke zag de kleurige stof van de kinderzitjes achterin. Het portier werd geopend en de aktetas werd achterin gegooid, op een van de kinderzitjes. De gedaante dook naar binnen en stak zijn hand naar buiten om het portier achter zich dicht te trekken. Locke stond naast de auto.

Wat zouden de instructeurs gezegd hebben?

Dit scenario was nooit voor Locke opgevoerd op Fort Monkton of tijdens de IONEC-cursus. Op de cursus voor pas in dienst getreden agenten hadden ze de verse rekruten ook nooit verteld wat ze moesten doen bij een confrontatie met Regenjas – of de Russische inlichtingendienst – naast de jachthaven aan de Motlawa in het oude Gdansk. Daar leerden ze surveillance- en antisurveillanceprocedures, dead drops, vluchtige contacten, technieken op het gebied van korteafstandscommunicatie, ontwijkingstactieken en zelfverdediging. Niets van wat Gabriel Locke in de collegezalen en op de binnenplaats van het fort was onderwezen kon hem op dit moment helpen. Een officier van de speciale eenheden, die een dagje was gekomen, had aangedrongen op een heldere geest: Povere Planning leidt tot Pathetische Prestaties. Hij had geen plan. Training in ongewapende gevechten ging er zacht aan toe in het fort, ruim binnen de regels van de raad van Gezondheid en Veiligheid, een paar keer over de mat rollen na een schouderworp van de instructeurs, geen pijn.

Locke greep hem beet. Hij trok hem omhoog en uit de auto. Zijn vuist zat in een verfrommelde hoop stof van de jas van de man. Hij zag de angst, hoorde de gejammerde smeekbeden. Regenjas was te bang, te benauwd om te gillen. Zo'n gewone man, net zo gewoon als de Russen, de intelligente jongemannen, die Locke wel op cocktailparty's in Warschau had ontmoet, het soort jongen dat hij op een feestje zou aanhouden voor een praatje. Hij wist niet wat hij van plan was, hoe dit zou aflopen. Hij wierp de man terug tegen zijn kant van de Fiat en zag hoe hij in elkaar zakte, op de grond viel.

De ogen smeekten. Misschien waren het de namen van de kinderen die op die stoeltjes achterin zaten, maar Locke hoorde alleen korte, tussen de lippen door uitgestoten kreten. Hij zwaaide zijn voet naar achteren en schopte hem laag in zijn buik. En, omdat hij één keer had geschopt, schopte hij nog een keer. Hij was zijn controlegrens voorbij.

De instructeurs op het fort hadden bij zelfverdediging altijd om 'beheersing' geroepen. Die was hij kwijt. Er klonk geen geschreeuw, alleen maar wat gekerm.

Locke trok aan het slappe gewicht van Regenjas, tilde hem op. Hield hem overeind. Er was geen verzet en de pijn had de angst verdoofd in de ogen die hem aanstaarden, die hem toeriepen. Hij wierp de man van zich af, even achteloos alsof hij een zak met kolen bij de achterdeur van de boerderij in West-Wales neergooide. De man schoot uit zijn handen, ging iets door de knieën, struikelde en viel. Povere Planning leidt tot Pathetische Prestaties. De val van Regenjas duurde een eeuwigheid. De goal die tergend langzaam in slowmotion werd afgespeeld. Het hoofd dat neerging. Al struikelend was de man een paar meter van Locke verwijderd. Een meerpaal van oud, zwart metaal, zo'n halve meter hoog, stond aan de rand van de kade. Het hoofd sloeg tegen de rand van de meerpaal en schokte alsof het met rubber aan de rest van het lichaam vastzat.

Locke knielde naast hem neer. Hij nam het hoofd in zijn handen en schudde het, leek de man aan te sporen om te reageren, om iets te zeggen, maar het hoofd bewoog los tussen zijn vingers. Hij legde het op de grond, liet het daar onder die vreemde hoek liggen. Zijn handen beefden, maar hij voelde aan de nek van Regenjas, probeerde vergeefs een hartslag te vinden. Hij hoorde de wind in de tuigage van de boten in de jachthaven, het gefluit en gekabbel, en het krakend deinen van de pontonbruggen. Hij keek om zich heen en zag niemand, niets wat bewoog. Aan de andere kant van de stad, op het kruispunt van de Nowe Ogrody en Derde Maja, was het hoofdbureau van politie van Gdansk. Locke had het gebouw die ochtend gezien, hoog, streng, indrukwekkend. Hij had ook gezien dat zich achter het hoofdbureau de stadsgevangenis bevond: naargeestig, smerig en beveiligd met prikkeldraad op de muren. Hij had iemand vermoord, had hem eigenhandig doodgemaakt. Als hij nu zou roepen om een ambulance, om hulp, zou hij eerst naar een politiecel worden gebracht, daarna naar een rechtbank en ten slotte naar een van de cellen waarvan hij de kleine, getraliede raampjes had gezien. Hij ging staan. Zijn vader was eens met hem het huis uit gegaan en naar een hoek van het veld bij de boerderij gelopen, waar hij een hond had doodgeschoten die niet meer kon werken. Zijn vader had gezegd dat het goed voor het karakter van de tienjarige jongen was om getuige te zijn van leven en dood. Samen hadden vader en zoon een graf voor de hond gegraven. De vader had hem gevraagd om de hond in de kuil te leggen, maar het kind kon het dier niet aanraken. Zijn vader had de hond er met zijn schoen in geduwd. Terwijl de tranen hem over de wangen liepen, was het kind teruggerend naar het huis en had hij zijn vader de kuil laten dichtgooien. Hij was vaak naar die hoek in dat veld van tweeënhalve hectare gelopen, waar alleen maar brandnetels groeiden. Hij had dan aan de hond gedacht en er in de lente primula's neergelegd. Hij was erheen gegaan op de dag dat hij uit huis was gegaan, toen zijn moeder hem had geroepen om te zeggen dat zijn vader in de auto op hem wachtte.

Met de punt van zijn schoen duwde Locke Regenjas langs de meerpaal en over de rand van de kade. Er klonk een doffe plons en toen sloot het vuil van de jachthaven en het olieachtige water zich boven het lijk. Hij haalde het vel met foto's uit de aktetas, trok het autoportier dicht en ging terug naar het hotel.

In zijn badkamer boog Gabriel Locke zich over de wc-pot en gaf keer op keer over. Telkens als hij had doorgetrokken, moest hij weer braken. Toen zijn maag niets meer had om op te geven, scheurde hij de foto's in kleine stukjes en wachtte tot de spoelbak zich weer met water had gevuld. Daarna gooide hij de snippers in de pot en trok voor de laatste keer door.

Hij wist wat hij gedaan had, niet waarom. Hij ging met al zijn kleren aan op de grond liggen, opgerold als een baby.

Alice was bij het gedenkteken. Ze waren daar eens op een zomerochtend geweest, toen de zon was opgekomen en door de mist was gebroken. Achter hen was de motor van de taxi blijven draaien en had de meter doorgetikt. Het was waar ze de laatste keer geweest waren, na hun liefdesnacht en voordat hij was teruggegaan naar het hotel waar de delegatie logeerde. Hij wist hoe haar camera werkte, had de zelfontspanner ingesteld, de camera op de sokkel van het monument gezet en was naar haar terug gehold om een arm om haar heen te slaan en zijn hand op haar heup te laten rusten. Zij had haar hoofd tegen zijn schouder gevleid en ze hadden gelachen en de klik van de sluiter gehoord. Hij had in de richting van de zon gewezen, waar deze door de mist brak, en gezegd dat hij daar zou zijn: Kaliningrad.

'Je hoeft er niet heen,' had Alice gezegd.

Hij had haar gekust en monter geglimlacht. 'Maar ik ben nog niet klaar. Ik heb nog het een en ander te doen. Er is geen gevaar, ik ben heel slim. Ik kom wanneer de tijd daarvoor rijp is, wanneer...'

Hij was er snel vandoor gegaan. De taxi was weggereden. Zij was met de eerste bus van die dag teruggekeerd naar het hotel en terwijl ze haar tas had ingepakt, voordat ze zich bij Rupert aan het ontbijt voegde, had ze een kleine pakje in cadeaupapier gevonden. Ze had het papier eraf gerukt en de barnsteenhanger aan het gouden kettinkje gevonden.

Het was nog donker. Toen was het licht geweest. Nu was de zomer voorbij en had de herfst ingezet. Er stond weer een taxi voor haar klaar en de gloed van de interieurverlichting was zichtbaar terwijl de chauffeur een tijdschrift las. Ze hoorde alleen de wind in de hoge bomen en geluid van de golven op het strand aan de voet van de kaap. Alice had hun gevraagd om een amulet voor haar te dragen en ze had de mannen haar foto laten zien, zodat ze hem zouden herkennen in de dierentuin. Billy, hun teamleider, moest het lichte spoor van emotie om haar mond en het vochtig oplichten van haar ogen gezien hebben. Aan het eind van de bijeenkomst, toen ze de vragen had nagekeken en Ham de prijs, vijftig zloty's uit de kleine kas, had gegeven, had hij uit naam van de anderen gesproken, toen hij met zachte stem zei: 'Daar moet u uw schoonheidsslaapje niet door laten verstoren, mevrouw. Wij halen hem daar wel weg.'

9

V. Waar in de Russische Federatie zouden bij een veiligheidscrisis eenheden van de marine-infanterie bij een landgrens patrouilleren?
A. Kaliningrad.

Het plan zoals door Rupert Mowbray was voorgeschreven was simpel, ongecompliceerd op het banale af.

Jerry de Pool zou het team tot voorbij Braniewo brengen, tot ze bij het hek van de boerderij van de weg gingen, waar ze de auto zouden parkeren en het team verder te voet door het land zou trekken. Hij had de vereiste papieren om met zijn oude Mercedes door de grenspost te gaan. Het team zou door het hek kruipen, waar ze het gat geknipt hadden, en doorlopen naar de schuur buiten het dorpje Lipovka aan de Vituska, waar Jerry de Pool drie man zou oppikken om naar de stad Kaliningrad, de dierentuin en het trefpunt bij het nijlpaardenverblijf te brengen. De Mercedes zou dan met Fret terugrijden naar de schuur en Fret zou door het team over de velden naar het bos en het hek worden gebracht, terwijl Jerry de Pool de formaliteiten bij de grenspost afhandelde. Een eenvoudig plan, hield Rupert Mowbray vol, was altijd het beste plan.

Locke had niet geslapen en was bij het eerste licht opgestaan, gekweld door het idee dat wat gedaan was niet meer ongedaan gemaakt kon worden. Hij had Alice aan het ontbijt ontmoet en ze waren naar Braniewo gereden, waar ze nu door de straten liepen.

'Dus wat is in godsnaam het probleem?' Alice was naast hem komen lopen en greep hem bij de mouw van zijn jas. Hij schudde haar af. 'Als er een probleem is, kunnen we dat maar beter uitpraten.'

Voor hen uit was de open straatmarkt, met kraampjes waar de groente en goedkope kleren waren uitgestald. Tussen de kraampjes liepen oude mannen met hun vrouwen en huisvrouwen met kleine kinderen, die aandachtig naar de groente keken of met een peinzende blik op de prijskaartjes aan de kleren trokken. Aan de andere kant van de straatmarkt was het betonnen, met graffiti bekladde bouwwerk met de openbare toiletten.

'Jezus, Gabriel, dit is de grote dag. Wat is het probleem, verdomme?'

Nadat hij was opgestaan, was hij het hotel uitgegaan – terwijl Alice aan het ontbijt zat – en had hij de autochtonen die geen werk hadden rokend op de banken zien zitten bij de jachthaven. Anderen waren langs de jachten en motorboten gewandeld, waren langs de pontonbrug naar de kades gelopen. Eén man was dicht bij de meerpaal blijven staan, had een snoepje uit de wikkel gehaald en het papiertje laten vallen. Auto's sloten de Fiat personenauto in. Alles was precies zoals hij het zich van afgelopen nacht herinnerde. De man die op zijn snoepje kauwde, het stukbeet tussen zijn tanden, zou de kleine veeg bloed ter hoogte van zijn knie op de meerpaal niet gezien hebben, maar hij was er wel. Locke was voorbij de banken gelopen, naar de auto; de mannen die zich in de buurt van de auto ophielden, moesten niet gezien hebben dat de Fiat niet op slot zat, dat de portierknop duidelijk omhoog stond en dat er een open aktetas tussen de kinderzitjes lag. Hij was omzichtig naar de pontonbrug en het water dat daar kabbelde gelopen. Het been dreef onder de planken van de brug tussen de plastic zakken, drijvende blikjes en houten palen, Locke had het gezien. De doorweekte donkere omslag van de broekspijp, de grijze sok en de keurig geregen zwarte schoen. Hij had die dingen gezien en was snel weggelopen.

'Jij wilt uitstappen, hè?' zei Alice beschuldigend. 'Jij vindt dit allemaal beneden je waardigheid, hè?'

Achter de openbare toiletten, boven de klapperende dekzeilen van de kraampjes, was de hoge spits van de kerk. Twee jongemannen – kaalgeschoren hoofden, T-shirts en leren jasjes – haalden sloffen Amerikaanse sigaretten uit de koffer van een glanzende Audi A6 en stapelden ze in een kraampje op.

'Jij zit er gewoon mee dat hij een verrader is.'

Hij snauwde: 'Zou je me een plezier willen doen, Alice, en er niet vanuit willen gaan dat je weet waar ik mee zit?'

'Dat is voor een blinde doofstomme nog duidelijk. Hij is een verrader, hij is niet de moeite waard. Jouw houding deugt voor geen meter, weet je dat wel? Hoe ben jij door die IONEC-cursussen gekomen? Die zijn bedoeld om de rotte appels eruit te halen. Een verrader... Honderd jaar geleden wilden legerofficieren niets met geheime agenten te maken hebben, tenzij ze handschoenen aanhadden: "We kunnen onze lelieblanke handjes toch niet vuilmaken, nietwaar?" Toen hij voor het eerst bij ons aanklopte, waren er debielen in Vauxhall

Bridge Cross die niet konden geloven dat we hier een echte spion hadden en eisten dat hij aan een leugentest werd onderworpen. Rupert heeft ze er goed van langs gegeven. Onze dienst is nergens – hoor je me? Nérgens – zonder agenten. Viktor...'

Locke draaide zich met een ruk om en keek haar aan. 'O, dank je wel. Viktor, zijn naam is mij nooit toevertrouwd.'

Hij had haar even tegengehouden. Ze verslikte zich. 'Fret... Fret beschikt over meer moed dan jij ooit zult begrijpen, heeft meer moed in zijn nagel dan jij in dat hele stomme lijf van je.'

Zijn gezicht was koud, een masker. 'Het zal wel, Alice.'

Alice werd milder. 'Sorry, vertel me wat het probleem is.'

Locke zei grimmig: 'Heb ik gezegd dat er een probleem was? Ja? Goed, als je een probleem wilt, wat vind je hiervan? Er wordt van ons gevraagd om risico's te nemen. Er gebeuren nare dingen met mensen wanneer er risico's genomen worden. Wij zijn gemachtigd om nare dingen met mensen te doen, voor een halfbakken dagdroom, een belachelijk beleid. We gedragen ons alsof we boven de wet staan, alsof morele aspecten voor ons niet gelden. Wij...'

'Niet wíj, Gabriel. Wij zijn hier, niet in Kaliningrad. De mensen die ervoor opgeleid zijn, die gaan naar Kaliningrad. Wij zitten veilig hier, laten het gevaarlijke werk over aan mensen die weten wat ze doen. Maak je geen illusies.'

Hij kon het haar niet vertellen. Hij vroeg zich af hoelang het zou duren voordat het lijk uit de jachthaven werd gevist.

Het was te vergelijken met de tijd tussen leven en dood of de uren wanneer de duisternis langzaam plaatsmaakte voor licht.

Viktor wist niets van religie en er gingen maar weinig van zijn medeofficieren naar de kerk, omdat dat een carrière nog altijd in de weg kon staan, maar zijn moeder had zich aan het orthodoxe geloof vastgeklampt na de dood van zijn vader. Zijn moeder had gezegd dat de dood geen duisternis was.

De tijd moest doorgekomen, geconsumeerd, verbruikt worden. Hij had amper rondgekeken in de kamer die nu besmet kon zijn door de aanwezigheid van een microfoon of groothoeklens. Hij moest zijn best doen om de uren die nog restten op een geheel voorspelbare manier door te brengen. De eerste beslissing die hij moest nemen, betrof of hij op het strand zou joggen of niet. Hij had het niet gedaan. Hij had zich in zijn beste uniform gekleed, zoals hij dat altijd deed wanneer hij in het personeelskantoor van de admiraal ging werken en had in de officiersmess ontbeten. Hij had het pakje met documenten achter de tegel in de doucheruimte achtergelaten. Wanneer hij verdwenen was en zijn vlucht was bevestigd, die avond of de volgende ochtend, zou zijn verblijf met koevoeten en mokers gesloopt worden. Tegen die tijd zou zijn nieuwe leven begonnen zijn. Viktor zou de foto van kasteel Malbork graag van de muur gehaald en in zijn aktetas gestopt hebben, maar hij liet hem in de flat, zoals hij alles in de flat liet. Voordat hij de deur achter zich op slot had gedaan, had hij zijn blik nog één keer door de kamer laten gaan. Hij had spaarzaam gegeten, omdat hij dat altijd deed, en een officier van Personeelszaken – een fatsoenlijke vent – was naar zijn tafeltje gekomen om hem een paar kaarten te geven. Een tweede officier, van Bewapening, was gekomen om iets te mompelen over een probleem met de houdbaarheid van munitie. Hij had hen te woord gestaan zoals hij dat gewoonlijk deed, zakelijk maar niet onvriendelijk. De route tussen leven en dood was de dierentuin in Kaliningrad. Er was een merkwaardig vredig gevoel over hem gekomen terwijl hij koffie en een broodje nuttigde.

Hij verliet de officiersmess en stak het exercitieterrein over. Voor hem stonden de lage slaapverblijven van de dienstplichtigen en daarachter was het complex van de opperbevelhebber van de vloot, waar hij die uren zou doorbrengen. Viktor Artsjenko was 17 geweest toen zijn vader in Totskoje was overleden. Buiten die plaats, zo'n 225 kilometer ten westen van Orenburg, verborgen voor de buitenwereld door een bos, bewaakt met hekken en patrouilles, was een gesloten gemeenschap van de luchtmacht. Zijn vader, Pjotr, was majoor en testpiloot. De basis legde zich toe op de vervaardiging van vliegtuigraketten met atoomkoppen. Zijn vaders ziekte had zich snel doorgezet. Terwijl de leukemie hem in een ijzeren greep nam en er voorbereidingen werden getroffen voor zijn pensionering uit de luchtmacht, had Viktor met een diep, onuitgesproken verdriet de aftakeling gadegeslagen. Een maand voordat de familie van de basis zou verhuizen, toen ze al gemeden werd door de buren, was zijn vader gestorven. Bij de begrafenis had een luchtmachtgeneraal gesuggereerd dat Viktor, gezien zijn afkomst en atletische inslag, na zijn middelbare school zonder problemen voor een opleiding tot piloot in aanmerking zou komen. Er was in Viktor – diep verborgen – een rebels element. Hij had gezien hoe zijn vaders collega's hem tijdens zijn ziekte uit de weg waren gegaan, dus had hij zich aangemeld bij de marine. Veertien jaar later, toen dezelfde leukemie ook het leven van zijn moeder had geëist – toen hij op haar doodsbed de informatie over zijn grootmoeder had gekregen – was hem ook verteld wat de oorzaak was van de ziekte die zijn vader het leven had gekost.

Een testpiloot had het bevel gekregen om op te stijgen in een verouderde MiG-17 straaljager die was volgeladen met meetapparatuur. Het was majoor Pjotr Artsjenko en hij had zijn vrouw over zijn angst verteld. Het gevechtsvliegtuig was oud, aan het eind van zijn levensduur, en hetzelfde gold voor de piloot. Zijn vader had gezegd dat het bevel niet genegeerd kon worden, want dit zou tot een beschuldiging van verraad voor een krijgsraad leiden. Een kleine, op stelten geplaatste atoombom zou op enige meters boven de grond tot ontploffing gebracht worden. De testpiloot had de opdracht om door de zich verspreidende, paddestoelvormige wolk te vliegen. De generaals hadden in hun veilige, stralingsvrije bunkers weggedoken gezeten. Zijn vader was door het geweld van de storm van de explosie gevlogen. De informatie was van de meetapparatuur gedownload; de testpiloot was onderzocht door doktoren die beschermd werden door stralingsbestendige pakken.

Viktor had het verhaal over zijn vader en over zijn grootmoeder gehoord. Hij had de eerste gelegenheid aangegrepen. Een eerdere kans had zich vijf weken daarvoor voorgedaan, tijdens een bezoek van veteranen van het Archangelsk-konvooi uit Groot-Brittannië, die naar de stad waren gekomen om de munitietransporten naar de Sovjet-Unie te herdenken, maar hij had niet de kans gekregen om bij hen in de buurt te komen. De eerste gelegenheid was de komst van de trawler uit Hull in Moermansk geweest. Hij had het ter nagedachtenis aan zijn vader en zijn grootmoeder gedaan. De haat had hem verzengd en hem tot wraak aangespoord.

Hij liep met energieke tred, zoals hij altijd liep. Zijn naam werd geroepen, zacht en eerbiedig. Werklieden waren bezig op het dak van het dichtstbijzijnde slaapverblijf, waar ze een aantal golfplaten vervingen die doorzeefd waren met de 12,7mm-kogels van een zwaar machinegeweer. Hij draaide zich om en zag de dienstplichtige, Vasiljev.

'Kan ik u even spreken?'

'Ga je gang,' zei Viktor scherp. Het verbrak het patroon van zijn dagelijks leven dat hij bleef staan om met een dienstplichtige te praten. Hij had de mannen die hem schaduwden niet gezien, maar hij nam aan dat ze in de omgeving waren. Het was een van zijn regels dat hij daar niet op lette.

'Ik ga morgen op de schietbaan schieten.'

'Dat is mooi.' Viktor nam zijn toevlucht tot wrede onverschilligheid; dat was noodzakelijk. Hij liep door, gaf daarmee te kennen dat hij hier niet wilde blijven staan.

Maar de dienstplichtige volgde hem. 'Door u. Dank u dat u me gered hebt en het machinegeweer hebt teruggebracht. Overste, ik ben gisteren naar uw kamer gegaan om u te bedanken.'

'Dat is niet nodig.' Viktor was bruusk, alsof hij zich probeerde te ontdoen van iets wat hem irriteerde.

'U moet weten...' Vasiljev struikelde over zijn woorden. 'Ik ben gisteren naar uw kamer gegaan. Er kwamen mannen naar buiten, die in uw kamer waren geweest. Ze verborgen hun gezicht voor me. Drie mannen. Ze hadden de sleutel van uw kamer.'

Hij sprak uit zijn mondhoek, zonder zijn hoofd te draaien: 'Was Piatkin bij hen? Was de zampolit een van de drie mannen?'

'Nee, nee... Ik had die mannen nog nooit gezien, niet met majoor Piatkin en ook niet zonder. De man die de leiding had, die over de anderen ging, was de jongste, maar hij was gekleed als een landloper, niet als een officier. Ik moest het u vertellen.'

'Dank je. Ik hoop dat je morgen goed schiet. Ga weer aan je werk.'

Hij liep door, liet de dienstplichtige achter. Door alleen al met hem te praten, liep Vasiljev gevaar. Een schaduw zou niet op de hoogte zijn van de band tussen een kapitein-luitenant-ter-zee en een dienstplichtig soldaat bij de marine-infanterie. Veel mensen zouden door hun associatie met hem gevaar lopen wanneer zijn vlucht en zijn schuld ontdekt werden. Ze waren gearriveerd, de nieuwe mannen. Ze moesten uit Moskou gekomen zijn. De tijd verging, was zand dat weggleed in de loper. Had hij wel genoeg tijd, nu deze nieuwe krachten op de basis gearriveerd waren? De schildwachten bij de poort van het hoofdkwartier van de opperbevelhebber van de vloot salueerden toen hij voorbijkwam.

Viktor trof admiraal Alexei Falkovski in een luidruchtige, goede stemming aan.

Jerry de Pool was aan de late kant.

De grenscontrole had tijd gekost, maar dat was te verwachten geweest. Eerst de Poolse formaliteiten, met een lange rij auto's en vrachtwagens: daar had hij rekening mee gehouden. Vijfhonderd meter voorbij de Poolse grenspost was de eerste Russische wegversperring en nog meer vertraging toen zijn papieren werden bekeken door militairen met uitdrukkingsloze gezichten. Vervolgens, een halve kilometer verderop, was de Russische grenspost en moesten er nog meer vragen beantwoord worden. Eenmaal over de grens had Jerry de Pool het gaspedaal ingedrukt. Toen had hij de sirene gehoord.

De maximumsnelheid in de Kaliningrad oblast was zeventig kilometer per uur. Jerry de Pool was gewend aan Duitsland, waar op een snelweg geen maximumsnelheid voor auto's bestond.

De sirene klonk achter hem en hij zag de politieauto in zijn spiegel. Hij ging langzamer rijden en zette de auto aan de kant. Hij ging kaarsrecht in zijn stoel zitten en draaide het raampje omlaag, terwijl de agent naderbij kwam. Een dikke, uitgezakte man in een dofblauw uniform, vormeloos en slecht passend, slenterde op hem af en haalde met gespeelde minachting een boekje uit zijn borstzak. Wat moest hij doen? Jerry de Pool vroeg wat de boete voor te snel rijden was. Hij kreeg te horen dat de boete voor iemand die zich schuldig maakte aan een snelheidsovertreding veertig roebel bedroeg. Hij betaalde de boete met een biljet van honderd roebel en maakte met een handgebaar duidelijk dat hij geen wisselgeld of een bonnetje verwachtte. Hij vroeg zich af wanneer de verkeersagent voor het laatst betaald was en of hij een pensioen zou krijgen wanneer hij ophield met werken. Er zat een groot pistool in de holster aan de riem van de agent. Stel dat zoiets op de terugweg van de stad door de oblast gebeurde, als hij de drie mannen in de Mercedes had, plus de man die ze waren komen halen, en een verkeersagent hield hen dán aan, wat deden ze dan? Hij glimlachte onderdanig en stamelde verontschuldigende woorden. Toen hij weer op de weg zat, zorgde hij ervoor dat hij niet boven de toegelaten snelheid uit kwam.

In het dorpje Lipovka zocht hij in het handschoenenkastje naar de kaart die Billy had getekend. Hij nam een verkeerde afslag, omdat hij niet goed was in kaartlezen, en liep nog meer vertraging op. Hij was nog eens een kwartier achteropgeraakt tegen de tijd dat hij op het rendez-vous bij de schuur kwam. Terwijl hij de auto draaide, kwamen zij – alledrie – uit de bosjes tevoorschijn.

Billy tikte hard op het raampje. 'Je bent te laat, godverdomme.'

Lofty trok het achterportier met een ruk open. 'Heb je geen horloge?'

Niemand vroeg waarom hij te laat was, niemand vroeg of hij misschien moeilijkheden had gehad en hoe hij die had opgelost. Toen de portieren achter hen waren dichtgeslagen, reed hij met wielen die doorsloegen in de modder weg van de schuur. De mannen naast hem en achter hem waren stil. Jerry de Pool reed naar de hoofdweg en bij het kruispunt was het bord dat Kaliningrad aangaf. Als hij zich aan de snelheid hield, zouden ze over een uur in de stad en de dierentuin zijn. Billy zat voorin, gebogen over de kaart die hij op zijn dijen had uitgevouwen. Hij had zijn jas opengegooid en Jerry de Pool kon het pistool zien dat uit zijn broeksband stak.

Billy Smith was de leider van het team, waarom was hij hier?

Hij had de houten hut met het golfplaten dak op de oever van het meer achtergelaten, net als de verf en het papier en de vergezichten die zijn inspiratie vormden. De eigenaar van de galerie in Glasgow die zijn werk afnam, had hem verteld dat hij een bijzonder talent was. Hij ging twee keer per jaar naar Glasgow om zijn werk af te leveren. De grote waterverfschilderijen kregen van de galerie een prijskaartje van £ 3250,– mee en de kleinere brachten £ 1195,– op. Ze werden in de directiekamers van banken in Glasgow opgehangen, prijkten aan de muren van makelaars, de wachtkamers van artsen en de huizen van de elite van de stad. De eigenaar van de galerie had hem voorgesteld aan een beleggingsadviseur. Het geld dat zijn werk opbracht was belegd in staatsfondsen, steraandelen en obligaties. Hij had een dure flat in Glasgow kunnen bewonen, een verbouwd pakhuis. Er bestond financieel voor hem geen enkele noodzaak om voorovergebogen in een oude Mercedes te zitten terwijl de kolf van een pistool zich in zijn maag boorde en hij op weg was naar Kaliningrad. Deze beleggingsadviseur stuurde elke maand een bedrag naar zijn vrouw Josie voor het onderhoud van zijn kinderen, Tracey en Leanne. Hij was al tijden gescheiden en had zijn kinderen al veertien jaar niet gezien, maar hij betaalde voor hun eten en hun kleren en voor het dak boven hun hoofd.

Waarom dus?

Het leven was voor Billy Smith een langzaam voortkabbelende mislukking. De wijkplaats aan Loch Shiel, onder Beinn Odhar Mhor, was een vlucht uit de werkelijkheid, een toevluchtsoord. Zijn werk, zijn waterverfschilderijen, waren een vlucht van de gevolgen van wat hij gedaan had. Hij had, op de oever van Carlingford Lough, een jongeman die zijn kreeftenmanden kwam controleren van het leven beroofd en had zichzelf en zijn patrouille voor vervolging behoed door schaamteloze leugens te vertellen. Hij had zichzelf tekortgedaan en als sergeant had hij Ham, Wickso en Lofty tekortgedaan. Hij had het Korps Mariniers tekortgedaan en het Eskader, die familie binnen een familie. Hij was als een schip op het droge, als een leeg geknepen tube verf.

Hij had het moment gezegend waarop de grote marinehelikopter op het kiezelstrand neerstreek en die godverlaten arrogante jongeman uit het luik kwam. Er was geen spiegel naast het aanrecht in de hut. Hij bekeek zichzelf niet wanneer hij zich schoor of zijn baard bijknipte: hij deed dit op het gevoel. Hij reed richting Kaliningrad en voelde dat dit een kans was, de laatste kans die hem gegeven zou worden, om iets goed te maken. Hij kon nog altijd de ogen van de jongen zien – starende, verdronken, levenloze ogen – en dat beeld zou hem altijd bijblijven.

Billy Smith wist dat het niet eenvoudig zou zijn om zich te revancheren, moeilijker dan verf op papier smeren. Ze reden de stad binnen, langs de torenflats, richting brug.

Omdat de *Princess Rose* de werf had verlaten en haar lading kunstmest aan boord had, hadden de havenautoriteiten geen belangstelling meer voor het schip en de problemen met de motor. Ze lagen aan de kade onder het hoge Westerplatte-monument. De hond krabde aan de deur van de hut van de kapitein, maar Rupert Mowbray besteedde er geen aandacht aan. Het communicatiesysteem werkte, hoewel het inmiddels een uur geleden was dat Locke wat van zich had laten horen. Wat Mowbray wist, was dat de operatie van start was gegaan, dat Jerry de Pool de grens over was en het rendez-vous had gehaald en dat het team op weg was naar Kaliningrad. Het laatste bericht, een doorgestuurde boodschap, was van Locke afkomstig geweest. Hij geloofde niet in overbodig radioverkeer. Ze waren nu machteloos, even nutteloos als de vluchtleiding van de eerste raketlanceringen naar de maan, zo'n dertig jaar geleden, wanneer hun baan om de aarde de astronauten aan de andere kant had gebracht. Hij moest wachten, zoals ze in Vauxhall Bridge Cross moesten wachten. Het zou een intens zoet en extatisch moment voor Rupert Mowbray zijn, een moment dat hem volkomen in het gelijk zou stellen, wanneer hij het bericht FRET BINNEN kon verzenden. Hij zou met lof overladen worden. Hij zat bij de communicatieapparatuur en smeet een schoen naar de deur om de bastaardhond voor de deur te verjagen.

De vrouw van de FSB-agent op het consulaat in Gdansk had vier keer gebeld. Haar man was de vorige avond met hun auto vertrokken en niet teruggekomen.

De consul had geen idee van het werk dat zijn FSB-medewerker deed. Hij had geen toegang tot diens kantoor of agenda en wist niets van de inhoud van de berichten van de Loebjanka.

In eerste instantie had hij niets gedaan. Hoewel de vrouw op het randje van de hysterie balanceerde, voelde hij er weinig voor om zich in te laten met een mogelijk geheime operatie – of een kwestie van ontrouw in het privé-leven van de man – dus had hij het beetje dat hij wist van de verdwijning van een agent van de inlichtingendienst voor zich gehouden.

Na haar vierde telefoontje verstuurde de consul een dringende boodschap naar de ambassade in Warschau waarin hij om advies vroeg. Er was een bericht teruggekomen van een hoge agent van de Federalnaja Sloezjba Bezopasnosi in Warschau, met de opdracht om navraag te doen bij de politie en ziekenhuizen van Gdansk. Aan het begin van de middag had de politie de beschikking over het signalement van de man en was het kenteken van de Fiat doorgegeven. De ziekenhuizen hadden laten weten dat de man niet was opgenomen.

De moeilijkheid was dat alleen de afdeling in de Loebjanka die zich met het mogelijke verraad van kapitein-luitenant-ter-zee Viktor Artsjenko bezighield op de hoogte was van de opdracht die de agent van het consulaat in Gdansk de vorige avond had uitgevoerd. Degenen die zich met de melding van de vermiste man bezighielden, konden niet over deze informatie beschikken.

Er heerste verwarring. De vrouw zat bij de telefoon met haar huilende kinderen in haar armen en wachtte tot het apparaat zou overgaan, maar dat deed het niet en de politie in de stad wist niet waar ze moesten zoeken.

Viktor vertrok geruisloos uit zijn kantoor. Het laatste memorandum waar hij zijn initialen onder had gezet, betrof het bezoek van de vlootcommandant aan een militaire academie om naar atletiekwedstrijden te kijken en prijzen uit te reiken. Een verzoek aan de vlootcommandant om een fregat te inspecteren dat was teruggekeerd van een dienstperiode in het Verre Oosten, was ongelezen en ongetekend boven in het bakje voor binnenkomende post blijven liggen. Viktor vertelde het personeel in het kantoor dat hij voor een vroege lunch naar de officiersmess ging. Hij had zijn secretaresse, zijn persoonlijke assistent of admiraal Falkovski niet laten weten dat hij die middag per auto de basis zou verlaten.

Terwijl hij naar het parkeerterrein liep, zag Viktor hoe een man in burger een sigaret weggooide en hem begon te volgen. Er werkten veel burgers op de basis, dus het feit dat er een man in een windjack en spijkerbroek achter hem liep, was niet echt bijzonder. Een andere man hing tegen de motorkap van een auto die dicht bij de zijne stond en las een pocket. Hij wist dat hij geschaduwd werd, hoefde zich niet om te draaien om het bevestigd te zien. Terwijl hij wegreed van de basis, werd hij gevolgd door de zwarte bestelwagen met de getinte ruiten en de rode personenauto. Als zijn kamer doorzocht was, zou het volgens hem niet langer dan een dag, hooguit twee dagen, duren voordat hij gearresteerd werd.

Hij keek niet om naar de basis. Door zich niet om te draaien of een blik in zijn spiegeltje te werpen, zag hij de vlaggen van de Federatie en de vloot niet aan hun lange palen wapperen en keek hij evenmin voor het laatst naar het beeld van Lenin of het hoofdkwartier of de gevel van de zeemansclub of het kasteel waar zijn grootmoeder misschien eens was geweest of de radarschotels hoog aan de masten van de vloot in de haven. Dit lag allemaal achter hem en hij zag evenmin de bestelwagen en de personenauto die dicht achter hem positie hadden ingenomen.

Hij vroeg zich af waar hij vannacht zou slapen, waar zij zouden slapen. Hij zou bij Alice zijn. Hij reed langzaam. De naald van de kilometerteller bleef onder de maximumsnelheid, niet omdat hij zich aan de regels hield of uit angst dat hij zou worden aangehouden door de verkeerspolitie, maar omdat hij wist dat een snelle rit naar de dierentuin zijn geloofwaardigheid zou verzwakken. Snelheid gaf de urgentie van zijn vlucht aan. Hij reed langzaam en dat gaf hem het gevoel dat hij controle over de zaak had. Hij had de verkeerslichten tegen. Hij remde. Onwillekeurig keek hij in zijn achteruitkijkspiegel.

Vlak achter hem, als aan een sleepkabel, zag hij de zwarte bestelwagen op zijn rijbaan. Op de buitenste rijbaan, ernaast, was de rode personenauto.

Viktor trok langzaam op. Zijn vuisten klemden zich om het stuur. Over een uur zou hij zich in handen van ervaren mannen bevinden die door zijn vrienden waren gestuurd; tot die tijd waren zijn beheersing en discipline van primair belang. Hij ademde diep in.

Bikov werd gebeld. In zijn kamer aan de achterkant van het FSB-gebouw in de stad werkte hij aan zijn aantekeningen en wachtte hij op informatie die hij uit Gdansk door zou krijgen. Artsjenko was in beweging gekomen. In het gezelschap van zijn majoor en zijn sergeant liep hij snel de brandtrap aan de achterkant van het gebouw af.

Het licht van de herfstzon verspreidde zich over de stad en viel laag over de rivier.

Het scheen op de grote betonnen flatgebouwen, op de verslaafden die in portieken lagen en op het monsterlijk lelijke, nooit afgebouwde Huis van de Sovjets. Het scheen op de HIV-slachtoffers die uitgemergeld door de straten strompelden en op de oude kathedraal waar met Duits geld langzaam een begin met de renovatie was gemaakt. Het scheen op de hoeren die hun stekje op de stoep bewaakten, op de vervuilde, met troep gevulde kanalen en op de mafija-figuren die arrogant op hun BMW's afliepen. Het lage zonlicht was niet in staat om de stad op te vrolijken, zelfs de dierentuin niet, waar de schaduwen langer werden.

De verf van de letters was geschilferd en Viktor had moeite met het lezen van het bord. Hij gaf niet aan dat hij ging remmen en afslaan, en toen hij in zijn spiegeltje keek, zag hij dat de bestelwagen bijna zijn achterbumper en koffer raakte. Er zaten twee mannen in de bestelwagen, onduidelijke gedaantes achter het getinte glas, en ze moesten geweten hebben dat hij hen gezien en herkend had. Hij wist nog wat Rupert Mowbray tegen hem gezegd had tijdens de sessie van een kwartier na het hoofdprogramma van de bijeenkomst, voordat hij en Alice uit Mowbrays kamer waren weggeglipt: 'Russen gaan te werk volgens het pavlovprincipe. Ze wekken psychose en zenuwachtigheid op om ervoor te zorgen dat je niet goed functioneert.' Hij besefte dat ze gezien wilden worden; het was de weg tot psychose. Als hij die weg zou volgen, zouden zijn zenuwen hem de baas worden. Als hij 'niet functioneerde', zou de reddingsactie in de dierentuin op een mislukking uitlopen.

Hij parkeerde de auto. Kinderen op schoolreis door de stad

stroomden uit hun bus, het laatste deel van de rondleiding van die dag door de hoofdstad van de oblast. Hij zag de onderwijzers, zag de bleke, vermoeide, afgeleefde mannen en vrouwen die naarstig probeerden om de kinderen in het gelid te krijgen. De kinderen, actief en vol levenslust, tuimelden uit de bus terwijl hun onderwijzers tegen hen schreeuwden. Toen hij naar de kinderen keek en zijn blik over hun hoofden liet gaan, zag hij de mannen uit de zwarte bestelwagen en de rode personenauto en ze wendden hun gezicht niet af. Het enige wat hij uit zijn auto nodig had was zijn jas. Hij trok hem aan en knoopte hem dicht, zodat zijn uniform, met het goud op de mouwen en de lintjes op de borst, niet zichtbaar was. Hij kocht zijn toegangskaartje van de oude *baboesjka*, die hem vanuit de diepte van haar kiosk nors aankeek, en liep naar de ingang, met benen die van lood leken.

'Is hij hier ooit eerder geweest?'

Bikov stond bij de poort van de dierentuin. Zijn kantoor was gewaarschuwd door Piatkin, de zampolit, en ze waren met gillende banden om bochten gescheurd, terwijl de aanwijzingen van de mannen die Artsjenko hadden geschaduwd hen naar de auto van het doelwit hadden geleid. Ze waren met een schok tot stilstand gekomen op het parkeerterrein en Piatkin was naar Bikov gelopen.

'Niet dat ik weet,' zei Piatkin.

'Wat is hier te zien?'

'Heel weinig.'

'Waarom zou hij "heel weinig" komen zien?'

'Ik heb geen idee.' Piatkin haalde zijn schouders op.

'Blijf in de buurt.' Het bevel werd met zachte stem gesproken. 'Hij komt hier niet zonder reden.'

Hij wuifde Piatkin weg, liet hem zacht in de microfoon spreken die uit het knoopsgat in de revers stak. Artsjenko liep honderd meter voor hen uit, langs het gesloten café van de dierentuin. Bikov hield de man, zijn doelwit, in het oog. Het was niet mogelijk dat zijn doelwit zonder goede reden naar dit vervallen, zielloze oord was gegaan. Het doelwit liep achter de opgewonden groep schreeuwende en joelende kinderen. Alsof hij was uitgerust met een antenne, volgde Bikov hem. Hij was achterdochtig, maar hij kon de 'goede reden' waarom het doelwit hier gekomen was niet ontdekken. Hij kon elk van Piatkins schaduwen die zich ophielden in de omgeving van hokken en kooien er zo uitpikken. Twee bevonden zich achter hem, twee op dezelfde hoogte naast hem en twee liepen voor hem uit en zouden via Piatkins miniatuurmicrofoon aanwijzingen in hun oortelefoon krijgen.

Hij zag het doelwit achter de kinderen drentelen, zag hoe hij op zijn horloge keek. Hij keek op zijn eigen horloge. Vijf minuten voor vier. Joeri Bikov kende geen groter genoegen dan de laatste minuten van de jacht, wanneer de prooi werd ingesloten.

'Delta Twee voor Delta Een. Ik heb hem in het oog. Hij gedraagt zich normaal. Ik heb Doelwit Een in de kijker. In het huidige tempo is hij over twee minuten op de ontmoetingsplek. Ik ben in positie om contact te maken. Wacht, wacht... Ik geloof dat hij vijanden bij zich heeft. Bevestig vijanden nog. Delta Twee uit.'

Billy zei: 'Opschuiven, Jerry. Neem het stuur, Lofty.'

Jerry de Pool verliet zijn plaats achter het stuur, hees zich over de versnellingspook. Hij bleef achter de pook haken en Lofty's vuist raakte hem in zijn rug, duwde hem. Toen zat Lofty achter het stuur en bewoog hij zijn schouders alsof hij zijn spieren los wilde maken. Ze stonden aan de rand van de verste rijbaan van de weg die langs de buitenmuur aan de zijkant van de dierentuin liep. De afstand van de bovenkant van de muur naar het trottoir bedroeg ruim twee meter. Boven de muur was een hek van afhangend gaas, waarin vuil – papier, wikkels, plastic – was blijven steken.

Billy zei tegen Lofty: 'Ham, kan hem zien. Hij gedraagt zich gewoon, doet het goed, Ham is in minder dan twee minuten bij hem...'

'Mooi.' De adem floot zachtjes tussen Lofty's tanden.

'... en Ham gelooft dat hij geschaduwd wordt.'

'O, shit.' Lofty gaf één keer gas, testte het vermogen van de motor, liet het toerental toen weer tot stationair teruglopen. Billy haalde zijn pistool uit zijn riem, laadde het door, schoof de veiligheidspal met zijn duim omlaag en legde het wapen tussen zijn dijen, half verborgen, maar toch bij de hand.

Viktor liep achter de kinderen aan en luisterde met een half oor naar de toelichting die ze kregen van de oudste leerkracht, een zure vrouw. Ze stonden bij een verblijf waarvan de lage, betonnen muren waren afgebrokkeld en in het gaas erboven zaten gaten. In het verblijf was een ingang naar een betonnen grot, waarin onkruid groeide. Op een waanzinnig schuin hangend bord was een leeuwenkop afgebeeld.

'Er zijn nu geen leeuwen. Dit was eens een beroemde dierentuin, maar dit zijn moeilijke tijden. Het is duur om dieren te houden en het valt eigenlijk niet te rechtvaardigen om geld aan dierenvoer uit te geven als er veel mensen zijn die niet genoeg te eten hebben. Maar binnenkort zullen hier apen zijn, chimpansees en andere mensapen. Er komt een ontwikkelingsprogramma om de dierentuin weer in zijn oude glorie als een van de mooiste dierentuinen van Europa te herstellen. De dierentuin werd in 1896 geopend en tegen 1910 waren hier 2126 dieren, waaronder twee Siberische tijgers die door de dierentuin in Moskou waren geschonken. Kijk, kinderen, daar zijn herten.'

Als ze de kracht hadden gehad, als hun ribben niet zo hadden uitgestoken en de spieren van hun achterpoten niet zo verschrompeld waren, hadden de vijf herten zo uit hun verblijf kunnen springen, want het gaas dat ze binnen moest houden was omlaaggekomen. Ze graasden op modder, waarin geen grassprietje te bespeuren was, en snuffelden aan de oude boterhammen en sinaasappelschillen die in het verblijf gegooid waren. De tv liet soms wel antilopen en gazellen zien, grazend op de Afrikaanse vlakten, en Viktor keek graag naar dat soort programma's, maar deze herten waren onherkenbaar. In een betonnen kuil was een beer die als een gek op en neer liep, en de kinderen gingen eromheen staan en schreeuwden om de aandacht van het dier te trekken.

Hij stak een kanaal met stilstaand, smerig water over en de kinderen huppelden en dansten voor hem uit. Hij zag de oorzaak van hun opwinding. Bij het hek langs de zijkant van het park was weer een betonnen bunker. Het oude bord vermeldde dat hier het nijlpaard woonde, maar de onderwijzeres drukte het enthousiasme de kop in.

'Nee, kinderen, het spijt me. Er zijn twee hyena's uit Afrika die we gaan zien. Er zijn geen olifanten, neushoorns of nijlpaarden, die komen hier wel binnenkort, maar ze zijn nog niet gearriveerd. Luister, kinderen... Vóór de grote Patriottische Oorlog waren er veel dieren in de dierentuin, maar de meeste zijn doodgemaakt en opgegeten door de Duitse fascisten die in Kaliningrad woonden voordat de stad werd veroverd door de helden van het Rode Leger. Slechts vier dieren overleefden de oorlog: een hert, een vos, een das en een nijlpaard. Toen de dierentuin werd ingenomen, vonden onze soldaten het nijlpaard. Ze vonden het een lief beest en probeerden het te redden, maar het wilde niet eten. Het lag op sterven, want het had veel geleden van de gevechten en van verwaarlozing. Na vele dagen, terwijl het nijlpaard verhongerde en de soldaten de wanhoop nabij waren, werd er besloten om wodka te proberen. Ja, wódka! Twee weken lang kreeg het nijlpaard vier keer per dag wodka en wonder boven wonder werd het nijlpaard weer gezond. Totdat het doodging, was het nijlpaard het populairste dier in de dierentuin, en dat geweldige beest is ook het symbool van de dierentuin geworden. Er is beloofd dat er binnenkort weer een nijlpaard in de dierentuin zal komen. Kom, bij elkaar blijven, dan gaan we de hyena's zoeken.'

Hij kon haar niet langer horen. Ze leidde de kinderen weg. Hij keek weer op zijn horloge. Twee minuten over vier. Hij moest blijven staan. Het zou heel moeilijk zijn om zich natuurlijk te gedragen. Als hij een sigaret bij zich had gehad, zou het gemakkelijker geweest zijn, maar hij had geen sigaretten en ook geen gids die hij kon bestuderen. Hij zag de man aan de overkant van het nijlpaardenverblijf en ving zijn blik op. De man staarde terug. Hij draaide zich om, tegen de voorgeschreven gedragsregels in, en zag nog twee mannen die naar hem stonden te kijken zonder zich er druk om te maken of hij hen gezien had. Een heel eind achter hen, met zijn terugwijkende haargrens en in de wind wapperende pieken haar, stond Piatkin. Ze waren overal om hem heen, op drie, vier seconden afstand als ze renden. Hij kon alleen maar wachten: hij stond op de plek die Alice hem had opgegeven. Een gedrongen man, met een buikje dat schuilging onder een overall, kwam zijn gezichtsveld binnen. Hij had twee volle plastic zakken bij zich, alsof hij zojuist boodschappen had gedaan. Als hij rechtdoor liep, zou hij tegen Viktor op botsen of langs hem strijken. Het hoofd van de man leek iets te buigen en even rustte het op zijn borst en zag Viktor dat zijn lippen bewogen.

'Delta Twee voor Delta Een. Ga het contact met Doelwit Een tot stand brengen. Ik bevestig dat er vijanden zijn. Hou je gereed, hou je gereed. Delta Twee uit.'

Billy Smith wist dat die vluchtige contacten het moeilijkst waren en ten koste van alles vermeden moesten worden. Bij zo'n vluchtig contact werd er een mondelinge boodschap doorgegeven of werd er een stukje papier in de hand van de ander gedrukt. Het was verdomd moeilijk. Zijn hand rustte op de pistoolkolf tussen zijn benen.

De man slenterde nog steeds in de richting van Viktor.

Viktor wendde zijn blik van de man af. Hij keek naar rechts of hij de contactpersoon kon zien naderen en vervolgens naar links. Het was niet erg professioneel, maar hij kon er niets aan doen. Waar waren ze? Waarom kwamen ze niet? Om hem heen waren zijn bewakers. De man die eruitzag als een arbeider kwam dichterbij, langzaam en ontspannen, en Viktor geloofde dat hij vrijgenomen had van zijn werk om boodschappen te doen en nu een korte weg terug door de dierentuin nam naar wat hij ook maar deed, bouwvakker, loodgieter, mecanicien, bankwerker. Viktor zag de contactpersoon nergens en het was nu vier minuten over vier. Hij voelde het bonzen van zijn hart. Hij zag de contactpersoon nergens, zag alleen de bewakers die zo'n twintig, dertig meter van hem verwijderd waren. Hij had geen opleiding gehad in contrasurveillance- en ontwijkingstactieken. Dat waren niet de vaardigheden van de chef-staf van de opperbevelhebber van de vloot. De man, de arbeider, kwam dicht langs hem heen. Hij hoorde de woorden, in het Russisch, en aanvankelijk drongen ze nauwelijks tot hem door.

'Ik kom van Alice. Volg me over tien tellen. Neem dezelfde route.'

Viktor schrok. De man was hem voorbij en liep zorgeloos voor zich uit fluitend weg. Zijn Russisch was heel goed geweest, maar het idioom schools en het accent buitenlands. Hij begon te tellen. Een en twee en drie... Waar moest hij aan denken terwijl hij telde? Vier en vijf en zes... Hij dacht aan de zon die onderging boven de stad en de heldere warmte die zich over zijn gezicht verspreidde en de vroege zon van de dageraad de laatste keer dat hij en Alice samen waren geweest. Zeven en acht en negen... Hij dacht aan waar de zon nooit kwam, 's ochtends, 's avonds of midden op de dag, en in zijn gedachten vormde zich een beeld van een binnenplaats van een gevangenis met dik gaas erboven, van de boeien die in zijn polsen sneden en de mannen die zijn armen vasthielden tijdens de wandeling van de getraliede deur naar het midden van de binnenplaats, waar de afvoergeul was en, iets verder, al ontrold en gereed, de slang die aan de kraan zat. Tien... Hij zakte door zijn benen en knielde. De man verwijderde zich, steeds sneller.

Viktor volgde. Hij moest zijn voeten vooruitschoppen om in beweging te blijven. Er waren nu geen kinderen om naar te kijken of een onderwijzeres om naar te luisteren. Hij had de bewakers die voor hem liepen gezien, en toen hij rechts langs de berenkuil kwam en het gestoorde beest kon zien ijsberen op het beton en in zijn eigen stront kon zien krabben, was er nog een andere bewaker aan die kant opgedoken. Ze sloten hem in. Weer een andere bewaker was van hem gescheiden door het verblijf van de poolvossen. En er zouden bewakers achter hem lopen die hem schaduwden en achter hen – hij hoefde zich zelfs niet om te draaien om het bewijs ervan te zien – zou zich Piatkin met zijn radio bevinden. Ondanks zijn loodzware benen die hem ophielden en het hevige gebonk van zijn hart, zou hij het het liefst op een lopen gezet hebben, om achter de man voor hem aan te jagen. Dat zouden ze graag willen. Dan zouden ze op hem afkomen. Wanneer Viktor bleef staan, bleven de bewakers aan weerszijden ook staan. Als hij zich weer in beweging zette, deden zij dat ook. Hij week af van de directe route, de weg die de man voor hem had gevolgd, en ging rechts van een enkele, gekooide eland die een gebroken gewei had. Het was een gechoreografeerde dans, de bewegingen aan elkaar aangepast. Hij kon het tempo ervan niet verbreken.

Er kwam een floers voor zijn ogen. De rug van de man voor hem werd wazig. Hij kon vier bewakers zien, naast hem en voor hem uit, terwijl ze in hun dans naar het hek om het dierenpark bewogen, maar het konden er tien of vijftig of een heel leger geweest zijn. Ze lieten hem in een val lopen. Viktor marcheerde met zijn bewakers op een pad door verwilderde, met rommel bezaaide bloemperken. De man naderde het hek. Het viel Viktor moeilijk om scherp te zien. Bij het hek, achter een groepje berken, aarzelde de man. Hij bleef staan, maar keek niet om. Viktor bleef staan. Ze keken allemaal naar hem, hadden allemaal hun gezicht naar hem toe gedraaid. Viktor was zich bewust van de vakkundigheid van de man die het contact gelegd had; ze hadden hem niet gezien, hij was hun niet opgevallen. Viktor vocht tegen zijn tranen. De man dook omlaag en was verdwenen.

Viktor zag het gat in de hek, half verborgen door de stammen van de berken.

Aan de andere kant van het gat was de vrijheid. De ontsnappingsplaats, iets meer dan honderd meter verderop, wenkte hem. Hij kon het geraas van verkeer achter het gat en de bomen horen en hij zag de bovenkant van de cabine van een vrachtwagen voorbijschieten. Hij dwong zich om door te lopen. De bewakers verhoogden hun tempo. Hij begon te draven en zij draafden mee. Hij zoog de lucht diep in zijn longen. Nog een paar seconden, nog een paar meter. Het gat gaapte groter. Hij ging sneller, nam grotere passen dan hij op het strand deed. Voor hem uit draaiden de bewakers zich naar hem om, als marionetten van een poppenspeler, alsof ze de passen uitvoerig gerepeteerd hadden, en de twee bewakers aan weerszijden van hem namen de kortste weg door de modder en het onkruid van de bloemperken en vormden een rij met de anderen die de doorgang naar de berken en het gat in het hek afsneden. Viktor ging langzamer lopen; de sprint ging over in draf, de draf in wandeltempo. Hij was maar een paar meter van hen verwijderd. Ze staarden naar hem, zonder mededogen in hun ogen. Hij hoorde het geluid van zware voetstappen achter zich.

Viktor keek door de bomen en door het gapende gat in het hek. Een oude Mercedes stond aan de overkant langs de stoeprand geparkeerd. Hij werd geblokkeerd.

De bewakers versperden hem de weg. De vuisten van een van hen waren stijf gebald in zwarte, leren handschoenen. De handen van een ander waren dreigend weggestopt in een jaszak, alsof ze een wapen omklemden. Een van de mannen hield een Macharov pistool dicht tegen zich aan geklemd, hij kon het wapen elk moment opheffen en richten. Viktor had geen verborgen wapen, geen bescherming.

Het achterportier van de Mercedes werd opengehouden. De man die langs hem geschampt was, die hem Alice' naam had gegeven, was zichtbaar in de portieropening. De man achterin was nauwelijks zichtbaar. Er zaten nog twee mannen voorin. Hij kon door de bomen en het hek, door het geopende portier aan de overkant van de weg, zien dat de man die langs hem gestreken was een hoofdbeweging maakte. Kom... kom... kom nou, verdomme. Ze wachtten op hem. En opeens besefte Viktor dat als hij nog langer naar het open portier van de auto die hij niet kon bereiken keek, een van de bewakers zich kon omdraaien om zijn blik te volgen. Dus schudde Viktor langzaam, nauwelijks waarneembaar, zijn hoofd.

Hij draaide zich om. Hij hoorde hoe achter hem een portier dichtsloeg en een auto snel wegreed. Hij liep met energieke pas terug naar het nijlpaardenverblijf, de gekooide eland, de berenkuil en het betonnen hol van de poolvossen. Hij liet zijn toegangskaartje in een overvolle vuilnisbak vallen, ging door de poort en deed het portier van zijn auto open.

Viktor zou over een uur weer terug zijn op het hoofdkwartier van de vloot, weer terug bij zijn telefoon en het volle bakje voor binnenkomende post. Hij vermoedde dat hij de volgende dag of de dag daarna gearresteerd zou worden.

Hij had om hulp geroepen... en was gehoord. Ze waren gekomen. Het was niet gelukt. Hij zat in zijn auto en had zijn hoofd op zijn armen gelegd. Het stuur ving het gewicht van zijn hoofd en armen op, en kapitein-luitenant-ter-zee Viktor Artsjenko begon te huilen. Het was zijn enige en laatste kans geweest.

Terwijl hij heen en weer werd geschud in de voortrazende auto, verzond Billy het bericht met de apparatuur die half uit het handschoenenkastje voor hem hing: FRET AFGEBROKEN.

'Ik weet niet of het doorkomt,' zei Billy. 'Niet met ons hier beneden en al die toestanden om ons heen. Hebben jullie zijn gezicht gezien? Als een opgejaagd dier, die arme klootzak.'

Ham imiteerde het rauwe Oost-Londense accent van Billy Smith: '"Daar moet u uw schoonheidsslaapje niet door laten verstoren, mevrouw. Wij halen hem daar wel weg." Ja hoor.'

Zonder zijn ogen een moment van de weg te nemen, de aanwijzingen volgend die door Jerry de Pool werden afgeroepen, zei Lofty: 'Het is niet onze schuld, we hebben gedaan wat we konden.'

'Maar dat was niet genoeg,' zei Billy, en de bittere klank van zijn stem galmde door de auto.

10

V. Waar eiste de pest tussen 1709 en 1711 meer dan een kwart miljoen levens?
A. Kaliningrad.

Drie keer had Locke met woede in zijn stem gezegd dat ze er een puinhoop van gemaakt moesten hebben en dat er daarom geen radioverkeer was geweest en drie keer had Alice hem koppig geantwoord: 'Ze kunnen ergens geweest zijn waar ze geen ontvangst hadden toen ze hem oppikten en daarna waren ze onderweg en hadden ze het te druk. En het laatste stuk was door de velden en dan hebben ze wel iets anders aan hun hoofd.'

De hoop vervaagde voor Alice en Lockes vermoeden werd bevestigd toen de koplampen van de oude Mercedes hen beschenen naast de weg. Ze waren drie kilometer van de grens en twee kilometer van Braniewo. De lichten verrasten hen, verblindden hen, en Alice sprong uit de auto en holde naar de Mercedes die achter hen parkeerde.

Hij zag Alice bij het raampje van de bestuurder en zag hoe Jerry de Pool alles uitlegde en machteloos zijn schouders ophaalde. Ze kwam niet terug naar de auto waar hij zat, maar begon in een kringetje rond te lopen. Ze had haar hoofd gebogen terwijl ze langs de rand van de schaduwen liep. Hij ging niet smeken, ging niet naar haar roepen: 'Hallo, als je even de tijd hebt, zou je me dan willen vertellen wat er precies gebeurd is?' Er hoefde hem niets verteld te worden, want de manier waarop Jerry de Pool zijn schouders had opgehaald was voor een idioot al duidelijk geweest. Gabriel Locke had hun dit allemaal al een week geleden kunnen vertellen en had hun dat ook verteld, maar er was niet naar hem geluisterd: '*Er kan niets aan gedaan worden.* Ik zou het een pragmatische benadering willen noemen, de realiteit versus een vervlogen tijdperk van sentimentaliteit en emotie...' Hij had het gezegd. Hij kon zijn eigen woorden horen. Hij herinnerde zich de kalme evaluatie van de majoor uit Hereford. Ze hadden moeten luisteren. Als ze voortmaakten, plankgas wegreden, konden ze in de loop van de avond in Gdansk terug zijn, morgenochtend vroeg de Duitse grens oversteken en nog dezelfde ochtend in Londen aankomen. Ze kwamen uit de greppel.

Hij telde. In het schaarse licht dat er was telde hij de gedaantes en kwam tot vier. Ze werkten zich uit hun overalls en het water van de greppel liep van hen af. Locke stapte uit zijn auto. Hij had het recht om het verhaal te horen, maar zou er niet om smeken. Hij keek Billy aan, maar de man wendde zijn blik af en trok de pijpen van de overall over zijn dijen en schenen. Locke ging naar Ham. Hij zag de man weer voor zich in zijn cel, zijn arrogantie en zijn Russisch: 'Ja, dat doe ik. Geen probleem. Ik ga naar Kaliningrad.'

Ham zei: 'We hebben gedaan wat we konden en wat ons gevraagd was. Het ging gesmeerd, het had kunnen lukken. Wat er gebeurd is? Oké, dat zal ik je vertellen. Hij kwam naar de dierentuin en wij waren er op tijd om de boel goed te verkennen. We vonden een plek waar een gat in het hek zat, naast een lager gelegen, redelijk goede weg. Wij waren daar en hadden heel snel weg kunnen zijn. We zagen hem, hij was op tijd, precies op tijd. Die dierentuin is een puinhoop. Je moet wel een heel trieste figuur zijn als je daarheen wilt. Misschien zijn er veel trieste figuren in Kaliningrad, maar er waren er niet al te veel in de dierentuin. Afgezien van een paar kinderen was er geen kip. Ik zag hem en hij deed wat we hem gezegd hadden en ik zag ook dat hij gevolgd werd. Jullie zeiden dat er sprake was van "extra surveillance", maar dat was een understatement. Voordat ik bij hem in de buurt kwam voor het contact, dacht ik er al zes gezien te hebben, met een gozer op de achtergrond die de radioverbinding onderhield en achter die vent nog een paar kerels die zich afzijdig hielden. De mannen die zich afzijdig hielden, waren volgens mij de kopstukken, de grote jongens – je krijgt een neus voor dat soort zaken – vooral één van die gasten. Maar goed, ze hadden hem ingesloten, het traditionele werk, zonder dat ze echt hun best deden. Het leek wel een vorm van intimidatie. Alsof ze gezien wilden worden en hem onder druk wilden zetten. Oké, dat is een bepaalde tactiek: bouw de druk op, maak hem stuk. Maar goed, hij maakte de indruk dat hij zijn bewakers gezien had. Toch was het niet slim, want alle ogen waren op hem gericht, niet op mij. Mijn taak ging prima. Ik liep langs hem heen en zei twaalf woorden – wat nog geen vier seconden duurde – waarin ik hem vertelde wat hij moest doen. We keken elkaar geen moment aan en ik bleef in beweging. Ik deed het goed en dat weet ik, omdat zijn bewakers me helemaal niet zagen. Ik moet zeggen dat al die bewakers me een goed excuus gaven om te nokken voordat ik contact maakte. Hij was in uniform, maar had een jas over zijn uniformjasje. Hij zag er keurig uit, alsof hij net van kantoor kwam of zo. Precies zoals hij eruit moest zien, zonder verder iets bij zich te hebben. Ik zag hem pas weer toen ik in de auto zat, want ik kon me niet omdraaien om te zien wat hij deed, niet met die bewakers om hem heen. Ik had op moeten vallen, maar dat gebeurde niet, en dat was een slecht stukje werk van die mensen. Ze zagen alleen hem maar. Ik ging door dat gat omlaag en stak de weg over naar de auto. We konden zo weg. Vanuit de auto, door het open portier, zag ik hem. Hij zou zich door die gasten heen hebben moeten vechten en zeker één van die jongens was gewapend. We riepen natuurlijk niks, maar we spoorden hem inwendig aan om het erop te wagen. Wij allemaal. Als hij het gedaan had, als hij zich een weg langs die mensen gebaand had en de straat was overgestoken, en als Billy een paar schoten over hun hoofden had gelost om te zorgen dat ze zich die paar noodzakelijke seconden gedeisd hielden, zouden we hem achter in de auto gehad hebben. Lofty zou in actie gekomen zijn en we zouden geen schijn van kans gehad hebben, echt geen schijn van kans, om daar goed weg te komen. Hij keek alleen maar even naar ons en draaide zich toen om. Het was verstandig en realistisch en behoedde ons voor een hoop vervelende dingen. Hij liep weg alsof we er niet waren, alsof die bewakers er niet waren. En zo is het gegaan.'

Locke zei: 'Het was een futiele poging, je reinste tijdsverspilling. Laten we maken dat we wegkomen.'

Wat Gabriel Locke verbaasde, was dat ze zich niet haastten. Billy stond nog steeds voorovergebogen en schudde het water van de sloot uit zijn laarzen en Lofty hield Alice stijf vast. Ham rolde een shagje en stak dat op. Wickso haalde een thermosfles tevoorschijn, schonk thee of koffie in de dop en liet die rondgaan, maar Locke kreeg niets aangeboden.

'Blijven we hier de hele nacht?' wilde Locke weten. 'Het is een puinhoop geworden, zoals dat er onvermijdelijk in zat. Wat willen jullie, een tent? Willen jullie hier vannacht kamperen? Ik zei: laten we gaan.'

Maar ze wachtten tot Billy zijn laarzen had gedroogd, tot Ham zijn shagje had gerookt en Wickso's thermosfles leeg was. Toen waren ze klaar. Lofty had zijn arm om Alice heen geslagen en ze liepen in een hechte groep naar de oude Mercedes. Billy ging voorin zitten en de rest van het gezelschap perste zich achterin, met Alice op Lofty's schoot.

Voordat hij het portier dichtdeed, zei Ham: 'Meneer Locke, nog één ding. Door hem zijn we goed weggekomen. Hij had de moed om van ons weg te lopen. Als u zijn gezicht had gezien, zou u niet zo dom lullen.'

Het portier sloeg dicht.

Locke reed achter hen aan en Hams venijn klonk na in zijn oren.

Het was warm geweest in de cel en de matras in de cel had lekker gelegen. Als de vrouw in de rechtszaal bij haar verhaal was gebleven en hij veroordeeld was, zou Ham Protheroe een jaartje in de bak best hebben kunnen overleven. Hij zou het niet leuk gevonden hebben, maar hij had het wel overleefd. Ze zou het alleen niet tot de rechtszaal hebben laten komen. Ze zou de druk niet aangekund hebben, zou haar aanklacht hebben ingetrokken en geprobeerd hebben haar waardigheid intact te houden. Veertien jaar lang was er niemand bij hem gekomen, had niemand hem iets gevraagd of zijn hulp gezocht. Dat hadden zijn ouders in de buitenwijk in Cheshire ook niet gedaan, nadat hij van hen 'geleend' had. Ze hadden hem verzekerd dat de foto's van hem uit de lijstjes gehaald, verscheurd en in de prullenbak gegooid waren, en hij stond ook niet langer in hun testament. En hij was uit de marine en uit het Eskader gegooid. Ham Protheroe, een communicatie-expert die vloeiend Russisch sprak, was 39 en een dolende ziel, een geëvacueerd kind zonder naamkaartje op een trein die nergens heen ging. Er was geen liefde in zijn leven. Toen het lijk uit het water was gevist, toen die klootzakken van de recherche met hun sombere gezichten hem ondervraagd hadden, had hij gelogen en was hij niet bezweken, maar toen hij uit de verhoorkamer was gelopen, hadden zij hun minachting voor hem niet onder stoelen of banken gestoken. Veertien jaar lang had hij, zonder familie, een op leugens gebaseerd leven geleid.

Waarom was hij hier?

Locke – de 'stomme zak' – had hem weggehaald uit het politiebureau en hem zijn familie teruggegeven. Het was alsof hij weer terug was in de sneeuw en op het ijs of in de kano in de wildernis en de fjorden in het noorden van Noorwegen, alsof hij weer op oefening was en de stalen ladders van de boortorens beklom, terwijl de Noordzee onder hem op het staal en beton beukte, alsof hij weer terug was op de zware marsen op Exmoor en door de Beacons, alsof hij weer herenigd was met zijn trots.

Het was een zuivering voor Ham, een reiniging van de stank van die minachting. Hij had de weg naar Damascus bewandeld. Hij had zich laten rekruteren om de nare lucht uit zijn neus te krijgen.

Locke parkeerde bij de jachthaven, niet op het verlichte parkeerterrein waarvan de gasten van het Excelsior-hotel gebruik konden maken.

De Fiat stond er nog steeds. Een paartje zat te vrijen op een bank bij de auto. Locke liep langs de auto, langs het stel, in de richting van de pontonbrug, dit tegen de regels van de gangbare procedures en het gezond verstand in. Hij had niet in de buurt van de auto mogen komen, had niet naar de brug mogen gaan die naar de aanlegplaatsen leidde. Hij keek omlaag. Er waren lage lichten op de brug en kade, maar de door schijnwerpers beschenen hoge gebouwen van de oude stad aan de overkant van de rivier wierpen beter licht over de jachthaven. Bovendien kwam er nog licht van de cafés en restaurants. Door het weerspiegelde licht wist hij waar hij moest kijken.

Hij kon de broekspijp of een oplichtend stukje witte huid dat zichtbaar zou zijn tussen omslag en sok niet zien, maar zag wel de schoen. Hij dreef tussen een witte, plastic zak en een container waarin smeerolie had gezeten voordat hij overboord was gegooid. De schoen was er de hele dag al geweest en was niemand opgevallen. Als hij naar de pontonbrug was gelopen, over de met tussenruimte gelegde planken, zou hij misschien omlaaggekeken hebben, omdat hij wist waar hij moest kijken en had hij, door een kier tussen de planken, wellicht de ogen kunnen zien van de man die hij had vermoord.

Locke reed zijn auto naar het parkeerterrein. Hij haalde zijn sleutel op bij de receptie en er werd hem gevraagd of hij die avond in het restaurant zou eten. Hij sloeg een tafeltje af en ging naar zijn kamer. Een minuut lang leunde hij tegen de gesloten deur, toen ging hij naar de badkamer en gooide koud water in zijn gezicht. Terwijl het water uit de kraan liep en tegen zijn gezicht spatte, zag hij de schoen zacht bewegen naast de pontonbrug.

Hij reed naar de bijeenkomst en zou te laat komen.

'Ah, de eerwaarde heer Locke... We begonnen ons al bijna zorgen over u te maken. Een vergadering zonder iemand met een geweten is nooit goed. Ik zal alles zo voor u samenvatten om u duidelijkheid te verschaffen. Mijn verontschuldigingen.'

In de glimlach op Mowbrays gezicht meende Locke de kou te zien van een januaristorm die van de rotsen naar zijn vaders boerderij waaide. Het team zat opeengepakt in de hut. Je kon er je kont niet keren. Er was een kaart over het bed uitgespreid en zij zaten, knielden of hurkten eromheen; Alice zat naast de patrijspoort met haar bloc-note. Mowbray was het middelpunt en Jerry de Pool bewaakte de deur in het smalle gangetje, stond er met zijn rug tegenaan, maar was de buitenstaander, behoorde niet tot de kring. Jerry de Pool moest twee keer kloppen voordat de deur voor Locke was opengedaan.

'We zijn hier allemaal aanwezig, Gabriel, behalve de kapitein, die bij het eerste halfuur van de vergadering was, maar die nu weg is om de afvaart te regelen. Het is een goede, productieve vergadering geweest, maar zou ongetwijfeld aanmerkelijk beter geweest zijn als jij je waardevolle bijdragen had geleverd. Spijtig. Dus dat is het wel, heren. Ik heb Londen laten weten dat het kan lukken. Ik ga nooit op reis met maar één enkele mogelijkheid op zak. Ik heb altijd in het onvermijdelijke van het onverwachte geloofd. Bescherming tegen het onverwachte is een tweede mogelijkheid. Ik heb Londen verteld dat het kan lukken als het ons een beetje meezit, wat me een redelijke evaluatie lijkt, dachten jullie ook niet? Maar, en dit is een héél belangrijk punt, ik ben niet degene die deze tweede mogelijkheid gaat verwezenlijken, dat zijn jullie, heren. Twintig jaar geleden zou ik jullie waarschijnlijk vergezeld hebben. Ik zal daar niet zijn, jullie wel. Ik weet niet meer hoelang het geleden is – dat gebeurt nu eenmaal als je ouder wordt – maar hoelang het ook is, ik heb toen in dat vreselijke huis in Surrey tegen jullie allemaal gezegd: "Als iemand van jullie weg wil, dan is dit het goede moment." Is er iemand van gedachte veranderd?'

In de stilte hoorde Locke iets zacht krabben aan de deur van de hut, gevolgd door een doffe bons en het gejank van een hond, waarna de stilte weer inviel. Alice keek geen moment op van haar blocnote. Billy's vingers bewogen nog steeds peinzend door het haar in zijn nek en Lofty porde doelloos met een tandenstoker in zijn mond terwijl hij naar Alice staarde. Locke keek naar de vloer. Hij zou pas iets zeggen wanneer iedereen uit de hut was, niet in hun aanwezigheid, want dan zouden ze de spot met hem drijven. Hij zag de kale plek op zijn rechterschoen, het gevolg van een struikelpartij bij het afstapje van de loopplank, bij het aan boord komen. Toen hij opkeek en zijn ogen over het gezelschap liet gaan, werd zijn aandacht getrokken door het zachte, onophoudelijke getik van Hams vinger op de kaart. Het was de kaart die hij in Poole had gezien, zeekaart nummer 2278, die de vaarroute naar Baltijsk aangaf, de haven waar de Oostzeevloot lag. Hij zag Hams buikje en Billy's grijze haren en vroeg zich af waarom niemand iets zei.

Mowbrays stem galmde in de leegte. 'Iedereen van de partij? Dank u wel, heren. Zoals de grote man al zei: "Ik zie hoe u gereedstaat als windhonden in het hok. Gespannen voor de race. De wedstrijd kan beginnen." Goed zo, heren.'

'Ik geloof niet dat we die kennen, meneer Mowbray,' zei Wickso.

'*Henry the Fifth*, derde bedrijf, eerste scène.'

Ze liepen een voor een de hut uit. Ham hield een velletje papier in zijn handen en leek het te lezen. Zijn lippen bewogen en Locke ving de gemompelde woorden op, Russisch. Alice bleef achter, haar vingers losjes op de hanger bij haar keel; hij had niet gekeken of de mannen hun presentje nog droegen. Haar gezicht stond strak, haar lippen vormden een smalle streep en een frons kerfde haar voorhoofd, alsof ze een zware last droeg. Natuurlijk was ze van streek geweest toen het misgegaan was, toen Lofty haar in zijn armen had gehouden. Het was alsof ze wist dat Gabriel Locke niet kon wachten om heibel te schoppen. Mowbray keek even naar haar: hij knikte kort en wees met zijn vinger naar de deur. Hun ogen ontmoetten elkaar, die van Mowbray en Alice, alsof ze een geheim deelden, en Mowbray glimlachte alsof hij geen zorgen had en zij zich ook niet ongerust moest maken. Toen ze langs hem liep, streek haar hand langs het tweed van zijn jasje. Locke was buitengesloten, op dezelfde manier afgesneden als Jerry de Pool, die in de gang de deur bewaakte. Daar zou hij verdomme verandering in brengen.

Ze waren alleen.

Mowbray zei: 'Bijzonder spijtig dat je niet tijdig op de bijeenkomst kon zijn, Gabriel. Maar goed...'

'Ik denk dat we wel genoeg sarcasme hebben gehoord.'

'Goed, de zaken staan er als volgt voor. Om bij het begin te beginnen, de *Princess Rose* vaart vanavond uit, maar maakt slechts geringe vorderingen. Kort nadat de loods ons verlaat – en met ons bedoel ik de bemanning, mijzelf en onze vier strijders – wanneer we ons even buiten de Russische territoriale wateren bevinden, krijgen we weer dezelfde problemen met de motor. De weersverwachting is een zegening, een uiterst welkome meevaller. Op een aanwakkerende zuidwester zullen wij in de richting van Kaliningrad drijven. Morgenavond, zodra het donker is geworden, zullen onze krijgshelden bij de Baltiskaja Kosa met een rubberboot aan land gaan. Als leden – herstel – als voormalige leden van een elite-eenheid zijn zij hiervoor opgeleid. Ze zullen Fret ontmoeten en hem terugvaren naar de *Princess Rose*. De problemen met onze motor zullen als door een wonder verdwijnen, en wij maken dat we wegkomen naar de grote, open zee, alsof we een dolfijn zijn die door een orka wordt achtervolgd. Jij en Alice zullen...'

'Dat is krankzinnig,' siste Locke tussen zijn tanden. 'Dat is je reinste waanzin.'

'Als je hier was geweest, Gabriel, in plaats van waar je ook maar geweest bent, had je gehoord hoe onze krijgshelden het risico als aanvaardbaar bestempelden. Ze hebben hun medewerking toegezegd.'

'Omdat het zielenpoten zijn. Moet je ze zien.' Lockes stem verhief zich, weerkaatste van de wanden van de hut. 'Je zou je moeten schamen, je hebt die mensen gemanipuleerd, ouwe gek. Het zijn kerels van niks. Je hebt tegen Londen gelogen.'

'Misschien inderdaad een "ouwe gek", Gabriel, maar ook een knokker en wat ik van straatgevechten heb geleerd, is dat je meteen terugslaat. Begrijp je me, Gabriel? Londen staat achter me. Wil je dat met eigen oren horen? Bel Bertie Ponsford dan. We hebben hier een beveiligd communicatiesysteem. Praat eens met Peter Giles. Is dat nog niet voldoende? Bel dan de almachtige God, laat de directeur-generaal zijn blauwe telefoon opnemen. Heb je al een baantje in Londen op het oog? Ik zou als ik jou was Ponsford, Giles of de directeur-generaal pas bellen als je al een andere werkkring geregeld hebt. Ze zijn zo enthousiast allemaal. Ik hou alleen maar even de score voor je bij, Gabriel, ik bedoel het goed.'

'Wat ik denk...'

'Moet ik weten wat jij denkt? Je bent nog maar net klaar met je opleiding.'

'Ik denk dat je Londen om de tuin hebt geleid.'

'Het zijn volwassen mensen, die gewend zijn om zelf hun conclusies te trekken. Geloof je echt dat die op een onheilsverhaal van jou zitten te wachten, van iemand die nergens geweest is en niets heeft gedaan? Aan jou de keus, probeer het maar.' Mowbray maakte een weids armgebaar naar de communicatieapparatuur die aan een laptop gekoppeld op het tafeltje tegenover het bed in de kajuit stond.

Hij had geen keus. Hij was verslagen, op dezelfde manier ingesloten als codenaam Fret die middag in de dierentuin was geweest. Hij kon rapport uitbrengen, maar alleen naderhand. Nu de operatie was goedgekeurd, kon hij het niet over een negatieve boeg gooien. Mowbray keek hem stralend aan, alsof hij besefte dat hij gewonnen had. Locke gaf hem ervan langs.

'Je bent gepensioneerd. Je hebt je weer in de organisatie weten te wurmen, maar tegen een hoge prijs. Je leeft helemaal op je ego, ijdelheid is eten en drinken voor je. Je bent te verwaand om de mislukking van je belachelijke plan toe te geven, dus graaf je een nog dieper gat en trek je andere mensen met je mee. Al die stomme kletspraat die je verkocht hebt, zal je nog duur komen...'

'Je stelt me teleur, Gabriel.'

'Ik wil hier niks mee te maken hebben, verdomme. Hoor je me? Níks!' Maar hij liet zijn hoofd hangen. Hij was verslagen, kon niet vertellen welke rol hij in het verhaal speelde. 'En hij is een verrader,' zei Locke norse. 'Hij is dit niet waard.'

Even dacht Locke dat hij een klap zou krijgen. Mowbrays vuist balde zich, greep toen de stof van zijn broek beet. De stem klonk rustig, gemeenzaam. 'Wanneer je terugkomt in Londen, Gabriel, wil ik dat je je chef vraagt of je een dagje in het archief mag doorbrengen. Lees dan over Popov en Penkovski, lees over de agenten die door Blake, Ames en Hanssen verraden zijn, lees over de mannen wier namen op Philby's bureau terechtkwamen, voordat ze in Estland, Litouwen of

Letland gedropt werden of met een snelle boot naar Albanië werden gestuurd. Lees over de dood van mannen die niet bereikt konden worden. Wil je dat doen, Gabriel?'

Hij zei korzelig: 'Dat was eeuwen geleden.'

'Zorg altijd dat je je geschiedenis kent, Gabriel, dat zeg ik ook tegen mijn studenten. Zonder de kleren van de geschiedenis aan je lijf ga je naakt door het leven. Goed, waar waren we? O ja, jij en Alice worden door Jerry de Pool naar de Mierzeja Wislana gereden, het Poolse gedeelte van de landtong, voordat die overgaat in de Baltiskaja Kosa, naar een punt vlak aan de grens, waar je de beste verbinding hebt met de krijgshelden wanneer die eenmaal aan land zijn. Jij bent mijn tussenstation, mijn relaiszender. Denk je dat je dat aankunt, Gabriel?'

Locke knikte grimmig.

'Waarom drink je niet wat, zeg? Wat dacht je van een stevig glas goede whisky?'

Locke zei: 'Als dit de mist ingaat en dat zal zeker gebeuren, wil ik je bij dezen laten weten dat ik over elk aspect van deze krankzinnige onderneming verslag zal uitbrengen. Van de reputatie die je in het kader van de Oude-Lullenwet nu misschien geniet, zal geen spaander heel blijven. Ik zal doen wat ik moet doen, maar ik beloof je dat ik geen stap méér verzet, zelfs geen halve stap, dan strikt noodzakelijk is en ik zal je zien hangen.'

'Doe me een lol en zeg dit niet tegen Alice. Whisky puur of met mineraalwater?'

Locke liep weg.

Een politieagent, die een beschrijving en het kenteken van de Fiat had gekregen, vond de auto. Hij liep behoedzaam om de Fiat heen. Hij kon de aktetas met de open klep tussen de kinderzitjes zien. Het viel hem op dat de deur aan de kant van de bestuurder niet op slot zat. Hij meldde zich en gaf het nieuws door.

De ether werd overvoerd met berichten. Het consulaat in Gdansk belde de ambassade in Warschau. De vaste agent op de ambassade belde de Loebjanka. De beambten in de Loebjanka, die nu gealarmeerd waren, belden het consulaat in Gdansk en eisten een onmiddellijke reactie. Wat was er in de auto gevonden? Waren er enige aanwijzingen die duidelijk maakten wat de agent had gedaan? Weer volgde een koortsachtige uitwisseling tussen de consul en de Loebjanka. Was de aktetas leeg? Stond de auto dicht bij het Excelsior-hotel? De aktetas, die de consul had opgehaald van het hoofdbureau van Gdansk, waar het licht tot laat op de avond brandde, was leeg, afgezien van de persoonlijke agenda van de vermiste man; de auto stond tweehonderd meter van dat hotel geparkeerd. De Loebjanka gebood in directe, niet mis te verstane termen dat er met geen woord tegen de plaatselijke politie over de dienstbetrekking van de man bij de Federalnaja Sloezjba Bezopasnosi gesproken mocht worden. Een vermist vel met foto's van Britten die werkzaam waren voor de geheime inlichtingendienst veroorzaakte enige opschudding op de Loebjanka-afdeling. Er werden nog meer radioberichten, zowel gecodeerd als gescrambeld, uitgewisseld.

Joeri Bikov werd op de hoogte gesteld in zijn kamer in het gebouw van de FSB in Kaliningrad, waar hij nog laat aan het werk was, en Vladdi Piatkin werd wakker gebeld. 'Als we onze eigen mensen sturen,' werd Piatkin verteld, 'geven we ons inlichtingenwerk in Gdansk toe. In het huidige klimaat van onze betrekkingen met Polen is dat niet aanvaardbaar.' Pas ver na middernacht zou Piatkin terugbellen met een oplossing voor het netelige probleem en kon het radioverkeer wat afnemen.

De auto werd nu door drie politieagenten bewaakt, terwijl twee rechercheurs het voertuig grondig onderzochten. Een van de agenten, verveeld en koud, zocht in zijn zak naar zijn pakje sigaretten. Hij haalde de laatste sigaret eruit, stak hem op, zag dat niemand keek en gooide het lege pakje over de rand van de kade. Hij trok aan zijn sigaret en de rook werd meegevoerd door de wind. Hij huiverde en stampte met zijn voeten. Toen hij zijn sigaret tot het filter had opgerookt, knipte hij de peuk in het water. Hij kon zijn pakje nog steeds zien wegdrijven en toen bleef het vlak bij de pontonbrug steken. Als hij het pakje niet had weggegooid na er zijn laatste sigaret uitgehaald te hebben, zou de agent de schoen niet hebben gezien.

De brigadegeneraal, aangeschoten door de vele drankjes die hem in de hand geduwd werden, was het middelpunt van het feestje dat het ministerie van Defensie in een bijgebouw van het complex in Moskou hield. Alleen buitenlanders die in aanzien stonden, werden uitgenodigd, en dan vooral buitenlanders die het zou imponeren dat de macht van het Russische leger ver genoeg reikte om een gewaardeerde officier van een zekere dood te redden. Steeds weer vertelde de generaal zijn verhaal aan een klein, select gezelschap dat naar een binnenkamer naast de salon was geleid. Hij noemde de jonge luitenant-kolonel die hem het leven had gered uiteraard niet bij naam, maar sprak met bijna kinderlijke dankbaarheid over hem.

'Maar het vervelende is dat ik niet echt de kans heb gekregen om hem te bedanken. Na mijn vrijlating, nadat hij uit het hoogland boven de Argoen-vallei was gekomen, ontmoetten we elkaar op het helikopterplatform en stegen we meteen op. Het was onmogelijk om met al dat lawaai in de helikopter met elkaar te praten. We landden. Ik dacht dat ik toen misschien de kans zou krijgen om met hem te praten en meer over hem te weten te komen. Hij heeft de reputatie de beste ondervrager van de hele FSB te zijn en hij is zo jong en zo kalm. We landden in Grozny en daar stond een straalvliegtuig van de luchtmacht voor hem klaar. Hij ging meteen door naar zijn volgende opdracht. Een zaak van nationaal belang. De generaal vertelde me wat hij tegen de ondervrager, mijn redder, gezegd had: "Ik heb bijna medelijden met het volgende slachtoffer dat met jou te maken krijgt." Hij is uniek, geweldig, en omdat hij alweer een volgend "slachtoffer" moest aanpakken, heb ik hem niet kunnen bedanken. Hij is een opmerkelijke kerel.'

Onder degenen die naar de binnenkamer waren geleid, bevond zich een artilleriekolonel van de Oekraïense ambassade. In de salon, terwijl de gratis drank vloeide, vertelde de Oekraïense kolonel het verhaal door aan een majoor uit Belarus, die het op zijn beurt woordelijk doorgaf aan een Zweedse militaire attaché, die de volgende dag toevallig een lunchafspraak met de Britse attaché had, een verplichting die al lang in zijn agenda stond.

Goede verhalen waren zeldzaam in Moskou en werden altijd in een soort van ruilhandel doorverteld om de verveling van een aanstelling in de Russische hoofdstad te verdrijven. Het verhaal van wat de ondervrager had gepresteerd was wereldkundig geworden.

Bikov werkte in zijn kamer op het hoofdkwartier van de FSB. Hij trof voorbereidingen. Zijn bureau lag bezaaid met documenten uit Moskou en plaatselijke dossiers. Hij zou de volgende dag toeslaan.

Zijn sergeant bracht hem koffie. Zijn majoor was naar de basis vertrokken om daar de noodzakelijke laatste voorbereidingen te treffen.

Er bereikte hem het bericht, gedecodeerd door zijn sergeant, dat een vermiste FSB-agent gevonden was; er was een lijk uit de rivier in Gdansk gevist. De verdrinkingsdood van een lagere employé in een Poolse havenstad was een tegenslag, maar wel een kleine als je het verhoor waarop hij zich voorbereidde in aanmerking nam. Morgen zou hij tegenover overste Artsjenko in een kale kamer zitten.

Snelle aantekeningen werden op zijn blocnote gekalkt terwijl hij de dossiers en documenten uitploos. Hij nam de informatie in zich op. De uitdaging bracht hem in een beter humeur, wond hem op en verdreef zijn vermoeidheid. Hij zou zijn prooi door de vakkundigheid van zijn verhoor breken, door zijn zwakke plek te vinden en zijn aanval door de bres in de verdediging van de man in te zetten. Morgen zouden de aantekeningen opzijgelegd worden en zou hij voortdurend observeren.

Bikov was kalm. Hij geloofde dat zijn lot en dat van de verrader in zijn handen lagen.

Het raam van zijn hotelkamer liet de avond binnen; het verkeer gonsde ver beneden hem. Het lawaai dat de wind door het raam dreef, zou zijn stem vervormen en zijn accent verbergen.

Billy, Wickso en Lofty zaten bij Ham om hem steun te geven. Hij was altijd de man met het zelfvertrouwen. Geen van hen had Ham ooit zo zenuwachtig en besluiteloos gezien, maar wat van hem verlangd werd, was het moeilijkste wat hij ooit gedaan had. Zijn taalkundige vaardigheden waren goed, maar ook oud en onbeproefd. Er werd van hem verlangd dat hij als een geboren Rus zou spreken. Hun tassen waren gepakt en stonden opgestapeld bij de deur, hun rekeningen waren betaald, en Jerry de Pool zou inmiddels bij de vooringang staan wachten met de oude Mercedes. Het velletje papier dat Mowbray hem had gegeven, lag naast hem op het bed toen hij de telefoon opnam en het nummer intoetste.

De telefoon bleef gaan. Ham ademde diep in. Hij wachtte een eeuwigheid.

'Hoofdkwartier van de vloot. Hallo?'

'Mag ik de officier van de nachtdienst van u?'

Weer moest hij wachten, weer een eeuwigheid.

'Mikojan, officier van de nachtdienst.'

'Dit is het hoofdkwartier van de luchtmacht, ik ben de oefeningbegeleidingsofficier. Ik heb een boodschap voor overste Artsjenko, chef-staf van admiraal Falkovski.' Ham ademde uit. Hij geloofde dat zijn accent belabberd was, en de hand die de hoorn beet hield beefde. Ze keken allemaal naar hem, spoorden hem inwendig aan om de taak met succes te volbrengen, alsof ze familie van hem waren.

'Ja, en de boodschap?'

Ham ademde in. 'Ik wil overste Artsjenko laten weten dat we morgen, donderdag 4 oktober, om 20.00 uur een laagvliegoefening boven de Baltiskaja Kosa houden. De luchtaanval zal plaatsvinden van oost naar west, acht kilometer van Rybacij. Wij nodigen overste Artsjenko uit om de oefening bij te wonen.'

Ham hoorde de stem aan de andere kant zeggen: 'Ik heb zijn agenda hier niet. Ik weet niet of hij wel op zo'n korte termijn kan komen.'

Ham had gelezen wat Rupert Mowbray voor hem had opgeschreven. Hij stond er nu alleen voor, was hulpeloos. De woorden, de klinkers en de medeklinkers leken een eeuwigheid in zijn keel te blijven steken.

'Bent u er nog?'

'We geloven dat de oefening van bijzonder belang is voor overste Artsjenko. De uitnodiging komt van de generaal. Er is maar heel weinig plaats. De uitnodiging geldt alleen voor overste Artsjenko, niet voor een ondergeschikte. Hebt u dat allemaal opgeschreven?'

'Ja, maar... Ik kan u doorverbinden met de officiersmess of met overste Artsjenko's verblijf.'

Ham zei geïrriteerd: 'Ik heb het druk. Zorg dat u overste Artsjenko de boodschap van mijn generaal doorgeeft.'

'Ja, het komt voor elkaar.'

De telefoon gleed uit Hams hand. Hij zwaaide op zijn stoel en het zweet liep in zijn nek en over zijn maag. 'Jezus, zit daar niet zo stom. Ga iets te drinken voor me halen.'

Het was volkomen donker om Viktor heen.

Er werd zacht en eerbiedig op zijn deur geklopt.

Nadat hij uit Kaliningrad was teruggekeerd, had hij een uur in het personeelskantoor van de admiraal doorgebracht met het systematisch doorwerken van de resterende memo's en de binnengekomen post. Toen hij hiermee klaar was, was hij naar zijn kamer gegaan. Hij had de lunch overgeslagen en had 's avonds ook geen honger.

De stilte werd verbroken door een klop op zijn deur. Hij zat op de grond, met zijn rug tegen het voeteneind van het bed en reageerde niet op het geklop.

Hij hoorde een licht geritsel onder aan zijn deur en toen het wegsterven van voetstappen op de buitentrap. Hoewel zijn gordijnen dicht waren, drong er toch een dof licht zijn kamer binnen en zag hij het opgevouwen vel papier op het vloerkleed liggen.

Viktor staarde ernaar. Zijn gedachten waren gevuld met een fotografisch beeld: de man die op hem afliep, langs hem streek en de naam van Alice en zijn instructies fluisterde: 'Ik kom van Alice. Volg me over tien tellen. Volg dezelfde route.' En ook nog altijd duidelijk was het beeld van de auto met het open portier en het gat in het hek. Had hij kunnen vluchten? Had hij door de linie van bewakers kunnen breken die hem de weg versperden? Toen hij ter plekke was geweest en het allemaal zag, ermee geconfronteerd werd, had het antwoord op het dilemma voor de hand gelegen. Hij zou neergeslagen zijn en zij zouden onder bedreiging van pistolen uit de auto zijn gehaald. Nu, in zijn kamer, begon de twijfel aan hem te knagen. Toen was hij van alles zeker geweest; nu was hij nergens zeker van. Hij kroop naar de deur.

Een streep licht, van de overloop en het trappenhuis, viel onder de deur door. Viktor kwam bij het vel papier. Hij vouwde het open en hield het bij de deur, zodat het licht er vol op viel. Een nachtvluchtoefening. Een plaats. Een tijd. Een uitnodiging. Hij begreep het niet. Hij verfrommelde het papier en gooide het in een donkere hoek, waar de prullenmand moest staan. Hij ging op zijn hurken zitten en het zelfmedelijden werd aangewakkerd door angst. Hij wenste dat hij weer in de dierentuin was en opnieuw de kans kreeg om te vluchten.

Er ging een schok door hem heen. Hij wist wat verdrinken op zee inhield. Iemand zou zich nog aan een enkele strohalm vastklampen als hij nergens ander bij kon. Op handen en voeten stak hij het tapijt over en tastte naar de bal papier. Toen hij hem gevonden had, ging Viktor staan, hij liep naar het bed en deed het lampje op het nachtkastje aan. Hij knipperde met zijn ogen. Hij haalde zijn agenda uit de la van het kastje, bladerde het boekje door tot hij het gewenste nummer zag en vertrouwde het aan zijn geheugen toe.

Hij verliet zijn kamer, waarvan hij de deur wijdopen liet staan, en liep snel de trap af. Hij liep naar buiten en rook de zilte zee. Toen hij het exercitieterrein overstak, voelde hij dat hij gadegeslagen werd, maar hij keek niet achterom. Hij kon zijn eigen telefoon, het toestel naast zijn bed, niet gebruiken. Hij liep met grote stappen naar de werkplaatsen bij het tweede dok. Alleen de matrozen en het technisch personeel in de nachtdienst waren daar. Zonder enige uitleg liep hij langs de tafel, waar ze allemaal zaten, rookten en boterhammen aten, naar de achterkant van de werkplaats. Er hing een telefoon aan de muur.

Hij toetste het kengetal van Kaliningrad en het nummer in.

'Goedenavond. Overste Artsjenko hier, chef-staf van admiraal Falkovski. Spreek ik met de officier van de nachtdienst van het hoofdkwartier van de luchtmacht? Ja? Mooi. Er heerst hier enige verwarring. Gaan jullie morgenavond een nachtvluchtoefening houden, een bombardementsoefening, laag boven de Baltiskaja Kosa?'

De stem in zijn oor was kortaf. 'Nee, dat is niet het geval.'

Een zweempje hoop zag het levenslicht, alsof er een kaars werd ontstoken. 'Jullie hebben morgenavond om 20.00 geen nachtvluchtoefening?'

'Beslist niet. Goedenavond, overste.'

Het licht van de kaars had geflakkerd, maar begon nu feller te branden.

Locke liep het hotel uit. Hij had op Alice' deur geklopt, haar wakker gemaakt, haar geroepen, en had zijn tas neergezet en er het briefje op gelegd. Tegen de tijd dat zij de deur had opengedaan, was er behalve de tas en het briefje niets in de gang te zien en bevond hij zich al op de laatste trap, met een deken van zijn bed, die hij voor de receptionist verborgen hield.

Hij zag de felle lichten voor het gebouw, feller dan toen hij naar het hotel was teruggekomen. Toen waren er alleen schijnwerpers geweest, nu waren er hoog opgestelde booglampen die onwerkelijk daglicht naar dat deel van de kade en de jachthaven brachten.

In het briefje dat hij voor Alice had achtergelaten, vroeg hij haar om zijn rekening te betalen wanneer ze de volgende ochtend vertrok, zijn tas mee te nemen en hem op het plein voor het station te ontmoeten, nadat ze was opgepikt door Jerry de Pool. Hij had haar geen verklaring gegeven.

Om bij de stenen verkeersbrug over de Moltawa te komen, liep hij snel langs de jachthaven en zorgde ervoor dat hij bij de lichten uit de buurt bleef. Ze haalden het lijk bij de pontonbrug weg. Vier agenten zwoegden onder het gewicht van de brancard, waar het water af liep. Hij zag de politiefotograaf en de oplichtende flits van zijn camera. Rechercheurs stonden in groepjes toe te kijken. De achterdeuren van een lijkwagen stonden open. Locke had in gedachte mannen naar zijn deur zien komen, dezelfde rechercheurs die hij nu zag, en hen op de deur horen bonzen. Hij zou geconfronteerd worden met de nachtportier en de rechercheurs zouden hem vragen om uit te leggen wat hij gezien had toen hij het hotel verliet, want hij was de Rus immers naar buiten gevolgd. Wat had hij gezien? Als hij zich op diplomatieke onschendbaarheid beriep, verried hij zijn status als geheim agent, en inmiddels moesten ze weten dat de Rus een vakbroeder was. Twee geheim agenten die nog geen minuut na elkaar dezelfde foyer verlaten, van wie er nu één dood was en de andere beweerde niets gehoord of gezien te hebben en van niets te weten. Men zou hem niet geloven. Libby Weedon, streng en afstandelijk, zou voor dag en dauw uit Warschau overkomen en juridische medewerkers uit Londen zouden het eerste het beste vliegtuig nemen dat ze konden krijgen. Zouden ze hem beschermen? In geen duizend jaar. Hij had, zelf, met de nodige bravoure, gezegd: ‘Maar als hij in moeilijkheden verkeert, deze man met de codenaam Fret, geloof ik niet dat er iets voor hem gedaan kan worden.’ Men had geknikt toen hij dat zei. Het lijk ging in de lijkwagen. Locke liep met gebogen hoofd voort toen de lijkwagen langs hem zoefde.

Hij doorkruiste de historische stad, die met liefde was herbouwd na de verwoestingen die de vuurstorm van de wereldoorlog had aangericht. Hij bevond zich op de Mariacka en het geklepper van zijn schoenen was het enige geluid om hem heen. De luiken waren neer voor de winkels en de kioskjes waar sieraden van barnsteen werden verkocht, de koffiebars en toeristenrestaurants waren gesloten, de boetieks waren met tralies beveiligd. Een aanplakbiljet in het hotel waarschuwde dat het gevaarlijk was om ’s avonds alleen door de straten van het oude kwartier te lopen en had gewezen op het gevaar van zakkenrollers, overvallers, verslaafden en dieven. Dat gevaar was de reden waarom hij de warmte van zijn hotelkamer had achtergelaten. Het ritme van zijn voetstappen werd teruggekaatst door de hoge gebouwen, rijk voorzien van barokke, vergulde versieringen en in pasteltinten geschilderde muren.

Locke zou het graag op een lopen gezet hebben, maar durfde dat niet.

Hij kwam op het station aan. Op het bord met vertrektijden stond alleen nog de intercity naar de stad Katowice in het zuiden; een verspreide groep reizigers stond eronder. Het was jaren geleden dat Gabriel Locke zo laat op een hoofdstation was geweest, met het menselijk wrakhout dat op die tijd nog op rechte stoelen door de nacht reisde. Hij liep naar de tunnel onder het spoor.

Er waren kleine groepjes jongeren in de tunnel; sommigen zaten tegen de betegelde muren, waar de schaduwen van de gesloten kiosken duisternis brachten, anderen lagen al languit op hun bed van karton. Hij zocht een plekje. Uitdrukkingsloze ogen volgden hem. Hij ging naar het andere eind van de tunnel en vond een hoekje dat nauwelijks nog door de plafondverlichting werd beschenen. Er vielen druppels van het plafond en de wind kwam via het nabije trapgat omlaag. Hij ging in het vuil liggen en trok de deken stijf om zich heen. Hij kroop er zo ver mogelijk onder. Hier voelde hij zich eindelijk veilig. Zijn woorden dreven de spot met hem: 'Afstoten die man, vergeet hem. De problemen niet waard.' De trein naar Katowice reed dreunend over het spoor boven de tunnel.

Hij had moeite met de sleutel bij de voordeur. De lamp in het portiek was stuk en Bertie Ponsford vloekte, omdat hij het sleutelgat niet kon vinden. Toen hij anders ging staan, stootte hij een geraniumpot in zijn metalen standaard van zijn plaats. Er ging boven licht aan en dat stelde hem in staat om het sleutelgat te vinden. Hij zette de pot weer goed in de standaard.

In de hal trok hij zijn jas uit. Ze stond boven aan de trap. 'Ben je dronken, Bertie?' Het was geen kritiek.

'Nee, jammer genoeg niet...'

Gail kwam de trap af, knoopte de ceintuur om haar ochtendjas.

'... broodnuchter, helaas, ik kon alleen de sleutel niet in dat rotslot krijgen.'

Ze ging op de onderste tree van de trap zitten. 'Wat is er gebeurd? Wat is er aan de hand?'

Alles om hem heen was vertrouwd en veilig. Het was een omgeving die hij en zijn vrouw gedurende bijna dertig jaar huwelijk hadden opgebouwd. Schilderijen, de spulletjes van antiekmarkten, kleine souvenirs van vakanties in buiten- en binnenland, het behang dat ze twee jaar geleden samen hadden uitgekozen. Hij geloofde dat dit allemaal bedreigd werd. Er was een bres geslagen in de veiligheid van het kasteel.

'Er is niets gebeurd.' Ponsford liet zijn vingers knakken. Zijn post lag op het tafeltje in de hal en hij wierp een vluchtige blik op de enveloppen die vermoedelijk rekeningen en brochures bevatten, maar maakte ze niet open. 'We hebben hem niet op kunnen pikken. De man die we hebben moesten liep weg, één kant op. Ons team reed de andere kant op.'

'Dus het is allemaal fout gelopen?'

'Nee, nee... Ouwe trouwe Rupert, je moet onze ouwe trouwe Rupert nooit onderschatten. Het tweede plan is nu van kracht. Geloof me, en ik ben niet sarcastisch, maar Rupert heeft altijd een tweede plan achter de hand. In dit geval een bijzonder redelijk plan. We sturen ons team er via de zee op af. Is het niet ongelooflijk? We laten gewapende mannen een geheime landing op Russisch grondgebied uitvoeren, en daar heb ik mijn toestemming aan verleend. Dat heeft iedereen gedaan trouwens.'

'Dat meen je niet, Bertie. Wat gaat er met ons gebeuren?'

Er verscheen een glimlach op zijn gezicht. 'Vervroegd pensioen, een tafelklok en een karaf en veel tijd voor de tuin, maar de mogelijkheid van een echec is uitgebannen door Rupert. Hij houdt er gewoon geen rekening mee. Ik ben met dit belachelijke idee akkoord gegaan, omdat ik zo blijk geef van elan en omdat ik weet dat Peter Giles er uiteindelijk zijn goedkeuring aan moet verbinden. Peter gaat erin mee, omdat ik dat ook gedaan heb en bovendien komt het uiteindelijk allemaal bij de directeur-generaal terecht. De directeur-generaal gaat ermee akkoord, omdat Peter en ik het plan goedgekeurd hebben en hij een zwakke en zenuwachtige indruk zou maken als hij zijn veto uitsprak. We zijn niet de mannen van vroeger en dat weten we. We zijn niet de roemruchte jongens van weleer, maar we willen ook wel een beetje in de schijnwerpers staan.'

'Ik kan niet geloven dat je dit allemaal zegt, Bertie, als je niet dronken bent.'

'Heb je ooit boeken over de Eerste Wereldoorlog gelezen, hoe die begonnen is? Zaken als de mobilisatie, speciale dienstregelingen voor de spoorwegen. Omdat de Oostenrijkers mobiliseerden, deden de Russen dat ook. Omdat de Russen mobiliseerden, volgden de Duitsers. Door de Duitse mobilisatie moesten de Fransen het proces in werking stellen en werden wij meegezogen, omdat we niet achter wilden blijven. Het werd onvermijdelijk toen Rupert eenmaal met de mobilisatie was begonnen. Ik denk dat toen, in 1914, in al die regeringsgebouwen in Europa, mensen zich afvroegen wanneer ze nog iets hadden kunnen doen om de kans op oorlog de kop in te drukken, maar toen was het al te laat, en nu is het verdomme zeker te laat. We hadden de kans toen die klootzak van Mowbray zich volkomen ongewenst, als het zwarte schaap van de familie, aandiende. Ik had toen niet het lef om hem het bos in te sturen. Nou ja...'

'Je bent aan het zeuren, Bertie. We gaan naar bed.'

De *Princess Rose* voer uit.

De loods leidde het schip naar zee, bracht het naar de uitgaande scheepvaartroute. Rupert Mowbray had de basis al gelegd; hij was een meester in het verspreiden van valse informatie. Zodra de machinist de dieselmotor had gestart, had de kapitein op Mowbrays verzoek tegen de loods gemompeld dat de motor niet in orde was, dat ze niet zeker waren van het vermogen, maar dat hij hoopte dat de motor het zou uithouden tot ze oostelijke deel van de Oostzee achter zich hadden gelaten.

In de hut van de kapitein, nu het commandocentrum voor het team, zijn krijgshelden, stond Mowbray bij de patrijspoort. Het team was in stilte achter hem bezig met de controle van hun uitrusting, het materiaal dat ze mee zouden nemen naar de kust. Eenmaal buiten de monding van de Motlawa werd de *Princess Rose* gegrepen door de zee. Het schip stampte op de deining en er was Mowbray verteld dat dit gunstig voor hen was. Ze zouden in de krappe hut opgesloten zitten tot ze niet langer op de vaarroute onder de kust zaten, tot de loods van de touwladder op het dek van de boot zou springen die hem kwam ophalen. En tot die tijd moesten ze allemaal stil zijn. De loods mocht niet weten dat er meer mannen aan boord waren dan in de verklaring van de kapitein vermeld stonden.

De loods liet het schip naar bakboord zwenken en ze voeren dicht onder de kaap langs. Mowbray veegde de patrijspoort schoon en keek naar buiten. Op de kaap brandde de verlichting van het monument, een sombere pilaar die zich naar de hemel verhief. Hij draaide zich om.

Hun ogen waren op hem gericht en de *Princess Rose* werd opgelicht door de toenemende golfslag.

'Ik heb Londen een naam gegeven, een mooie naam, voor de operatie die jullie gaan uitvoeren. Dit is Operatie Roof. Alle berichten die Locke mij van de kust toestuurt zullen het woord "Roof" bevatten. Laat ons roven, laat ons de oorlog ontketenen. "Roof" is uw aangelegenheid, heren, niet de mijne. Vergeef me als ik iets van emotie aan de dag leg, moge God jullie bijstaan.'

Mowbray bleef bij de patrijspoort staan tot hij het verlichte monument niet meer kon zien. De *Princess Rose* daalde, viel, kwam weer omhoog en ploegde voort naar open zee.

11

V. Waar staat de stokerij die de goedkoopste wodka in Rusland produceert?
A. Kaliningrad.

De *Princess Rose* dreef.

De hond had eindelijk kans gezien om toegelaten te worden tot de kapiteinshut die Rupert Mowbray had gevorderd. De hut van de stuurman of de machinist was geen thuis voor de hond. Thuis was de vloer in de hut van de kapitein bij het bed en nu moest de hond zijn plek delen met de wapens en de uitrusting. Billy had de uitrusting verdeeld en iedereen een bepaalde verantwoordelijkheid gegeven.

De aanwakkerende wind uit het zuidwesten duwde de *Princess Rose* na het verlaten van de scheepvaartroute in een grillige noordoostelijke koers langs de kust.

Lofty had de wapens. Die waren via het smalle trapje door het luik van de machinekamer opgehaald en hij had er vier stapels van gemaakt. Ze hadden besproken wat ze wilden hebben, wat geschikt was, en wat ze zich nog het best konden herinneren van hun diensttijd lang geleden. Deze mannen waren niet tot rumoerige uitgelatenheid geneigd, maar van de aanblik van de wapens werden ze nog stiller.

De stapels vormden een vierkant om de slapende hond.

Telkens als hij een wapen uit de zwarte zakken haalde, controleerde Lofty, die de regels niet vergeten was, de kamer om te zien of die leeg was en spande dan het wapen om ten slotte de trekker over te halen. Hij had ontzag voor wapens, een eerbied die er bij hem was ingehamerd door instructeurs in het opleidingskamp voor commando's aan de zuidkust van Devon en op de basis in Poole. Dat ontzag zou hij nooit verliezen.

Lofty had altijd een grote affiniteit met vuurwapens gehad en er in Lympstone of Poole, of waar hij in de goede oude tijd maar gediend had, veel tijd aan besteed. Hij was degene geweest die in wapendepots bleef hangen, die het gezelschap opzocht van de mannen die de verantwoording voor de wapens droegen en die de tijdschriften en boeken uitspelden. Voor Billy had hij bij de gecoupeerde staart van de hond een korte Vikhr SR-3 9mm uitgestald, een wapen waarmee op semi-automatisch dertig schoten per minuut gelost kon worden en op automatisch negentig. Het had een effectief bereik van tweehonderd meter. Het was het aangewezen wapen voor een leider die hen naar hun plaats van bestemming zou leiden. Hij wist dat *vikhr* het Russische woord voor wervelwind was en hij vond het een perfect wapen voor verdedigend vuur. Bij de Vikhr hoorden zes magazijnen, die hij met de 9mm-kogels had gevuld.

Bij de achterpoten van de slapende hond, op de keurige volgende stapel lag Hams vuurwapen: een Skorpion 7,65mm, Model 61 machinepistool. De Skorpion, van Tsjechische makelij, was kort, had een inklapbare kolf en was een door de mafija gebruikt wapen met een enorme vuurcapaciteit maar een beperkt effectief bereik. Lofty had de Skorpion afgevuurd zien worden op een schietbaan en zou de verwoestende kracht van de inslag nooit meer vergeten; het was bestemd voor de korte afstand, in een gebouw of trappenhuis, bij een laatste poging om een sterkere tegenstander terug te dringen. Hij had ook voor de Skorpion zes magazijnen geladen en ze naast het machinepistool gelegd.

Bij de voorpoten van de hond had Lofty het wapen gelegd dat hij voor Wickso had gekozen: een OTs-02 Kiparis machinepistool, dat in gebruik was bij de troepen van het Russische ministerie van Binnenlandse Zaken. Het bereik van de Kiparis was iets meer dan 100 meter, maar de vuursnelheid van het wapen op automatisch was hoger dan die van de Vikhr. De Kiparis kwam uit Kazachstan.

Bij de achterwaarts gerichte oren van de snurkende hond lag zijn wapen. Lofty zou de achterste man zijn wanneer ze hun mannetje hadden opgepikt, wanneer ze zich terugtrokken naar hun boot en hun landingsplaats. Het was de AK-47 voorzien van een 40 mm-granaatwerper. Hij had er op een schietbaan mee geschoten en wist hoe hij de granaten moest herladen, vier als het slecht ging en vijf als het heel goed ging. De AK-47 zou hun wat extra tijd geven als ze door de meute achtervolgd en ingehaald werden. Het zou voornamelijk Lofty zijn die de vuurkracht leverde: hij had tien magazijnen voor het geweer geladen en ernaast twintig brisantgranaten uitgestald, plus vijf fosfor- en zes rookgranaten. Als het allemaal gigantisch misliep, zou Lofty met zijn granaatwerper de laatste kans zijn die ze hadden. Ten slotte was er voor elk nog een pistool, een Macharov met twee magazijnen, volkomen nutteloos, maar Lofty wist dat ze zich er allemaal beter door zouden voelen.

Ze dreven voort in het donker en de kapitein toonde zich een bekwaam navigator. Slechts heel zelden hoorden ze hem gebruikmaken van de hoofdmotor om hun koers bij te stellen.

Ham droeg de zorg voor de communicatieapparatuur. Voor elk van hen een koptelefoon, die bestond uit een staafmicrofoon en oortelefoons, met een regelpaneel dat met een clip aan de riem ging. Zachtjes prevelend onderwierp hij de microfoons en oortelefoons, afkomstig uit een Bulgaarse fabriek, aan een test. Toen hij tevreden was, legde hij de oortelefoons, microfoons en regelpanelen op de hoop naast de wapens en munitie.

De zee greep de boot, wiegde hen. Het was de beste nacht die ze zich maar hadden kunnen wensen.

De outfit was Billy's domein. Hij haalde de dozen leeg. Bij elke stapel wapens, munitie en radioapparatuur legde hij nu een wetsuit, een paar zwemvliezen, sokken, een camouflagepak, laarzen uit Slowakije, de nachtbril, het kompas, de pakken met kant-en-klare, gedroogde maaltijden, die niet waren aangeraakt sinds ze elf jaar geleden waren buitgemaakt in de Koeweitse woestijn en waarop nog steeds de aanwijzingen te lezen waren die zowel in het Russisch als in het Iraaks-Arabisch op de pakken waren aangebracht, de condooms om de lopen van de wapens droog te houden, de koppels voor de magazijnen en granaten, de maskers om hun longen tegen de rook te beschermen, toiletpapier en plasticfolie en de rugzakken, de opblaasbare, waterdichte tassen, de luchtdichte veldflessen, de explosieven en detonators. Als een huisvrouw controleerde Billy elk artikel, en elk etiket dat niet Russisch of van een Russische satellietstaat was, werd eraf geknipt. Hun herkomst kon ontkend worden en ze hadden elk – lang geleden en op een harde manier – geleerd hoe ze zich tegen een verhoor moesten verzetten.

De *Princess Rose* dook, klom en de golven beukten tegen de romp. Niemand vervloekte het weer.

Wickso droeg het zijne bij aan de stapels om de slapende hond. Hij had maar weinig te bieden, maar geen van hen vond het nodig om te kijken naar wat hij op hun stapel had gelegd: een olijfgroen pakje met noodverband, wat zij een 'maandverband' noemden, met de cyrillische merktekens van het Servische leger, genoeg voor één wond, maar Wickso hield er zelf vier. Een morfinespuit voor elk van hen, maar nog eens vijf voor Wickso. Een enkele schoenveter voor elke stapel, maar drie voor Wickso, om als tourniquet te gebruiken, en een watervaste pen, die Wickso ook hield. De anderen keken niet naar de medische artikelen die Wickso hun gaf; het waren er maar zo weinig en bij het Eskader had altijd de overtuiging geheerst dat munitie belangrijker was dan verbandspullen.

Billy liep naar buiten voor een laatste controle van de buitenboordmotor, de gasflessen en de rubberboot die voor de kust van Devon leeg en stijf opgevouwen aan boord van de *Princess Rose* was genomen. De anderen zouden de rugzakken en de opblaasbare tassen inpakken. Over een uur zouden ze vertrekken.

Zich aan de reling vastklampend, liep hij over het dek, boven de met kunstmest gevulde ruimen, naar de opgeborgen rubberboot. Inmiddels moesten ze de lijn gepasseerd zijn die de Poolse van de Russische territoriale wateren scheidde. Waar ze stijgend en dalend dreven, terwijl het buiswater naar het dek klom, was op de kaart als een voormalig mijnenveld aangegeven, en ze moesten nu zichtbaar zijn op de radarschermen van Kaliningrad. Boven hem, aan de mast achter de brug en voor de schoorsteen, brandden twee rode lichten. Die moesten naar alle kanten zichtbaar zijn en gaven aan dat de *Princess Rose* NOB was, 'niet onder bevel', omdat de motor was uitgevallen en het schip stuurloos voortdreef. Hij hoorde de kapitein in de radio roepen dat als ze de motor niet snel weer op gang kregen, hij voor anker zou moeten gaan. De witte golftoppen kleurden bloedrood waar ze door de twee lichten werden beschenen. Het was ideaal weer, slecht genoeg om de radar op de kust in verwarring te brengen. In de korte, hoge golven zou een lage rubberboot niet gezien worden.

Gabriel Locke sliep, zíjn arm om een meisje en de arm van een jongeman om hém geslagen.

Alice keek op hem neer. De eerste kioskjes in de tunnel gingen open, de luiken werden verwijderd. De geur van versgebakken brood en pasteitjes vulde de tunnel en overmeesterde de stank. Ze zou niet geweten hebben dat het Locke was als ze de deken uit het hotel niet herkend had. De eerste treinreizigers dienden zich in de tunnel aan en de zwervers, voor wie de tunnel een nachtelijk onderdak was, verspreidden zich.

Hij werd wakker toen Alice haar teen tegen zijn scheen zette en hem schopte.

Hij keek met zijn ogen knipperend naar haar op. Hij maakte de arm van het meisje los en schudde de jongeman van zich af. Het meisje had haar hoofd aan de zijkanten van haar schedel kaalgeschoren. Het verwarde haar van de jongeman was te lang, zijn baard was dun en vlassig en hij had een ring door zijn onderlip. Alice stak haar hand uit en Locke nam hem aan. Zodra ze zijn vingers om haar hand voelde sluiten, trok ze hem overeind. Hij wreef in zijn ogen.

'Ik stond boven te wachten, waar jij had moeten zijn,' zei Alice. 'Ik heb tien minuten gewacht. Ik dacht dat je misschien naar beneden was gegaan voor een kop koffie of een broodje. Wat doe je hier in godsnaam?'

Lockes ogen schoten nerveus heen en weer. Hij boog zijn rug en rekte zich uit.

'Goed,' zei Alice, 'als je je kunt losrukken van je vrienden, zouden we misschien kunnen gaan.'

Ze liep snel weg, naar de verste uitgang van de tunnel. Dit was het soort plek, met zijn stank van stront en urine, dat zij haatte. Hij moest gerend hebben om haar in te halen. Haar arm werd beetgegrepen. Ze draaide zich om en zag zijn woede. 'Wat is er?' Ze kon zich niet bevrijden van de hand die de mouw van haar jas beet hield.

'Niet de kakmadam tegen mij uithangen, alsjeblieft. Eerlijk gezegd waren het best aardige mensen. Ik was alleen en ze hebben met me gepraat, heb jij ooit met me gepraat? Ze waren vriendelijk en wilden me dingen vertellen, hun leven...'

'Laten we hopen dat de naald schoon was,' zei ze vlak.

Zijn stem klonk schril. 'Dat heet menslievendheid. Ze vonden me toen ik door een crisis ging en hebben me geholpen de nacht door te komen. Dat ik de nacht doorgekomen ben, is aan hun menslievendheid te danken. Van jou, mevrouw de perfect georganiseerde trut, krijg ik die niet.'

'Wat moet jij met menslievendheid, Gabriel?' vroeg ze met welwillende spot.

'Wat moet ik met menslievendheid?'

'Dat was de vraag, Gabriel.'

'Ik heb behoefte aan menslievendheid vanwege jou. Vanwege...'

Op de trap uit de tunnel liet hij haar arm los. Ze liepen het vlekkerige licht van de ochtendschemering in. Treinreizigers botsten tegen hen op. Ze liep voor hem uit. Aan de overkant van het stationsplein knipperde de oude Mercedes met zijn lichten. Er waaide een stevige wind. Bladeren en vuil werden laag en hard over de klinkers geblazen en sprongen weg van haar schenen. Ze besefte dat hij zijn deken voor zijn menslievende vrienden had achtergelaten. Hij was anders, veranderd, en hij had haar verteld dat zij hiervoor verantwoordelijk was en Alice wist niet wat ze gedaan had.

Ze liet hem op de achterbank zitten en ging voorin zitten.

'Oké, Jerry, we vertrekken. Mijn excuses voor het oponthoud. Op naar de Mierzeja Wislana.'

Het droge zand dat opwaaide in de wind prikte in Romans kleren en vond de plooien en scheuren in de broek en het veel gedragen vissersjack. Het stak in zijn ogen, hoewel hij die met zijn geheven hand probeerde te beschermen.

De Mierzeja Wislana was zijn stek, zijn leven, zijn thuis. De zee, het strand, de dennenbossen en de lagune erachter waren zijn geboorteplaats en zouden ook de plaats zijn waar hij stierf. Hij vloekte, een vissersvloek, die hij niet zou durven uiten binnen gehoorsafstand van zijn vader, die de gemeente van Piaski voorging bij het verlaten van de nieuwe dorpskerk. Er was niet veel tijd meer en de herfst kwam met grote stappen naderbij. Er waren nog maar een paar visdagen en zonder die dagen kwam er een eind aan zijn inkomen; de wintermaanden waren lang en het vooruitzicht om zonder geld voor zijn vrouw en vijf kinderen te zorgen drukte zwaar op hem.

Hij was, uit gewoonte, om vijf uur opgestaan en had geveinsd dat hij de wind niet door de elektriciteitskabels hoorde fluiten. Zijn huis met twee slaapkamers keek uit op de lagune en stond niet bloot aan de volle kracht van de wind. Hij had zijn vrouw en kinderen slapend achtergelaten en was door het bos en de duinen naar het strand gelopen.

Hij vloekte, omdat het weer die ochtend vissen onmogelijk maakte. En Roman vloekte nog eens, omdat al zijn collega-vissers de fluitende kabels beter geïnterpreteerd hadden dan hij en in hun bed gebleven waren. De geel en wit geverfde boten lagen hoog op het strand, boven de vloedlijn, en zouden daar vandaag blijven liggen. Zijn oudste dochter, had zijn vader gezegd, had aanleg voor de piano en zou veel aan lessen hebben, die geld kostten. Zijn oudste zoon, had zijn vader hem gezegd, had een wiskundeknobbel en zou eigenlijk naar een universiteit in het buitenland moeten, misschien naar Canada, wat meer geld kostte dan een visser kon verdienen.

Hij werd gestoken door het zand. Een visser kon onmogelijk genoeg geld verdienen om pianolessen te betalen en zijn zoon naar Canada te sturen. Hij hurkte in de luwte van zijn boot in het zand, haalde de eerste sigaret van de dag uit het pakje en hield zijn handen eromheen om hem op te steken. Hij zoog eraan en er lichtte even een kleine pijnscheut in zijn longen op. De zee dreunde op het strand. Wanneer er een zware storm was geweest, bleven er kleine stukjes bruinsteen op het strand achter en hij, zijn vrouw en kinderen liepen dan naast elkaar over het strand om die te zoeken, zoals de gezinnen van de andere vissers dat ook deden, en wat ze in een plastic zakje bij elkaar gezocht hadden, ging dan naar een winkelier in Krynica Morska, aan de westkant van het schiereiland, maar die winkelier betaalde niet meer dan een paar zloty's, niet genoeg.

Ver naar het oosten, buiten het licht van de dageraad, zag Roman twee zwakke, rode lichten boven elkaar. Hij kende alle wetten van de zee. Achter de branding op de kust, achter de brekende golven met hun witte koppen, dreef een schip dat met zijn lichten aangaf dat het niet onder bevel voer. Het bevond zich in Russische wateren, dicht bij het oude mijnenveld waarvan gezegd werd dat het geveegd was, maar dat niet vertrouwd werd door de Russische vissers die Kaliningrad als thuishaven hadden. Als de steeds krachtiger wordende storm niet snel afnam, dan zouden zijn boot en de andere boten voor de winter hoger op het strand getrokken worden. Hij zou dan vijf maanden of nog langer geen geld verdienen. Hij lachte.

Hij vond het een vermakelijke gedachte dat er paniek zou uitbreken onder de Russen als een schip dat niet onder bevel stond dichter naar de kust dreef, waar de raketinstallaties waren opgesteld en waar hun vloot lag. Hij lachte tot zijn keel pijn deed.

Boris Tsjelbia werd in een zwarte BMW uit de 7-serie over de vierbaansweg naar Gdansk gereden.

Bij de Russische grenspost over de weg tussen Mamonovo en Braniewo was zijn chauffeur langs de files zo doorgereden naar voren. Er was vooruit bericht gestuurd. De inspectie van de papieren was vluchtig: er werd gesalueerd en hij kon doorrijden. Boris Tsjelbia was een uiterst belangrijk man en de taak die hem was toevertrouwd, lag bijzonder gevoelig; hij voegde zich niet naar Piatkin, Piatkin voegde zich naar hem.

Evenals vroeger bij het Komitet Gosoedarstvennoi Bezopasnosi, maakten ook in de wereld van de Federalnaja Sloezjba Bezopasnosi informanten de dienst uit. Piatkin zag Tsjelbia misschien als zijn informant, maar hield zichzelf dan voor de gek: de werkelijkheid was dat de gangster, die zich nu zakenman noemde, gespecialiseerd in import en export, informatie uit de FSB-majoor kreeg, zoals hij die vroeger uit KGB-agenten los had gekregen. Voor die informatie betaalde hij contant en verrichtte hij tevens bepaalde taken waarvoor men hem zeer dankbaar was. Door de betalingen aan Piatkin en de meerderen van Piatkin bleven de mogelijkheden van concurrenten beperkt en zijn eigen handel bloeide. Via de haven van Kaliningrad en de grensposten van de staat exporteerde Tsjelbia drugs uit Afghanistan, vluchtelingen uit Irak en Iran en wapens uit de Russische Federatie, dezelfde haven en grensposten werden gebruikt voor de import van whisky uit Schotland, luxewagens uit Duitsland, recentelijk gedrukte dollarbiljetten uit Amerika en computersoftware uit een verscheidenheid aan landen. Het liefst betaalde hij contant, van de bundel bankbiljetten die een bobbel in zijn broekzak vormde, maar af en toe werd hem een kleine taak gegeven.

De zaak die hem nu was toevertrouwd, was zo precair, lag zo gevoelig, dat agenten van de contraspionagedienst van de FSB op hun post waren gebleven op de ambassade in Warschau, het hoofdkwartier in Moskou en de standplaats in Kaliningrad, en daar gingen ze een zeer hoge prijs voor betalen. De kosten voor Piatkin en Piatkins collega's zouden er niet om liegen. Hij had zich nog nooit beziggehouden met de handel in radioactief afval, verrijkt uranium of plutonium voor militaire doeleinden, en hij wist dat er veel kopers waren. Met de toenemende dankbaarheid van de binnenlandse veiligheidsdienst zou die handel vanzelf komen.

Boris Tsjelbia had een villa in Kaliningrad, een flatgebouw aan de Côte d'Azur in Frankrijk en een viersterrenhotel met driehonderd slaapkamers aan de Zwarte Zee. Hij had beleggingsrekeningen in Londen, Nassau en de Caymaneilanden. Het geld droop uit elke porie van zijn lichaam, maar hij bleef het najagen met een meedogenloze ambitie, omdat geld voor hem even verslavend was als de zuivere heroïne die hij door de haven en over de grens verscheepte. Geld was zijn god. Een marineofficier was met een granaat in zijn hand naar zijn villa gekomen en had er de pin uit getrokken. Hij had een zwaar machinegeweer en munitie teruggehaald. Op de open markt zou Boris Tsjelbia 100 dollar voor het machinegeweer gekregen hebben en de munitie zou de waarde naar 125 dollar getild hebben. Maar de hele partij wapens van de basis, die volgende week onder een lading hout uit Kaliningrad verscheept werd, zou hem 210.000 dollar van de Libanezen opleveren. Hij had de marineofficier niet begrepen, had gedacht dat hij gek was, maar hij was er wel 125 dollar bij ingeschoten en dat stak hem enorm. Piatkin had gezegd dat als hij zijn taak volbracht, hij de dankbaarheid van de FSB zou verdienen en de marineofficier een klap zou toebrengen. Niemand kon Boris Tsjelbia zomaar bedriegen. Toch had de moed van de marineofficier hem wel aangesproken en had hij de man bewonderd.

De auto zocht zich een weg door de oude straten van Gdansk. Hij had bondgenoten, partners, medewerkers in de stad, maar dit was werk dat hij zelf moest opknappen. Met zijn gitzwart geverfde haar en zijn zwarte Italiaanse pak kwam Tsjelbia als een engel des doods over de brug van de Motawa.

De auto stopte op een klein eindje lopen van het hotel, bij de kade en de jachthaven.

Terwijl hij uit de auto stapte, zag Tsjelbia hoe een jonge vrouw zich bij een meerpaal over de rand van de kade boog. In haar hand hield ze een klein, maar kleurig boeket bloemen. Twee kinderen hingen aan haar benen. Hij keek even naar het tafereel en draaide zich toen om. Het hield zijn belangstelling niet vast. Hij liep naar het hotel.

Hij was keurig gekleed. Hij was het soort klant dat het hotel graag zag. Hoe kon men hem van dienst zijn? Tsjelbia sprak vloeiend Duits tegen de jonge vrouw bij de receptie. Hij was een maand geleden te gast geweest in het Excelsior-hotel, en zij was te beleefd om toe te geven dat zij zich dit niet kon herinneren. De nachtportier had hem een dienst bewezen en was hier niet voor betaald. Helaas zou hij niet in de stad zijn tegen de tijd dat de nachtportier weer in dienst kwam. Het was uiteraard niet volgens de regels, maar zou hij het adres van de man kunnen krijgen zodat hij hem persoonlijk kon betalen en bedanken?

Hij was bijzonder dankbaar en zijn glimlach was zeer innemend. Boris Tsjelbia ging de man wekken die de hele nacht gewerkt had.

Zonder ook maar naar hem te kijken, liepen ze langs Viktors bureau.

Piatkin, de wezel, liep voorop met twee mannen achter zich aan. Een van de mannen was van middelbare leeftijd, gekleed in een keurig burgerpak, met zorgvuldig gekamd haar en een aktetas van glanzend leer onder zijn arm. De tweede man was jonger, zag er armoedig, bijna smerig uit; een stoppelbaard bedekte zijn kin en wangen en hij droeg een oude spijkerbroek en een trui waarvan draadjes waren blijven haken en losgetrokken waren. Op zijn laarzen zat modder die lang geleden was opgedroogd.

Ze liepen langs Viktors bureau, langs het bureau van de radio-officier en de bureaus aan weerszijden van de verbindingsofficieren en specialisten van de staf op het hoofdkwartier en gingen recht op het laatste bureau af, dat de deur van de opperbevelhebber van de vloot bewaakte.

De man die zich niet geschoren had en eruitzag of hij in zijn kleren had geslapen, had een daadkrachtig gezicht. Hij was ongeveer van Viktors leeftijd, niet ouder. Hij had de ogen van een havik en een forse, gekromde neus, en de manier waarop hij achter Piatkin aan liep, straalde zelfverzekerdheid uit. Viktor huiverde onwillekeurig. Piatkin sprak buiten gehoorsafstand met de vrouw die het kantoor van de vlootcommandant bewaakte, een strenge vrouw met grijs, in een onberispelijk knoetje gestoken haar, die van elke humor en emotie verstoken was. Ze had al jaren voordat Viktor een uitverkoren officier werd voor de admiraal gewerkt. Viktor kon niets uit haar gezicht opmaken toen ze haar potlood neerlegde en even een paar dingen op haar bureau ordende. Daarna kwam ze overeind en klopte zacht op de deur die ze bewaakte. Ze ging naar binnen en deed de deur achter zich dicht.

Hij had gehuiverd, omdat hij wist wat er gebeurde.

Ze kwam naar buiten en deed een stap opzij om de twee mannen toe te laten tot het privé-kantoor van de admiraal. De deur zwaaide achter hen dicht en Piatkin bleef er met met zijn armen over elkaar voor staan.

Elf uur 's ochtends. Om elf uur 's ochtends werd er altijd een karretje het personeelskantoor binnen geduwd en kwam het knappe, jonge meisje met de blonde paardenstaart met thee, koffie, warme chocola en koekjes. Bekers en plastic borden voor het personeelskantoor, porselein voor de admiraal. Hij had zich op deze dag voorbereid, maar had het heel moeilijk. Werk, met alle daaraan verbonden details, en de blikken op zijn horloge vulden niet de tijd die hij door moest komen tot laat in de middag, wanneer hij de reis naar het rendez-vous zou maken. Die ochtend en de hele afgelopen nacht had hij die reis in gedachten doorgenomen.

Viktor schoof zijn stoel terug toen het meisje een beker chocola – de drank die hij elke dag nam – voor hem neerzette. Hij liep naar Piatkin. 'Neem me niet kwalijk, majoor. Er is mij niet verteld dat u een afspraak had gemaakt om de vlootcommandant te spreken. Ik...'

'Overste Artsjenko, ík heb geen afspraak om admiraal Falkovski te spreken.'

'U had mij op de hoogte moeten stellen.' Viktor probeerde de verstikte klank van zijn stem te onderdrukken. 'Ik ben altijd aanwezig bij besprekingen van de vlootcommandant.'

Piatkin grijnsde hatelijk. Viktor stond een halve meter bij hem vandaan. Ze stonden bijna borst tegen borst, kin tegen kin. Het was Piatkins grijns, de grijns van een wezel, die hem kapotmaakte. Alle ogen waren op hem gericht. Op dergelijke momenten vindt er een overdracht van macht plaats. Iedereen in het personeelskantoor zou gezien hebben hoe overste Viktor Artsjenko – de man die het oor van de admiraal had – zich voegde naar het gezag van een majoor bij de Federalnaja Sloezjba Bezopasnosi. Hij had moeten vluchten toen hij in de dierentuin was, had moeten vluchten de laatste keer dat hij een pakje afleverde bij kasteel Malbork, had moeten vluchten toen hij met Alice bij het monument op de kaap was: hij had moeten vluchten, maar had dit niet gedaan.

Hij keerde de dichte deur de rug toe en liep terug naar zijn bureau. Hij moest de beker chocola met twee handen vasthouden om ervan te drinken.

'Ik kan dit nauwelijks geloven, nee, ik kan dit onmogelijk geloven.' Als er een spiegel op zijn kantoor was geweest en hij hierin had gekeken, zou admiraal Alexei Falkovski de bleke kleur van zijn gezicht gezien hebben en de grote ogen van verbijstering. 'Als wat jullie zeggen waar is, dan is dat ongelooflijk, zó ongelooflijk dat ik het niet kan bevatten.'

Hij kon niet aan de man twijfelen. Stijf in zijn handen geklemd, hield hij een enkel vel papier van de Loebjanka, dat luitenant-kolonel Joeri Bikov van de binnenlandse militaire veiligheidsdienst introduceerde en waarin hij bevolen werd om de FSB-agent zijn volle medewerking te verlenen. Hij had kunnen razen en tieren, maar daar zou hij weinig mee bereikt hebben en zichzelf alleen maar meer schade hebben toegebracht.

'Ik heb hem als een zoon behandeld, heb hem vertrouwd.'

Schade was waar het om draaide, de enige zekere weg naar overleving was schadebeperking. Hij had in de 38 jaar bij de marine redelijke betrekkingen onderhouden met de mannen van de Federalnaja Sloezjba Bezopasnosi. Hij had hun spelletje meegespeeld, had nooit iets gedaan om hen te dwarsbomen. Hij begreep hun macht, had die herkend toen hij jong was en wist ook nu wat die macht inhield. Twee keer per jaar had hij een lunchafspraak in Kaliningrad met een FSB-generaal. Ze dronken dan wijn en kletsten over ondergeschikten en rivalen, roddelden over wie er met wie naar bed ging, wie te veel dronk en wie zijn garnizoen plunderde en de materialen aan de mafija verkocht. Na afloop van de lunch omhelsden ze elkaar. Tegen de tijd dat zijn stafauto halverwege Baltijsk was gekomen, zou hij vergeten zijn wat hij gezegd had en wat hem verteld was. Maar de macht van de FSB was altijd aanwezig. Bij elke promotie werd een officier in actieve dienst doorgelicht. Als deze controle negatief uitviel, zou de officier geen toegang krijgen tot vertrouwelijk materiaal. Zonder toegang tot geheime dossiers was promotie niet mogelijk. Ze hoefden niet gek op elkaar te zijn, maar moesten als vlooien en honden zien samen te leven.

'Ik twijfel niet aan uw woorden, kolonel Bikov, maar het is moeilijk, heel moeilijk om dit te aanvaarden. Ik denk dat ik eerder zou geloven dat mijn vrouw door een dienstplichtige geneukt wordt. De schoft...'

Slechts één keer in zijn leven had hij opzettelijk een bevel van de oude KGB genegeerd. Nadat hij het heft in handen had genomen en het bevel had gegeven dat de *Storozjevoi*, de destroyer van de Krivakklasse, tijdens de vlucht naar Zweedse wateren tegengehouden moest worden, had hij zelf de eenheid geleid die aan boord was gegaan om het schip over te nemen van de verradersbende en had hen teruggebracht naar Riga. Hij had toen het bevel gekregen om zijn gevangene over te dragen aan de agenten van de KGB en had dit geweigerd. Hij had hen zelf van de loopplank geleid en naar de militaire gevangenis gebracht, waar hij hen in de cel had gegooid. Pas toen had hij de sleutel aan de agenten gegeven. Dat was de enige keer. Het kwam geen moment bij hem op dat hij Viktor Artsjenko moest verdedigen.

'U zal door mij geen strobreed in de weg gelegd worden. U kunt zich vrijelijk op mijn basis bewegen, dat verzeker ik u, maar u zult begrijpen dat ik me ellendig voel, alsof er een mes in mijn rug is gestoken.'

Een man als Bikov kwam niet voor niets naar de basis. Als een andere officier van de veiligheidsdienst zijn kantoor binnen was gevallen en vage, onbewezen beschuldigingen had geuit, zou hij hem bij de kraag gevat hebben en hem de deur uit gebonjourd hebben om hem vervolgens zo ver mogelijk het personeelskantoor in te slingeren. Maar niet deze man, niet deze Bikov. Er gingen een zelfvertrouwen en een serene kalmte van de man uit die in het hele vertrek voelbaar waren. Deze man, Bikov, kon een eind maken aan de lange carrière van Alexei Falkovski. Ondanks al het goud op zijn schouders en de mouwen van zijn jasje, ondanks de zeven rijen lintjes op zijn borst, voelde hij dat zijn toekomst in de handen van deze man lag. Trouw? Trouw kon hem gestolen worden. Had Viktor, zijn protégé, per slot van rekening niet hém bedrogen? De worm knaagde al aan zijn hart. Wat was zijn toekomst? De gedachten vlogen koortsachtig door zijn hoofd. In het gunstigste geval sleet hij zijn laatste dagen op een ontoereikend pensioen in een afschuwelijke torenflat in de anarchistische buitenwijken van Moskou of Moermansk, in ongenade gevallen, omdat een spion onder zijn neus zijn werk had gedaan en zich in zijn vriendschap had kunnen verheugen. In het ongunstigste geval – en de gedachte verkilde hem, terwijl hij Bikov van zijn volledige medewerking verzekerde – zou hij vervolgd worden wegens plichtsverzuim en bij de *zeks*, het misdadige uitschot, worden opgesloten.

'Wat hebben jullie nodig om die schoft te pakken? Jullie hebben mijn volledige medewerking.'

De stem die antwoord gaf, klonk zacht, zakelijk. 'Ik wil bewijsmateriaal. Dat heb ik nog niet. Ik heb alleen maar een vermoeden van schuld, maar niet de bevestiging. Het is mijn taak om onweerlegbaar bewijs te vinden. Tegenwoordig moet ik bewijs hebben om een hoge officier te arresteren en hem ervan te beschuldigen dat hij verraad heeft gepleegd, dat hij een buitenlandse macht, in dit geval vermoedelijk Groot-Brittannië, heeft geholpen door elk document door te spelen dat op zijn bureau terechtkwam of in uw afgesloten kluis lag.'

'Hoe krijgt u dat bewijs?'

'Uit een verhoor, uit een bekentenis. Een bekentenis is altijd...'

Hij had zich over zijn bureau gebogen, zijn stem klonk schor. 'Gaat u hem martelen?'

Op de reis van zijn carrière door de hoogste lagen van de marine was hij door Viktor vergezeld. Viktor had zijn frustraties weggenomen, Viktor had alles geregeld waar hij om gevraagd had, had hem beschermd en hem bewaakt. Hij had op hem gesteund, Viktor was zijn kruk. Zijn opperste ambitie, om zijn marinetijd af te sluiten als opperbevelhebber van de Noordelijke Vloot, werd hem uit handen gerukt. Shit. Shit, maar hij kon zich er toch niet toe brengen om hem te haten.

'Nee.'
'U martelt hem niet?'
'Ik ga met hem praten.'
'U gaat met hem práten, en door te praten bezegelt hij zijn ondergang?'
'Ja.'
'Wanneer gaat dat gebeuren, zijn arrestatie?'
'Ik ben bijna zover.'
Hij hield zijn hoofd in zijn handen en zijn vingers verborgen zijn ogen. Al het leven, alle kracht, waren uit hem gevloeid. Hij was iemand die gevreesd werd door de mensen die voor hem werkten. Officieren en manschappen verstijfden als hij naar hen keek, waren bang voor hem. Hij had het gevoel dat hij verschrompeld was.
'Ik hoef het niet te zien.'
'Heel begrijpelijk, admiraal Falkovski. Wees zo goed om niet met hem te communiceren, laat geen vertrouwelijke dossiers slingeren, doe geen kluizen open, voer geen telefoongesprekken, blijf in uw kantoor. Uw houding is begrijpelijk, omdat hij uw vriend was.'
De deur ging geluidloos achter hen dicht. Uit zijn la haalde hij een pakje Camel uit de slof die Viktor voor hem had meegenomen.
De tranen liepen de oude zeeman over de wangen.

'Ik had meer van hem verwacht, meer verzet, meer argumenten,' zei de majoor.
De vlaggen en wimpels op het gebouw van het hoofdkwartier wapperden in de wind. De zon scheen. Het was een mooie herfstdag, die perfect geweest was als het niet zo hard had gewaaid.
'De meeste mensen zorgen voor hun eigen hachje. Het hachje bepaalt meestal de hechtheid van een vriendschap,' antwoordde Bikov.
Voor hen stond een laag, vierkant betonnen gebouw, waarin de militaire politie en de kantoren van de FSB op de basis waren ondergebracht. Alleen de laatste voorbereidingen moesten nog bevestigd worden.
Zijn majoor drong aan. 'Ik had gedacht dat hij voor Artsjenko zou opkomen, maar hij heeft hem laten vallen.'
Vanbuiten zag het gebouw er hetzelfde uit als de vorige dag of de vorige week. Het verschil was subtiel. Bij de ingang stond een bureau en aan het bureau zaten twee gewapende politiefunctionarissen die er de vorige dag of week niet waren geweest. Op de overloop van de eerste verdieping, bij de ingang naar de FSB-kantoren, stond een tafel en achter die tafel zat een andere marechaussee met een automatisch geweer op zijn knieën. En hoewel de middagzon licht en warmte gaf, waren de ramen van deze kamers bedekt met krantenpapier, waren de

jaloezieën dichtgetrokken en was al het meubilair uit de kleinste kamer verwijderd. Ze bekeken het werk dat onder leiding van hun sergeant was uitgevoerd, maar zijn majoor kwam weer op het onderwerp terug.

'Ik had meer van de admiraal verwacht. Artsjenko staat alleen.'

'Niet helemaal alleen,' zei Bikov peinzend. 'Hij heeft mij. Ik zal zijn vriend zijn.'

Het zware machinegeweer, de 12,7mm NSV, ratelde op de schietbaan. Igor Vasiljev, de dienstplichtige, kende elk bewegend deel van het wapen. Hij kon blind de loop, het staartstuk en de kamer demonteren en weer in elkaar zetten. Het was moeilijk met de felle dwarswind over een afstand van tweeduizend meter op de open schietbaan op de landtong te schieten. Na elk salvo van vijf schoten controleerde hij de hoek van de windzak langs de baan en keek hij of er geen rommel over de baan waaide. Zijn treffers op de doelen werden via de radio doorgegeven naar de loopgraaf vanwaar hij schoot. De andere dienstplichtigen van het 8ste peloton, 3de compagnie en 81ste regiment van de marine-infanterie zaten gehurkt achter hem en keken toe, evenals de instructeurs die hem niets meer konden leren en zijn pelotonssergeant. De laatste was nu op zijn hoede, heel voorzichtig waar het Vasiljev betrof. Het was middag. Toen hij het laatste schot had gelost en de loop heet was, drukte Vasiljev zich uit zijn hurkhouding op.

'Vanwege de wedstrijden zou ik vanmiddag wel weer willen schieten.'

'Er is vanmiddag een lezing over navigatie en daarna is het de gymzaal.'

'Ik zou graag willen schieten na de lezing, in plaats van de gymzaal.'

Vanwege de macht van Vasiljevs vriend, de chef-staf van de admiraal, en ook vanwege zijn eigen schuldgevoelens, gaf de pelotonssergeant aan zijn wensen toe. 'Je mag vanmiddag weer schieten.'

In Moskou, aan een tafeltje in een rustig restaurant in een straat achter het Bolsjoi-theater, een gelegenheid die bij buitenlanders zeer in zwang was, werd de Zweedse militaire attaché op een etentje getrakteerd door zijn Britse collega. Er was een tweede fles wijn besteld. Om iets tegenover de uitstekende maaltijd te stellen, vertelde de Zweed opnieuw zijn lievelingsverhaal.

'Moet je je voorstellen, de ondervrager keert naar Grozny terug om in het zonnetje gezet te worden, om het kopstuk te zijn op een feestje waar hun walgelijke nepchampagne tot diep in de nacht zou vloeien, maar hij komt niet opdagen. De ster van de show is verdwenen. Heeft zelfs niet de tijd om te kakken, zich te scheren en een douche te nemen. De Loebjanka had een straalvliegtuig voor die knaap gestuurd. Hij is de grote held en hij is vertrokken. En wat iedereen zich afvroeg, in dat vreselijke gat dat Grozny heet – wat is er zo belangrijk dat de ondervrager niet even in het zonnetje gezet kan worden? Wat ze gisteravond tegen de geachte collega uit de Oekraïne zeiden, die het weer tegen de geachte collega uit Belarus zei, die het aan mij vertelde, was dat er een bijzonder grootschalig schandaal plaatsgevonden moest hebben, ergens in het hart van dit verschrikkelijke oord, om de ondervrager weg te roepen van de grote eerbetuiging.'

'Je hebt zeker niet gehoord – ik denk het haast niet – van welke afdeling die ondervrager van de FSB komt? Of wel?'

'De militaire veiligheidsdienst.' De Zweed glimlachte breed. De tweede fles werd ontkurkt.

'Mijn vader is hier geweest,' zei Jerry de Pool. Hij kauwde op een tandenstoker.

'Dat spijt me.' Alice boog haar hoofd. Locke geloofde dat ze niets anders wist te bedenken. Zelf zei hij niets, er viel gewoon niets zinnigs te zeggen.

Kleine zonnelichtjes dansten op het prikkeldraad. Bij het hek, waar een platform over was gebouwd met een wachttoren erop, was een enkel boeket verse zonnebloemen aan het prikkeldraad gehangen en hun heldere kleur wedijverde vrolijk met de lichtjes op het metaal. Locke telde dertien strengen die aan de verticale, geteerde palen gespijkerd waren en er zaten nog eens vier strengen aan schuine steunen op het hek, zodat iemand niet door beklimming van het hek kon ontsnappen.

'Mijn vader was hier tijdens de oorlog,' zei Jerry de Pool.

Toen ze uit Gdansk waren vertrokken, met Alice achterin en Locke naast de Pool, was de kwestie van het pensioen – het niet betaalde pensioen – weer ter sprake gekomen. Er werd gezeurd of zij, als fatsoenlijke mensen, niet iets konden doen? Meneer Mowbray kon dat niet, konden zij het misschien wel? Locke had kortaf, zonder enig enthousiasme, gezegd dat hij het zou bekijken, een dooddoener. De oude Mercedes was op een lange, rechte weg gekomen na het kruispunt bij Stegna; Jerry de Pool had de stilte verbroken en was er weer over begonnen: hij was een van de beste en trouwste medewerkers die ze ooit in het Olympisch stadion hadden gehad en hij was in Berlijn nog nooit werk uit de weg gegaan. Alice was hem in de rede gevallen. Te veel koffie bij het ontbijt, ze moest naar het toilet. Ze waren afgeslagen en hadden een laan met beuken gevolgd. Locke had het bord niet gezien en ze waren gestopt op een ruim parkeerterrein, waar buiten hen alleen een enkele touringcar stond. Alice was de weg naar het toilet gewezen en Jerry de Pool was naar het hek van het kamp gelopen en had twee kaartjes gekocht.

'Het heet Stutthof, dat is de Duitse naam. Heb je ervan gehoord? Nee? Mijn vader is hier drie jaar geweest.'

Locke keek met een strak, ijzig gezicht voor zich uit. Hij geloofde dat een dergelijke intens ernstige, onverstoorbaar serieuze uitdrukking op de situatie van toepassing was. Hij had van Auschwitz-Birkenau in het zuiden, Sobibor bij Lublin en Treblinka gehoord, maar had die kampen niet bezocht. Te veel werk, te veel pressie, de dag was niet lang genoeg. Hij zou tegen Danuta of tegen de jonge Polen die hij op symposia ontmoette gezegd hebben dat iemand die in het verleden leefde in een gevangenis leefde. Hij had nog nooit van het concentratiekamp Stutthof gehoord.

'Kom,' zei Jerry de Pool. 'Laten we een stukje lopen terwijl zij naar het toilet is.'

'Oké, waarom niet?'

Locke wist niet wat hij anders had kunnen zeggen. Hij had toegestemd uit beleefdheid. De Pool liep schommelend met zijn slechte heupen voor hem uit en Locke liep achter hem aan. Ze gingen door de open poort een oase van stilte binnen. Een leraar op zijn school, de middenschool in Haverfordwest, had eens tegen de klas gezegd dat er plaatsen waren waar de vogels niet zongen. 'Belachelijk' hadden de kinderen geroepen, terwijl ze door de gangen naar wiskunde of economie stormden. Hoe wisten stomme mussen wat er vijftig jaar geleden was gebeurd? Maf. Hij luisterde en hoorde geen vogels, maar er waren wel rijen berken aan de andere kant van het prikkeldraad voor hen uit en aan de zijkant van het kamp, achter de barakken. Het geluid van vogels bereikte hem niet. Ze lieten het stenen wachthuis achter zich. De bus op het parkeerterrein had schoolkinderen uit Düsseldorf gebracht: knappe tieners, leuke jongens en Lolita-achtige meisjes. De Pool en Locke bleven een beetje achter de groep hangen, lieten de kinderen eerst rondkijken in een barak voordat ze zelf naar binnen gingen. Ze zagen de stapelbedden, twee boven elkaar, en het gidsje dat bij de kaartjes was afgegeven vermeldde dat tegen het eind van de oorlog vier mannen op één bed hadden geslapen, op een matras van samengeperst stro. Ze gingen de barak in die als badhuis had dienstgedaan, waar zes baden elk plaats hadden geboden aan zes man voor de paar minuten die hun gegeven waren om het vuil weg te wassen en vlooien en luizen te verwijderen. Nadat de kinderen waren vertrokken, gingen zij de medische kamer binnen, waar smerige, roestige brancards op wielen stonden; volgens het boek waren hier 'experimenten' uitgevoerd.

Hij bladerde in het boekje. Stutthof was het eerste kamp dat in het bezette Polen was geopend. Het was 2077 dagen opengebleven en 110.000 gevangenen waren, net als Locke kort geleden, door de poort gekomen. In het kamp waren 65.000 mensen door verhongering, ziekte, dodelijke injecties, verhanging of vergassing om het leven gekomen. Er heerste sombere duisternis in de barakken, maar telkens als hij naar buiten liep, werd zijn gezicht door de zon verwarmd. Aan het eind van het terrein, aan de andere kant van het prikkeldraad, maar duidelijk zichtbaar vanaf de barakken, was een enkele galg, een verticale paal met een dwarsbalk die door een stut werd ondersteund; onder aan het eind van de dwarsbalk was een haak in het hout geschroefd. Locke voelde zich niet goed. Er waren nog twee gebouwen die ze konden bezichtigen – hij vroeg zich af waar Alice was, of ze hen nu volgde of bij de auto was gebleven. Op een klein, stenen gebouw, waar een kaars bij brandde in een vaas, zat een bord: KOMORY GASOWEJ. De kinderen waren allemaal bleek toen ze uit het gebouw stroomden. Na hun vertrek ging Locke de gaskamer binnen, waar hij in het kille interieur naast Jerry de Pool bleef staan en het gat in het plafond zag waardoor de kristallen waren uitgestrooid over de hoofden beneden. Het laatste gebouw, recentelijk vanbuiten geschilderd om het houtwerk tegen het weer te beschermen, met de hoge stenen schoorsteen aan het andere eind, was aangegeven als BUDYNEK KREMATORIUM. Hij liep naar de deur, drong zich langs Jerry de Pool, keek naar binnen en zag, over de hoofden van de kinderen uit Düsseldorf, de open deuren van de twee ovens. Hij draaide zich om. Het laatste stukje van de panoramische puzzel werd gevormd door twee houten treinwagons, op een spoor dat in de beschaduwde diepte van het berkenbos verdween. Hij spande zich in om vogels te horen, maar hoorde niets. Hij vroeg zich af wat er gebeurd was met meneer Frobisher, die geschiedenis had gegeven in de zesde klas en met wiens woorden de spot was gedreven.

Ze liepen terug over het middenpad tussen de barakken, de wachttorens en het prikkeldraad.

De vraag was lang in voorbereiding geweest, was gevormd en gerepeteerd en gaf, naar hij hoopte, blijk van tact. 'Heeft jouw vader het overleefd, Jerry, of is hij hier omgekomen? Is hij in die kamer of aan de galg aan zijn eind gekomen of werd hij doodgeschoten? Dat weet je waarschijnlijk niet.'

'Omgekomen? Natuurlijk is hij niet omgekomen,' zei Jerry. 'Heb ik je dat niet verteld? Mijn vader was timmerman, was in het kamp aangesteld. Hij wérkte hier.'

Locke struikelde. Zijn knieën begaven het en hij raakte uit balans. Hij graaide met zijn handen om zich heen en hij kreeg de schouder van de Pool te pakken. Hij hervond zijn evenwicht. Hij wist niets. De stille wereld om hem heen was een massa bolle en holle spiegels die alles vervormden. Alles in het leven van Gabriel Locke was zeker geweest tot het moment dat hij op de bank in kasteel Malbork had gezeten, onder de blik van de kruisridders, Von Salza, Von Feuchtwangen, Von Kniprode en Markgraf Albrecht. Tot hij zijn hand onder het bankje had gestoken om er het pakje weg te halen, was alles duidelijk, eenvoudig, simpel geweest. De agent was een verrader, dat was duidelijk. Mowbray was een dinosaurus, een fossiel uit de oude tijd, zo simpel was het. Hijzelf was de nieuwe, moderne lichting, de nieuwe bezem, de nieuwe denker, zo was het gewoon. Wat was Alice North? Ze stond bij het hek, haar armen over elkaar geslagen, alsof ze de bloeiende zonnebloemen bewonderde.

Hij hoorde Jerry de Pools litanie amper. 'Mijn vader, Tomasz, was als ieder ander, hij moest werken om zijn gezin te onderhouden. Er waren verscheidene Polen en de commandant had deze mensen nodig. Ze werden "ere-Duitsers" genoemd. Wat heeft mijn vader verkeerd gedaan? Hij gokte op het verkeerde paard, het verliezende paard. Hij heeft hier drie jaar gewerkt en toen, in 1942, verhuisden we naar Krynica Morska op het schiereiland, daar gaan we zo heen en ik zal u ons vroegere huis laten zien, meneer Locke, en de begraafplaats waar mijn grootouders liggen, voordat we doorrijden naar Piaski. U zult het vast allemaal heel interessant vinden. In Krynica Morska was mijn vader opzichter bij het project om een deel van de lagune droog te leggen, hij zag toe op het werk van de gevangenen. Dat was tot februari 1945 en ik was toen elf. We moesten weg, want de Russen waren in aantocht. Het kamp werd geëvacueerd en de "ere-Duitsers" en hun gezinnen liepen met de gevangenen en de Duitsers naar wat nu Gdansk is. Vandaar ging het per trein naar Rostock en van Rostock was er een boot naar Denemarken. Het was een heel avontuur voor een kleine jongen. Mijn vader vestigde zich in Lübeck en vond weer werk als timmerman en vijf jaar later werd ik als aankomend tolk aangenomen in het Olympisch stadion. Ik heb van mijn vader geleerd, meneer Locke. Ik werk alleen voor de winnaars, voor meneer Rupert Mowbray en ik geloof dat u ook een winnaar bent, meneer Locke.'

De spiegels waren de genadeslag. Locke zag de schoen in het water. De dood zou net zo zeker in de ogen van de verdronken man gestaan hebben als in de ogen van de mannen in de gaskamer, het crematorium en aan de galg. Door de spiegels leek de schoen reusachtig.

Ze waren bij het hek, bij Alice gekomen.

Jerry de Pool glimlachte naar hem. 'Ik geloof dat u de rondleiding heel interessant vond, meneer Locke. Veel van de barakken die mijn vader heeft gebouwd zijn verdwenen, niet omdat ze slecht gebouwd waren, maar omdat mensen uit de dorpen het hout weghaalden om in koude winters op te stoken. Meneer Locke, u bent een vriendelijke, intelligente man. Zou u alstublieft willen kijken hoe het met mijn pensioen staat. Mag ik erop vertrouwen?'

'Nou moet je eens goed luisteren, Jerzy Kwasniewski, klootzak, fascist. Waarom houd je je bek niet over dat kutpensioen?'

Hij liep langs Alice.

Ze riep hem na: 'Is er iets, Gabriel? Je bent doodsbleek.'

Hij kon geen antwoord geven.

Ze hadden een schuilplaats gebouwd.

Het machinegeweer in de verte schoot niet meer. Ze waren pas laat van het schip vertrokken; de buitenboordmotor was steeds weer gecontroleerd, maar had bij de laatste controle niet aan willen slaan. Hij had uit elkaar gehaald moeten worden en ze hadden de benzine uit de tank laten lopen en die toen weer gevuld. De rubberboot had zich slecht gedragen in de witte krullers, maar het was ook veertien jaar geleden sinds een van hen in het donker met een rubberboot op zo'n zee gevaren had. Ze hadden de rubberboot op honderd meter van de kust in vier meter water tot zinken gebracht; ze hadden de 'ventielen gekraakt', zoals ze dat noemden, en de lucht was sissend en borrelend uit de zijkanten van de boot gelopen. Ze waren naar het strand gezwommen en hadden de opblaasbare tassen achter zich aan getrokken, nog steeds, zij het net, gedekt door de duisternis. Ze waren over het strand en over de duinen gehold en toen gebukt naar de eerste rij dennen gerend. Terwijl de dageraad nog steeds donkergrijs was, had Lofty de taak gekregen om met een dennentak terug te gaan naar het water en hun voetafdrukken in het zand uit te wissen. Toen hadden ze de schuilplaats gebouwd en later was het machinegeweer begonnen te schieten.

Lofty was er, omdat hij van de doden kwam. Hij praatte elke dag met de doden en nam zijn gesprekken mee terug naar de kamer die hij huurde op de boerderij bij Passchendaele. De doden waren zijn enige vrienden. Ze lagen onder de stenen waarvan hij het mos schraapte en onder de aangeharkte bedden die hij onkruidvrij hield. De doden kenden geen schuld. Er ging geen dag voorbij dat Lofty zich niet zijn eigen schuld herinnerde toen hij een uniform had gedragen. Elke dag van zijn arbeidzame leven schroeide de schuld in hem en krijste het gezicht van de verdronken jongen hem toe. Als de anderen er niet geweest waren, zou hij zijn schuld hebben opgebiecht tegen de rechercheurs van de criminele opsporingsdienst, maar zij hadden hem de kracht gegeven om zich aan de leugen vast te klampen en dat vervulde hem met schaamte. Alle doden onder hun zerken, onder de bloembedden en het gemaaide gras in Tyne Cot, wisten van de moord op de

Ierse krabbenvisser en ze gaven hem geen troost. Alleen wanneer hij bij hen zou liggen, wanneer zijn leven voorbij was, zou hij vrij zijn van schuld.

Hij was niet bang voor het gevaar, was alleen maar bang voor de hel die zijn bestaan was. Twee keer, sinds hij voor de oorlogsgravencommissie van het Gemenebest was gaan werken, had Lofty een stuk touw uit het gereedschapsschuurtje gehaald en was hij aan het eind van die twee dagen in de schemering weggefietst. Hij was van de rechte, vlakke weg naar het dorp gegaan en over paden gepeddeld die naar de groepjes populieren leidden die op het oude, met kraters bezaaide slagveld geplant waren. Hij was van plan geweest om zelfmoord te plegen. Eén keer was hij zelfs zover gegaan om het touw over een tak te gooien, maar hij had niet de moed gehad om deze laffe uitweg te nemen. Op zijn laatste dag had hij hun allemaal, al die stenen, verteld waarom hij ging en waarheen.

Lofty was een jongen van het platteland. Zijn kinderjaren waren doorgebracht in de bossen en het heuvelland rond een dorp bij de stad Guildford in Surrey. Hij had zichzelf vermaakt, zijn eigen spelletjes verzonnen, en hij wist hoe je een geheime schuilplaats kon maken die je pas vond als je erop ging staan. De schuilplaats die ze onder Lofty's toezicht bouwden was een vakkundiger stukje werk dan een instructeur geleverd kon hebben. De schuilplaats was gebouwd op een plek waar een den in een storm was omgewaaid, waar de wortels van de boom uit de grond waren getrokken en een ondiepe zandkuil hadden achtergelaten. Het dak was van varens en dode takken gemaakt. Om de schuilplaats heen duidde niets op hun aanwezigheid, geen gebroken twijgjes, verstoorde dennennaalden of zichtbare afdrukken.

Er werd niet meer met het machinegeweer geschoten. Ze lagen dicht tegen elkaar in het donker te wachten tot de dag zou verstrijken.

12

V. Waar in de Russische Federatie ligt de militaire basis die zeven van de laatste dertien wedstrijden heeft gewonnen in paraatheid en uitmuntendheid?
A. Kaliningrad.

De boeggolf krulde terug van de romp van de patrouilleboot. Achter het geel en groen van de streep land verhieven, scherp afgetekend, de torens en kranen van de haven zich. Mowbray had de boot in zijn verrekijker. Hij kwam als een pijl op hen af. De *Princess Rose* slingerde vervaarlijk en Mowbray moest zich vastgrijpen aan het vastgeschroefde tafeltje aan de achterkant van de brug. Boven hem, aan de mast, hingen nu twee zwarte ballen; overdag het teken dat het schip motorpech had. Toen het schip nog op de motor voer, had Mowbray het slingeren en stampen van het schip redelijk aangekund, maar nu ze dreven was het absoluut verschrikkelijk geworden. Hij had een maaltijd afgeslagen en zich over de radio gebogen. De radio was een excuus. Er zou tot nul uur, ofwel 20.00 uur, radiostilte in acht genomen worden, maar door dicht bij de radio te blijven leidde hij zijn gedachten iets van de bewegingen van het schip af. De patrouilleboot verzwolg de afstand, racete naderbij.

'Weet u wat het is?'

'Voor het geval het belangrijk is, meneer Mowbray, het is een Nanoetsjka III. Ze hebben zes raketwerpers aan boord, voor wat de NAVO Siren grond-grondraketten noemt, met een bereik van zo'n 75 kilometer en, ja, het heeft daarnaast nog een grond-luchtraket en een luchtdoelkanon en als dat niet genoeg is, is het ook nog bewapend met een 30 mm-Gatling. Ik weet dat, omdat ik vroeger van Karachi op Bombay voer en de Indiërs die boten hadden. We kunnen er binnen twee minuten mee uit het water of onder water geschoten worden.'

Mowbray gromde opstandig: 'We hoeven ons nergens druk over te maken. Ze kunnen ons niets maken.'

'Helaas moet ik u tegenspreken, ze kunnen ons bijna niets maken. We hebben niet langer uw commando's en hun uitrusting bij ons, maar we bevinden ons in hun territoriale wateren, zijn onderworpen aan hun wetten en de reden waarom ons bijna niets gemaakt kan worden, is dat we u aan boord hebben. Als ze u vinden, meneer Mowbray, kunnen ze ons wel degelijk iets maken.'

'U bent betaald,' zei hij fel.

'U kunt maar beter benedendeks gaan, meneer Mowbray. De machinist, de goede Johannes, helpt u wel.'

Toen hij naar de machinekamer afdaalde, wist hij niet wat er zou gebeuren wanneer de *Princess Rose* bezoek kreeg van de patrouilleboot. Hij wist wel dat hij opgesloten zou worden in de ruimte waar de uitrusting bewaard werd, achter een schot tegen de romp onder de waterlijn, in het donker. Voor het vertrek uit Gdansk had hij gedacht dat hij zich kon voordoen als een vertegenwoordiger van de eigenaars, maar de stuurman – de Kroaat Zaklan – had zich minachtend uitgelaten over zijn gebrek aan kennis van maritieme aangelegenheden; hem wachtte de geheime bergplaats waar de uitrusting en wapens van zijn krijgshelden waren opgeborgen.

Hij keek nog één keer naar de naderende boot. Hij had de situatie niet langer in de hand.

'Als ze aan boord komen, wat doe je dan?'

'Dan geef ik hun uw whisky, meneer Mowbray, zo veel als ze maar willen, en dan laat ik hun de machinekamer zien. Gaat u nu maar.'

Hij ging moeizaam het steile trapje af naar het dek van de verblijven. Voorzichtig liet hij zich door het luik zakken en hij zocht wanhopig naar de sporten van de smalle trap, voordat hij half vallend het dek van de machinekamer bereikte, dat glad was van de olie. De machinist, Richter, sloeg zijn verrichtingen gade. In het vage licht van de enkele, zwaaiende kale lamp struikelde hij over de kap van de dieselmotor, waardoor hij met zijn heup tegen een werkbank botste. Hij vloekte. Richter grijnsde naar hem, dezelfde besmuikte lach als de kapitein, Yaxis. De metalen plaat werd voor hem verwijderd en hij stapte in de holte. Hij had genoeg ruimte om te staan of te knielen, maar niet om te liggen. Hij zou toch niet zijn gaan liggen, omdat hij de kou van het ruimwater in zijn schoenen voelde trekken. De metalen plaat werd teruggezet. De duisternis werd zwart. Hij hoorde hoe de schroeven werden aangedraaid, gevolgd door een schrapend geluid toen de rommel weer tegen de plaat werd gestapeld.

Een golf brak op de romp en zond rillingen over zijn rug. Later hoorde hij in zijn kleine hol de galmende klap, die hij in al zijn botten voelde, waarmee de stootkussens die van het dek van de patrouilleboot hingen tegen de romp van de *Princess Rose* geperst werden. En toen hij de gedempte stemmen door het plaatstaal hoorde, durfde hij amper adem te halen. God, als hij dit overleefde, zou elke nieuweling die naar Fort Monkton ging dit verhaal te horen krijgen.

Boris Tsjelbia beklom de betonnen trap, met zijn chauffeur achter zich aan. Voor hem uit, een trap hoger, worstelde een vrouw met drie kleine kinderen en haar boodschappen. Om de twee trappen bleef ze staan om op adem te komen. Tsjelbia wachtte dan tot ze verderging. Hij wilde niet gezien worden.

Van de ramen op de overlopen had hij net een prachtig uitzicht op de daken en de kerktorens van Gdansk en tot voorbij de haven. De hoge kranen van de dokken maakten deel uit van zijn persoonlijke geschiedenis. Twintig jaar geleden was Boris Tsjelbia spion geweest, niet voor de geheime politie van Jaroezelski of voor het Rode Leger met zijn tanks in Braniewo, maar voor de KGB. Toen er onrust heerste op de werven en onder de dokwerkers, in de tijd van de stakingen, de rellen en de bezettingen achter de barricades, had hij een vertrouwd koerier voor de vakbondsbeweging Solidariteit geleken. Hij had – zo ging het verhaal en het verhaal werd geloofd – sympathisanten uit het naburige Kaliningrad vertegenwoordigd. De ene maand bracht hij het arbeiderscomité een telexapparaat, de andere maand kwam hij met geld. De maand erop was het een truck vol levensmiddelen. Het werd allemaal in stilte gedaan, maar in voldoende mate om vertrouwen te wekken, en hij had gedetailleerde lijsten kunnen leveren met de namen en functies van de voornaamste persoonlijkheden in de beweging. De kranen van de haven van Gdansk, die vanuit deze ramen van de arbeidersflat zichtbaar waren, hadden zijn carrière gelanceerd. Toen had hij voor de KGB gewerkt; de invloed die zij hem hadden gegeven, had Boris Tsjelbia de weg naar zijn fortuin gewezen. Hij was de koning van Kaliningrad en had er gevoelsmatig geen moeite mee dat een koning wanneer dat nodig was zijn handen vuil moest maken, in de goot moest gaan. De koning doodde nu nog net zo gemakkelijk als op de dag dat hij zijn klim naar de macht was begonnen. Het verleden had geen greep op hem. Hij keek niet uit de ramen naar de kranen beneden hem terwijl hij de vrouw de trappen op volgde.

Hij hoorde haar hijgen van vermoeidheid. Er stonden radio's aan in het gebouw; er klonk blèrende muziek. De muren van het trappenhuis waren volgeklad met graffiti die hij niet las.

Hij drukte zijn vinger op een deurbel.

Hij wachtte. Hij nam aan dat de vrouw naar haar werk of uit huis zou zijn, dat eventuele kinderen op school of een universiteit zouden zitten of het ouderlijk huis hadden verlaten. Hij moest lang wachten voordat hij schuifelende voeten naar de deur hoorde komen en een vaag, ongeduldig gemompel opving, omdat hij zijn vinger continu op de bel gedrukt hield. De nachtportier verscheen in de deuropening in alleen een onderbroek en een hemd; hij veegde de slaap uit zijn ogen en was verbaasd om een man tegenover zich te zien die duidelijk vermogend was en naar hem glimlachte of hij een oude vriend begroette. Zonder enige uitleg, afgezien van Tsjelbia's glimlach, pakte de chauffeur de nachtportier bij de arm, stak zijn andere hand uit om de deur dicht te trekken en leidde hem de laatste twee trappen naar het dak op. Misschien besefte de nachtportier dat de deur nu achter hem dichtzat en dat hij geen sleutel had om de flat weer binnen te komen en misschien besefte hij ook dat gillen geen zin had en dat verzet tegen die greep om zijn arm niet mogelijk was. Hij stribbelde niet tegen. Tsjelbia was sterk. Zijn spieren werden in conditie gehouden door de gewichten in zijn villa. Hij zette zijn schouder twee keer tegen de deur naar het dak en deze zwaaide open.

De wind sloeg hun tegemoet. Als de chauffeur zijn arm niet had vastgehouden, zou de nachtportier in de regenplassen gevallen zijn.

Tsjelbia had zijn handen om het oor van de nachtportier geslagen terwijl hij zijn vragen fluisterde, en na elke vraag hield hij zijn oor tegen de lippen van de nachtportier om het antwoord beter te kunnen horen. De wind gierde door de antennes. De antwoorden waren verward, chaotisch. Er was een Rus naar het hotel gekomen, geld was van eigenaar verwisseld, er waren foto's getoond en er was een foto herkend, maar die gast was vertrokken. De collega van de gast en een vrouw waren gebleven. De collega, die jonger was, was de Rus uit het hotel gevolgd. De vrouw was die nacht gebleven, was vlak na het ontbijt vertrokken en had de rekening betaald.

'Waar is ze heen gegaan, die vrouw?'

Omdat hij in zijn onderbroek en hemd stond en zijn deur achter hem op slot zat, moest de nachtportier geweten hebben dat hem onvermijdelijk de dood wachtte. Er was voor hem geen weg terug meer, maar hij beantwoordde de vragen zo goed mogelijk, alsof dat zijn plicht was. Het was Boris Tsjelbia's ervaring dat mensen die veroordeeld waren vaak het meest meegaand en behulpzaam waren.

'Ik heb haar tassen naar buiten gebracht. Ze werd gereden door een Pool, in een grote, grijze Mercedes, oud model. Ze zei: "Hoelang is het rijden naar het andere eind van de Mierzeja Wislana?" Dat zei ze.'

Hij werd door Tsjelbia bedankt alsof de gelegenheid om beleefdheid vroeg. Op het dak, tussen de tv-antennes en schotels, was een schuurtje van betonblokken met een houten deur, die door de regen, sneeuw, storm en zon half verrot was. Op de deur, met punaises, was een onderhoudsrooster van verstevigd papier aangebracht, waarop de monteurs hun handtekening moesten zetten om te bevestigen dat het onderhoud van de lift die de 24 verdiepingen van het gebouw voorzag was uitgevoerd. Tsjelbia zette er zijn schouder voorzichtig tegenaan. De derde keer dat hij ertegenaan stootte, ging de deur open; zijn eerste reactie was om zich vast te grijpen aan de deurpost om te voorkomen dat hij in het gat viel. De FSB – vroeger de KGB – maakte van zijn diensten gebruik omdat hij geen bewijzen achterliet en zijn handen vuilmaakte terwijl die van hen schoon bleven. Hij deed een stap opzij.

De chauffeur leidde de nachtportier naar de bovenkant van de liftschans. Pas nu verzette de man zich. Zijn schreeuw werd door de wind naar de werkeloze kranen van de haven gevoerd. Toen werd hem de mond gesnoerd en viel hij met draaiende bewegingen omlaag.

'Er zit verdomme een rat in dat hol,' was het eerste dat Mowbray zei, toen de laatste schroef van het metalen schot was verwijderd en de rommel was weggedragen. 'Een groot klotebeest. Ik voelde zijn staart op mijn enkel, godbetert.'

De kapitein reikte hem zijn hand, de machinist grijnsde en Mowbray wankelde de machinekamer binnen. Hoewel de lichten zwak waren, verblindden ze hem toch. Hij had er ruim een uur gezeten.

'Dat waren prima mensen, zeer begaan met ons probleem,' zei de kapitein. 'Het duurde even, omdat we de kaarten moesten bekijken om uit te zoeken waar we voor anker mochten gaan. Daarna hebben we uw whisky aangebroken.'

In zijn hol had hij het galmende geratel van de ankerketting gehoord. De slingerbewegingen van de *Princess Rose* voor anker waren erger dan toen het schip nog dreef.

'Jullie hebben die fles whisky verdomme toch niet helemaal opgedronken?'

'Ze wilden pas weggaan toen hij op was. Op zee wekt gastvrij geschonken whisky altijd vertrouwen, meneer Mowbray. Ze waren op weg naar volle zee, maar kregen het verzoek om ons te inspecteren, ondanks het verhaal dat ik via de radio had doorgegeven. Elk vaartuig met motorpech wekt argwaan. Ondanks de whisky zullen ze ons scherp in de gaten houden, meneer Mowbray, en ik denk dat er nog meer boten voor een bezoekje gestuurd worden. U zult uw schuilplaats helaas nog wel vaker zien.'

'En die kloterat,' zei Mowbray mistroostig

Ze hielpen hem de ladder op en door het luik van de machinekamer. Ze zorgden ervoor dat hij zijn evenwicht niet verloor toen hij het trapje naar de kapiteinshut beklom. In de hut pakte hij zijn verrekijker. Hij tuurde naar de strook land en de bomen, het witgouden zand van het strand. Voorbij de bomen zag hij een windzak, horizontaal in de wind. Toen liet hij de verrekijker teruggaan over twee kilometer open terrein tot hij bij de bomenrij kwam. De rand van het bos was precies acht kilometer van een dorpje dat de naam Rybacij droeg. Hij wist dit, omdat hij het had nagemeten en Billy, de leider van de krijgshelden, het bevestigd had aan de hand van de kaart. Ze vroegen hem of hij wilde lunchen, maar hij schudde zijn hoofd. Nadat ze hem alleen hadden gelaten, bleef hij lang naar de rij bomen kijken en de windzak in de verte, die Viktor zou passeren wanneer de avond overging in de nacht. Het zelfvertrouwen vloeide uit hem weg. Als hij de touwtjes niet in handen had was hij nergens. Hij kon zijn blik niet van het vergrote beeld van de bomenrij, de plek waar ze wachtten tot de zon onderging, afhouden. Maar de zon had nog veel van haar baan af te leggen.

Locke stond op de duinen en de wind kreeg vat op zijn kleren, trok eraan. Zo ver als het oog reikte, naar het noordoosten en het zuidwesten, was het strand leeg, afgezien van één man en een enkel kleurig geschilderd vissersbootje dat hoog op het strand getrokken was. Hij liet zijn blik over de ruwe deining van de zee gaan.

Jerry de Pool had Alice en Locke naar Krynica Morska gereden en was afgeslagen naar een parkeerterrein. De stad was een badplaats en buiten het seizoen zag de plaats er troosteloos uit. Ze hadden verderop, in het dorp Piaski en aan het eind van de weg op het schiereiland, het een en ander te doen, maar de chauffeur was koppig geweest en had Lockes eis dat ze door zouden rijden en de mildere suggestie van Alice dat ze geen tijd hadden in de wind geslagen. Ze hadden in de auto gezeten, terwijl Jerry de Pool was uitgestapt en naar de begraafplaats was gelopen. Later had hij de auto stilgezet voor een klein, laag huis met recentelijk geschilderde muren en voordeur. Hier had hij gewoond toen zijn vader timmerman was. De woning was nu waarschijnlijk het vakantiehuis van een Duitse familie of rijke Polen uit Warschau. 'Jezus, dit is geen nostalgische trip, Jerry,' had Locke gesist en Alice had gemompeld: 'Ik geloof echt dat het tijd wordt om verder te gaan, Jerry.' Toen ze uiteindelijk verder waren gegaan, had hij een door bouwsteigers omringde, grote villa aangewezen en gezegd – alsof het hun iets kon schelen – dat de maîtresse van Hitler hier gewoond had, in dit huis, terwijl de Führer in de Wolfschans was om leiding te geven aan de strijd aan het oostfront. Daarna was hij hard weggereden, alsof hij hiermee alles gezegd had.

In het dorp Piaski, een kleine dertien kilometer voorbij Krynica Morska op de landtong, had Locke erop gestaan dat ze eerst naar het strand gingen en hij was voor hen uit naar de duinen gelopen.

Ver uit de kust, naar het noorden, rechts van hem, was de *Princess Rose*. Als Locke zijn ogen iets dichtkneep, kon hij de rode romp zien. Een eindje van het schip af, op een afstand die steeds groter werd, meende hij een door de zon beschenen, oplichtende boeggolf te zien. De *Princess Rose* lag stil, leek geïsoleerd. Zijn blik dwaalde van de eenzame *Princess Rose* af over het lege zeegezicht. Tot ver voorbij de enkele figuur strekte het strand zich in alle rust uit, een strand voor reisbureaufolders, een strand dat de wandelaars die regelmatig over het pad aan de kust langs zijn ouders boerderij marcheerden ten zeerste zouden waarderen. Zo'n tweeënhalve kilometer verder op het strand stak een wachttoren op stakerige steunpilaren boven de bomen uit. Daar weer achter hadden Mowbrays krijgshelden zich ergens met hun wapens verborgen. Het zonlicht viel warm op zijn lichaam, maar toch huiverde hij. Hij was tegen zijn zin deel geworden van deze waanzin.

De man op het strand wierp een met lood verzwaarde lijn met aas in de zee en Locke zag de kleine plons waar het lood in het schuim van de golfkam viel; de lijn scheerde klinkend weg vanwaar hij hem keurig opgerold bij zijn voeten had gelegd. Locke begreep het. Het weer was te slecht om met een boot uit te varen. De visser stond voorovergebogen en hield de lijn tussen zijn vingers. Hij kon zich gewoon niet losrukken van de zee, dus viste hij met een handlijn.

Locke draaide zich om. Zijn schoenen zonken weg in het zand en het ruwe gras dat het zand bijeenhield. Hij liep naar Alice toe. De wind en de buitenlucht deden haar goed. Haar haar was losgewoeld door de wind en een blos had haar wangen gekleurd. Voorheen was ze hem amper opgevallen: ze was de vrouw die tijdens vergaderingen in een hoekje zat en nooit opkeek van haar blocnote; ze regelde het vervoer en de accommodatie; ze zat maar bij de Algemene Dienst, was geen agente. Ze beschermde haar ogen tegen de zon en ze staarde over het strand, voorbij de wachttoren, voorbij het eind van de bomenrij, voorbij het open terrein van de landtong.

Hij wist zeker dat ze hem zocht.

In het hotel had ze de krijgshelden de foto van Fret laten zien. Locke had die foto niet gezien. Hij, de man met de codenaam Fret, was daar, waar het land overging in de lucht.

Toen hij bij haar kwam, keek ze nog steeds over het strand uit en hij geloofde dat ze een wake hield, maar uit haar mondhoek zei ze: 'Er is daar een graf.'

'Een wat? Een graf?'

'Dat zei ik, een graf.' Met haar vrije hand wees ze achter zich.

Hij liep naar het punt dat ze had aangewezen. Bij het pad was een picknickbank in een halve kring van dennenbomen. In de derde bomenrij, tussen het opgeschoten gras, was een vierkant stuk kale grond met een opgehoogde hoop aarde in het midden. Aan een houten kruis, bij het kruispunt van de balken, hing een krans van hulst; aan de voet van het kruis was een tweede krans, omringd door jampotjes met reeds lang uitgebrande kaarsen. Een in plastic gevatte mededeling was aan het onderste deel van het kruis bevestigd. De zon wierp banen over het gras waarover hij liep om bij het graf te komen. Het bevatte de weggeteerde lijken van acht mannen. Hij zag de namen en leeftijden van zes van hen, getypt op het papier, maar de twee anderen waren opgevoerd als 'Onbekend' en de datum die achter de acht stond was identiek: 30 april 1945. Ze waren in de laatste uren van de oorlog om het leven gekomen, in een kuil begraven en pas recentelijk gevonden. Degenen die de ontdekking hadden gedaan, hadden de lijken hier achtergelaten, in deze rustplaats onder de bomen, en 57 jaar na hun overlijden, in april, waren mensen met bloemen en kransen gekomen en hadden kaarsjes ontstoken. Het zou een plek moeten zijn waar kinderen kwamen spelen en ouders eten en bier brachten, maar het was een plaats voor de doden. Hij was misleid. Alles wat Locke zag, bedroog hem.

Hij marcheerde naar haar terug. Ze staarde naar dat punt in de verte.

Locke vroeg ruw, kortaf: 'Je hebt de mannen een foto laten zien – niet de foto uit het dossier. Mag ik hem zien?'

Ze draaide zich niet naar hem om, maar stak haar hand in de tas die om haar schouder hing. Ze haalde er een klein, leren etui uit, deed het slotje open en gaf het hem. De foto was met flits en zelfontspanner genomen, een kiekje in de nacht. Ze had een jas aan, en trots en geluk straalden van haar gezicht. Hij stond naast haar, met zijn arm om haar heen, en zij had haar hoofd gebogen en tegen zijn borst gevleid. Hij troostte haar, beschermde haar, en hij had een brede, gelukzalige grijns op zijn gezicht. Hij klapte het etuitje dicht, deed het slotje erop en gaf het aan haar terug. 'Goed, we moesten maar eens gaan,' zei hij.

Een gevoel van jaloezie sneed door hem heen toen hij terugliep over het pad, de zee achter zich latend, naar de auto waar Jerry de Pool stond te wachten.

De kamer was klaar.

Voordat Joeri Bikovs talent voor verhoortechnieken herkend was, toen hij was overgeplaatst naar de afdeling van de militaire academie die personeel leverde aan de Dzerzjinski-afdeling, hadden de docenten bij de cadetten gehamerd op het belang van voorbereiding. Alleen bij zeer zeldzame en bijzondere gelegenheden – waar de tijd voor een onderzoek van kritiek belang was – mochten de voorbereidingen minder grondig zijn. Bikov had nu alle beschikbare dossiers gelezen over de carrière van zijn onderwerp en hij had dossiers naar zich laten faxen over de carrière en dood van de vader van zijn onderwerp. Zijn majoor was naar de universiteit gegaan om zich door een wetenschapper te laten inlichten over het belang van kasteel Malbork voor archeologen. Bankrekeningen waren nageplozen. Overal waar hij keek, kwam Bikov iets meer over zijn onderwerp te weten. Zelfs de kleren die Bikov droeg – smerig, stinkend, met moddervlekken besmeurd – maakten deel uit van de voorbereiding.

De kamer was de laatste steen in het bouwwerk en die was nu klaar.

De docenten hadden hem de elementaire vaardigheden bijgebracht en een belangstelling bij hem opgewekt waarvan hij het bestaan niet bevroed had. Alle aspecten die boven de basisvaardigheden uitgingen, had hij zichzelf bijgebracht, weliswaar kleine dingen, maar elk van wezenlijk belang. In de kamer waren de ramen met kranten beplakt en de jaloezieën dichtgetrokken. Alle foto's, kalenders, dienstroosters en kaarten waren van de muren gehaald, alle haken en spijkers waren verwijderd. De vorige avond had zijn sergeant erop toegezien dat de radiatoren waren uitgezet en dat de ramen gedurende de nacht opengelaten waren. Pas de volgende ochtend waren ze dichtgedaan en afgedekt. Het vloerkleed op het tapijt was weggehaald en de vloerbedekking was van de plakstrip en het vilt gelicht. Al het meubilair, elk spoor van beschaving, was uit de kamer verwijderd.

Hij had de kamer in een grijze tombe veranderd, die geen enkel aanknopingspunt bood dat zijn doelwit zou kunnen helpen. Er zou niets in de kamer zijn, alleen hij, het roofdier, zijn prooi en een enkele kaars. De kaars, die hem was aangereikt door zijn sergeant, werd door gestolde was op het eenvoudige bord rechtop gehouden. Zijn blik zocht het exacte midden van de kamer en toen hij dat punt had gevonden, zette hij het bord daar neer.

Er werd niets aan het toeval overgelaten.

'Is hij nog steeds op zijn werk?'

'Ja.'

'Geen telefoontjes en geen bezoek?'

Zijn sergeant stond via de radio in verbinding met de kantoorsuite van de admiraal. 'Niets.'

'En Falkovski?'

'Is op zijn kantoor, heeft zijn agenda afgewerkt en wil niet gestoord worden.'

Bikov ging naar de zijkant van de kamer, leunde tegen de muur en liet zich ruggelings omlaagglijden. Toen hij op de betonnen vloer zat, trok hij zijn knieën op en sloeg zijn armen eromheen.

'Dan wachten we nog een uur, misschien nog wel twee uur, terwijl hij door angst verlamd wordt, tot het een hel voor hem wordt. Tot hij ons bijna dankbaar is dat we er een eind aan maken voor hem. Ja. Ja... ons bedankt, omdat we hem uit zijn lijden verlossen.'

Hij liet zijn hoofd op zijn knieën zakken en deed zijn ogen dicht. Morgen of overmorgen zou de elektronische apparatuur in de neus van een MI-24 gevechtshelikopter, onder het hoofdmachinegeweer en vóór de raketwerpers, zich op het baken richten dat verborgen was in de kolf van een geweer. In zijn hoofd klonk weer de aanzwellende lach van de generaal. Eerlijk gezegd had hem wat hij van de man had gezien wel aangestaan en had hij hem de voorbereidingen die getroffen waren waardig gevonden. Maar het was voor Joeri Bikov niet belangrijk of hij iets ophad met wat hij gezien had of wat er met de man gebeurde als zijn werk eenmaal gedaan was. Hij dommelde weg.

De dienstplichtige soldaat Igor Vasiljev had de korporaal in het wapendepot met grote trots alles verteld over de moeilijkheden die hij die ochtend bij het schieten had ondervonden, over de dwarswind en hoe hij dit probleem had opgelost. Daarna had hij de korporaal op de hoogte gesteld van het speciale verlof dat hij van zijn pelotonssergeant had gekregen om die middag laat naar de baan terug te keren om nog een keer te schieten. De korporaal zei dat hij een 'lul' was en 'gek' als hij in de schemering naar de baan terug wilde, wanneer iedere een beetje normale figuur met zijn kont dicht bij een kachel of radiator zou gaan staan. Wist hij trouwens dat er een weersverandering was voorspeld naar noordenwind en regen? Vasiljev retourneerde het zware machinegeweer, zette zijn initialen in het boek en zei hoe laat hij terug zou komen om het op te halen en hoe laat hij het 's avonds weer zou terugbrengen.

De opwinding van het schieten bruiste nog steeds in zijn bloed. Hij ging naar zijn navigatiecollege. Na het college, voordat hij naar het wapendepot ging, zou hij nog even bij het hoofdkwartier blijven rondhangen, in de hoop dat hij zijn vriend zou zien, die zou moeten weten hoe goed hij had geschoten bij die sterke dwarswind. Dat zou hij overste Artsjenko laten weten, als hij hem bij het hoofdkwartier zag.

Ze hadden nu meer dan twintig minuten gewacht. Bikovs majoor en zijn sergeant zaten in de auto onder aan de stoep naar de hoofdingang, met draaiende motor en de portieren halfopen.

Het bakje voor binnenkomende post was leeg, dat voor de uitgaande post vol. Zijn computer was uitgezet. Viktor wist dat het zou gebeuren, hij wist alleen niet wanneer. Normaal gesproken zou hij drie of vier keer naar het bureau van de vlootcommandant geroepen zijn, om zich over een planningdocument of de agenda te buigen of om als klankbord voor de admiraal te dienen. Sinds de mannen waren gekomen, was hij niet geroepen.

Het karretje kwam zoals gebruikelijk halverwege de middag weer langs. De warme chocola werd op zijn bureau gezet en het meisje met de paardenstaart glimlachte warm naar hem, voordat ze doorging naar de tafel van de secretaresse en het dienblad met de porseleinen kop en schotel en het schaaltje neerzette. Ze schonk de thee in. Ze wuifde naar het personeel, haar dag zat erop, en ze ging achterwaarts met haar karretje het kantoor uit. Geen van de andere officieren of mensen van het secretariaat zouden weten wat er veranderd was, maar iedereen moest beseft hebben dat de chef-staf het grootste deel van die werkdag niet naar het kantoor van de vlootcommandant was ontboden. De stilte hing zwaar in het kantoor. Ze wachtten op een oplossing. Ze moesten gehoord hebben hoe Piatkin overste Artsjenko de toegang tot het kantoor van de admiraal had geweigerd toen de vreemdelingen waren gekomen. In het personeelskantoor maakten de mannen en vrouwen zich klein en onopvallend en fluisterden in hun telefoon. Niemand ving zijn blik op. De waakhond van de admiraal bracht het dienblad naar hem toe. De deur bleef achter haar open. Viktor kon de admiraal van de zijkant zien, aan zijn bureau, het hoofd gebogen, de schouders verschrompeld.

Ze zette het dienblad op het bureau en de admiraal leek het niet op te merken, bewoog zich niet.

Hij riep: 'Kan ik iets doen, admiraal, moeten we uw agenda bespreken?'

Admiraal Falkovski's stoel draaide op zijn poot, bij hem vandaan. Viktor zag zijn rug, de stugge korte haartjes in zijn nek.

Een geschreeuwd antwoord kwam terug, grind in een betonmolen: 'Ga naar je kwartier. Maak dat je wegkomt. Wegwezen.'

De waakhond kwam naar buiten, haar gezicht bleek, en deed de deur dicht. Viktor ging staan. Elk hoofd was afgewend. Zijn bureau was aan kant, zoals het dat de vorige dag was geweest, toen hij niet was gevlucht. Hij liep naar de kapstok bij de buitendeur, pakte zijn jas en gooide die los over zijn schouders. Hij keek op naar de klok aan de muur. Hij werd over vijf uur minus twaalf minuten op het rendezvous bij de achtkilometerpaal voorbij Rybacij verwacht. Hij zou vluchten. Hij trok zijn das recht, alsof dat belangrijk was, en veegde een paar stofjes van zijn epauletten.

Hij ging de trap van de tweede verdieping af. Eenmaal uit het gebouw zou hij de basis oversteken, de veerboot nemen – of hij nu gevolgd werd of niet – de eerste de beste auto aan de overkant vorderen, vluchten en ergens een schuilplaats zoeken. Hij beende door de foyer. De marechaussee aan het tafeltje naast de deur verstrakte, ging staan en wachtte tot hij voorbij zou zijn, maar hij salueerde niet. De marechaussee bij de deur salueerde altijd. Viktor duwde de deur open. Er stond een auto dicht tegen de stoep geparkeerd en twee mannen sprongen eruit. De zon scheen fel in zijn ogen.

De mannen kwamen snel de trap op, elk aan een kant van hem en de auto belette hem de doorgang. Licht schitterde op het metaal in de hand van de man links van hem. Terwijl hij besefte dat de metaalglans van handboeien kwam, werden zijn armen vastgegrepen. De klik klonk luid na in zijn oor en de pijn schoot door zijn pols. Hij trapte met zijn schoen en raakte een scheen, daarna maaide hij met zijn vrije vuist en trof een keel. Een van de mannen ging half door de knieën en de andere struikelde weg. Hij probeerde te vluchten. Zijn arm leek uit de kom gerukt te worden, alsof hij een zak zand van honderd kilo voortsleepte. Hij zette zijn voeten krachtiger neer om sneller te gaan, maar kon zich niet lostrekken en de handboei sneed dieper in zijn pols. De grote, brede armen van de marechaussee werden van achteren om hem heen geslagen en drukten zijn laatste vluchtpoging de kop in.

Midden op het exercitieterrein zag Viktor de dienstplichtige soldaat.

Even ging hij tekeer: 'Wat is dit verdomme? Wie denken jullie verdomme dat jullie... Jullie weten wie ik...'

Hij wist niet wat hij anders nog kon schreeuwen. De man aan wie hij was vastgeklonken, had het pak aangehad en de aktetas gedragen toen hij de admiraal bezocht.

'Goed, overste Artsjenko. Onnodig, maar begrijpelijk. Ik kan u alle tanden uit uw mond slaan of we kunnen dit op een waardige manier doen. Wat wordt het?'

Hij werd van de laatste treden naar de auto geleid. De man aan wie hij vastzat, kroop door het open portier en trok Viktor met zich mee. De andere man raapte zijn jas op en gooide die achter hem aan naar binnen. Het portier werd dichtgeslagen en de auto trok langzaam op.

Viktor besefte het niet, had het niet kunnen analyseren, maar hij werd overmand door een duizelingwekkend gevoel van opluchting. Het was voorbij. In één klap was het dubbelleven voorbij. Hij liet zich in de kussens van de bank zakken. De auto reed langs de dienstplichtige soldaat, die er met open mond bij stond, langs de officiersmess, het wapendepot, de club voor onderofficieren en de werkplaatsen, langs het landschap van zijn werkterrein. Hij kon de bovenkant van de buitenmuren van het fort zien, waar zijn grootmoeder misschien gewacht had nadat de laatste boot was vertrokken. Hij voelde zich op dat moment vrijer, meer van alles verlost, dan op enig ander moment sinds hij de loopplank van de vissersboot aan de kade in Moermansk op was gelopen. De last die op zijn schouders had gerust vanaf het moment dat zijn moeder hem had verteld hoe zijn vader leukemie had gekregen, leek hem ontnomen en daarmee was ook de last van de laatste maanden van zijn grootmoeders leven verdwenen. Wat was zijn haat nu, in de met constante snelheid gereden auto, waard? Er werd gezegd dat als iemand in het water van de Barentszzee terechtkwam of op de gletsjers van het schiereiland Kola, hij alleen maar wilde slapen en als hij zou slapen, ging hij dood. Hij dacht dat Alice North hem riep.

Hij ging rechtop zitten en rukte aan de handboei die hem aan de man vastklonk.

Hij zou vechten, zou niet in slaap vallen, zou hun niets geven.

De auto stopte voor het gebouw waarin het kantoor van de zampolit Piatkin was ondergebracht. Hij werd naar binnen gebracht en de trap op geleid. Viktor probeerde met rechte rug te lopen en het tempo te bepalen, waardoor de ketting tussen de handboeien strak kwam te staan. Hij werd door Piatkins lege kantoor geloodst en voor een dichte deur werden de handboeien met een sleutel opengemaakt. Hij masseerde zijn pols. Zijn uniformjasje werd uitgetrokken, zijn das werd hem afgenomen en zijn zakken werden leeggehaald. Zijn riem werd van zijn middel gesjord, de schoenen van zijn voeten en zijn horloge werd van zijn pols gegrist. De deur ging open. Hij werd ruw naar binnen geduwd en de deur sloeg achter hem dicht. Hij viel op de betonnen vloer en de duisternis omgaf hem.

'Hé, jij daar. Ja, Vasiljev, jij...'

Vasiljev stond doodstil op zijn plaats, in shock. Hij had zijn vriend, overste Artsjenko, door de deur zien komen en had een stap in zijn richting gedaan. Vanaf dat moment had hij als aan de grond genageld gestaan. Het peloton, op weg naar de gymnastiekzaal, maakte pas op de plaats, stampte ritmisch.

'Vasiljev, wat sta je daar nou, verdomme?' riep de sergeant.

Een stap naar voren, terwijl de opwinding in hem omhoogkwam – na gerepeteerd te hebben wat hij zou zeggen over zijn schietsessie van vanochtend – en verstard toen de twee mannen zijn vriend overweldigd hadden.

'Vasiljev, ga schieten of je afrukken of naar de gymzaal, zoals de bedoeling is.'

Hij had een korte, felle worsteling gezien. De handboeien hadden voorkomen dat zijn vriend zou vluchten. Zijn vriend, de chef-staf van de admiraal, had zijn leven gered en hem het machinegeweer teruggebracht dat hem meer dan wat ook lief was.

'Vasiljev, schieten of de gymzaal? Wat gaat het worden?'

Zijn vriend was gearresteerd zoals een crimineel, een dief, door de *militsija* ingerekend werd. Andere officieren waren de parkeerplaats overgestoken, maar hadden niets gezien en waren doorgelopen. Het peloton en de sergeant hadden het ook niet gezien. Alleen Igor Vasiljev was er getuige van geweest.

'Vasiljev, wat heb je? Ben je gestoord? Ga je nou wel schieten of niet schieten?'

De chef-staf van de vlootcommandant was zijn vriend en beschermheer, was bijna een vader voor hem. Achter in zijn kastje lag een eenvoudige kaart waarop de dagen van de maanden waren aangegeven, en elke dag streepte hij er eentje door. Die ochtend vroeg had hij, na de dag in oktober doorgestreept te hebben, de dagen geteld die er nog over waren van zijn drie jaar dienstplicht: 96. De sergeant staarde hem aan. Als hij zijn sergeant niet gehoorzaamde, nu overste Artsjenko de handboeien om had gekregen en niet langer zijn beschermheer, vader, vriend was, konden ze hem nog eens vijf of zes maanden geven, die hij dan in de militaire gevangenis zou doorbrengen.

Zijn stem klonk gesmoord. 'Ik ga schieten, sergeant.'

'Het is het soort omgeving waar je niet goed van wordt, als je begrijpt wat ik bedoel.'

Billy was terug. Hij was iets langer dan een uur weg geweest. Toen hij in de buurt van de schuilhut was gekomen, had hij de roep van de uil nagedaan en Lofty had gereageerd. Hij was in de donkere ruimte gekropen en er was gevloekt toen zijn laarzen en lichaam hun ruimte ontnamen.

Hij fluisterde: 'Ik ben zo'n tweehonderd meter naar het westen gegaan en heb toen een omtrekkende beweging gemaakt. En weet je, dit is een slagveld geweest. Er zijn loopgraven en bunkers tussen de bomen – goede, zigzaggende loopgraven en goede bunkers van boomstammen of beton. Ze zijn overal. Er is oud prikkeldraad; ik heb munitiekratten gevonden en een mortier, maar geen granaten voor dat ding. Ze moeten hier voor elke meter geknokt hebben, en er zijn kraters, kraters van bominslagen en artilleriegranaten en ik heb een schedel gevonden. Ik denk dat een vos hem heeft opgegraven. Er moeten hier arme stumpers geweest zijn die nergens meer heen konden, aan beide kanten waren afgesneden, zonder dat er nog een schip kwam om hen op te pikken. Ik denk niet dat je hier nog munitie vindt, hoe goed je ook zoekt. Die gozers moeten alles opgebruikt hebben, tot het laatste schot; misschien dat ze één kogel of de laatste granaat voor zichzelf bewaarden. Ik wil best toegeven dat die schedel me de kriebels gaf. Hij stak net uit de bladeren, de rest zat eronder. Hij had zijn helm nog op en er zaten twee kogelgaten in de schedel, dwars door de oogkassen. Hij moet op zijn rug gelegen hebben, terwijl hij omhoogkeek naar de hemel, overdag of 's nachts, maakt niet uit, en het laatste wat hij verdomme gezien heeft, was een loop die op hem gericht was. Geen munitie meer, geen ziekenbroeders, geen boten voor een evacuatie, het is een teringplek.'

Ze waren er stil van geworden. Hij kon hun ademhaling horen.

'Goed. Goed. Naar het noorden is de zee. Het strand is open. Er zijn een paar bordjes met verboden toegang. De *Princess Rose* ligt een heel eind uit de kust voor anker. Het is laagtij, misschien al eb, maar de rubberboot is geen probleem, je kunt hem niet zien. Ik ben vanuit het westen begonnen. Er is één pad en dat wordt volgens mij door patrouillevoertuigen gebruikt. Het zand is hard, dus de auto's die het pad gebruiken kunnen flink vaart maken. Het loopt helemaal door naar de grens. Het bos wordt niet beheerd. Daar is geen sterveling geweest. Ik denk niet dat ze voor hun oefeningen zo ver komen. Er zijn braamstruiken en doornstruiken in dat bos. Daar ga je niet doorheen proberen te rennen, want je blijft constant steken en het gaat dus heel langzaam. Waar ik me zorgen over maak, is dat hier mijnen gelegd moeten zijn als dit een slagveld was. En als er mijnen gelegd zijn, ziet het er niet naar uit dat iemand ooit de moeite heeft genomen om hier terug te komen en die mijnen weg te halen, maar er zijn vossenpaadjes en ik zag ook de sporen van herten, niet dat een vos een mijn laat ontploffen, maar een hert waarschijnlijk wel, dus waar de herten gelopen hebben, is onze beste route. Ik weet niet veel van mijnen, maar ik denk dat ze wel goed gebleven zijn sinds het hier een slagveld was.'

Lofty mompelde dat als zware granaten uit 1915 nog konden ontploffen bij Passchendaele, die mijnen van 1945 het hier zeker nog zouden doen.

'Wat je zegt, Lofty, en jij kan het weten. Als je naar het zuiden gaat, zie je eerst de lagune. Heel anders dan het strand, dat goed terrein is om op te rennen. Bij die lagune moet je niet komen. Veen en rietvelden. Daar heb je niets te zoeken, daar kun je je niet snel of stil verplaatsen, en zij hebben het pad om je te achterhalen, als het zover komt. Ik zou de lagune maar afschrijven. Zal ik jullie trouwens wat vertellen? Herinneren jullie je Braniewo nog? Je kunt Braniewo pal aan de overkant van de lagune zien liggen, hooguit zeven of acht kilometer weg. Je kunt de kerk zien, maar ik zag geen boten aan deze kant. De lagune is niks voor ons. Het moet het strand worden.'

Het was net als vroeger, met Billy als teamleider: het beklimmen van ankerkettingen om aan boord van tankers te komen tijdens antiterreuroefeningen, het gelanceerd worden uit een onderzeeër onder de waterspiegel om naar de zich hoog verheffende pontons van boortorens te zwemmen bij andere oefeningen, het zich in sluipgang voortbewegen langs de oever van Carlingford Loch, toen het geen spelletje was, en zorgen dat het team eendrachtig zweeg in de verhoorkamers van de criminele opsporingsdienst, toen het ernst was. Zoals vroeger.

'Dus toen ben ik naar het oosten gegaan. Ik kan jullie een paar dingen vertellen die we nog niet wisten. Ik heb de GPS-coördinaten van Rybacij en ik kan tot op vijf meter nauwkeurig een plek, het rendez-vous, acht kilometer deze kant op bepalen. Op de kaart staat die plek aangegeven als bos. Nou, vergeet het maar, dat zou te gemakkelijk zijn. Die kaart is natuurlijk verouderd. De schietbaan is verlengd. Ik schat dat de schietbaan vroeger voor oefeningen op duizend meter gebruikt werd, maar die afstand is dus tot tweeduizend meter verlengd. Voor dat grote machinegeweer van vanochtend, voor het kaliber van dat zware kloteding, hebben ze de baan verlengd. Toen ik er in de buurt kwam, waren ze met wat kleiner spul aan het schieten, een heel eind terug, en hadden ze de vlag in top, maar toen ze klaar waren, hebben ze die vlag niet omlaaggehaald. Misschien nemen ze de moeite niet om de vlag te strijken, misschien staat er nog meer schieten op het programma. De grote verrassing? Dat punt op acht kilometer is op een verharde weg en vlak naast de doelen op tweeduizend meter. Ik heb een bivak gevonden waar we ons schuil kunnen houden. Dan zijn we van die weg af en worden we niet door koplampen beschenen, maar er zijn vragen die ik niet kan beantwoorden: wordt er op de tijd van het rendez-vous nog geschoten? Zijn er waarnemers bij de doelen? Ik weet het gewoon niet, kan het ook niet weten. Ik heb zo goed mogelijk een route terug aangegeven. Reepjes plastic van een vuilniszak die vermoedelijk door de waarnemers is weggegooid. Volgens de GPS zijn we 250 meter van het achtkilometerpunt. Als hij komt en hij heeft gezelschap, dan zullen we zeker met granaten gaan gooien, jouw afdeling, Lofty. Ik ga niet rondklooien, niet daar. Willen jullie nog iets vragen, jongens?'

Ze wilden niets vragen. Hij voelde hoe gespannen ze waren, voelde het zelf. Het gebeurde altijd, tijdens oefeningen of echte acties, de zenuwen.

'Wat hebben we te eten?'

De maaltijd, de laatste voordat ze op pad gingen, bestond uit een gedroogde stoofschotel met kip, scheepsbeschuit met een beetje margarine en pruimenjam en een halve Mars elk. Ze aten de maaltijd zwijgend, dicht tegen elkaar aan in de schuilhut.

Wickso slikte het laatste hapje van zijn Mars door en zocht toen met zijn vingers naar eventuele stukjes chocola die op zijn camouflagebroek of jasje gevallen waren.

Hij was hier voor een foto die nog niet genomen was. Er was een flat in het westen van Londen, onder de vliegroute naar Heathrow die in gebruik was wanneer de wind uit het zuidwesten kwam. Het was de flat van zijn vader en moeder, twee slaapkamers, een keuken, een badkamer, een kleine hal en een woonkamer. Hij was er al niet meer geweest sinds de dag van zijn ontslag uit het Eskader, en toen was er een ereplaats geweest voor zijn foto's en bekers in de woonkamer. Zijn vader, arbeidsongeschikt wegens hartklachten, had in zijn stoel rechts naast de ereplaats gezeten en had met zijn ogen geknipperd om zijn tranen te bedwingen; zijn moeder, die het geld binnenbracht en elke dag door de week om halfvijf 's ochtends de flat verliet om kantoren schoon te maken, was naar de keuken gegaan om thee te zetten. Hij had hun verteld dat er 'in Ierland iets mis was gegaan' en dat hij uitgerangeerd was, ontslagen. De foto's stonden op een tafel en de bekers waren op een plank erboven uitgestald. Hij was niet lang gebleven, nog geen halfuur, en na zijn vertrek had zijn vader vrijelijk kunnen huilen en zou zijn moeder met de pot thee uit de keuken naar de kamer gekomen zijn. Hij wist dat ze nog leefden, omdat hij op hun verjaardag en met Kerstmis altijd de buren aan de overkant van de overloop belde en het weinige dat er veranderd was te horen kreeg. Stonden de foto's en de bekers nog steeds op hun plaats? Ja, en met elk telefoontje werd het pijnlijker voor hem.

Hij had de camera in de la bij het stuurrad gezien toen de kapitein die had opengetrokken om een kaart te pakken. Ze zouden op het dek van de *Princess Rose* staan, Billy, Ham, Lofty en hij. Ze zouden hun wetsuit of camouflagepak aanhebben en meneer Mowbray zou de camera aan zijn oog houden, terwijl ze geintjes maakten over zijn techniek, of hij wel kon scherpstellen en richten. Ze zouden allemaal lachen en de trots zou zichtbaar zijn op hun gezicht. Ze zouden een arm om elkaar heen geslagen hebben. Dezelfde foto stond op de ereplaats. Ze stonden op het platform van een boortoren of bij de boeg op het dek van een tanker of op een duikboot die door de Clyde ploegde of in de barak bij Ballykinler, een maand voor de laatste patrouille. Er stonden vier foto's van het team op de ereplaats en er zou een vijfde bij komen. Hij zou die foto zelf mee terugnemen. Hij zou de vergroting ophalen bij de drogist, met een lijst, en zou teruggaan naar het sombere gebouw van rode baksteen onder de vluchtroute. Zonder die foto kon hij niet terug. 'Een klusje voor de regering, pap, allemaal een beetje geheim, mam. Fijn dat het goed gaat met jullie.' Dat was Wickso's droom.

Vanuit de deuropening van de kamer die zij had gekozen keek Locke toe hoe zij haar koffer uitpakte. Ze stond met haar rug naar hem toe. Ze pakte haar toilettas en legde die op het bed.

Het dorp Piaski bestond uit een kerk, een café, de huizen van vissers en een caravanpark. Een pijl had kampeerders de weg naar de oever van de lagune gewezen. Jerry de Pool had hen door het dorp gereden en daar had Locke hem plotseling verzocht om te stoppen. Hij en Alice waren uit de auto gestapt, hadden de tassen en andere spullen uit de koffer gehaald en hij had tegen de Jerry de Pool gezegd dat hij een tafeltje moest gaan zoeken in het café en daar moest blijven tot ze hem kwamen halen; hij mocht het café niet verlaten. Ze waren de straat doorgelopen, over het verharde wegdek van de enige straat in Piaski, langs de afslag naar de nieuwe kerk, langs opspringende en blaffende honden achter hekken. Ze waren doorgelopen tot de straat niet meer dan een droge zandweg was geworden en waren blijven lopen. Waar de zandweg eindigde en een voetpad werd, stond een roze geschilderde bungalow, waarvan alle ramen gesloten waren. Hier hing geen was aan de lijn en stortte geen hond zich op het hek. Geen recente bandensporen waren zichtbaar bij de bocht naar het hek of in de aarde achter het hek. Uitgebloeide kamperfoelie klom tegen de muren van het huis op; een rode klimroos had een zwerftocht ondernomen in de heg langs de tuin. De bungalow zou droog zijn en de eigenaars – uit Duitsland of Warschau – zouden een paar kilowatt elektriciteit niet missen. De apparatuur ontving en zond altijd beter op netvoeding. Ze waren aan de andere kant van de bungalow door berken en kreupelhout gekropen en over een laag hek geklommen. Een kat had hen dreigend aangekeken en was weggerend. Bij hun opleiding in Fort Monkton hadden ze inbraaktechnieken geleerd. Er zat een eenvoudig slot op de achterdeur en met zijn creditcard kreeg hij het open. De woonkamer was afgesloten voor de winter en de stoelen waren bedekt met stofhoezen. Het was een lange dag geweest en het zou een lange nacht worden. Locke had voorgesteld dat zij een paar uurtjes ging liggen, terwijl hij de apparatuur opstelde en de antenne naar de keuken leidde, waar een plat dak was. Het was net gaan regenen.

Locke had de opgenomen boodschap die een halfuur geleden verzonden was beluisterd: 'Delta Twee voor Roof Een – ter plekke, terrein verkend. Over.' Hij had zijn eigen bericht verstuurd: 'Roof Een voor Roof Twee, Delta ter plekke, terrein verkend. Over.' Het signaal over het schiereiland was sterk, maar de kans dat het onderschept werd was gering. Zijn verbinding met de *Princess Rose* was redelijk. Door de berichten van het team via hem naar Mowbray te laten verlopen, werd de kans op onderschepping verkleind. Ze had hem de foto laten zien en op de foto was Frets arm om haar schouders geslagen.

'Ben je met hem naar bed geweest?'

Ze draaide zich om en keek hem aan.

'Je bent met hem naar bed geweest, hè? Was dat Mowbrays idee? Je hebt je voor het karretje van die oude lul van Rupert Mowbray laten spannen. Werd het door Mowbray aangekaart? "Onze jongen staat onder grote druk, lieve Alice. Hij gaat het misschien begeven, hij moet een beetje getroost worden." Kon niet even de receptie bellen om de portier te vragen een escort naar de kamer te sturen, hè? Hoe vond je het om de hoer uit te hangen, of was het alleen maar plichtsgevoel? "Je moet hem niet als een verrader zien, lieve Alice, zie hem als een collega." Maar hij ís geen collega, hij is niet een van ons en zal dat nooit worden – heb ik gelijk of niet? Hij is een verrader en zal ons allemaal te gronde richten. Jezus, Alice, je geloofde toch niet dat hij van je hield, hè? Je hielp hem gewoon van zijn stress af, verdomme. Zeg, Alice, dat geloofde je toch niet, hè?'

Ze keek hem niet langer aan. Ze haalde de foto uit haar tas, deed het slotje open en legde hem naast de toilettas op het bed. Terwijl ze zich vooroverboog, hing de barnsteenhanger los om haar nek. Ze glimlachte naar hem, een flauwe, ondeugende glimlach. Dat was haar antwoord. Ze was buiten zijn bereik.

Hij stommelde blind terug naar de keuken.

De kamer was in Piatkins paleis.

Er had een dik tapijt moeten zijn en meubilair. Zonder zijn horloge wist Viktor niet hoelang hij in de kamer geweest was voordat hij zich eindelijk van de bewegingen bewust was geworden. Het was te donker om iets te zien. Door een bonkende hoofdpijn had het lang geduurd voordat hij beseft had dat hij niet alleen was. Ergens in de kamer was nog iemand. Zijn knieën schraapten over het beton en zijn handen liepen schrammen op door het ruwe oppervlak. Hij geloofde dat de duisternis het donker vlak na de dood was.

Viktor kroop naar de plek waar hij geloofde de ander te kunnen vinden. Hij stootte met zijn hoofd tegen de muur. Hij ging naar rechts. Er hadden stoelen en boekenkasten moeten zijn, dossierkasten en tafelpoten. Ze hadden voor hem een cel gemaakt van een kamer die eens het verblijf van een vorst was geweest. Hij kwam aan het eind van de muur en draaide zich om; hij voelde een stopcontact, maar er kwam geen snoer uit. Hij had zich voorgenomen om te vechten. Hij zou niet schreeuwen. Zijn vingers raakten een laars aan. Zijn vingers bewogen zich over de veters en een sok, toen huid en daarna de ruwe stof van een spijkerbroek. Er werd een lucifer afgestreken. De lucifer werd in samengevouwen handen vastgehouden en de handpalmen hielden het licht bij het gezicht van de man weg. Er werd een kaars aangestoken. De vlam groeide in de stille lucht. De man zat in kleermakerszit aan de andere kant van de kaars. Viktor zag een gezicht, jonger dan het zijne, en vond het een bescheiden gezicht, waaruit eerbied voor hem sprak.

'Dit is het soort flauwekul dat ze je tegenwoordig in de Loebjanka leren, Viktor. Desoriëntatie, dat soort onzin. Mijn naam is Bikov en we kunnen nu praten. Ik denk dat we elkaar aardig gaan vinden. Dat hoop ik althans van harte.'

13

V. Welke Russische stad werd 39 dagen door Napoleon bezet als springplank voor zijn aanval op Moskou?
A. Kaliningrad.

'Ik kan niet voor de staat spreken, Viktor. Ik ben niet verantwoordelijk voor de staat. Als ik zie wat de staat doet, Viktor, schaam ik me dat ik zijn dienaar ben: het is een poel van corruptie. De criminaliteit, zowel de georganiseerde als de spontane criminaliteit, is volkomen uit de hand gelopen. De staat, Viktor, is ziek. Iedereen met een greintje gevoel en waardigheid heeft het volste recht om de staat te verwerpen. Dat accepteer ik. Als ik jouw moed had gehad, zou ik gedaan hebben wat jij hebt gedaan, Viktor. Ik ben een groot bewonderaar van je, Viktor.'

Er draaiden geen spoelen van een taperecorder. Joeri Bikovs woorden gingen niet via een microfoon. Er werden geen aantekeningen gemaakt.

'Je kunt me vertrouwen, Viktor. Ik zal je behoeden voor het onbehouwen tuig, voor het schorem met knuppels, elektroden en drugs. Zij zouden het niet begrijpen. Voor die mensen is pijn een doel op zich. Ik wil het begrijpen en dan wil ik helpen. Je vrienden hebben je in de steek gelaten, maar je hebt het geluk dat je een nieuwe vriend hebt, je hebt mij. Ik weet zo weinig van je af, Viktor, maar met jouw hulp zal ik je beter leren kennen. Ik wil meer over jou te weten komen.'

De heldere vlam van de kaars hield hen gezelschap. Eerst praatte Bikov, dan luisterde hij. Hij schiep een sfeer die hij kon aanboren en uitmelken. Toen hij jonger was, toen hij zich bewust was geworden van zijn capaciteiten, had hij het werk van andere ondervragers bij de militaire veiligheidsdienst bestudeerd. Hij had zich hun stijl eigen gemaakt en had toen zijn eigen stijl in exact de tegenovergestelde richting ontwikkeld. De meesten zagen zichzelf als onderdeel van een elite en hadden zich een superieure houding aangemeten, de meesten stelden zich op het standpunt dat zij de uitverkoren vertegenwoordiger van de hoogste macht waren en dat de verdachte de tijd en de moeite die aan hem besteed werden amper waard was.

Je moest je een lege emmer voorstellen en een kraan aan een muur en een verlammende hitte. Wat de ondervrager moest doen, als hij wilde drinken en verkoeling zocht, was de emmer vullen. De kraan moest opengedraaid worden en het water moest vloeien en de emmer vullen. Als het water niet tegen de rand van de emmer klotste, was de ondervrager tekortgeschoten. Door de kraan een klap met de steel van een houweel te geven, kreeg je de emmer niet vol; je moest de kraan zorgvuldig omdraaien. Eens, in de nadagen van de oorlog in Afghanistan, in het kamp bij Herat, waar het zand doorheen waaide en de vliegen staken, toen Bikov nog tweede luitenant was, had hij gezien hoe een medeofficier, met dezelfde rang, het gezicht van een Moejahedien tot moes had geslagen met een ijzeren staaf. Toen de verdachte bewusteloos was en geen informatie meer kon verschaffen, had Bikov tegen de officier gezegd dat hij loodgieter had moeten worden in plaats van officier: 'Als jij besloten had om loodgieter te worden in plaats van soldaat, en je had je in je vinger gesneden met een mes, zou je je mes een paar klappen met een hamer hebben kunnen geven en daarmee tevreden zijn geweest.' De officier had hem niet begrepen.

'Je bent een hoge officier, Viktor, een man van formaat, en ik heb respect voor je. Als een man met jouw intelligentie en jouw inzicht een wrok koestert, dan moet daarnaar geluisterd worden. Maar domme mensen luisteren niet. Hoe vaak, Viktor, heb je dingen naar voren gebracht waar je je bezorgd, bang of ongerust over maakte en hoe vaak ben je wel niet genegeerd, omdat het systeem niet over de redelijkheid of het zelfvertrouwen beschikt om kritiek te aanvaarden? Geef geen antwoord. Het systeem is verrot. Je kunt vrijuit met me praten.'

In Tsjetsjenië, tijdens zijn eerste aanstelling in het buitenland, waren rebellen door een mijnenveld getrokken om een kamp ten zuiden van Grozny aan te vallen. Ze hadden explosieven geplaatst en waren door het mijnenveld teruggerend, maar in de verwarring van de aanval was een van de rebellen gevangengenomen door de para's die zich in het kamp bevonden. Hun commandant had een touw om de enkel van de gevangene gebonden en hij was met de punt van een bajonet in zijn rug in het mijnenveld teruggeduwd. De para's waren hem op touwlengte gevolgd, in de veronderstelling dat hij hen tussen de mijnen door zou loodsen. De gevangene had zichzelf en de twee para's die het eind van het touw vasthielden om het leven gebracht. Bikov was twee uur later in het kamp aangekomen en had de commandant verteld dat hij een 'stomme lul' was.

Bij het licht van de kaars kon hij Viktors gezicht zien en zijn prooi kon het zijne zien. Maar het licht van de kaars reikte niet tot de kale muren van de kamer of het plafond. Hij onthield de prooi de kans om zijn hoofd naar een boekenkast te draaien en alle titels in zich op te nemen, of om naar het patroon op een stoel of krassen op een harde zitting te kijken. Er waren geen getraliede ramen waar hij naar kon staren of een stapel dossiers op een bureau waarop Viktor zich kon concentreren om de vragen die komen gingen te ontwijken. Ze waren samen, met zijn tweeën, alleen... Er was geen bewijs, luitenant-kolonel Joeri Bikov probeerde een bekentenis te ontlokken aan kapitein-luitenant-ter-zee Viktor Artsjenko. Hij had de tijd en hij had het geduld en de bekentenis, als die eenmaal loskwam, zou een eind maken aan het leven van zijn prooi.

'Wij zijn hier om een oplossing voor onze moeilijkheden te vinden, Viktor, als vrienden, als echte vrienden. Ik heb respect voor je en ik geloof dat jij ook voor mij respect zult krijgen. Samen zullen we die moeilijkheden analyseren, jij en ik.'

Hij sprak zacht. Als Viktor hem wilde horen, zou hij zich moeten inspannen, concentreren, en dat was goed. Hij zag hoe Viktor zijn hoofd draaide en hief, maar er was niets waar zijn ogen houvast aan hadden, alleen het donker en dat was het beste. De oude, versleten kleren, als van een arbeider, de laarzen met de gedroogde modder van Tsjetsjenië er nog steeds aan, de stoppels op zijn gezicht en het verwarde haar waren de uiterlijke kenmerken dat hij niet superieur was, niet waar het gezag betrof, aan de man die door de felle vlam van de kaars van hem gescheiden was. Als Viktor naar hem keek en hem aandachtig opnam, zou hij de open en eerlijke trekken op zijn gezicht zien. Alles was gepland, voorbereid. Bikov geloofde niet dat het eenvoudig zou worden; de prooi op wie hij joeg, had vele jaren een leven van misleiding geleid. Hij had de hondsdagen van de wanhoop meegemaakt én de dagen van euforie waarop hij zich onoverwinnelijk had geacht. Alleen een man met een ijzeren karakter kon door de slechte en goede dagen heen gekomen zijn. Hij was gereed om de eerste klap uit te delen: zijn zacht gesproken woorden zouden harder aankomen dan een koevoet of de steel van een houweel of een knuppel met een loden punt.

'We moeten bij het begin beginnen, Viktor, bij familie. Zelf heb ik geen familie. Mijn vader is 22 jaar geleden van mijn moeder gescheiden. Ik was veertien. Ik heb mijn vader sinds die dag niet meer gezien. Mijn moeder zit in Gorno-Altaisk, een verschrikkelijk oord. Volgens mij woont ze daar nog steeds, maar ik schrijf haar niet. Ik ben voor mijn 25ste getrouwd en weer gescheiden. Ik heb een dochter, maar ik heb geen contact met haar en weet niet of ze uitblinkt op school of middelmatig is, iemand die niets met boeken kan. Er wordt van mijn bank geld naar hun rekening overgeschreven, maar... Jij was de trots van jouw vader, Viktor, en je moeders oogappel. Jij had familie.'

Hij had doel getroffen. In het licht van de kaars was Viktors schok zichtbaar.

Terug naar het hol achter het schot bij de romp.

De wind was gedraaid, de wolken waren donkerder geworden en de deining was wat afgenomen.

Er was een motorsloep gekomen. Mowbray zat opgesloten achter het metalen schot. Hij hoorde de stemmen, een cocktail van accenten in het Engels: de Rus van de motorsloep, de Griekse kapitein en de Duitse machinist. De discussie betrof de positie van de *Princess Rose*. Beseften ze niet dat ze voor anker lagen in een verboden zone? Maar het ging slechts om drie zeemijlen. Hadden ze assistentie nodig van een sleepboot uit Kaliningrad? Het probleem met de motor zou tegen middernacht verholpen zijn en de kosten van een sleepboot waren te hoog. Wat was er eigenlijk aan de hand met de motor? Ouderdom, en er was gelachen. De stemmen waren verdwenen. Mowbray vermoedde dat het kantoor van de havenmeester in Kaliningrad contact had opgenomen met de havenautoriteiten in Gdansk en te horen had gekregen dat die lelijke, roestige tobbe de Poolse wateren verlaten had na recente motorstoringen.

Opnieuw werd hij uit zijn gevangenis bevrijd, ditmaal had de rat geen bezoek afgelegd. Het bericht was nu in Londen: 'Roof voor VBX. Team ter plekke, alles gereed. Over.' Daar zouden ze over nadenken en ze zouden het in hun broek doen om wat ze ontketend hadden. Die gedachte bracht een klein, sardonisch glimlachje op Mowbrays mond. Door de patrijspoort, beslagen nu vanwege de toenemende bewolking, was de bomenrij zichtbaar waar zijn krijgshelden waren en waar niets bewoog.

'Je vader was een held.'

Als hij naar het plafond keek dat hij niet kon zien of naar de muren die buiten het licht van de kaars waren, als hij naar zijn schoenen zonder veters keek en de vetergaatjes telde, als hij niet antwoordde, gaf hij toe dat hij schuldig was.

'Ik heb hem nauwelijks gekend.' Viktors stem was even zwak als de vlam van de kaars.

'Je was zeventien toen hij stierf, Viktor, volgens mij moet je geweten hebben dat hij een held was. Een gezonde, sterke man, een piloot die in de kracht van zijn leven werd geveld bij de uitoefening van zijn plicht, hij gaf zijn leven voor de ellendige, corrupte, van criminaliteit vergeven, verrotte staat. Ik denk dat hij nooit geklaagd heeft, helden doen dat niet. Hoe herinner je je vader?'

Hij aarzelde, in de ban van de stem. Zijn vriend, Rupert Mowbray, had hem verteld dat hij nooit moest liegen wanneer hij ondervraagd werd. Een goede ondervrager – en als hij ondervraagd werd, zou dat door de beste gebeuren – sloeg de feiten die hem gegeven werden in zijn geheugen op en ging verder, om er een uur of een dag later op terug te komen, wanneer de verklaring die in de leugen was opgesloten was vergeten. Een leugen bevestigde schuld. De leugens in zijn hoofd waren voor belangrijke zaken weggelegd. Welke documenten had hij gestolen en mee naar Polen genomen? Geen. Was hij uit het hotel waar de delegatie in Gdansk logeerde vertrokken om zijn case-officers te ontmoeten? Zeer zeker niet. Waar waren de pakjes achtergelaten of doorgegeven? De pakjes bestonden niet. Was hij een spion, een verrader, iemand die zijn land verkocht? Nee. Dat waren de leugens die belangrijk waren, maar die vragen werden hem niet gesteld. Hij had verwacht dat hij op de vloer van een cel zou liggen, terwijl er met laarzen op hem in geschopt werd, om vervolgens naar een kamer gesleept te worden waar het licht hem verblindde om ten slotte naar het vliegveld afgevoerd te worden voor de vlucht naar Moskou. Er was hem verteld dat zijn vader een held was.

'Ik herinner me maar weinig van hem.'

'Ik herinner me mijn vader, Viktor, niet met genegenheid, want ik haatte hem. Jouw vader was een zeldzame, buitengewone figuur. Een goede vader, een goede echtgenoot en een piloot die respect genoot bij de experimentele afdeling op vliegbasis Totskoje. Hij vloog door een radioactieve wolk. Wist je dat, Viktor?'

'Dat heeft mijn moeder me verteld.'

'Ik denk Viktor, maar het is heel moeilijk om je in de gedachten van een ander te verplaatsen, dat als ik van mijn vader gehouden had, ik woedend geweest zou zijn als hij het bevel had gekregen om door een radioactieve wolk te vliegen, met alle risico's van dien, en hij dat bevel had opgevolgd.'

'Ik doe mijn plicht als officier. Mijn vader deed zijn plicht.'

'Een goed antwoord, Viktor, maar ik geloof het niet. Voor een of ander warrig experiment vloog jouw vader door een radioactieve wolk. Het heeft hem zijn leven gekost. Wat was de waarde van het experiment? Núl. Zijn leven werd verkwist om geleerden in staat te stellen gegevens te bekijken. Zijn die gegevens ooit van enig nut geweest? Ik betwijfel het. Dat zou mij pijn doen.'

'Het deed pijn. Ja, het deed pijn,' mompelde Viktor.

Er gleed geen enkele uitdrukking over het gezicht van Bikov aan de andere kant van de vlam. Viktor had honger en voelde zich intens moe. Hij wist dat hij in slaap gesust werd. Als hij over de schouder van Bikov keek of zijn blik van hem afwendde, sprong alleen de duisternis naar hem terug. Als er sprake was geweest van pijn, marteling, geschreeuw, had hij zich kunnen verzetten. De man tegenover hem gaf hem niets om zich tegen te verzetten. Hij herkende het gevaar, maar wist niet hoe hij zich tegenover deze vriendelijke redelijkheid moest opstellen.

'Ben jij Duitser, Viktor?'

Hij reageerde geschokt. 'Hoezo?'

'Ga ik mijn boekje te buiten? Dat is niet mijn bedoeling. Ik deel mensen niet graag in stereotypen in, maar je hebt Duitse trekken. Te oordelen naar de foto's die ik gezien heb, lijk je sprekend op je vader, blond en lang en... Ik heb ook foto's van zijn ouders gezien. Dat waren boeren die zich in Kaliningrad gevestigd hebben, maar die oorspronkelijk uit het oosten kwamen, van de Kazachen-steppe, en die dus Aziatisch waren. Maar hun zoon is niet donker, hij is blond. Hij is niet klein zoals zij, hij is lang. Leg me dat eens uit, Viktor.'

Hij moest niet liegen; Rupert Mowbray had hem gewaarschuwd voor het gevaar van onwaarheden, tenzij de vragen een kwestie van leven of dood betroffen. Hij kon niet weten of Bikov een spierinkje uitgooide of op de hoogte was van de uren die hij in het archief van het weeshuis had doorgebracht. Ook kon hij niet weten of Bikov de oude dossiers van de nonnen bekeken had.

'Is het belangrijk?'

'Als ik jou beter wil leren kennen wel, denk ik wel.'

Hij was zich bewust van de menselijkheid van Bikov, die erop gericht was om zijn vertrouwen te winnen. Hij zag de warmte van de man. Vier jaar lang had hij niemand vertrouwd, had hij geen enkele andere man in vertrouwen genomen, en zijn eenzaamheid had een verwoestende invloed gehad.

'Mijn grootmoeder was Duitse.'

'En je grootvader?' De lippen bewogen zich nauwelijks, maar de vraag was indringend.

'Mijn natuurlijke grootvader was een Rus.'

'De geboorteplaats van je grootvader, Viktor, staat als Kaliningrad vermeld. Je bent thuisgekomen.'

'Mijn grootmoeder woonde in Kaliningrad.'

'En je vader is in januari 1946 geboren, Viktor, en als je grootmoeder de volle negen maanden zwanger is geweest, dan moet de bevruchting in april 1945 plaatsgevonden hebben, de maand dat het

Rode Leger Kaliningrad bereikte. Was het liefde, Viktor?'

'Hoe bedoel je?'

De stem spinde, het gezicht liep over van medeleven. 'Liefde, weet je wel, een jonge soldaat en een jong meisje uit elkaar bestrijdende kampen in het grootste conflict dat de wereld ooit heeft meegemaakt, twee geliefden die de politieke situatie verwerpen en romantiek vinden in de ruïnes van een prachtige stad. Romeo en Julia. Zoiets?'

'Mijn grootmoeder werd door een heel peloton verkracht. Ze was waarschijnlijk bewusteloos tegen de tijd dat mijn natuurlijke grootvader zijn broek liet zakken.'

Een bezorgde frons doorsneed Bikovs voorhoofd en het licht van de kaars bescheen zijn sympathie. 'God, dat spijt me. Dat wist ik niet.'

'Zij schonk het leven aan mijn vader, die ze achterliet op de stoep van het weeshuis voordat ze zich verhing. Ze ligt in een anoniem graf.' Hij kon horen hoe zijn stem trilde. Bikov had zich voorovergebogen om hem te horen. 'Het was geen liefdesverhaal.'

'Wat vreselijk, Viktor. Ik licht een tipje van de sluier op en dat had ik niet moeten doen.'

De windzak hing slap.

Via de telefoon in de betonnen bunker onder de doelen kwamen de resultaten terug. 'Geen treffers' of 'Alleen in de rand'. Igor Vasiljev, de 21-jarige dienstplichtige had een reputatie op de schietbaan opgebouwd. De nieuwe lichting, het 2de peloton van de 4de compagnie van het 81ste regiment van de marine-infanterie, had voor het eerst met geweren geschoten. Toen ze uitgeschoten waren, hadden de instructeurs hen in de invallende schemering op de baan laten blijven en Vasiljev tot het voorbeeld gesteld waarnaar ze moesten streven. Jongens die nog maar net van school waren, hadden zich in een halve kring om hem heen opgesteld, en ze hadden nog nooit een wapen gezien dat er zo gestroomlijnd en krachtig uitzag als het zware NSV 12,7mm-machinegeweer. Hij had al heel vaak geschoten met toeschouwers die zo dicht om hem heen stonden, maar hij had nog nooit zo slecht geschoten.

De vijfde keer dat het bericht 'Geen treffers' en 'Alleen rand' was teruggekomen, hadden de instructeurs het peloton bij hem weggeroepen en de jongens naar de trucks laten marcheren. Ze hadden kwaad naar hem omgekeken, alsof hij hun tijd had verspild.

Toen ze weg waren en hij weer alleen was, schoot hij opnieuw. Hij lag achter het staartstuk, met zijn benen wijd, en de patroonband werd van de deksel van een munitiekist in het wapen gevoerd. Dit was de houding die hij altijd innam. De oorkleppen zaten strak om zijn hoofd. Hij haalde de trekker met het gebruikelijke ritme over, maar terwijl hij schoot en de kolf tegen zijn schouder voelde schokken en de gedempte knal van de schoten hoorde, kon hij zich niet concentreren. Zijn geliefde zware machinegeweer nam slechts een tweede plaats in zijn gedachten in.

Hij had gezien hoe overste Viktor Artsjenko overmeesterd, geboeid en gevangengenomen werd. Hij was een eenvoudige jongeman, zonder opleiding, en terwijl hij schoot, probeerde hij te bedenken wat hij van zijn beschermheer wist en wat de reden voor zijn arrestatie kon zijn. Zijn greep op het wapen verslapte en hij trok te krampachtig aan de trekker: hij kon het haarkruis, dat op het maximumbereik van tweeduizend meter was afgesteld niet stilhouden. Als er al een patroon uit zijn missers naar voren kwam, dan zag Vasiljev dat niet. Het enige waar zijn brein zich mee bezighield en wat hem afleidde, was het vage gevoel dat de overste was afgezonderd van het leven op de basis en anders was dan de andere officieren. Vijf schoten per salvo. Zoals hij tegen hem over de schoonheid van het kasteel over de grens had gesproken. Nog eens vijf schoten. Hoe hij nooit het beleid van Poetin en de nieuwe betrekkingen met de oude vijand ter sprake bracht. De volgende vijf. Geen woord over het tekort aan brandstof en eten, materieel en oefendagen. Vijf. De overste was als geen andere officier: hij was de zee in gedoken om hem te redden en had hem zijn machinegeweer teruggebracht.

De patroonband was leeg. Het bericht kwam terug, laconiek, verveeld: ‘Geen treffers.’

Vasiljev kauwde op zijn kauwgum.

Ze lieten over de telefoon weten dat het vijf uur was en dat hun dienst erop zat. Hij vroeg hun om de verzonken lampen die de schijven in het donker verlichtten aan te laten: hij had nog 120 patronen te verschieten. Hij hoopte dat hij in de schemering zijn concentratie terug zou vinden. Hij schoof een eindje bij het wapen vandaan en nam de regels in acht, zette het wapen op veilig. Hij kauwde stevig op zijn kauwgom. In de verte hoorde hij het geluid van de naderende jeep. Hij wist niet of zijn missers kwamen door de manier waarop hij de kolf beet hield of door zijn berekeningen van de afwijkingen door de veranderende wind of door de ondergrond van zand en modder voor de driepoot.

De jeep arriveerde. De soldaten die bij de schijven hadden gezeten, lachten hem uit.

‘Je schiet waardeloos, Vasiljev. Je kunt nog geen schuurdeur op honderd meter raken. Wat zal die officier van jou zeggen wanneer hij hoort dat je er geen moer van kunt?’

Ze reden weg. Zijn gezicht stond strak toen hij de volgende patroonband aanbracht. Ver voor hem uit, in de toenemende schemering, kon hij de vaag verlichte schietschijven zien.

'In Gorno-Altaisk, waar ik opgroeide, Viktor, is geen enkel gebouw van historische waarde. Niet één. Het is een gat. Weet je, er zijn meer interessante dingen in Grozny te zien, geloof me. In Gorno-Altaisk heb je een busstation, een postkantoor bij het Kommoenistitsjeski Prospekt, een klein museum, dat een reconstructie is van een Pazyryk-begraafplaats en een armetierig hotel. Er is niets meer in Gorno-Altaisk te vinden. Het is gewoon een schroothoop.'

De spanning was in de schouders van zijn prooi te zien geweest toen hij hem door de dood van zijn vader en grootmoeder geloodst had; nu zag hij de grijns. Bikov grijnsde terug, voelde hoe de plooien zijn wangen spleten. Er was nu meer dan een kwart van de kaars opgebrand en bij de ramen zaten vast kieren, want de vlam werd door tocht bewogen. Behalve hun stemmen en het gekletter van de regen op de afgedekte ramen was er geen geluid in de kamer te horen. Hij had opdracht gegeven dat de kamers onder en boven de hunne ook ontruimd werden. Bikov lachte hardop.

'Misschien is er nu een bioscoop, waar ze films draaien van Poetin die politiecharges tegen de mafija leidt, wie weet. Wat is de belangrijkste activiteit in Gorno-Altaisk? Je vertrek voorbereiden, de dienstregeling van de bus bekijken, er is daar niets van enig belang, tenzij je de bossen in trekt en op beren jaagt. Niets... Jij, Viktor, bent gelukkig.'

Hij aarzelde, voorzichtig. 'Hoezo?'

'Vanwege de dingen die je interesseren, je hobby's. Ik heb niets. Ik leef uit een weekendtas. In een weekendtas is geen ruimte voor dergelijke zaken.'

'Hoe bedoel je?'

Hij lachte weer. 'Middeleeuwse archeologie, de hobby die je naar Polen voert om het kasteel bij Malbork te bezoeken. Hoe is dat begonnen?'

'Toen ik cadet was aan de Froenze marineacademie, zijn...'

'In Leningrad?'

'Ja. We voeren op een visserijonderzoeksschip, de *Ekvator*, naar Gydnia en vandaar werden we per bus naar Malbork gebracht.'

'Het kasteel fascineerde je?'

'Het is schitterend.'

'Vertel.'

Bikov luisterde. Hij hield zijn hoofd een beetje schuin alsof hij zeer geboeid werd door wat hem verteld werd. De Hoge Burcht en de Midden Burcht, de barnsteencollectie, het paleis van de grootmeester en de porseleincollectie, de grote eetzaal, de Gouden Poort, de Hal met de Zeven Pilaren en het Voorhof van de Zieken. Toen hij genoeg had gehoord, viel hij Artsjenko in de rede.

'En er is mij verteld, Viktor, dat de kathedraal in het naburige

Frombork een architectonisch meesterwerk uit dezelfde tijd is en dat de ruïne van het kasteel van de Duitse Orde een ware bron is voor archeologen. En dan is er de Grote Molen van Gdansk, waarvan de eerste stenen in 1350 werden gelegd. Er was veel te zien toen je een pasje had om naar Polen te reizen. Je was...'

'Ik ben alleen maar naar kasteel Malbork geweest.'

'... bevoorrecht. Je bent alleen maar naar het kasteel bij Malbork geweest?'

Het was allemaal in de ogen te lezen. De ogen leidden hem. Hij zocht de ogen, maar ze vermeden hem.

'Het is een troep. Het is een schande. Wat ben jij, onbekwaam of lui? Nou?'

Zijn bezoek was onaangekondigd. Aan het eind van de werkdag was admiraal Alexei Falkovski zonder enige waarschuwing naar de haven gekomen. De bevelhebber van een mijnenvegerflottielje was weggeroepen van zijn tweede drankje in de officiersmess en kreeg de wind van voren van de admiraal.

'Ratten en ongedierte zouden die toiletten nog niet gebruiken. Er zitten kakkerlakken in de kombuizen en de aardappels zijn verrot. Onbekwaam of lui, verdomme. Nou? Ga je spullen pakken en verdwijn. Je kunt vertrekken.'

De admiraal liet de bevende, verbijsterde officier achter toen hij wegmarcheerde. Hij had geen escorte. Normaal gesproken zou bij een inspectie van de vloot zijn chef-staf aan zijn zijde hebben gestaan. Zijn auto reed op gepaste afstand achter hem aan toen hij van dok 1 naar dok 2 beende. De duikbootflottielje was zijn volgende doelwit. Hij was verraden en hij was bang.

In dok 2 waren ze al gewaarschuwd. Een ontvangstcomité van officieren en onderofficieren stond te wachten. De geruchtenmolen had het nieuws sneller verspreid dan hij met zijn driftige pas kon lopen.

Hij werd begroet. 'Goedenavond, admiraal, een genoegen om u te...'

'Ik wil elk toilet, elke kombuis, elke lanceerinstallatie, elke wapenopslagplaats, elke brits in de bemanningsverblijven inspecteren. Als ik iets smerig aantref, vlieg jij eruit,' blafte hij.

De mannen deinsden terug.

Zijn woede werd doorgaans in toom gehouden door de kalmerende aanwezigheid van zijn chef-staf naast hem, maar die was er nu niet en zou er ook nooit meer zijn. Hij marcheerde al stampend over de loopplank en hees zich toen het trapje van de commandotoren op.

Er waren maar weinig, heel weinig mannen die hem bang maakten, maar van de man die in zijn kantoor was gekomen had hij het koud gekregen. Het was in de ogen van de man te zien geweest. Genadeloze, indringende ogen. Die man hield Viktor nu vast en verhoorde hem.

Hij werd verteerd door een blinde angst toen hij zijn speurtocht naar rotzooi, onbekwaamheid en luiheid begon. Het eerste toilet dat hij inspecteerde in de Vasjavjanka-klasse onderzeeër, zat verstopt met een prop doorweekt papier en uitwerpselen. Hij keerde zich woedend tot de commandant van de duikbootvloot. 'Maak hem zelf maar schoon. Met een emmer en een borstel maak je hem verdomme zelf maar schoon en dan maak je dat je van mijn basis af komt.'

Hij wist dat hij zeer populair was geweest bij de mannen in het smalle gangpad achter hem, dat ze erover hadden opgeschept dat ze onder de beste vlootcommandant van de hele marine dienden, en hij zag hoe ze verbijsterd op zijn aanval reageerden. Hij kon de angst niet bestrijden.

De kaars was half opgebrand en de was droop eraf. Hij gaf geen warmte. Viktor huiverde.

'De verwarming is uit,' zei Bikov. 'Zo belazerd werkt alles hier, geen verwarming voor de officieren, onderofficieren of de dienstplichtigen. Het geld voor de stookolie is waarschijnlijk achterovergedrukt door mensen als die rat van Piatkin. Gestolen stookolie en wapens. Heb je erg last van de kou, Viktor?'

'Ze hebben me mijn jas afgenomen.'

Hij was zich niet bewust van de val die voor hem gezet werd. Constant, bij elke nieuwe wending van het verhoor – zijn familie, het kasteel bij Malbork, zijn dagelijks werk – was hij op zijn hoede geweest voor een valstrik, maar die was er niet één keer geweest. Tegenover hem, aan de andere kant van de vlam, trok Bikov zijn trui uit. Bikov droeg alleen een hemd over zijn bovenlijf. De trui werd naar hem toe gegooid en viel naast hem op de grond.

'Ik hoef hem niet.'

'Trek hem aan, Viktor.'

'Ik heb geen last van de kou.'

'Draag hem nu maar, Viktor.'

'Ik kan goed tegen de kou. Als jij in Moermansk was geweest...'

Hij gooide de trui terug en de vlam flakkerde.

'Als jij het koud hebt en mijn trui niet wilt dragen, dan zal ik het ook koud hebben.'

Bikov duwde de trui weg. Viktor zag zijn armen, zag hoe vers de schrammen en littekens waren.

'Wat is er met jou gebeurd?' Opnieuw werd hij zonder het te beseffen geleid.

'Ik was verleden week in Tsjetsjenië. Er vond een vuurgevecht plaats, de oorlog daar is misdadig en amateuristisch. We liepen in een hinderlaag en moesten over een heuvel ontsnappen, duiken om dekking te zoeken, achter rotsen, waar je je maar kon verschuilen.'

'Wat deed je daar?'

'Het leven van een man redden.'

Viktor staarde hem met grote ogen aan. 'En? Heb je zijn leven gered?'

'Hij is een fatsoenlijke vent, hij verdient respect. Ik heb het leven van een officier gered.'

Hij zag hoe Bikov zijn geschramde, met littekens bezaaide armen om zijn hemd sloeg. Ze zouden het samen koud hebben.

'God mag weten of iemand dit nog kan lezen.'

Ham verbrak de stilte in de schuilhut en hij lachte klaterend. Ze waren in een sombere stemming geweest toen ze begonnen waren. De leden van het team hadden zich in zichzelf teruggetrokken, nadat ze, heen en weer schuivend, geprobeerd hadden om wat ruimte te krijgen. Lofty, die als kwartiermeester optrad, had elk een vel papier en een envelop gegeven. In hun kastjes in het kamp bij Ballykinler had altijd een verzegelde en geadresseerde brief gelegen en dat was ook het geval geweest in Poole wanneer ze de basis voor gevaarlijke oefeningen verlieten.

'Ik kan zelfs het papier niet eens zien. God mag weten hoe iemand dit zal kunnen lezen.'

Billy ging verzitten. 'Aan wie ben je aan het schrijven, Ham?'

'Dat is persoonlijk en gaat niemand wat aan.' Zijn somberheid keerde terug. 'Mijn moeder en vader, als ze deze brief ooit te lezen krijgen, als ze hem niet meteen in de prullenbak gooien wanneer ze het handschrift zien.'

Het machinegeweer was eindelijk stilgevallen. Ze waren er zenuwachtig en gespannen van geworden. Het was nu tien minuten geleden sinds het laatste schot gelost was.

'En jij, Lofty?'

'Dat mag iedereen weten. Het adres waar ik in het dorp heb gewoond. Alleen om hun te vertellen dat ze de spullen die ik daar nog heb, mogen verpatsen, niet dat het veel is, om bloemen te kopen om in de kapel te zetten. Zelfs de kinderen van de veteranen zijn al behoorlijk oud, als ze bij de graven zijn geweest, gaan ze in de kapel zitten om te rusten. Het is bijna weer die tijd van het jaar, de tijd dat ze komen. Daar gaat mijn brief heen. Mijn fiets, een paar kleren en boeken, daar moet je toch een paar boeketten bloemen voor kunnen kopen.'

Toen Lofty met het papier, de enveloppen en het potlood was gekomen, hadden ze hem allemaal om beurten uitgefoeterd. Als kwartiermeester had hij dat op de boot moeten doen, waar ze licht hadden gehad en de ruimte en tijd om na te denken. Ze zaten opeengepakt in de schuilhut en de regen druppelde langs de stenen van de hut omlaag. Wat gingen ze met de brieven doen? Wie hield ze bij zich? Als ze sneuvelden – de reden waarom die stomme brieven geschreven werden – wanneer werden de brieven dan gepost? Hij had onder uit de zak gekregen, maar ze hadden elk de moeite genomen om iets op papier en een naam en een adres op een envelop te zetten.

'Kut,' zei Ham.

Het machinegeweer was weer begonnen.

Ze plakten hun enveloppen dicht en gaven ze aan Lofty.

'Wat doe ik ermee?'

Wickso grinnikte in het donker. 'Wanneer we allemaal dood zijn, Lofty, en jij op je rug ligt te jammeren om je moeder, vraag je met je laatste adem, terwijl die Spetznaz-gozer zijn bajonet heft om je af te maken: 'Meneer, kunt u me vertellen waar een brievenbus is?'

Toen gaf Lofty hun allemaal een stuk plakband. Ze tastten naar hun nek, zochten de barnsteenhanger en wikkelden de tape om de ketting en het metaal, zodat er niets zou rinkelen. Ze deden dit omdat niemand bereid was de hanger af te doen en weg te gooien.

Billy zei dat ze beter maar konden gaan slapen. Ze zouden er over twee uur opuit trekken.

Er was nog een kwart van de kaars over.

'Admiraal Falkovski.'

'De vlootcommandant.'

'Ik weet dat admiraal Falkovski de vlootcommandant is, Viktor. Een goeie vent?'

'Een heel goeie vent.'

'En rechtvaardig?'

'Heel rechtvaardig. Je vindt geen officier in Baltijsk die de vlootcommandant geen rechtvaardige vent vindt.'

'Een man van vertrouwen?'

Nu luisterde Bikov.

'Zijn beste ondergeschikten vertrouwt hij onvoorwaardelijk. Als hij wil, kan hij je het gevoel geven dat je bijzonder en belangrijk bent. Hij is geen man voor details. Hij heeft een globaal inzicht en voor de dagelijkse gang van zaken verlaat hij zich op officieren die hij vertrouwt. Daar was ik er een van. We hebben een nauwe band.'

Hij zag hoe zijn prooi huiverde, dus huiverde hij ook. 'Ga door, Viktor.'

'Als hij naar een belangrijke vergadering moet, nemen we die eerst samen door. Ik vertel hem hoe ik het zie, welke kwesties er aan de orde komen die schadelijk zijn voor de belangen van de marine en welke kwesties voor ons voordelig zijn. Hij luistert naar me. Zijn deur staat voor me open. Ik lees wat hij leest. Ik weet dat ik zijn ondergeschikte ben, maar we zijn collega's.'

Bikov geloofde dat het een combinatie van kou, arrogantie en vermoeidheid was die Artsjenko ertoe verleidde om zichzelf de das om te doen.

'Ik heb een probleem en daar heb ik je hulp bij nodig, Viktor. Twee jaar geleden, toen admiraal Falkovski al het bevel over de vloot had, kregen we te horen dat Amerikaanse geheim agenten bekend waren met de herschikking van de Totsjka 22-21 raketten met atoomkoppen in Baltijsk. Wat was de reactie van admiraal Falkovski op die meldingen?'

'Wat kon zijn reactie zijn? Het was waar.'

'Hoe dacht admiraal Falkovski dat de Amerikanen aan die informatie gekomen waren?'

'Daar hebben we het over gehad. Het was een bijzonder ernstige kwestie, zij zette de betrekkingen met de Verenigde Staten onder druk. Ik was het eens met het antwoord van de admiraal toen hem de vraag gesteld werd. Ik schreef het bericht dat hij verzond. De Amerikanen hebben spionagesatellieten boven de oblast Kaliningrad. Ze moeten het uitladen van de raketten en atoomkoppen van het schip dat ze kwam brengen of het vervoer naar de opslagbunkers voor de atoomkoppen vastgelegd hebben. Het moesten spionagesatellieten geweest zijn.'

Bikov vergunde zich geen glimlach. Zijn oprechtheid en bezorgdheid waren op zijn gezicht gebeiteld. 'Maar natuurlijk, Viktor, wat had het anders kunnen zijn?'

Locke zat in de keuken en had zijn voeten op de grenenhouten tafel gelegd. Alles om hem heen was Duits. De afbeeldingen aan de muren waren Rijn-gezichten en de bladzij voor augustus op de kalender was een tekening van de Harz.

Het gebied waar zijn ouders woonden, was zeer in trek voor 'tweede huizen'. Mensen als makelaars, chirurgen en architecten kwamen uit de West Midlands naar de kust van Wales om oude huizen op te kopen, die ze dan verbouwden tot weekendretraite. Hun geld deed het leven wegvloeien uit de lokale gemeenschap, omdat het de huizenprijzen opdreef. Ze maakten van hun huizen kleine gewijde wijkplaatsen, weg van Sutton Coldfield, Solihull en Bromsgrove, en aan het eind van elke zomer maakten ze de kamers schoon, haalden de ijskast met diepvries leeg en waren dan de wintermaanden verdwenen.

De gemeenschap voelde zowel minachting als afgunst jegens deze mensen. Hij haatte de eigenaars van het huis waarin hij had ingebroken en hij haatte zichzelf.

Het enige wat Locke in de keukenkastjes aan eetbaars kon vinden, was een enkel pak zoete biscuitjes. Aan de misdaad van inbraak voegde hij die van diefstal toe. Hij had vijf biscuitjes naar binnen geschrokt, waarbij hij kruimels over de hele schoongeboende tafel had verspreid, en ze hadden zijn honger of zijn haat niet gestild. Naast zijn schoenen, omgeven door de kruimels, stond de radioapparatuur. De regen sloeg tegen de ramen, maar op het paneel van de zender-ontvanger lichtten de meters vrolijk op. Over iets meer dan anderhalf uur zouden Mowbrays krijgshelden in actie komen.

Ze kwam binnen, liep langzaam om hem en de tafel heen. Hij had gehoord dat ze zich waste. Ze had zich verkleed en een dikkere broek en trui aangetrokken. Het gezicht van Alice North straalde een nieuwe frisheid uit, die hij daar had gebracht. Haar ogen twinkelden nog steeds ondeugend toen ze hem voorbijliep. Zijn hatelijke opmerkingen hadden haar het licht teruggegeven. 'Ben je met hem naar bed geweest? Je dacht toch niet dat hij van je hield, hè?' Het licht in haar verblindde hem en schonk haar volwassenheid en kracht; hij was onbemind en dat was de reden waarom hij haar haatte.

'En wat voor liefdesnestje ga je precies bouwen?'

Ze bleef staan, draaide zich om en keek hem aan.

'Heeft Mowbray je verteld wat er gaat gebeuren? Jij zult ontslag moeten nemen. Je komt binnen de kortste keren op straat te staan. Veiligheidsrisico, weet je wel. Verraad is een besmettelijke ziekte. Hij is een verrader, heeft het één keer gedaan en kan het dus weer doen. Jij vliegt eruit. Ze zullen dankbaar genoeg zijn om voor hem een twee-onder-een-kap in Coulsdon of Croydon te kopen, zo'n met grint bepleisterd, beetje nep-tudor huis, en daar zul je je dagen uitzitten. Als ze eenmaal in Engeland zitten, gaan ze stuk voor stuk dood van de heimwee naar het moederland. In het begin zal hij nog bruikbaar zijn. Je zult hem drie, vier maanden niet meer zien, terwijl ze alle informatie die hij nog niet heeft doorgegeven uit hem persen. Daarna staat hij er alleen voor. Er wordt elke maand een cheque naar de bank gestuurd, maar niet zo'n grote. Wil hij bij jou zijn? Vergeet het maar. Hij wil bij de andere trieste gevallen zijn, die dezelfde route hebben afgelegd, wil Russisch met hen praten en klagen over het beleid in Moskou. Wil alleen maar klagen. Na een paar maanden krijgt hij nog een paar reisjes naar Portsmouth of Plymouth om met onze marine over zijn marine te praten, maar hij zal al heel snel niet meer belangrijk zijn. Jullie worden dan zo'n veilig, verveeld, sneu koppel zoals er zo veel zijn in onze voorsteden. Ga maar leren tennissen, Alice, daar zul je alle tijd voor krijgen. Je mag wat ik zeg allemaal naast je neerleggen, ik ga een eindje lopen.'

Hij zwaaide zijn benen van de tafel. De jaloezie was een wond in hem, afgunst sneed door zijn ziel.

Ze zei: 'Ik geloof niet dat jij ooit van iemand gehouden hebt, Gabriel, of dat iemand van jou gehouden heeft. Ik heb medelijden met je.'

De eerste keer. Het was als een stilzwijgende plicht tegenover Rupert Mowbray begonnen en toen iets heel anders geworden. Alice die de gang door was gelopen, voorop. Ze had zijn hand vastgepakt, had die voelen beven, en pas weer losgelaten om de sleutel uit haar tas te halen. Ze had de deur opengedaan, hem naar binnen getrokken en de deur achter zich dichtgeschopt. Terwijl ze in het midden van de kamer had gestaan, waar het licht door de dichte gordijnen gefilterd werd, had ze beseft dat tijd kostbaar was en haar armen naar hem uitgestrekt. Hij was langzaam op haar afgekomen, alsof hij niet had geloofd wat hem werd aangeboden. In het licht dat van de straat binnenviel, was de wanhoop zichtbaar geweest en ze had die van zijn gezicht willen vegen. Toen ze zijn overhemd had losgeknoopt en uitgetrokken, had ze zijn handen gepakt en die naar haar blouse gebracht. Zo bang was hij geweest, zo onhandig met de knopen, en toen hij het gedaan had, een eeuwigheid later, had ze de blouse van haar schouders geschud. Ze had zijn vingers naar het haakje van haar bh geleid en toen die op de grond viel, had ze het ontzag in zijn ogen gezien. Toen ze naakt waren, had hij zich naar zijn jasje gebogen en het kleine plastic zakje uit zijn portefeuille gehaald. Ze had hem bedankt en hij had gegrijnsd en ze waren op het bed gaan liggen, waar zij het condoom om zijn geslachtsdeel had gerold. Slechte, wanhopige, koortsachtige seks, die eerste keer, maar na afloop – toen het kleine klokje naast het bed de minuten en uren had weggetikt – had hij met zijn hoofd op haar borst gelegen en had zij hem in haar armen gehouden en geweten dat ze zijn angst had gesust. Hij was weggegaan en zij had een knoop in het condoom gelegd en het door het toilet gespoeld. Ze had niet geslapen. Het was geen plicht meer, ze had liefde gevonden.

'Ben je moe, Viktor?'

'Ja, ik ben moe.'

'Ik beleef veel plezier aan ons gesprek. Ik werk dagelijks met idioten. Het is een zeldzaam genoegen voor me om met een integer en intelligent mens te praten. Kun je doorgaan?'

'Ja.'

De vermoeidheid kwam bij vlagen, maar telkens als hij zijn ogen dichtdeed en zijn hoofd op zijn borst viel, brandde het licht van de kaars ze open. Ook hield de man aan de andere kant van de kaars hem door zijn menselijkheid wakker. Hij had moeten doen of hij in slaap viel, had in elkaar moeten zakken.

'Prima, Viktor. Viktor, veel van de paperassen die op jouw bureau of dat van de admiraal komen zijn vertrouwelijk, ze bevatten staatsgeheimen en militaire geheimen. Je ziet die papieren, omdat je daar de bevoegdheid toe hebt, omdat je uiterst grondig bent doorgelicht. Je ziet ook documenten die van de GRU of burgerinstellingen zijn gekomen. Sommige informatie is op elektronische wijze verzameld en andere door mensen. Wanneer je die papieren leest, Viktor – een analyse van de Amerikaanse marine, NAVO-formaties, wat dan ook – aan welke bron hecht je dan meer waarde? De elektronische informatie die door satellieten is verkregen of de menselijke informatie, onderschept door agenten in het veld? Welke?'

'Menselijke informatie, altijd menselijke informatie.'

'Heel interessant. Ik vind je inzicht fascinerend. Verklaar je nader, alsjeblieft.'

'Kijk eens naar de Amerikanen in Afghanistan, in hun oorlog tegen terreur. Ze hebben geen agenten, maar die vervangen ze door de moderne elektronische apparatuur die hun ter beschikking staat, zonder succes. Het beeld dat door die apparatuur gegeven wordt, is kleurloos, zonder inhoud. Menselijke informatie heeft diepte, begrip.'

De stem murmelde: 'En wordt verstrekt door moedige mannen en vrouwen.'

'De moedigsten. Een spionagevliegtuig of opgevangen berichten geven je beelden en geluiden, maar die dingen zijn maar een fractie van wat menselijke informatie je kan geven. Als de Amerikanen een spion binnen het kamp van de Taliban of Al-Qaida hadden, zouden ze de leiders te pakken krijgen.'

'Heel gevaarlijk werk, het werk van een agent.'

'Het gevaarlijkste werk dat er bestaat.' Alleen iemand die bijzonder scherp oplette, zou het spoor van trots in Viktors ogen gezien hebben. Hij herinnerde zich hoe Rupert Mowbray aan zijn lippen had gehangen in de hotelkamer in Gdansk, hoe zijn hand was geschud, hoe hij was omhelsd. 'Ik zeg altijd tegen de admiraal dat de beste informatie die wij van de GRU of SVR krijgen van mensen afkomstig is en ik vertel hem hoe de Amerikanen gefaald hebben door zich op elektronische informatie te verlaten.'

'Ga door, Viktor.'

Roman, de visser, wierp zijn lijn met aas opnieuw in de branding.

Hij droeg geen horloge, omdat tijd voor hem niet belangrijk was, maar hij schatte dat de man minstens een halfuur geleden een meter achter hem was komen zitten. Roman had hem niet gegroet en de man had niets gezegd. De man was oud, droeg een lange regenjas en een zwarte baret en klaagde niet over de regen die gestaag uit de hemel viel. Roman vond dat iemand die in de regen op het strand kwam zitten om naar iemand te kijken die stond te vissen niet goed bij zijn hoofd was, niet de moeite waard om tegen te praten.

De lijn schokte tussen zijn vingers. Roman sloeg aan, zwaaide zijn arm naar achteren. In het halfuur, ruw geschat, dat de man daar had gezeten, had hij niets gevangen. Hij voelde het schoksgewijze verzet van de gehaakte vis en tegelijkertijd dat de man overeind kwam. De lijn viel aan Romans voeten terwijl hij de vis binnenhaalde. De man stond naast hem.

'Ik heb hier als kind gewoond.'

'O ja?' Roman had uit ervaring geleerd dat de grootste kans om een vis kwijt te raken met een handlijn was wanneer je hem door de ondiepe branding trok. Hij zorgde dat hij zijn lijn strak hield.

'Ik heet Jerzy Kwasniewski. Mijn ouders kwamen uit Krynica Morska, maar zijn heel lang geleden verhuisd. Mijn grootouders liggen begraven op het kerkhof van Krynica Morska.'

'O ja?' Roman kende de naam niet en het zou hem een zorg zijn waar mensen begraven lagen die hij niet kende. Hij zag de zilveren flits in de branding. Hij sleurde de vis spartelend over het natte zand naar zijn laarzen, bukte zich, haalde met één snelle beweging de haak uit zijn bek en gooide hem in zijn emmer.

'Wat is dat voor een vis?'

'Kabeljauw.'

'En wat zijn die andere?'

'Makreel en die platvis is een schol.' Roman had twee makrelen gevangen en een schol en die lagen nu dood naast de naar adem snakkende kabeljauw in de emmer. Het was een slechte vangst voor een dag op het strand met zijn handlijn, maar 's avonds ving je altijd beter en de avond na een storm leverde bij het keren van het tij altijd een goede vangst op. Hij deed vers aas aan de haak.

Er klonk een nieuwe stem zacht achter hem.

'Zou u het erg vinden als ik even viste?'

Roman draaide zich om. Hij kende een beetje Russisch en stond op het punt om kwaad te worden, om te vloeken, en zich van deze vreemden te verlossen. De man was kort, gedrongen, zwaargebouwd en er was zand over zijn glanzende schoenen gewaaid. Misschien was de jas van mohair, misschien van kameelhaar, en Roman zou het verschil niet geweten hebben, maar hij geloofde dat de prijs van die jas hem en zijn gezin door de winter zou helpen. De regen liep over het voorhoofd van de man en op de hagelwitte boord van zijn overhemd. Het was een verzoek: 'Zou u het erg vinden als ik even viste?' Maar het lichaam en de bouw van de man en de zachte toon van de stem duldden geen tegenspraak. De man grijnsde en er verscheen een jongensachtig enthousiasme op zijn gezicht. Roman geloofde dat de handen die zich naar de lijn uitstrekten elk bot in zijn armen en benen konden breken.

'Ik heb al sinds mijn kinderjaren niet meer gevist, mag ik?'

Er werd een verse garnaal aan de weerhaak geduwd. Roman gaf de lijn aan de man. Zijn eerste worm haalde de zee amper, maar met zijn vierde worp kwam de verzwaarde lijn ver in de branding. Hij stond roerloos met de lijn tussen zijn vingers naast Roman. De regen doorweekte de drie mannen die nu op het strand stonden.

'Als kind viste ik heel graag.' Hij draaide zich om en keek naar Jerry de Pool. 'Ik zag de Mercedes bij het café en ze vertelden me daar dat de bestuurder deze kant uit was gelopen. Het doet me genoegen kennis met u te maken. Ik ben Boris Tsjelbia, wij moeten nodig praten. Maar eerst wil ik vissen.'

Hij knikte en maakte een kleine buiging naar Roman, alsof de lijn een waardevol geschenk was. 'Dank u, ik stel uw gebaar zeer op prijs.'

'Wil je misschien iets eten, Viktor?'

'Heel graag.'

Hij klapte in zijn handen, drie keer: het teken dat Bikov met zijn sergeant had afgesproken. Het handgeklap deed de vlam, klein nu, flakkeren.

'Ik hoop dat ze iets te eten voor ons kunnen vinden. Viktor, je vertelde me over de bijeenkomst die je hebt bijgewoond op het hoofdkwartier van de raketeenheid. Ga door, alsjeblieft.'

Locke liep. De bomen waren dicht om hem heen en het licht viel weg.

Hij was richting strand gegaan en had ontdekt dat het pad over de duinen versperd werd door een gestroomlijnde, luxe BMW, met een man achter het stuur. Voorzichtigheidshalve was hij door het kreupelhout gegaan dat langs de duinen groeide, weg bij de plek vandaan waar Alice het graf had gevonden. Hij had Jerry de Pool op het strand gezien, in het gezelschap van een visser en een man met een mohair jas; hij had de schorre kreten van opwinding gehoord en de vis gezien die werd binnengehaald. Hij had een pad naar het oosten genomen, naar de wachttoren.

Hij liep en werd door zijn eenzaamheid gekweld. Hij volgde een ruw pad. Het was een onbeduidend pad, dat hem geen enkele informatie verschafte. Het bos bestond uit dennen en berken en het gras vormde een weelderig tapijt. Het hek kwam van een hoger gelegen punt in het midden van het schiereiland en ging dwars over het pad. Niet meer dan een meter twintig hoog en gemaakt van harmonicagaas, een hek dat alleen een obstakel voor konijnen zou vormen. Het hek dook weg tussen de bomen en liep verder omlaag naar de kust. De regen druppelde op hem neer. Er waren geen bandensporen, maar het hek werd op het pad onderbroken door een enkele rood-wit geschilderde slagboom met een bord dat hem verbood om verder te gaan. Het gaf hem geen enkele aanwijzing, want dit was het Poolse hek. Het grote hek, de barricade, zou zich vijfhonderd meter dieper in het bos bevinden, waar de wachttoren stond. Hij bleef staan, alleen, bij de slagboom. Hij hoorde het gespetter van de regen en het gezang van de vogels. Dit was Mowbrays wereld, niet de zijne. Mowbray was een wezen uit de tijd dat er hekken door Europa liepen, die een afscheiding vormden van de Oostzee naar de Middellandse Zee. Maar die verschrikkelijke tijd behoorde tot het verleden, behalve hier. Hij huiverde. De stilte maakte hem bang.

Hij begon te rennen, weg van het hek. Hij trok zijn knieën hoog op en zijn adem kwam in horten en stoten.

Locke keerde terug bij het huisje waar de rozen groeiden. Hij stormde de keuken binnen. Ze zat naast het paneel van de radio en hij kon haar nauwelijks zien in het schemerdonker. Hij hijgde, zweette, zocht steun bij het aanrecht.

'Waar ben je geweest?'

'Ik ben naar het hek gegaan, naar de grens. Ik ben naar de grens gegaan.'

'Wat is daar te zien?'

'Alleen maar een hek.'

'Naar je gezicht te oordelen, Gabriel, moeten er minstens een infanteriedivisie en een pantserbrigade geweest zijn.'

'Je kunt bij dat hek niets zien van wat erachter ligt.'

De spot klonk door in haar stem. 'Zou jij door dat hek gaan?'

Haar gezicht was van hem afgekeerd, maar vulde Lockes gedachten, hoe knap het was geweest in de duinen, toen de wind haar haar had verwaaid. 'Ik ben er niet voor opgeleid om... Waarom?'

'Zou je voor iemands vrijheid door het hek gaan?'

Hij snauwde: 'Voor een stom symbool, een goedkoop symbool van vroeger? Nee.'

'Voor iemands vrijheid?'

Hij dacht aan de computercodes in het paneel op de tafel, de procedures voor het verzenden van berichten, de codenamen – wat dan ook maar – maar hij kon niet aan haar ontkomen. 'Zodat Rupert Mowbray de bink kan uithangen in Londen? Nee.'

'Voor vrijheid?'
'Ik ben er niet voor opgeleid. Nee.'

De vlam van de kaars zweefde boven de gesmolten was.
Een klop op de deur. Hij ging open, maar de deur was buiten het licht van de kaars. Hij hoorde het schrapende geluid van iets wat naar binnen werd geschoven, voordat de deur weer dichtging.
Bikov kroop weg.
Viktor kon zich niet langer meer herinneren wat hij gezegd had, waar hij heen was geleid.
Bikov zette een kom soep en een lepel naast de kaars.
'Is die voor jou of voor mij?'
'Voor ons beiden, Viktor. We zijn hier samen, we doen samsam.'

14

V. Waar was het grootste gebied in het communistische tijdperk van de Sovjet-Unie dat een afgesloten militaire enclave vormde?
A. Kaliningrad.

Er was één kom en één lepel. Viktor bedankte Bikov telkens als de lepel aan hem werd doorgegeven. Hij nam hem aan en ging op zijn hurken zitten, het gewicht van zijn lichaam naar voren, zijn hoofd gebogen, en doopte de lepel in de dunne bouillon. Hij zocht naar een stukje vlees, aardappel of een koolblaadje alvorens de lepel naar zijn mond te brengen. Zijn hand beefde, zo verzwakt was hij door uitputting en honger, en veel van de soep liep van de lepel voordat deze zijn lippen bereikte. Nadat hij had opgelepeld wat hij kon, na de lepel die enkele keer te hebben ingedoopt voor het gekookte vocht, de stukjes vlees, aardappel en kool en hem schoon gezogen te hebben, gaf hij hem plechtig terug aan Bikov en werd hij elke keer kalm en hoffelijk bedankt. De lepel ging tussen hen heen en weer en langzaam raakte de kom leeg. Hij was nu te zeer in de war om te beseffen dat er een spel met hem gespeeld werd. Ze waren samen, ze deden samsam, ze hadden een band. De kaars wierp een laag licht over hen heen, nog altijd helder maar afnemend. Met zijn verwarde brein dacht hij dat het aardig was van Bikov om een enkele kom soep en een enkele lepel met hem te delen. Hij voelde een toenemende dankbaarheid voor de man aan de andere kant van de kaars.

Viktor wist van het bestaan van de goelagkampen en de *zeks* die deze kampen bevolkt hadden. In het moderne Rusland werd er over dat soort zaken geschreven. Er waren hutten van dunne planken diep in bossen waar de permafrost het hele jaar heerste, het terrein omgeven door prikkeldraad en bewakers, waar de aangeklaagde vijanden van het oude regime heen gestuurd werden om weg te teren en te sterven. Zij zouden, rillend, dezelfde soep gegeten hebben als hij en

Bikov. Hij had Bikovs trui geweigerd en wenste nu dat hij hem had aangenomen. De kou sneed tot in zijn botten. Waar hij op school had gezeten, op een luchtmachtbasis bij Novosibirsk, voordat ze naar de experimentele basis in Totskoje waren verhuisd, had een oude vrouw de klaslokalen, de toiletten en de kantine waar de leerlingen aten schoongemaakt. Ze had dode ogen die door een lijkbleke huid werden omgeven en het gerucht ging dat ze als jonge vrouw in een kamp had gezeten. Ze had die tijd overleefd en de leerlingen hadden niet met haar durven praten. Wat hij zich van haar herinnerde, was haar felle kritiek als een leerling eten op zijn bord had achtergelaten wanneer zij kwam om het weg te ruimen. Pas toen hij over de omstandigheden in de goelag had gelezen, had hij het begrepen. Het water en de voedselresten rommelden in zijn maag, leken zijn honger te verergeren, en zijn hoofd knikte van vermoeidheid.

Toen er alleen nog smakeloos water over was, dacht Viktor aan de hoog opgetaste borden vlees, aardappels en kool die in de officiersmess opgediend werden en het bier dat door de messbedienden werd aangevoerd. Viktor meende te zien dat Bikov zijn blik had afgewend en in de duisternis staarde. Hij stak de lepel met een snelle maar onhandige beweging voor de tweede keer in de kom en dregde weer naar voedsel. Hij moest gewoon eten en dan slapen en warm worden. De lepel schraapte over de bodem van de kom.

'Ga je gang, Viktor, eet maar op.'

Hij kromp ineen. Hij had niet gedacht dat hij gezien was toen hij de regels van het samen delen overtrad. De stem was de vriendelijkheid zelve. Bikov had een offer voor hem gebracht, had zijn deel afgestaan, omdat zijn, Viktors, behoefte groter was. De vrouw die op zijn school had schoongemaakt en die de niet geheel leeggegeten borden van de tafel in de leerlingenkantine had opgeruimd, zou niet eerlijk alles gedeeld hebben: zij zou elke vrouw in de goelag die meer dan haar deel had gegeten de ogen hebben uitgekrabd.

'Geen probleem, Viktor, het is voor jou.'

Hij liet de lepel op de betonnen vloer vallen. Hij beefde toen hij beide handen naar de kom uitstak en hem optilde. Hij hield hem schuin. Lauw water liep zijn mond binnen en hij voelde hoe de resterende vleesvezels, aardappelklodders en flinterdunne stukjes kool tussen zijn tanden bleven steken. Hij vloekte, omdat er wat water uit zijn mond liep en verloren ging. Hij likte de kom schoon. Zijn tong streelde de kom, veegde hem schoon. Hij bleef hem likken tot er niets meer op de bodem van de kom zat en hij alleen nog de smaak van het plastic in zijn mond had. Hij wist dat hij zichzelf vernederd had en werd overspoeld door een golf van spijt.

'Dank je, het spijt me, maar... dank je.'

'Niets te danken, Viktor. We zijn vrienden.'

Er waren andere vrienden geweest, maar dat was te lang geleden. Vanwege die vrienden, inmiddels vergeten, had hij op het strand gejogd en met krijt de kruisen op het wrak van de vissersboot gezet, en hij had het antwoord van zijn vrienden gezien. Ook was er een vriend in de dierentuin geweest, die vlak langs hem was gelopen, en hij was de vriend gevolgd en had het geopende portier van de gereedstaande auto gezien. Ze waren weg. Mowbray, die hem omhelsd had, was weg, en Alice die hem haar liefde had gegeven, was weg. Hij bedankte zijn 'vriend' en voelde zich klein, omdat hij hem bedrogen had.

'Dat had ik niet moeten doen, jouw deel opeten. Ik schaam me.'

'Geen reden tot schaamte, Viktor. Je bent moe en koud en hebt honger, maar je bent voornamelijk moe en wilt slapen. Je zult heel gauw kunnen slapen, Viktor...'

De kaarsvlam weerspiegelde flakkerend in de gesmolten was.

'Nog even, Viktor, en dan kun je slapen.'

Hij voelde de druk van de kolf tegen zijn schouder toen hij de laatste kogels van de laatste band verschoot.

De laatste kogel was een snel scherende rode punt, een lichtspoorkogel, die met een snelheid van 850 meter per seconde uit de loop kwam. Hij zag de kogel gaan, zijn ogen volgden ingespannen de baan. Het projectiel ging recht op het doel af, leek toen laat in zijn vlucht van tweederde seconde omlaag te duiken. De helderrode vlam, oplichtend in de mist van de regen, verdween onder het verlichte doel. Misschien had de terugslag van de schoten de poten van de driepoot dieper in de modder geboord, misschien was hij met zijn arm langs de stelschroef op het vizier boven het staartstuk gestreken. Misschien ging zijn geest niet helemaal op in de concentratie die nodig was om op de maximale afstand met het zware machinegeweer te schieten.

Het regende.

Hij veegde zijn voorhoofd af. Voor hem uit scheen het licht op het doelwit. Zonder zijn vizier om het doel te vergroten, was het niet veel groter dan de rode punt die de schijf niet gehaald had. Hij was te laat voor het avondeten op de basis en zou niets warms meer krijgen. Als hij geluk had, zou hij in de kampkeuken misschien nog een broodkapje los kunnen peuteren en als hij nog meer geluk had, misschien een appel. Hij moest tegen middernacht terug zijn, omdat het 8ste peloton, 3de compagnie, vanaf twaalf uur die nacht dienst had. Hij ging staan, rekte zich uit en trok een stuk zeil over het wapen. Igor Vasiljev was jong en hij was koppig. Overste Artsjenko had tegen hem gezegd dat als hij zich wilde onderscheiden, hij altijd toegewijd moest zijn. Vasiljev vond niet dat hij koppig was, maar de gedachte aan toewijding gaf hem een warm gevoel. Hij kon de arrestatie van overste Artsjenko niet begrijpen, zou het niet geloofd hebben als hij het niet met eigen ogen had gezien, maar hij herinnerde zich wat hem verteld was.

Toewijding betekende dat hij tweeduizend meter door de stromende regen moest lopen om de doelwitten nader te bekijken. Hij moest zien of hij een patroon in zijn slechte schieten kon vinden. Hij zag het als een verplichting.

Hij begon aan de lange wandeling over het pad langs de baan. Hij moest weten wat voor patroon er achter zijn falen stak.

Ham liet de vier in huishoudfolie gewikkelde pakjes met uitwerpselen in een klein, gegraven gat vallen en schepte er de aarde en dennennaalden overheen.

Billy keek op zijn horloge, volgde de ronddraaiende secondewijzer en tuurde toen naar elk van de anderen om zich ervan te overtuigen dat hun gezicht en handen voldoende met camouflagecrème waren ingesmeerd. Hij betastte elke gesp van hun riemen om er zeker van te zijn dat ze omwikkeld waren en geen schurend geluid van metaal op metaal zouden voortbrengen.

De uitrusting die ze op de terugweg naar het strand zouden oppikken was door Lofty bij dc ingang van de schuilhut opgestapeld.

Zoals hij nu al vijf, zes keer had gedaan, streek Wickso met zijn hand over de borstzakken van zijn tuniek, alsof hij zichzelf opnieuw gerust wilde stellen, wilde bevestigen dat de spuitjes met morfine en het extra noodverband er nog steeds waren.

Ze gingen op pad en dat machinegeweer schoot godlof niet meer.

Op het teken van Lofty zetten ze hun wapens op scherp. Het geluid van staal op staal leek het bladerdak boven hun hoofd te vullen.

Ze gleden als geesten tussen de bomen door. Lofty ging voorop. Hij was de man met het meeste vertrouwen. Vroeger, toen ze nog een team waren, zou geen van hen geaarzeld hebben om in het donker voorop te gaan, maar dat was te lang geleden. Billy zou het gedaan hebben, maar Lofty had zich aangeboden. Lofty had geen nachtkijker nodig, maar gaf er de voorkeur aan om zijn ogen te laten wennen aan de mistige duisternis van de vroege avond. Hij ging voorop, met Billy op zijn hielen, gevolgd door Ham. Wickso vormde de achterhoede. Lofty had Billy's reepjes plastic om hem de weg te wijzen. Terwijl hij liep, zette hij zijn voeten telkens zorgvuldig neer en als hij kroop, tastte hij met uitgestrekte armen voor zich uit om niet ergens achter te blijven haken. Hij voerde hen dicht langs de schedel in de helm die Billy had gevonden, door het net van oude loopgraven en om twee bunkers heen. Dit was de plek waar mannen een halve eeuw geleden het leven gelaten hadden, maar daar zat Lofty niet mee. Hij was de juiste man om voorop te gaan.

Voor Lofty was het net zoiets als zijn wandelingen tussen de zerken op de begraafplaats van Tyne Cot. Telkens als hij bij een reepje plastic kwam, bleef hij staan en dan ging hij op zijn hurken zitten. Het team hield dan achter hem halt, terwijl hij luisterde. Behalve het gekletter van de regen die door de dennentakken viel, hoorde hij niets.

Hij leidde het team naar het rendez-vous.

Voor hen uit werd het bos minder dicht.

Het was niet het vizier en evenmin waren het de poten van de standaard. Hij kon alleen maar zichzelf iets verwijten. Op het veelgebruikte witte zeil van het drie meter hoge doelwit waren vorige treffers met wit plakband afgedekt. Hij had nieuwe gaten in het buitenste deel van het doelwit gevonden, buiten de grootste concentrische cirkel, een paar treffers binnen de buitenste ring en maar heel weinig schoten in de binnenste ringen bij de zwarte roos. Minstens de helft van de schoten die hij gelost had, had het doelwit finaal gemist. In de met bakstenen verstevigde ruimte waar de waarnemers zich tijdens het schieten ophielden, knipte Vasiljev de lichten uit die de schietschijf hadden beschenen. Koppigheid had hem hier gebracht en hij was beloond met de bevestiging dat zijn schieten waardeloos was geweest, het schieten van een rekruut zonder enige aanleg. Hij gleed uit in de modder, wist zijn evenwicht te bewaren en strompelde naar het pad en het begin van de lange wandeling terug naar de plek waar hij het machinegeweer had achtergelaten. Hij hoopte dat hij een lift kon krijgen van een patrouillewagen naar de veerboot voor de oversteek van het kanaal.

Ze liepen nu dichter bij elkaar. Tussen hen en het pad was de laatste bomenrij, gevolgd door een paar meter tot het middel reikend kreupelhout, waar berken waren omgehakt en hun wortels waren opgeschoten. Lofty had een goed uitzicht op het pad en kon, op veertig passen afstand, de steen onderscheiden die als kilometerpaal fungeerde.

Billy murmelde: 'Hij is er niet.'

Wickso fluisterde: 'Het is nog vroeg.'

Billy mompelde: 'Het is maar twee minuten te vroeg en hij is er niet. Shit.'

Ze hadden de laatste vijftig meter naar de bomenrand op hun buik afgelegd, in tijgersluipgang. Lofty ging staan. Hij werkte zich langs de stam van een den omhoog, zodat hij geen silhouet vormde. Ze zouden zich op hem verlaten, op zijn uitstekende ogen – hij was altijd de beste van het team in het donker geweest – en op zijn uitstekende oren. Hij keek het pad af, in de richting van de doffe gloed van lichten in de verte, die een vaag oranje schijnsel wierpen over de wolken. Daar zou Fret vandaan komen. Alle wapens stonden op scherp, zoals dat vanaf het moment dat ze de schuilhut hadden verlaten het geval was geweest, en Lofty had beide handen om de granaatwerper gelegd. Fret was de laatste keer geschaduwd. Billy had de taak om het terrein rechts in de gaten te houden, Ham het terrein links en Wickso was verantwoordelijk voor het terrein achter hen en de vluchtroute. Lofty's vinger lag om de trekkerbeugel. Hij hoorde een geluid rechts van zich. Hij voelde hoe Billy verstijfde, hoe zijn spieren zich spanden. Lofty hoorde het geschuifel van voeten in de modder. De man had stil moeten naderen, maar de voeten werden niet voorzichtig neergezet.

Lofty zag hem.

Achter Lofty onderdrukte Ham een nies.

Hij kwam van rechts, bewoog zich met een slakkengang naar het pad. De omtrekken waren vaag, de armen en benen onduidelijk. Lofty tuurde ingespannen om hem beter te kunnen zien. Zijn hart bonsde. Diep in zijn hart had Lofty niet geloofd dat Fret zou komen en nu was hij hier, kwam hij bij het pad.

Opnieuw probeerde Ham achter Lofty zijn nies te bedwingen. Lofty liet zijn hand van de trekkerbeugel van de granaatwerper glijden, stak zijn arm naar achteren en vond Hams hoofd, toen zijn oor en zijn wang. Hij hield zijn hand voor Hams mond. Misschien was het geluid van Ham niet tot Fret doorgedrongen, misschien had Fret hun aanwezigheid alleen gevoeld. De gedaante, de figuur – Fret – bleef midden op het pad staan. Hij leek besluiteloos, alleen, zoals hij daar stond, en Lofty keek naar hem, probeerde naarstig om hem scherper te zien. Zijn hand gleed van Hams mond naar de kraag van zijn jasje. Lofty hield de kraag stevig beet en trok Ham langzaam naast zich omhoog. Hij kon Frets gezicht niet zien, alleen de donkere gedaante van de man midden op het pad. De man leek zich om te draaien, leek de bomen voor zich en het pad dat achter hem lag, het pad waarlangs hij gekomen was, nader te bekijken. Daarna draaide hij zijn hele lichaam naar de zee en het strand toe. Als hij gedacht had dat hij gevolgd werd, zou Fret op het pad hebben geknield of was hij naar de bomenrij gekomen of had hij een sloot of een oude loopgraaf gezocht om in te gaan liggen, maar hij bleef midden op het pad staan.

Billy, die naast Lofty was opgedoken, hield zijn lippen bij Hams oor. Ze liepen Lofty voorbij. Geen van hen bewoog zich zo bedreven als Lofty door bos of struikgewas. Er knapte een tak, er sprong een twijg terug. Diep gebukt halveerden ze de afstand naar het pad.

Verstard, niet bij machte om in beweging te komen, hoorde Vasiljev een hert, vos of das op zich afkomen. Geen patrouille. Wanneer hij op patrouille was op het schiereiland, rookte en praatte iedereen altijd. Er werd geroepen en hij snakte verbijsterd naar adem.

In het Russisch, een vervormde stem met een vreemd accent: 'Viktor, deze kant op. Snel, Viktor. Kom naar ons toe.'

Hij had moeten vluchten, maar deed dit niet. De angst deed alle kracht nu uit hem wegvloeien. Hij kon geen stap verzetten.

'Viktor, wij zijn het, we komen van Alice. Loop naar ons toe. Wij dekken je wel. Kom...'

Lofty hoorde het gefluisterde bevel dat Ham gaf.

Fret stond bij de kilometersteen, op het pad, precies op tijd. Hij bewoog zich niet. Te bang om te vluchten, de stakker. Lofty had het wapen op zijn schouder en zijn vinger lag weer op de trekkerbeugel. Wickso stond naast hem en ademde snel.

Billy kwam in beweging. Ham volgde hem. Billy zette een explosieve sprint door het kreupelhout in en Ham volgde zijn voorbeeld.

Ze kwamen bij Fret. Lofty keek toe. Ze hadden hem. Ze draaiden zich om en renden terug door het kreupelhout het bos in. Geen kreten, geen instructies, geen bevelen, alleen beweging, snelheid. Lawaai was onbelangrijk geworden, alleen snelheid telde. Toen ze bij hem kwamen, week Lofty terug van de boomstam die hem dekking geboden had en leidde de wilde vlucht. Hij voelde dat Fret verlamd was – dat moest door de schok en de opluchting gekomen zijn – en ze sleurden hem mee alsof hij verlamd was, alsof hij zelf niet kon lopen. Het was een roekeloze, chaotische vlucht en als Lofty hen niet had geleid, zouden ze tegen bomen op gelopen zijn of waren ze over oude bunkers gestruikeld of in de loopgraven gevallen. Het was het beste moment dat Lofty zich kon herinneren, het moment dat hem de meeste voldoening gaf. Beter dan toen hij de groene baret kreeg uitgereikt in Lympstone en beter dan toen hij de zwem- en kanocursus met succes had afgelegd en was toegelaten tot het Eskader, het beste moment. Ze renden. Eén keer vielen Billy en Lofty, met Fret tussen hen in, in een loopgraaf, maar zij waren de levenden, niet de doden die hier anonieme graven hadden gevonden. Ze wisten de route terug, richting de gezonken rubberboot. Lofty holde langs de schuilhut, nam het wildpad dat van de wortels van de omgewaaide dennen leidde. Wickso zou de spullen uit de schuilhut meenemen, de opblaasbare tassen en de wetsuits.

De bomen weken voor Lofty uiteen. De regen doorweekte hem; zijn jasje wapperde in de wind die de regen voortdreef. Hij liet zich in het losse zand van de duinen vallen. In de verte, achter woelige golven, waren de rode en groene knipperlichten van de *Princess Rose* zichtbaar. Uit zijn zak haalde Lofty het doosje met de ontvanger die de zwemmer, Billy, naar de rubberboot op de zeebodem zou leiden. Hij had de penlight in zijn hand.

Een schrille en doodsbenauwde stem begon in het Russisch te praten, het was een jongensstem.

'Geef me die zaklamp, Lofty, nu,' snauwde Billy.

De zaklamp werd uit zijn hand gegrist. De lichtbundel scheen in het gezicht, verlichtte het. Ham vloekte.

Het licht boorde zich in zijn ogen. Vasiljev piste in zijn broek. Ze torenden boven hem uit. Het licht gleed weg van zijn gezicht en hij zag de zwarte crème op hun gezicht en handen en zag de wapens.

Het licht bescheen de helft van een jongensgezicht, de helft van de doodsangst in zijn starende ogen. Zijn mond hing open en ze hoorden de hortende ademhaling. Billy staarde omhoog naar het wolkendek en de regen striemde op hem neer. Ham sloeg gefrustreerd met zijn vuisten in het zand. Wickso sleepte de spullen met veel rumoer achter zich aan, liet ze vallen, zag het halfverlichte gezicht en vloekte. 'Wie is dat, verdomme?'

Lofty zei zacht: 'Dat zal je altijd hebben, als er iets mis kán gaan, gebeurt dat ook.'

'O, daar hebben we veel aan, Lofty. Hou in godsnaam je kop,' ratelde Billy.

'Ik stelde alleen maar even vast wat voor de hand lag. Ik...'

Wickso zei: 'Wat gaan we doen, Billy?'

Lofty zei: 'Jouw taak om het uit te dokteren, Billy, zoals altijd.'

Billy zei: 'Ik denk, verdomme, dus hou je een beetje rustig.'

Lofty en Ham hielden de jongen vast. Wickso zat vlak bij hen op zijn hurken, met zijn rug naar de zee en de lichtjes van de *Princess Rose* in de verte, en hield het bos in de gaten. Ze lieten Billy nadenken, zoals ze dat altijd gedaan hadden. Lofty en Ham hielden hem vast, maar Lofty wist dat het niet nodig was. Hij lag als verlamd op zijn rug, doodsbenauwd, en misschien kon hij de heldere schittering van hun ogen zien in het zwart van de camouflagecrème. Die jongen ging nergens heen.

Terwijl zijn adem met snelle stoten kwam, zei Billy: 'Hij zou er kunnen zijn. Viktor zou... Hij zou vijf minuten te laat geweest kunnen zijn of tien, toen wij al vertrokken waren. We moeten terug, moeten zien of hij er is. Duidelijk?' Hij ging zachter praten. 'En dan hebben we deze knul hier, die op het verkeerde moment ergens was waar hij beter niet had kunnen zijn. Getuige. Ooggetuige. Heeft ons gezien, heeft ons gehoord, dus ons bestaan kan niet ontkend worden. We kunnen hem niet zomaar achterlaten. Heeft iemand een beter idee? Wil iemand anders het even uitdokteren? Ja of nee?'

Wist hij het? Lofty geloofde dat de jongen het wist. De ogen keken naar hen op, puilden uit, staarden met een smekende blik. Ze waren ervoor opgeleid om iemand te doden, maar die opleiding was langgeleden. Ze waren weer in een bepaalde vorm van burgerleven opgenomen en de opleiding was niet langer actueel. Lofty vermoedde dat dit voor hen allemaal gold. Zijn handen maakten het veldtenue van de jongen los en Wickso kroop terug in het donker, alsof hij er niets mee te maken wilde hebben. Maar niemand vocht Billy's beslissing aan, geen van hen had dat ooit gedaan: zijn woord was wet. Billy had de jongen in het meer verdronken en had de stilte geleid waarmee de rechercheurs van de criminele opsporingsdienst waren geconfronteerd. Lofty wist dat er geen vrijwilligers zouden zijn, niet voor een moord in koelen bloede. Billy hield zijn hand op voor de zaklantaarn en Lofty stak hem de lamp toe. Billy nam hem aan en scheen hen een voor een in het gezicht, een snelle, scherende beweging. Lofty en Ham draaiden hun hoofd weg van de straal en Wickso keerde hem zijn rug toe. Toen de lichtbundel weg zwenkte, zagen ze hoe Billy vier halmen duingras pakte, die lostrok en een van de halmen zo brak dat hij de helft van de andere drie was. Hij hield de hand achter zijn rug, waar hij hem zelf niet kon zien en waar hij de grassprieten kon verwisselen. Zijn hand kwam terug, bleef boven zijn schoot zweven en hij liet het licht van de zaklantaarn op de vier sprietjes van gelijke lengte vallen.

'Kortste strootje doet de klus, jij eerst, Wickso,' zei Billy en zijn stem trilde. Dat had Lofty nog nooit gehoord.

Wickso's hand beefde toen hij de grashalm uit Billy's vuist trok; toen nam Ham de zijne. Lofty had de keus uit twee. Lofty had de man met Billy onder water gehouden in het meer en het had zijn leven verwoest. Als boetedoening liep en praatte hij met geesten. Lofty pakte een strootje. De zaklamp scheen op Billy's hand en hij deed hem open: lang. Het licht ging aarzelend door en Wickso's hand ging open: lang. Naar Ham: kort. Lofty liet zijn grashalm vallen.

'Gewoon doen, Ham,' zei Billy.

'Geen probleem.'

Lofty wist dat hij zich had moeten verzetten, ertegenin had moeten gaan. Hij drukte zich op. Billy knipte de zaklamp uit.

'Doe het zo dat hij niet gevonden wordt.'

'Geen probleem.'

'We geven Viktor nog een uur, dan nokken we. Zorg dat je dan klaar bent.'

'Geen probleem.' Steeds hetzelfde antwoord.

Billy liep de duinen uit, richting bomen. Wickso volgde hem op de voet en Lofty moest zich haasten om hen in te halen. Bij de bomen bleef Lofty staan en draaide zich om. Hij verbeeldde zich, maar kon er niet zeker van zijn, dat hij het lemmet van een mes zag flikkeren en dat Ham zich hoog verhief boven de plek waar de jongen lag. Tussen de bomen bleef Wickso staan, hij gaf over en holde toen naar Billy. Ze gingen sneller dan de eerste keer, maakten meer lawaai, maar dat kon hun niet schelen. Lofty, onhandig, viel in een loopgraaf, een ondiepe zigzag door de aarde onder de bomen. De geesten omringden hem en de bomen van het bos leken tegen hem aan te drukken en hem te verpletteren.

Locke was wreed en was dit opzettelijk.

'Ze hebben geen bericht gestuurd en dat hadden ze wel al moeten doen. Ze zouden een bericht gestuurd hebben, zodra ze hem te pakken hadden. Het is al laat. Hij komt niet. Ik weet het gewoon zeker.'

Hij zat aan de tafel, met de koptelefoon op zijn hoofd. Zij stond bij de binnendeur van de keuken. Hij was wreed, omdat hij haar haar zelfverzekerdheid wilde ontnemen.

'Ze zouden er zeker niet mee wachten tot ze op het strand zijn of in hun boot zitten. Ze hangen daar waarschijnlijk rond en blijven hopen. Hij komt niet. Deze hele stomme affaire was je reinste tijdverspilling.'

Ze keek terug en gaf geen enkele reactie. Hij wilde dat ze huilde of haar blik afwendde.

'Vergeet het maar, Alice. Vergeet hem. Hij komt niet.'

Hij vond dat haar strakke blik, die ze geen moment van hem afwendde, hem kleineerde.

De tweede keer... 'Heel goed, Viktor, een bijeenkomst van onschatbare waarde, en ik wil dat je weet dat onze deskundigen in Londen reikhalzend naar dit laatste materiaal uitzien en dat ze allemaal buitengewoon veel bewondering hebben voor wat je voor ons doet. Het is tijd dat je weggaat, Viktor, en tijd, Alice, dat jij in bed ligt.' Als er al zelfingenomen was gegrijnsd door Mowbray, dan had ze dat niet gezien. En hij had gegaapt, net als die eerste keer, om aan te geven dat ze moesten gaan. Ze waren door de gang gehold. Sleutel in de deur. Geen aarzeling, geen verlegenheid. Ze had het hardop gezegd, had hem verteld dat ze sinds die eerste keer aan de pil was gegaan, nog nooit eerder de pil had genomen, maar hem sinds de laatste reis naar Gdansk lang genoeg had gebruikt om haar een geregelde cyclus te geven. Geen minuut verkwist. Kleren werden uitgetrokken, de zijne en de hare, en op een hoop gegooid; schoenen werden uitgeschopt. De kamers aan weerszijden moesten hun kreten gehoord hebben. Elke dag aan haar bureau op de afdeling van de dienst in het ambassadegebouw in Warschau en elke nacht in het flatje dat de ambassade voor haar huurde, bad ze dat de uren van dag en nacht voorbij zouden vliegen. Ze geloofde toen, en nog, dat het wegnemen van de spanning in zijn schouders, armen, vingers en geest het beste was wat ze kon doen, alsof ze hem de last ontnam. Maar de uren waren te snel voorbijgegaan. Hij was van haar af gerold, uit haar gekomen en uit bed gegleden. Hij had zich onhandig aangekleed, omdat hij zo smachtend naar haar keek, terwijl zij op het bed lag. De deur was achter hem dichtgegaan en Alice had zich op haar buik gedraaid en haar gezicht in het zachte kussen begraven, terwijl ze zijn zweet op haar lichaam en zijn vocht in zich voelde, en van hem hield.

Ze stonden op het strand en de regen kwam van zee en doorweekte hen.

Het was Jerry de Pools beurt om te vissen. Hij geloofde dat de Rus, Tsjelbia, hem de lijn met tegenzin gaf. Roman, de visser, deed aas aan de haak, wierp de lijn voor hem uit, omdat hij dat zelf niet kon, en liet hem de lijn vasthouden. De regen was door de schouders van zijn jas getrokken en in zijn broek onder de zoom van de jas, en er zat zand aan zijn schoenen. De emmer naast zijn voeten was nu half gevuld met vis die gevangen en binnengehaald was door de Rus, Tsjelbia. Roman had gezegd dat het altijd gunstig was om 's avonds bij harde regen te vissen, omdat het zand van de zeebodem dan werd omgewoeld en er voedsel omhoogkwam voor kabeljauw, makreel en schol.

Jerry voelde de scherpe ruk en trok zijn pols snel terug. Hij gniffelde als een kind toen hij het gewicht aan de lijn voelde. 'Ik viste hier vroeger als jongetje, maar alleen voor de lol. In de oorlog, tot we hier weggingen, viste ik om te eten. Dit is het enige strand waar ik ooit heb gevist, maar nooit 's avonds.' Hij trok de lijn binnen, die in losse lussen langs zijn benen viel. 'Heb jij vroeger wel gevist, Boris?'

De stem klonk zacht tegen het koor van wind, golven en regen. 'Alleen als jongen, nu heb ik geen tijd meer om te vissen. Ik ging vroeger vissen met mijn oom. Hij was een goede visser. We gingen naar het kanaal in Kaliningrad en wat we vingen werd gegeten, zelfs de koppen en de graten werden gebruikt om soep te maken. Ik was gek op vissen.'

Jerry de Pool wist dat de man, Boris Tsjelbia, tot de mafija behoorde en had er geen idee van wat hij hier op het schiereiland deed. Zijn lichaam, de hele manier waarop hij eruitzag, ademde mafija. Zijn houding, zijn stem en zijn gezag straalden het uit. De mafija uit Rusland was niet geïnteresseerd in onroerend goed in Wannsee of de exclusieve, gerenoveerde villa's aan de overkant van de Glienicker-brug, die uitkeken op de weg naar Potsdam. Ze kochten de duurdere appartementen die net waren gebouwd in het hart van de stad. Zij hadden hun getto in Berlijn in de zijstraten van Unter den Linden gesticht en in de nieuwe luxe torenflats die opschoten in het oude niemandsland van de Muur: Mowbrays jachtterrein, waar Jerry de Pool koning was geweest, langgeleden. Soms, niet vaak, hooguit één keer per maand, maakte Jerry de Pool een plastic trommeltje met boterhammen en een thermosfles koffie klaar en nam hij de S-bahn naar het jachtterrein en zijn koninkrijk. Dan ging hij op een bankje in de zon of sneeuw zitten en verdwenen de nieuwe flats, kantoren en hotels uit zijn gezichtsveld, om vervangen te worden door het grijze beton van de Muur, de schildwachten in hun torens, de honden en de geweren, en dan was hij trots op zijn rol en op wat hij bereikt had. Wanneer hij opstond van het bankje in de Wilhelmstrasse, Leipzigerstrasse of Friedrichstrasse en de herinneringen aan de Muur uit zijn gedachten verdwenen waren, zag hij de nieuwe huizen van de Russische mafija, zag hij hoe ze met trotse pas van hun nieuwe Mercedes wegliepen. En dan keek hij met afgunst naar hun nieuwe kleren, hun nieuwe zelfvertrouwen. De stad was van hen: zij wisten het en Jerry de Pool wist het. Ze lieten zich in met prostitutie en de handel in mensen, ze smokkelden sigaretten en auto's; ze waren onaantastbaar. Wanneer hij de S-bahn naar huis nam en een krant kocht, kon hij lezen over de bloeddorstige vetes die om invloedssfeer werden uitgevochten. Men kon ze vaak benijden, maar nooit de voet dwarszetten. Er stonden foto's in de kranten van mensen die de mafija hadden tegengewerkt en van het bloed in de goot. En hij had nog nooit iemand van de mafija met een hengel gezien.

Maar hij was niet in Berlijn. De vis lag bij zijn voeten en Roman knielde, rukte de haak eruit en gooide het dier achteloos in het donker in de emmer. Hij bevond zich op de Mierzeja Wislana, op een landtong twee kilometer van de Russische grens. Boris, de man van de mafija, had van de visser tien worpen achter elkaar gekregen. Jerry de Pool had maar één worp gehad. Roman nam de lijn uit Jerry's hand en gaf hem aan de Rus, voordat hij een garnaal aan de haak prikte. Jerry's vrijmoedigheid kwam uit zijn ergernis voort.

'Dus waarom wil je me ontmoeten, Boris Tsjelbia?'

'Ik had een reden toen ik kwam, maar ik geloof dat op dit moment een andere reden het nog waardevoller maakt dat wij elkaar ontmoet hebben. Spreek ik in raadsels? Laten we het erop houden dat ik me met import en export bezighoud, in en uit Kaliningrad.' De Rus was inmiddels in staat zelf zijn lijn uit te werpen. 'Nu vis ik... Dat is mijn bezigheid, mijn enige bezigheid. Ik vis graag.'

De Rus draaide zich om en schreeuwde tegen de wind en de regen in. Ze werden verlicht. De koplampen van een auto wierpen een felle lichtkegel over het strand en beschenen hen, waardoor hun schaduwen over het zand en in de branding vielen. Jerry de Pool vond het vreemd, verbazend, onbegrijpelijk, dat hij – de tolk van de inlichtingendienst van het Verenigd Koninkrijk, zonder pensioen – 's avonds in slecht weer op een onbeschut strand met een handlijn stond te vissen met een autochtoon en een belangrijke mafija-figuur uit Kaliningrad. Hij kon de lichten van de boeien zien, deinend en knipperend, die de grens aangaven tussen de territoriale wateren van Rusland en Polen. Hij wist niet wat voor plan meneer Rupert Mowbray had uitgewerkt; men had hem niet in vertrouwen genomen. Hij had geen pensioen, geen inkomen, hij had het hoofd boven water gehouden met de karige aalmoezen die hij van de Duitse overheid kreeg. Binnenkort, wanneer de projectontwikkelaars kwamen met hun architecten, zou hij uit zijn kamer aan de overkant van de Glienicker-brug gegooid worden. Hij ging dicht naast de Rus staan. De *Princess Rose*, waarvan de lichten ver naar het oosten op zee op en neer bewogen, kon hem gestolen worden. Meneer Rupert Mowbray, die hem niet vertrouwde, kon hem gestolen worden en meneer Locke, die niet bereid was om in Londen zijn pensioen aan te kaarten, kon hem helemaal gestolen worden.

'Ik ben uiteraard geen smokkelaar, maar wat staan we hier op een interessante plek. Geen hekken en geen douane. Voor een smokkelaar moet dit een bijzonder interessante plek zijn.'

De steen was een doffe vlek naast het pad.

'Nog vijf minuten,' fluisterde Billy.

Lofty hoorde Wickso mompelen: 'Vijf minuten, niet meer. Dan wegwezen.'

'Alles oké, Lofty?'

'Vijf minuten en dan gaan we pleite. Hij komt niet. Ja, alles oké.'

Bijna een uur was het een onuitgesproken gedachte geweest. Er bewoog niets op het pad. Lofty had geen nachtkijker nodig om te weten dat er niets, niemand, aankwam. Vier keer had Billy geroepen, had hij de roep van de uil nagebootst, en had hij geen antwoord teruggekregen uit de regen en de dichter wordende mist. Billy's kreet had in het donker weergalmd en de schelle klank was teruggekaatst van het wolkendek en had zich in de mist opgelost, en er was niets, niemand gekomen.

Ze vielen weer stil. Misschien dachten ze allemaal – Billy, Wickso en Lofty – aan de jongen die met Ham was achtergebleven. Het korte strootje was naar de juiste hand gegaan, die van Ham, geen probleem. Ham zou het met een mes doen of hem wurgen of met hem naar het water gaan en hem verdrinken. Ham kende geen genade.

Billy zei dat hij het nog één keer zou proberen. De roep van de uil werd tegen de wind, de wolken en de mist geslingerd en werd beantwoord.

De kreet kwam terug, zoals een mannetjesvogel een vrouwtje antwoord gaf. Ze waren allemaal gespannen en Lofty hield zijn adem in. De kreet klonk opnieuw, een laag gekrijs , maar achter hen.

Ze draaiden zich om in de bosjes. Voor hen uit was het pad verlaten. Ze keken naar de bomen.

De roep klonk opnieuw en Billy riep terug.

Ham kwam bij hen. Achter Ham kroop de jongen, vrij.

Lofty's mond viel open.

Ham zei: 'Me niet in de rede vallen, jongens, gewoon luisteren. Ik zou hem afmaken, zijn strot opensnijden. Hij kon niet gillen, kon alleen maar een beetje jammeren. Hij had in zijn broek gepist en gescheten. Je moet niet benedenwinds van hem gaan staan, kan ik je vertellen, tenzij je een wasknijper op je neus hebt. Wij hebben zijn naam laten vallen, hè, Viktor. Ik in elk geval en Billy. Ik had mijn mes getrokken en opeens kreeg hij zijn stem terug, het ging alleen maar over "Viktor". Ik begon te luisteren. Toen volgde de volledige naam: "Viktor Artsjenko". Hij hoorde ons de naam "Viktor" gebruiken en hij blijft maar doorratelen over de Viktor die hij kent. Dat is Viktor Artsjenko. Horen jullie me? Eén en dezelfde: kapitein-luitenant-ter-zee Viktor Artsjenko. Ik heb een mes in mijn hand, vijf centimeter van zijn keel, en hij heeft het over overste Viktor Artsjenko, de chef-staf van de vlootcommandant. Ik kan mijn oren verdomme niet geloven.

Ik leg het mes neer. Ik leg het in het zand, waar hij het niet kan zien. Ik zeg dat hij alles op moet hoesten. Hij is een dienstplichtige, onze Igor Vasiljev, die aan zijn derde jaar dienstplicht bezig is, en Viktor Artsjenko is zijn vriend. Zo noemde hij hem, zijn vriend. "Een goede vriend?" vraag ik. Goed genoeg voor Viktor om twee of drie dagen geleden – sorry, ik weet niet precies meer hoelang geleden – in het water te springen om hem eruit te vissen, nadat Igor in elkaar geslagen en in de haven gegooid was, omdat hij de diefstal van wapens uit het depot had aangegeven, de bijzonderheden doen er even niet toe. Bovendien is hij zijn chauffeur en praat met hem. Waar hebben ze het over, een nederige dienstplichtige en de chef-staf van de vlootcommandant? Archeologie. Ze praten over kasteel Malbork, daar zijn we gestopt met Alice en die lul van Locke, op weg naar Braniewo. Je hoeft geen geleerde te zijn om tot de conclusie te komen dat daar de pakjes werden afgehaald. Kunnen we gemakkelijk genoeg vaststellen. Vraag het Locke over de radio, vraag hem naar dat kasteel. Ik geloofde hem. Hij was aan het schieten, hij was de jongen die met dat vervloekte machinegeweer op de schietbaan bezig was, maar zijn schieten was klote en hij kwam naar de doelen om te kijken wat voor groepen er waren.

Als hij me belazerd heeft, dan heeft hij dat verdomd goed gedaan, God sta me bij, maar ik moet toch weten wanneer iemand me een loer draait. Hij had vanochtend geschoten, een hele rits voltreffers. Hij is de ster en gaat wedstrijd schieten. Luister, jongens, even geduld. Zijn schieten was klote vanwege wat hij vanmiddag even na de lunch heeft gezien. Hij was op de basis, Baltijsk, en op weg naar het hoofdkwartier, in de hoop dat hij zijn vriend, de overste, zou zien om hem te vertellen hoe goed hij tijdens de ochtendsessie wel niet had geschoten; het is de overste die hem aanmoedigt. Hij zag Viktor gearresteerd worden.

Hij vertelde dat Viktor uit het gebouw kwam en gegrepen en geboeid werd. Na een worsteling werd hij in een auto gegooid die er snel vandoor ging. Het ging zo snel in zijn werk, dat behalve die jongen niemand iets gezien heeft. Dat is vakwerk. Het leven op de basis gaat gewoon door, maar Viktor is gearresteerd. Wat belangrijk is volgens mij, is dat de auto niet via de poort is weggereden, maar langs de officiersmess en dat is de gebruikelijke route – daar is hij heel zeker van – naar het FSB-gebouw, dus het zijn de zware jongens. Die knaap heeft me dit allemaal jankend verteld. Hij speelde geen toneel, daar durf ik mijn leven onder te verwedden, echt. Viktor Artsjenko zit gevangen bij de geheime dienst. Zo staan de zaken ervoor, heren. Hij heeft zelfs een kaart voor me getekend, ik geloof elk woord van wat hij me verteld heeft.'

'Dus wat betekent dat voor ons?' zei Wickso fel.

'Dat we geen kant meer uit kunnen,' zei Billy.

'Tijd voor een radiobericht,' mompelde Ham.

Lofty had het er heel moeilijk mee. Misschien was het goedmaken van het verleden voor Lofty nog wel belangrijker dan voor de anderen. Billy zou het bericht nu via de radio doorgeven en zou het over een mislukte operatie hebben. Locke en Alice waren het tussenstation. Alice zou te weten komen dat ze te laat waren gekomen, te langzaam waren geweest – iets waaraan niemand schuld had – en dat ze Artsjenko niet bij zich hadden. Het bericht zou naar Mowbray en het schip gaan. Mowbray zou contact opnemen met Londen en Londen zou automatisch instemmen met het onvermijdelijke. Afbreken en wegwezen. Terug in Tyne tegen het eind van de week. Weer bladeren aanvegen, de bloembedden wieden, het gras maaien, het mos van de zerken schrobben en het kerkhof aan kant maken voor de families van de veteranen op de herdenkingsdag, zonder ooit nog de kans te krijgen om het schuldgevoel uit te bannen.

Lofty hoorde Billy vragen: 'En wat doen we met hem?'
Ham antwoordde: 'Loslaten, hij verraadt ons niet.'
'Is een optie.'
Wickso mengde zich in het gesprek. 'Waarom heeft hij die kaart getekend?'
Ham zei: 'Zodat we erheen konden om hem te halen.' Lofty had Ham nog nooit zo horen praten, zo zonder hatelijkheid of sarcasme, zonder onzin uit te kramen. 'Zodat we erheen konden om Viktor weg te halen.'
'Vertel hem dat hij op moet sodemieteren,' zei Billy.
Ham boog zich voorover en fluisterde iets in het Russisch in het oor van de jongen. Hij was weg. De jongen, weer een van Lofty's geesten, liep over het pad, zonder om te kijken of een hand op te steken, en werd door het wolkendek, de regen en de mist verzwolgen. Ze verloren hem uit het oog toen hij twintig passen op het pad gezet had. Billy frunnikte aan de radio die met een riem aan zijn borst zat en Ham assisteerde. Wickso gaf Lofty een reepje kauwgom.
'Dank je, we kwamen te laat.'

Hoop werd de bodem ingeslagen.
Rupert Mowbray ontving het bericht dat hem door Locke werd doorgegeven. Het was in telegramstijl, kortaf, onbezield, en deed hem pijn: 'Roof Een voor Roof Twee. Fret niet gekomen. Verwarde melding Delta Een Fret gearresteerd en vastgehouden op basis door FSB. Bevestig dat Delta-team actie zo spoedig mogelijk staakt. Over.' Er was hem een prijs door zijn vingers geglipt. Hij zat in de hut van de kapitein en de radio gleed over de tafel toen de *Princess Rose* stampte.
Hij antwoordde. Zijn stem trilde toen hij in de microfoon sprak. 'Denken de jongens in het veld dat ze nog iets kunnen doen? Over.'
Een sarcastisch lachje was zijn antwoord. 'Roof Een aan Roof Twee. Slaan we gevestigde radioprocedures in de wind? Ik zal uw vraag doorgeven aan Delta Een. We klampen ons nu wel aan strohalmen vast, hè? Er kan niets gedaan worden. We moeten de actie zo snel mogelijk staken. Over.'
Hij leunde achterover in zijn stoel.

Lofty bukte zich om Billy te horen en voelde iets van vreugde.
'Wat we niet moeten vergeten, jongens, is dat de commando's uit Hereford, met hun slogan "Wie waagt die wint" en de mariniers uit Poole, met hun "Door kracht en misleiding" dit allemaal veel te gevaarlijk vonden. Die begonnen er niet aan. Toen wij nog onder deze klus uit konden, heeft Mowbray gezegd dat deze man een van de moedigste figuren was die hij ooit had gekend en dat hij en wij zijn le-

ven gingen redden. Is mijn leven naar de klote? Ja. Ik smeer verf op stukjes papier en woon waar mensen me niet kunnen vinden. Dat is een leven dat naar de klote is. Hoe staat het met jouw leven, Ham?'

'Ik heb geen dringende afspraak, geen afspraak die niet kan wachten.'

'Is jouw leven naar de klote, Wickso, of sta je er goed voor?'

'Ik denk dat als ik morgen niet terug ben, ze de eerstehulpafdeling wel dicht kunnen gooien, want ze kunnen niet zonder mij. Maar ze zullen tot het weekend wel moeten.'

'Lofty, onze levens zijn allemaal naar de klote, het jouwe ook?'

'We krijgen het druk op het elfde uur van de elfde dag van de elfde maand. Zolang ik tegen die tijd maar weer terug ben.'

Allemaal doorzichtige antwoorden, die van Lofty en de anderen. Antwoorden die nergens op sloegen.

Billy fluisterde zacht: 'Allemaal of niemand. Of het hele team doet het of het gaat niet door. Jij moet erbij zijn, Ham, want jij spreekt de taal en onderhoudt de verbinding. Lofty, omdat we die stomme granaatwerper nodig hebben en jij daar het beste mee omgaat. En jij, Wickso – en daar wil ik verder niet bij stilstaan – gaat over de medische kant. Ik, ik ben de leider, als ik met minder mensen toe kon, zou ik het doen, maar dat kan ik niet. We moeten het hebben van drie belangrijke elementen: snelheid, verrassing en een hoop geluk. We hebben een kaart; de rest zullen we moeten improviseren.'

Lofty stak zijn hand uit in het donker en greep Billy's vuist, toen greep Ham hun handen en legde Wickso daar weer zijn hand overheen.

Het Londense avondlicht scheen over de rimpels op de rivier beneden hen.

'Je begrijpt me niet, wat ik heb bevolen is een verkenning, een onderzoek. Meer niet.'

De stem galmde uit de twee luidsprekers achter het brede bureau, aan weerszijden van het raam. De stem, gedecodeerd en vervormd, had een bijna goddelijke diepte en kracht. Er lag een kalme klank in. Bertie Ponsford ijsbeerde tussen de luidsprekers, zijn voetstappen gedempt door het dikke tapijt, en Peter Giles lag overdwars in een van de leunstoelen in het vertrek en peuterde onzichtbaar vuil onder zijn nagels uit. De directeur-generaal zat op zijn bureau. Zijn schoenen bungelden een eindje boven het tapijt en met zijn hakken tikte hij een ritme tegen de brede poten van het bureau. De directeur-generaal, Giles en Ponsford begrepen elk op hun eigen manier wat het probleem was: ze waren er niet rechtstreeks bij betrokken en de zaak waarover zij óf hun goedkeuring óf hun afkeuring moesten uitspreken speelde zich ver van hen af. Geen van hen kon een scherp beeld oproepen, alleen maar een vaag idee, van de kustvaarder – de *Princess Rose* – stampend aan een ankerketting op een wilde avond in de Oostzee. Ze waren afhankelijk van zijn advies en dat wist die rotzak ook.

'Wat ik bedoel, is dat het Delta-team eropuit trekt om de situatie ter plekke te bekijken. Ze zullen bijzonder omzichtig te werk gaan. Dat heb ik uitdrukkelijk bevolen. Er mag geen risico genomen worden. Er mag niets gebeuren wat het team compromitteert. Ik ben er vrijwel van overtuigd dat er niets voor Fret gedaan kan worden, maar ik zou me schamen als ik er niet absoluut zeker van was dat hij buiten ons bereik is.'

De koffie en de biscuitjes waren onaangeroerd. Ze luisterden en de stem had hen in zijn macht. Elk van de aanwezigen had het gevoel dat Mowbray wijdbeens in de kamer stond, en in de metaalklank van zijn stem lag een gezag dat zij geen van allen bezaten. Vroeger was het zo dat de mannen in het veld de dienst uitmaakten bij de SIS en dat hun initiatieven door hun meerderen werden gesteund, maar dit waren andere tijden. Ze schoven onrustig heen en weer terwijl hij door de luidsprekers sprak.

'Mijn dank voor jullie verhaal over die man uit Grozny, die ondervrager die voor een belangrijke zaak is teruggeroepen naar Moskou. Dat past wel in het patroon. Hij moet zich nu op de basis in Baltijsk bevinden, daar kun je alles onder verwedden. Hij heeft Fret waarschijnlijk van vanmiddag vroeg bij zich gehad, maar ik durf te stellen – gebaseerd op mijn aanzienlijke ervaring – dat hij Fret daar tijdens de inleidende ondervraging zal willen houden. Zelf zou ik Fret pas ergens anders onderbrengen, naar de Loebjanka laten afvoeren, als ik zijn kwartier, zijn kantoor, zijn telefoongesprekken en zijn contacten heb onderzocht. We hebben nog een paar uur, vermoedelijk tot morgenochtend vroeg; de deur staat nog op een kier. Ik wil dus een verkenning, een evaluatie voorstellen, gevolgd door een snel ingrijpen of, waarschijnlijker, een nette terugtocht. Ik geloof – en wil daar de grootste nadruk op leggen – dat Frets trouw aan ons vereist dat we alles voor hem doen wat in onze macht ligt. Wij zijn er klaar voor, maar daar gaat het niet om. De zaak ligt in uw handen, heren.'

De directeur-generaal drukte de microfoonknop naast zijn heup in. 'Dank je, Rupert, uitstekend geformuleerd en ik had niet anders verwacht. Kun je alsjeblieft een momentje wachten terwijl wij dit bespreken?' Hij liet de knop los. In het statische geknetter door de speakers weerklonk het gerinkel van glazen, de hoge kef van een hond, een vloek en een doffe bons, gevolgd door: 'Rot op, klein kreng.' Hij draaide een knop om en de luidsprekers vielen stil. De voeten van de directeur-generaal trapten harder tegen de poten, een gewoonte die verslavend was geworden in de dagen na 11 september. Het was voor Ponsford en Giles een teken van de stress waaronder hij gebukt ging. 'Ik voel hier een griezelige verschuiving, maar wanneer was dat niet het geval bij een belangrijke operatie? Wanneer ging een operatie die de moeite waard was geen eigen leven leiden? "Roof", de naam van de missie, is dat Ruperts idee of het jouwe, Peter? Wie heeft de operatie "Roof" genoemd?'

'Rupert.'

'En jij hebt aan "Roof" je zegen gegeven, Bertie?'

Ponsford ging zenuwachtig verzitten. Hij wilde weg uit deze bijeenkomst, wilde verlost zijn van de verantwoordelijkheid. 'Roof' hield verwarring en chaos in. 'Het is zo moeilijk om steeds een nieuwe naam voor operaties te vinden, dat ik...'

De hakken van de directeur-generaal brachten een ritme voort. 'In het negende jaar van de regering van de Engelse koning Richard II – we hebben het hier over de veertiende eeuw, stond de doodstraf op het gebruik van het militaire bevel "Roof". Een traktaat dat de titel "Dienst van de Constabele en Maarschalk in Tijd van Oorlog" draagt, verklaart dat "de straf voor hem die 'roof' roept en diegenen die hem volgen is den dood". Want, heren, dit was het middeleeuwse bevel om zonder genade een slachting aan te richten. Daar staan we dus. De vraag is: willen we daar staan?'

'Zo heb ik het niet gezien,' mompelde Giles.

Ponsford liep op en neer. 'Het is maar een naam.'

'Ik geloof dat je Rupert daar tekort mee doet. Rupert is een uiterst nauwgezet iemand. "Slachting zonder genade". Rupert doet maar heel weinig waarover niet is nagedacht. Maar goed. Kunnen we misschien bij het begin beginnen? Waarom zijn we hier aan begonnen?'

'Trouw,' declameerde Giles. 'En een plicht jegens een vriend.'

Ponsford zei: 'Voor de reputatie van de dienst.'

De hakken van de schoenen hamerden tegen de bureaupoten. 'Sterke ingrediënten – trouw, plicht en reputatie – een zaak van trots en eer. Alleen een verkenning, ja? Ik vertrouw Rupert en ik weet dat dat niet verstandig is. Inmiddels heeft hij het vast niet meer in de hand en is hij toeschouwer geworden. Geen slachting zonder genade, begrepen? Die jongeman daar, die Locke, is verstandig. Tegen de ochtend zijn ze vertrokken. Geef Locke de nodige bevoegdheid. Zodra het licht wordt weg. We moeten niet vergeten dat we razend enthousiast waren en met veel plezier Frets materiaal met onze vrienden aan de overkant van de Atlantische Oceaan hebben gedeeld, dus we zullen tenminste proberen om onze schuld tegenover de arme man na te komen. Weg, bij het eerste licht.'

'Mowbray heeft niet langer de leiding,' zei Locke. 'Ik heb die bevoegdheid gekregen.'

Ze verbleekte. Het was de eerste keer dat hij gezien had dat Alice haar schouders liet zakken. 'Wat ga je met die bevoegdheid doen?'

'Laat ze nog maar wat rondklooien.' Zijn stem had een koele klank. 'Londen heeft nog geen definitieve beslissing genomen, daar denken ze nog na over Ruperts onzin over trouw, plicht en schuld. Het team mag een verkenning uitvoeren, wat dat ook precies mag betekenen, en dan staken ze hun activiteiten morgenochtend. Ze staan onder mijn leiding.'

'Dat zal je fijn vinden.'

'En wat ik ook gehoord heb, is dat ze het in Londen nu over het beperken van de schade hebben. Je vriend wordt aan de tand gevoeld door een belangrijke ondervrager. Hij zal bekennen. Dat doen ze allemaal. Eerst wat bravoure, een intellectuele worsteling, en dan slaat hij door. Ontkenning en beperking van de schade, jammer dat ze daar niet aan gedacht hebben voordat ze aan deze schertsvertoning begonnen.'

In de donkere keuken kon hij haar gezicht niet zien. Ze zei zacht en zonder enig venijn: 'Als jij maar niet degene bent die schade oploopt, Gabriel.'

Zolang er geen bericht was teruggekomen van het schiereiland, van het terrein achter het hek en de wachttoren, had ze nog hoop gekoesterd. Het bericht, toen het kwam, had haar de laatste hoop op een goede afloop ontnomen. De hoop was in scherven op de vloer aan haar voeten gevallen.

'Dat zal niet gebeuren. Ze blazen eerst hoog van de toren en dan slaan ze door.'

Bikov knielde voor hem neer. 'Viktor, wakker blijven.'

Hij dwong zich zijn ogen weer open te doen.

'Je moet naar me luisteren, Viktor.'

Hij wist niet of hij geslapen of gedommeld had of dat zijn ogen maar een paar seconden dicht waren geweest.

'We zullen alles wat je me verteld hebt nog eens doornemen, Viktor.'

Zijn ogen deden pijn, zijn hoofd bonsde en de kou leek tot diep in zijn lichaam doorgedrongen te zijn.

'En dan zul je slapen, Viktor. Een dag en een nacht en nog een dag als je dat wilt.'

De lont van de kaars dreef in de vloeibare was en het licht viel rimpelend tot zijn knieën. Het was niet sterk genoeg om zijn gezicht te bereiken.

'Voordat je gaat slapen, Viktor, wil ik eerlijk tegen je zijn. Ik zal herhalen wat jij tegen me gezegd hebt en je vertellen welke conclusie ik daaruit trek.'

Hij wilde niets liever dan toestemming om te slapen, wilde niets liever dan zich op het verduisterde beton omdraaien en zijn knieën optrekken, maar Bikov stak zijn hand langs de kaars en hield zijn schouder vast. Hij kon zich niet losrukken en op de vloer gaan liggen.

'Wanneer ik je vertel welke conclusie ik trek, Viktor, moet je heel goed nadenken. Je hebt dan de gelegenheid om wat ik zeg te weerleggen.'

Zijn maag deed zeer en er was een zeurende pijn in de gewrichten van zijn knieën, heupen en ellebogen. De stem druppelde in zijn oor.

'Als mijn conclusie verkeerd is, Viktor, moet je hem tegenspreken. Als hij klopt, Viktor, moet je me dat zeggen.'

Hij probeerde zich te concentreren, maar slaagde er niet in. Hij wist niet wat hij gezegd had.

'Kunnen we beginnen, Viktor, zodat we hier een eind aan kunnen maken? Dan kun je slapen.'

Hij wist niet dat er nu wel een tape draaide. Ook wist hij niet dat er een lijst van elk geregistreerd telefoongesprek dat hij van zijn kantoor of kamer gevoerd had in een map in een doos lag, dat er nog meer lijsten in de doos lagen van vertrouwelijke documenten die zijn initialen droegen omdat hij ze gelezen had, dat er fotokopieën waren van elk pasje waarmee hij over de grens had gekund en rapporten van elke vergadering die hij had bijgewoond. De doos met bewijsmateriaal werd steeds voller. Hij wist evenmin dat er op een afgelegen platform van het militaire vliegveld in Kaliningrad een volgetankt straalvliegtuig startklaar stond, dat de bemanning gereed was de volgende ochtend vroeg te vertrekken en dat er al een vluchtplan voor de reis naar Moskou was ingediend bij de verkeersleiding.

'Ik ben je vriend, Viktor, en onder vrienden is alleen de waarheid aanvaardbaar.'

En hij wist niet dat ver weg, in Tsjetsjenië, een bewapende helikopter een signaal van een baken had opgepikt, dat uit de hut van een herder op een met gras begroeid plateau beneden de Argoen-kloof bleek te komen, en dat de helikopter zich opmaakte om in totaal 32 raketten af te vuren uit de lanceerbuizen onder zijn vleugels om de hut ten slotte te beschieten met zijn met vier lopen uitgeruste Gatling machinegeweer. Zoals hij ook niet wist wie er verantwoordelijk was voor de vlucht van de helikopter.

'Ik ben een eerlijk man, Viktor, en jij ook. We zullen eerlijk tegenover elkaar zijn. Daarna kun je gaan slapen.'

Hij probeerde zich naarstig de waarschuwingen te herinneren die

Rupert Mowbray hem had gegeven, maar hij zat aan de andere kant van een kaars tegenover een vriend en de waarschuwingen hadden aframmelingen, martelingen met elektriciteit en verdovende middelen tot onderwerp gehad, niet de gevaren van een vriend.

'Zullen we beginnen, Viktor? Vier jaar geleden hoorde je van je moeder op haar sterfbed dat jouw vader het bevel had gekregen om een experimentele testvlucht uit te voeren door de wolk van een nucleaire explosie. Het kostte hem zijn leven. Het experiment had geen wetenschappelijke waarde. Hij werd vermoord en het moordwapen was leukemie, waardoor hij wegteerde. Ik zou willen stellen dat dit de reden is geweest waarom je contact hebt gezocht met de tegenstanders van Rusland. Je meldde je aan en bood aan om te spioneren.'

'Nee,' schreeuwde Viktor. 'Nee. Nee...'

'Een spion, Viktor, vanwege de moord op je vader.'

'Nee.'

De zijdezachte stem masseerde hem. 'Ik geloof je, Viktor. Natuurlijk geloof ik je. Je grootmoeder werd door een peloton soldaten uit het moederland verkracht en vervolgens aan haar lot overgelaten. Vier jaar geleden kwam je daar achter.'

15

V. Van welke stad wordt gezegd dat zij 57 jaar na de Duitse capitulatie nog steeds niet hersteld is van de Tweede Wereldoorlog?
A. Kaliningrad.

'Als het mijn grootmoeder overkomen was, Viktor, zou ik er verbitterd door zijn geraakt. Heeft het jou verbitterd?'

Het was beter geweest als hij zijn nagels niet geknipt had. Met gebalde vuisten drukte hij uit alle macht in zijn handpalmen. Hij probeerde pijn te veroorzaken. Pijn zou hem waakzaam houden. Als hij zichzelf geen pijn deed, zou hij weer terugglijden in zijn vermoeidheid en zichzelf verraden. Zijn nagels waren niet lang genoeg om de pijn erg genoeg te maken. Hij wist dat hij op het randje van totale uitputting balanceerde. Het laatste licht van de kaars speelde op zijn schoenen en Bikovs laarzen. De lont was zo ver opgebrand, dat hij Bikovs gezicht niet meer kon zien. Toen hij geen pijn kon veroorzaken, tilde Viktor zijn hoofd op en zocht iets waar hij zijn aandacht op kon richten om de stem, die zo dichtbij en zo begrijpend was, te bestrijden.

'Viktor, ik meen dit oprecht. Als het mijn grootmoeder was geweest, had ik haar willen wreken.'

Er was niets om naar te kijken. Het complex, Piatkins paleis, was een van de oudste gebouwen op de basis en was door Duitsers gebouwd. Toen de basis nog in handen was van de Duitse marine, was het gebouw waarschijnlijk door hoge officieren gebruikt. Viktor was nog nooit in deze kamer geweest, maar hij had het personeelskantoor gezien waar Piatkin de scepter zwaaide. Het plafond dat hij nu niet kon zien, zou hoog zijn. De muren van de kamer, die nu in duisternis waren gehuld, buiten zijn gezichtsveld, zouden dik zijn en de vloer onder hem was van massief beton. Voor Viktor was de kamer een graftombe en de stem van een duivel klonk in zijn oor.

'Ik hoor je niet, Viktor. Ik vroeg je over wraak en verbittering. Een jonge vrouw pleegt zelfmoord na haar pasgeboren zoon op de stoep van een weeshuis gelegd te hebben. Voel je geen haat?'

'Dat weet ik niet...'

'Kun je me niet vertrouwen, Viktor? Als het mijn grootmoeder was geweest, zou de haat, de noodzaak tot wraak, me verbitterd hebben.'

Hij flapte het eruit. 'Nee.'

'Haat.'

'Nee.'

'Wraak.'

'Nee.'

'Samen vergiftigen die je.'

'Nee.'

Hij hoorde de verdrietige zucht, toen de stroperige stem. 'Je stelt me teleur, Viktor. Ik kom bij je als vriend. Ik bewonder je en heb respect voor je, maar jij geeft mij geen vriendschap en geen respect. Wat moet ik doen, Viktor, om door jou vertrouwd te worden? Ik ben hier om je te helpen. Jij wilt slapen, Viktor, en ik wil dat jij slaapt. Jij draagt een last op je schouders, Viktor, en ik ben gekomen om die last te delen en dan van je over te nemen. Wanneer je die last kwijt bent, Viktor, kun je slapen en zul je tot rust komen. Hoor je me, Viktor?'

'Ja.'

'Eerst kom je de details van de manier waarop je vader overleden is te weten en dan die van je grootmoeder. De wraak moet je brein verteerd hebben. De haat is daar elke minuut van de dag en wanneer je slaapt, kun je je er niet van bevrijden. Je zult de moordenaars van je vader en grootmoeder met gelijke munt terugbetalen. Hoe? Wat zijn voor jou de mogelijkheden? Er is maar één manier. Je loopt over. Vier jaar geleden was je bij de Noordelijke Vloot gestationeerd. Ik geloof niet dat er Amerikanen waren, maar er moeten Britse schepen en Britse zakenlieden geweest zijn en jij hebt iemand benaderd. Was je toen erg bang, Viktor? Wat heb je hun gegeven? Een stapeltje documenten uit een kluis – ontwerpen en blauwdrukken – als geloofsbrieven? Jij was een spion. Jij wilt slapen, Viktor, en dat kan ook. Je werd een spion, ja of nee? Beantwoord de vraag en dan kun je rustig slapen. Ik ben je vriend. Ja of nee?'

Het kwam er met moeite uit. 'Nee.'

Misschien had Viktor gehoopt een fluitend gesis van de adem tussen de tanden van de man tegenover hem te horen: frustratie, irritatie. Dat hoorde hij niet.

'Dan gaan we verder.' Bikov zei het zacht, kalm.

De bundel van het zoeklicht bescheen een patrijspoort van de *Princess Rose* boven aan het trapje dat naar de machinekamer leidde.

'Ik ga daar niet meer in zonder dit kleine stuk ongedierte,' zei Mowbray nadrukkelijk.

Hij hield de hond bij zijn nekvel vast toen de stuurman de stalen plaat losschroefde die de schuilplaats tussen de romp en de wand van de machinekamer afdekte. De kapitein stond op de brug in de microfoon te schreeuwen waarmee hij radiocontact had met de patrouilleboot en Tihomir had tot taak gekregen om de oude man te verbergen. Hij geloofde niet dat ze bezoek zouden krijgen, maar het was altijd mogelijk. Het licht gleed verder en de patrouilleboot voer voor de tweede keer om de *Princess Rose* heen. Hij duwde de Engelsman, die nog steeds de hond vasthield, in het donkere gat en hoorde de moedeloze zucht en het gekef van de hond, toen hij de zware metalen plaat weer op zijn plaats tilde. Koortsachtig draaide hij de schroeven aan en stapelde de rommel weer tegen de wand.

Hij zette een stap naar achteren.

'Waarom doen we dit?' bromde Johannes, de machinist.

Er kwam een grijns op zijn mond. 'Waarom doen we dingen? Alleen voor geld.'

'Die boot kan ons zo uit het water schieten, het is een belachelijke manier om je geld te verdienen.'

De stuurman vroeg of de motor bedrijfsklaar was en de machinist haalde zijn schouders op; de motor was bedrijfsklaar.

'We waren gek om het geld aan te nemen.'

De stuurman grinnikte. 'Echt gek, maar het was ook echt veel geld.'

Tihomir trok zich aan de sporten van de trap op. Het zoeklicht viel op de kleine overloop bij de bemanningsverblijven onder de brug. De patrouilleboot was zo'n honderd meter verwijderd, aan stuurboord, en hij kon niet tegen het sterke licht inkijken; het verlichtte elke kras in de verf en elke roestplek op de dekken en de bovenbouw. Hij had de mannen hun laatste maaltijd gebracht voordat ze over de reling waren gestapt en naar hun gereedliggende rubberboot waren afgedaald. Ze waren bijzonder stil geweest, hadden heel zacht gesproken, en hij had dat de manier gevonden waarop echte soldaten zich gedroegen, er was niets van de bravoure en branie te bespeuren geweest van de huursoldaten die aan zijn zijde hadden gevochten in de loopgraven langs de rivier bij Karlovac, zijn woonplaats. Hij was Karlovac ontvlucht; hij wilde nooit meer de loopgraven zien waar de Servische opmars tot stilstand was gebracht. Het was elf jaar geleden, maar de dingen die hij tijdens de strijd bij zijn eigen stad had gezien en gehoord, de verminkingen, waren zo afschuwelijk, zo afschrikwekkend geweest, dat hij niet meer wilde blijven. Nadat de mannen over de reling waren gestapt in hun wetsuits, met hun wapens in de waterdichte tassen, was hij weer naar de hut gegaan. Ze hadden al het eten dat het Filippijnse kokshulpje voor hen had klaargemaakt opgegeten, alsof een laatste maaltijd van het grootste belang was, en de borden waren schoon geweest. Ze hadden vijf uur geleden terug moeten zijn. Het ging allemaal op een vreselijke manier mis.

Hij klom naar de brug. De kapitein hield de microfoon dicht bij zijn mond, maar schreeuwde alsof zijn stem de honderd meter water naar de patrouilleboot moest overbruggen. Tihomir geloofde dat hij schreeuwde omdat hij bang was en de hele toestand waanzin was, je reinste waanzin.

'Ik doe geen kwaad, ik hinder geen enkel ander vaartuig. Nee, ik wil geen sleepboot om ons binnen te brengen. Nee, het is niet nodig dat we naar de haven van Kaliningrad gesleept worden. Ja, de motor zal heel snel gerepareerd zijn. Ja, ik weet dat we ons in verboden wateren bevinden.'

Maar het geld mocht er zijn. Een gedeelte van Tihomirs aandeel zou in een voortgezette opleiding zeevaartkunde en navigatie aan de school in Genua besteed worden en wanneer hij dat diploma had, zou hij zich tot kapitein opwerken. Een ander deel ging in de restaurantrekeningen in de volgende haven zitten. Het diploma en de restaurants waren de enige dingen die hij wilde in het leven. De opleiding zou hem tweeduizend euro kosten en de restaurants kostten hem telkens honderd euro; goede maaltijden en goede wijn waren de enige luxe die hij van het leven vroeg, als ze deze toestand overleefden.

'Ik beloof u dat we vóór morgenochtend vroeg vertrokken zijn. Kom hier zodra het licht wordt kijken en u zult ons niet vinden; we zullen weg zijn. Oké, oké, jullie kunnen morgen vroeg een sleepboot sturen als we hier nog zijn. We kunnen bijna weer verder varen met de motor. Ik weet dat jullie je werk doen, maar dat doe ik ook. We zijn morgenochtend vroeg vertrokken.'

Was dat mogelijk? Tihomir geloofde dat het waanzin was om te denken dat alles mogelijk was. Het team moest vóór morgenochtend terug zijn, anders werd hun de terugtocht afgesneden. Bij het grote plein in Karlovac, niet ver van de kazerne die door de bonapartisten was gebouwd, was een kerk waar de vrouwen elf jaar geleden kaarsen voor de mannen in de loopgraven hadden gebrand en in alle stilte hadden gebeden. Telkens als hij uit de loopgraven was gekomen, voordat hij de modder, het bloed en de kruitvlekken van zijn lichaam had gewassen, was hij naar de kerk gegaan en had hij er ook gebeden. De woorden waren spontaan gekomen.

'U hebt mijn woord, het woord van een zeeman die al 24 jaar kapitein is, het woord van Andreas Yaxis, dat we vóór morgenochtend vertrokken zijn.'

Het zoeklicht werd uitgezet. Een doffe halfschemering nam bezit van de brug. De kapitein zakte terug in zijn stoel. Tihomir wist dat de uitvlucht bijna niet geloofd was, maar uiteindelijk toch wel. Met de dankbaarheid van een overlevende bad hij opnieuw en hij hoorde het donkere geraas van de patrouilleboot die op snelheid wegvoer.

Hij ging weer benedendeks.

Met zijn schroevendraaier maakte hij de staalplaat los.

De hond kwam het eerst naar buiten. Tussen zijn kaken hing een kronkelende rat.

De oude man knipperde met zijn ogen. 'Zijn gewicht in goud waard, die kleine held. Is het nog tot vuurwerk gekomen?'

Tihomir schudde zijn hoofd. De hond zette de rat klem onder zijn voorpoten en beet hem in zijn nek. De rat kronkelde niet meer.

'Tien minuten, tien minuten om bij te komen,' fluisterde Billy. Hij kon het gehijg in zijn stem niet onderdrukken.

Lofty stond vlak achter hem. De mededeling werd naar achteren doorgegeven. Nog geen honderd meter voor hen uit was het kanaal, een zwart lint tussen twee rijen lichten langs de oever, waarover de mist als een grijs kussen was neergedaald. Billy kon het kanaal, het zoute water en de motorolie ruiken. En ook de dingen die er lagen te rotten. Ze zaten naast een houten gebouw op het door de herfst geplette gras en onkruid. Aan de open kant werden ze gedekt door struikgewas van hazelaars en berken. De andere kant van het gebouw werd beschenen door doffe, hoog aangebrachte lampen, maar door het gebouw bereikte het licht hen niet. Billy had vrij uitzicht op het lint van het kanaal en de doolhof van de talloze lichtjes erachter. Hij voelde Lofty's aanwezigheid vlak achter zich en van de anderen weer achter hem. Hij wist dat Wickso de enige van het team was die aan zijn conditie werkte, dat hij 's avonds jogde. Hij had zelf gedacht dat hij in conditie was: hij beklom Sgurr na Greine en Croit Bheinn voor uitkijkpunten, waar hij de arenden in het dal beneden hem kon zien, en sleepte zijn tafelblad en zijn verfdoos mee naar de toppen. Ze hadden iets meer dan elf kilometer afgelegd en de spullen die Billy meedroeg op zijn rug voelden aan als lood vergeleken bij dat tafelblad en de doos.

Hij probeerde met vaste stem te spreken. 'Jongens, dit is een van die kritieke momenten. Pompen of verzuipen. Niemand vertelt ons meer wat we moeten doen. Mowbray zit op zijn stomme boot, die doet niet meer mee. Locke is aan de andere kant van het hek, die doet ook niet meer mee. We hebben een kaart die misschien duidelijk is en misschien ook niet, die misschien een eerlijke poging van die jongen is en misschien ook niet. We moeten dit allemaal willen; er kan er niet een achterblijven. We zijn niet met genoeg mensen om iemand achter te laten en met de rest door te gaan. Ik heb jullie allemaal nodig. Dus wat gaat het worden? Niet allemaal tegelijk. Jongens, we hebben nog een paar minuten. Ga er allemaal bij liggen om even bij te komen en dan praten we verder. Dan hebben we het over doorgaan of teruggaan.'

Het woord dat zij gebruikten was sjouwen. Ze hadden iets meer dan elf kilometer gesjouwd, maar ze hadden het hier niet over de Beacons, Dartmoor of Woodbury Common. Op de Beacons, Dartmoor of Woodbury Common zouden ze elf kilometer, zeven mijl, met deze bepakking op hun rug in minder dan twee uur hebben afgelegd. Ze hadden er drie uur en 34 minuten over gedaan, met inbegrip van de drie pauzes van vijf minuten om op adem te komen. Er was tijd in gaan zitten, omdat er bij de munitiebunker van de schietbaan twee schildwachten hadden staan roken en kletsen, en ze waren daar blijven liggen om te zien welke weg de schildwachten aflegden wanneer ze liepen. Daarna waren ze met een boog om het tweetal heen getrokken en hadden ze een paar korte sprintjes getrokken tot ze veilig waren. Bij de raketinstallatie waren ze van het pad gegaan en bijna tot het strand uitgeweken, omdat er een wachttoren was geweest waar weer een verveelde schildwacht had gestaan. Ze waren om hem heen gekropen, buiten het licht van de booglampen boven het hek. Ze moesten weer van het pad af toen er een vrachtwagen slingerend aan was komen rijden, op weg naar het groepje raketten. In Rybacij, een donkere chaos van ruïnes uit een lang vervlogen tijd, waren twee zwerfhonden geweest. Bij het oude vliegveld hadden ze vierhonderd meter kruipend afgelegd. Er stond een hek op een kilometer afstand van het kanaal, meer schildwachten en nog een hek, en ze hadden ruim tien minuten bij het eerste hek gewacht – meer tijd had Billy niet kunnen missen – om te zien of er patrouilles waren, voordat hij Wickso naar voren haalde met de draadschaar. En hij geloofde dat wat ze meegemaakt hadden kattenpis was vergeleken bij wat hun te wachten stond.

Achter hem kwam men weer op adem en zijn eigen hart klopte langzamer. Bij zijn berekening werkte hij terug van het ochtendgloren, 's ochtends om 06.15 uur. Het gonsde in Billy's brein van de getallen die het schema vormden waaraan ze zich moesten houden. De tien minuten waren voorbij. De minutenwijzer had onverbiddelijk een vaag verlicht pad op zijn horloge afgelegd. Het was 00.48 uur. Geen tijd voor een discussie nu: doorgaan of teruggaan. Als ze in hun opzet slaagden, áls de ontvoering lukte en ze waren bij het opkomen van de zon – om 06.15 uur – op het strand, dan waren ze een weerloos doelwit. Als ze met licht op het strand kwamen, zonder dekking, waren ze ten dode opgeschreven. Hij trok tien minuten af van elk stadium dat ze moesten afwerken om op het strand te komen en om 06.05 uur de gezonken rubberboot op te halen. Volgens zijn horloge was het 00.50 uur. Twintig minuten speelruimte. Ze zouden een verstoord wespennest achterlaten. Zij zouden met zijn vieren zijn, plus de passagier, en het schema bood niet meer speelruimte dan twintig minuten. Er ging altijd wel iets mis, zeker weten, en er konden maar twintig minuten uit het schema gemist worden.

'Het is nú of nooit jongens, wat gaat het worden?'

Er had geen discussie of ruzie plaatsgevonden en dat had hij ook niet verwacht. Ze hadden met een grimmig knikje toegestemd, alsof geen van hen het op kon brengen om het moment met een grapje af te doen. Ze gebruikten een deel van de twintig minuten die hij gereserveerd had voor de gegarandeerde miskleun toen ze zich in de wetsuits hesen. In plaats van de wetsuits en de zwemvliezen werden nu de wapens die droog moesten blijven in de tassen gestopt. Ze gingen zonder enig verdedigingsmiddel het water in. Nadat ze de bescherming van het houten gebouw hadden verlaten, gingen ze naar links en verwijderden zich van de lichten die het gedeelte van de kade beschenen waar een logge veerboot lag aangemeerd. Twee keer verstijfden ze toen ze stemmen hoorden, ontspannen gepraat en muziek die door verlichte ramen klonken, en ze zagen geüniformeerde mannen, zonder jasje, in de kamers. Billy besefte dat de basis niet gewaarschuwd was. Er heerste nachtelijke rust. Als katten bewogen ze zich in de schaduwen, voorzichtig voorwaarts; soms stopten ze, wachtten ze, luisterend, om met een klein sprintje verder te gaan. Billy's gedachten werden beheerst door een stille vloek: de mannen verlieten zich op hem als hun leider. Ze volgden hem waar hij heen ging, zoals ze dat altijd gedaan hadden. In de hut die meneer Mowbray had gevorderd, had kaart 2278 van de admiraliteit gelegen en hij had er even naar gekeken, maar hem niet bestudeerd. Kaart 2369 was de kaart die al zijn aandacht had gekregen, omdat die hun de route had gegeven naar de plek van hun landing op het strand. Hij moest de mannen leiden naar de oever van het kanaal, dus probeerde hij zich ook naarstig iets te herinneren van de kaart die de basis, de marinehaven en het kanaal besloeg. Ze kropen tussen de schaduwen, zochten die voortdurend op. Uit angst dat ze hem zouden verblinden, keek hij opzettelijk niet naar de lichten aan de andere kant van het kanaal. Ze kwamen bij de oever. Een patrouilleboot met al zijn lichten op voer met grote snelheid door het midden van het kanaal, indrukwekkend en dodelijk. Ze zaten gehurkt naast een grote, oude kabeltrommel en tussen hen en het begin van het zwarte lint stond een hoge stapel laadborden. Een man piste er ergens in de buurt en stak toen een sigaret op. De sigaret werd even later weer weggegooid en de voetstappen verwijderden zich. Het laatste gebouw op hun weg had geen dak en in de muren zaten putjes van kogelgaten, een aandenken aan een oorlog van langgeleden. Billy gaf niets om andere oorlogen, was alleen met zijn eigen oorlog bezig. Van de stenen walmuur naar het water was een afstand van twee keer zijn eigen lengte. Olie glinsterde op het water. Hij lag op zijn buik, had de anderen achtergelaten bij de muur met de kogelinslagen. Ze waren laat van start gegaan en ze hadden er twee minuten langer dan gepland over gedaan om bij het kanaal te komen. De minutenwijzer op zijn horloge gaf aan dat er nog meer reserveminuten werden opgeslokt. Hij bewoog zich als een krab naar rechts en kwam bij de uitgesleten stenen, waar, langgeleden, een ladder met bouten aan de walmuur was geklonken. Billy gaf het teken dat ze bij hem moesten komen, trok zijn zwemvliezen aan en begon aan de afdaling. De derde sport brak onder zijn gewicht en viel met een plons in het water. Hij bleef aan de bovenste sport hangen, niemand riep, niemand wilde weten wat hij daar deed. Hij liet zich zakken. Het kanaal sloot zich om hem heen. Hij watertrappelde, stak zijn armen omhoog en nam de eerste opblaasbare tas aan. Het gewicht van de tas duwde hem onder en het koude, olieachtige water drong in zijn mond en neus.

Billy en Lofty namen de eerste tas, Ham en Wickso ontfermden zich over de tweede. Ze mochten verdomd blij zijn met de diepzwarte kleur van het water van het kanaal, dacht Billy. Hij keek voor zich uit, moest dat nu, en de lichten van het land schenen hem fel tegemoet. Hij zette zich af, trapte, en Lofty en hij, opgehouden door de tas, leken over het water te glijden. Hij keek alleen maar voor zich uit.

'Jezus.' Wickso's kreet klonk gesmoord.

Billy keek zijn kant op en zag alleen duisternis, maar Wickso had zijn hand van de tas genomen en wees naar een punt stroomopwaarts. Billy's ogen schoten in die richting.

Hij schatte het schip op vijfduizend ton – kon een ton meer of minder geweest zijn, alsof dat er een reet toe deed – en het stoomde door het kanaal, op weg naar open zee. Waar zij nu watertrapten, zou het op nog geen vijftig meter afstand van hen passeren. Billy hoorde het donkere geluid van de grote schroef en zag de golf die door de boeg werd opgeworpen. Ze leken nu stuk voor stuk nietig en hulpeloos.

Billy riep: 'Met de golf meegaan, dat is het enige wat we kunnen doen.'

Het schip torende boven hen uit en toen werden ze door de golf gegrepen en hoog opgelicht. Terwijl ze terugvielen, duwde een andere golf hen terug naar de oever van het kanaal. Ze werden naar voren gezogen door de draaiende schroeven. Alsof zijn leven ervan afhing, klemde Billy zich met één hand aan de tas vast en met de andere aan Lofty. Ze dansten op het water. Het schip voer van hen weg. Billy schopte wanhopig met zijn benen. Hij keek om zich heen. Ham en Wickso hadden vlakbij moeten zijn, maar waren teruggeduwd. Het duurde even voordat ze weer bij elkaar waren. Ze staken het midden van het kanaal over, waar de laatste golven van het schip hen naar de lichten van de basis duwden. Dicht bij de overkant werden ze geconfronteerd met een rij lichten. Ze bleven in het donkere water en speurden naar een rondzwervende schildwacht

Er lag een half gezonken schip aan deze kade. De boeg lag onder water en het dek stond blank tot de bovenbouw. Ze zwommen eromheen en kwamen bij een afgedankt landingsvaartuig.

Ze gebruikten de kabels waarmee het aan de kade lag om zich op te trekken. Ze waren aan wal. Zo stil mogelijk spuugden ze het kanaalwater uit dat ze in hun keel hadden gekregen en ritsten toen de tassen open.

Ham verstuurde het korte bericht: 'Delta Een aan Roof Een. Ter plekke. Gaan verder. Over.' Billy pakte zijn wapen, het Vikhr SR-3 geweer. Hij laadde het wapen door en het geluid klonk oorverdovend in zijn oren, leek de doden te kunnen wekken. Voor hen uit was een weg, daarachter de donkere gebouwen en daar weer achter, in de verte, de lichten van de slapende basis, die de thuishaven was van de beroemde Oostzeevloot. Ze lieten de tassen bij de meerpaal waar het landingsvoertuig was afgemeerd. Vier gedaantes, zwart in de duisternis, sprintten over de open weg naar de dekking van de gebouwen.

Igor Vasiljev woelde onrustig op zijn brits. In een van de bedden naast hem huilde een jongen om zijn moeder en verderop kronkelde een jongen in een natte droom; anderen snurkten en hoestten. Er brandde een enkele zwakke plafondlamp halverwege het slaapcomplex en bij de ingang van het gebouw viel een streep licht onder de deur van de kamer van de pelotonssergeant door.

Hij kon niet slapen; hij had zijn kussen tegen zich aan getrokken en de gedachten die hem in zijn wakkere staat overvielen waren nachtmerries. Hij had geloofd dat de man hem zou vermoorden. De man had het mes in zijn hand gehad en een vuist had zijn haar gegrepen en zijn hoofd achterovergetrokken om zijn keel bloot te leggen. Toen hij naar de doelen was gelopen en de vier geestverschijningen uit het bos waren opgedoemd, hadden ze Viktor geroepen. Hij had Viktors naam geroepen, Viktor Artsjenko's naam, de naam van de chef-staf van de vlootcommandant. Viktor, Viktor... de naam van zijn vriend. De man had het mes laten zakken. Hij had hem onfris water uit een veldfles te drinken gegeven en hij had gepraat over zijn vriend Viktor en was geleidelijk aan kalmer geworden. Nadat het mes was teruggestopt in de schede, had hij meer water gekregen en had hij de kaart getekend. 'Bent u ook een vriend van Viktor, van overste Artsjenko?' De man had ja gezegd. 'Bent u gekomen om hem te redden?' Geen antwoord. Hij was door de bomen naar de andere mannen gebracht, en ze hadden hem laten gaan. Hij was over het pad naar de schietpositie gelopen, had het zware machinegeweer op zijn schouder gehesen, was teruggesjokt en had een truck gevonden die hem een lift naar de veerboot had gegeven. Eenmaal terug op de basis was hij naar het wapendepot gegaan en had het wapen daar, zonder de gebruikelijke zorg, schoongemaakt. Hij was een paar minuten op de slaapzaal toen het licht was uitgedaan.

Hij had de chauffeur van de truck kunnen vertellen dat er gewapende vreemdelingen op het schiereiland waren, had het de onderofficier die met de veerboot belast was kunnen vertellen, had het de luitenant in het wapendepot kunnen vertellen, had zich bij het hoofdkwartier kunnen melden om het de officier van de nachtdienst te vertellen. Had naar de officiersmess kunnen gaan en eerbiedig kunnen wachten tot majoor Piatkin was geroepen. Had op de slaapkamerdeur van zijn pelotonsergeant kunnen kloppen om het hem te vertellen.

Dat had hij kunnen doen... maar dat had hij niet gedaan. Het zou het makkelijkst geweest zijn om het de chauffeur van de truck te vertellen, maar met elke gelegenheid die hij voorbij had laten gaan, was de volgende kans moeilijker geworden en de neiging meer onderdrukt. Hij wist niet of hij Viktor Artsjenko, zijn vriend, had gered, maar hij wist wel dat hij nu een verrader was van elke dienstplichtige in de slaapzaal. Hij werd overspoeld door angst. Hij lag op zijn buik, zijn zij en zijn rug. De slaap wilde niet komen.

'Er moet een afhaalplaats zijn, Viktor.' Zijn stem klonk nog steeds geduldig. Het was voor Joeri Bikov van het grootste belang dat hij geen spoor van ergernis aan de dag legde. Hij geloofde niet dat de prooi zich nog veel langer kon verzetten. 'Er is altijd een dead drop. Volgens mij was jouw dead drop bij kasteel Malbork.'

Het zou vermoeidheid zijn die het verzet van zijn prooi zou breken. De tape draaide nog altijd in het aangrenzende kantoor. Hij hoefde maar één bevestiging, maar één. Na de eerste instemming met de vragen die hij stelde, na het eerste bevende, uitgeflapte of gefluisterde 'Ja', zou de rest als een ware waterval volgen. Zo ging het altijd. Na de eerste erkenning van de nederlaag zou hij de kaars uitblazen, over de betonnen vloer kruipen en zijn arm om de schouders van de prooi slaan. Dan zou de bekentenis loskomen. Hij zou uitgehoest, uitgebraakt worden. Het was het besluipen van de prooi wat hem boeide en opwond tegelijk, maar tijdens de seconden die volgden op het begin van de bekentenis, zou hij opnieuw een gevoel van teleurstelling ervaren. Het was het gevoel waarover de jagers hem verteld hadden wanneer ze in de ongerepte wouden op herten of beren jaagden; het doden en ontweien van een beest liet alleen maar een ontoereikende leegte achter.

'Laten we het eerste contact in Moermansk of Severomorsk en de reactie die daarop volgde even vergeten, Viktor. Je werd overgeplaatst naar de oblast Kaliningrad. Je nieuwe vrienden konden je nu bereiken. Ze zouden een geschikte dead drop moeten hebben. Niet hier. Ze zouden geen dead drop in de buurt van Baltijsk willen hebben. Binnen de oblast liepen ze het risico om opgemerkt en gecompromitteerd te worden, maar jij geeft hun iets wat voor die mensen een godsgeschenk is. Jij gaat naar kasteel Malbork. Door jouw verheven positie mag je om de twee maanden naar Polen reizen om een belangrijke plek uit het verre verleden te bezoeken. Zelf ben ik nooit in Malbork geweest, Viktor, ik kan me alleen op foto's verlaten. Ik stel me een groot, wat chaotisch bouwwerk voor, met donkere hoeken en nissen langs steile trappen en overal vuilnisbakken. Ideaal. Jij bent in burger, gaat op in de menigte, zwerft rond. Je brengt een halve dag in het kasteel door, en in een van de hoeken, nissen of vuilnisbakken is het plekje waar jij documenten, foto's of microfilms achterlaat. Je nieuwe vrienden zijn er niet, want hun aanwezigheid en een persoonlijke ontmoeting met jou zou jou en hen in gevaar brengen. Je nieuwe vrienden komen later. Het pakje dat je hebt achtergelaten wordt vermoedelijk een paar uur na jouw vertrek of de volgende dag opgehaald. Zij zijn erg tevreden met dit arrangement, zij zijn veilig. De dead drop is in kasteel Malbork, ja of nee?'

'Nee.'

'Je moet weten, Viktor, dat ik je niet veroordeel. Ik begrijp je. Ik ben met je begaan. Natuurlijk laat je instructies achter over het tijdstip van de volgende dead drop, maar je weet niet hoe je pakje ontvangen is. Ik heb een vraag voor je, Viktor.'

'Wat voor vraag?'

'Ik ben geneigd te geloven dat je voor de Britten en niet voor de Amerikanen spioneerde, de Amerikanen zijn meer elektronisch ingesteld, maar de Britten geven de voorkeur aan de oude methodes, dat is hun stijl. Hoeveel pakjes van dead drops denk je dat de Britten per week krijgen? Hoeveel? Dat is mijn vraag.'

De strikvraag stuitte op stilte. De prooi moest de strik gezien hebben die voor hem gezet werd. Hij moest nu pijn hebben van vermoeidheid, honger en stress, maar kon nog steeds – zij het net – de strikvraag herkennen. Bikov kon het gezicht van zijn prooi niet zien, maar hij hoorde hoe hij een paar gapen onderdrukte. De kou hing in de kamer.

'Niet veel, niet veel pakjes per week. Het is mogelijk dat je in een bepaalde week de enige leverancier van een pakje bent. Een man in Londen heeft misschien een agenda waarin hij een rood kruis zet op de dag dat jij naar kasteel Malbork reist. Jij bent het middelpunt van het leven van die man. Vanwege jou heeft hij status in Londen, dat is de reden waarom hij jou vertelt dat hij je nieuwe vriend is. Over jouw rug, Viktor, maakt die man carrière. De ene week is er een pakje van Viktor Artsjenko, de volgende week ontvangt een andere man een pakje in Caïro, de week daarna komt er een pakje van iemand op het ministerie in Peking en in de laatste week van de maand zijn er misschien geen pakjes. Ze hebben een groot gebouw, Viktor, aan de Theems in Londen. Er werken tweeduizend mensen, maar er komen maar weinig pakjes binnen. In de kroon van de carrière van die man ben jij een juweel, Viktor. Maar die man neemt geen risico. Nee, Viktor, het risico wordt aan jou overgelaten. Dat is de manier waarop ze werken. Jouw nieuwe vrienden hebben een speeltje en daar spelen ze mee. Ik ben je echte vriend, Viktor, dus vertel me dat de dead drop bij kasteel Malbork was. Ja of nee?'

'Nee.'

De stem had een ijle, hoge klank gekregen en er was een aarzeling hoorbaar geweest voor de ontkenning. Bikov proefde dat de kracht van zijn prooi afnam. Het zou niet lang meer duren. Het vliegtuig zou volgetankt klaarstaan. Aan boord van het vliegtuig zou de gevangene handboeien om hebben, zijn ogen zouden dichtgeplakt zijn met tape en hij zou alleen in zijn broek kunnen pissen of poepen. Hij zou vernederd worden en zijn ondervrager nooit meer te zien krijgen, maar zijn oren zouden de tape van zijn bekentenis horen, vanaf het eerste enkele woord, tot de ware stortvloed zoals die was opgetekend door Joeri Bikovs sergeant. Op het militaire gedeelte van vliegveld Sjeremetjevo zouden een auto en een busje gereedstaan. Bikov zou met de auto thuisgebracht worden om te slapen en zijn gevangene zou op de vloer van het busje naar de cellen in de kelders van de militaire veiligheidsdienst vervoerd worden. Bikov voelde geen sympathie, geen wroeging, geen medelijden. Hij geloofde dat de inzinking ophanden was.

'Ik begrijp je, Viktor. Vergeet nooit dat ík je vriend ben, niet zij. We gaan door.'

Ze gaf geen antwoord.

Locke zei: 'Heb je me niet gehoord? Ze hebben zich gemeld. Ze zijn op de basis. Ik weet bij god niet wat ze denken te kunnen bereiken.'

Ze zat op het bed. Ze kon zijn donkere omtrek in de deuropening zien en hoorde de opgekropte agressie in zijn stem.

'Ze zijn het kanaal overgestoken, ze zijn op de basis zelf. Dat wilde je toch, hè?'

Alice zei: 'Je hoopt dat het ze niet lukt, hè?'

'Jij weet helemaal niet wat ik hoop.'

Alice zei zacht: 'Want als het ze niet lukt, heb jij vanaf het begin gelijk gehad. Hun falen zou jouw gelijk bewijzen en dat is belangrijk voor je.'

Hij draaide zich om en liep een paar passen de gang in. Hij stopte. Ze geloofde dat hij zijn hand had uitgestoken en tegen de muur leunde, maar daar kon ze in het donker niet zeker van zijn.

'Ik moet er nog uit en zal een tijdje wegblijven. Ik wil dat jij naar de radio luistert, je kent de zendercodes. Gewoon luisteren en de dingen die belangrijk zijn aan Mowbray doorgeven. Zou je dat alsjeblieft willen doen?'

'Jij loopt weg?'

Hij draaide zich met een ruk om. Ze was zich bewust van deze plotselinge beweging van zijn lichaam; hij kwam door de deur en zijn gedaante doemde op. Hij liep met grote passen naar het bed. Ze had op het bed gezeten, maar liet zich nu op haar zij vallen, trok haar knieën op en sloeg haar armen om haar bovenlichaam, alsof ze zich wilde beschermen. Alice dacht dat hij haar ging slaan. Ze bereidde zich voor op de klap van zijn vuist, trok haar hoofd in. Ze kon zijn lichaam, niet gewassen sinds zijn nacht in de tunnel onder het spoor van Gdansk, en zijn adem ruiken. Hij boog zich over haar heen. Ze verstijfde. Alice voelde zijn lippen op haar voorhoofd, voelde de vochtige aanraking. Ze bleven daar even rusten, gingen toen een centimeter of twee verder, voordat hij haar opnieuw kuste. De eerste twee kussen waren teder; de derde werd hard op haar voorhoofd gedrukt en nam een paar haren mee. Toen ging hij rechtop staan en liep weg.

Weer bij de deur gekomen, zei hij kortaf: 'Pas op de radio. Ik ben een tijdje weg. Ja, ik loop weg. Dat God over je mag waken, Alice, dat God over jullie beiden mag waken.'

Ze bleef op haar zij liggen. De keukendeur ging open en werd weer dichtgetrokken. Ze bleef alleen met de stilte achter.

Alice had geweten dat het de laatste kans was toen de mannen naar de dierentuin waren gegaan om Viktor weg te halen en dat het een tweede laatste kans was, toen de mannen aan land waren gegaan en bij het rendez-vous hadden gewacht, waar hij niet was op komen dagen. Het was de derde 'laatste kans' die de mannen over het kanaal naar de basis had gevoerd. Ze wist dat hij gevangen gehouden werd, ze wist dat de *Princess Rose* morgenochtend vroeg door moest varen: ze wist dat de derde laatste kans een heel kleine kans was. Ze kon niet geloven dat ze Viktor weer zou zien. Ze voelde enige schaamte, omdat ze de spot met Gabriel Locke had gedreven en hem van 'weglopen' had beschuldigd.

Die spot was haar eigen vorm van zelfverdediging geweest. Ze zou terugkeren naar Vauxhall Bridge Cross, waar ze zich zou begraven in haar werk en, na een redelijke periode van, pakweg, twee weken, overplaatsing zou aanvragen. Dan zou ze in Buenos Aires of Bogotá terechtkomen, of waar dan ook, en zou de afdelingschef haar op een dag in zijn kantoor roepen en haar een vel papier te lezen geven met een kort, emotieloos bericht: 'Laat Alice North weten dat Moskou melding heeft gemaakt van de executie van Fret verleden week, na een rechtszitting met gesloten deuren.' Ze zou het bericht lezen en men zou haar vragen of ze de rest van de dag vrij wilde nemen en dat aanbod zou ze afslaan. Ze zou teruggaan naar haar bureau en zich bezighouden met het onbeduidende materiaal van een Argentijnse politie-informant of een beambte van het Colombiaanse ministerie van Binnenlandse Zaken of wat voor een agent dan ook. Ze raakte haar voorhoofd aan en haar vingers leken het bewijs te zoeken dat Gabriel Locke, die van het begin af aan gezegd had dat het zou mislukken, haar gekust had, maar ze vond alleen haar droge huid. Waar ze haar ook naar zouden overplaatsen, ze zou Viktor nooit vergeten. Hij was de enige liefde in haar leven. Haar vingers rustten op de barnsteen om haar nek.

Alice vermande zich, ging rechtop zitten, veegde in haar ogen en rolde van het bed. Ze streek haar haar glad en liep toen in het donker naar de keuken. Als er een boodschap van het team binnenkwam, zou er een rood lampje op het radiopaneel knipperen, er knipperde geen lampje. Ze wist niet waarom Locke haar op het voorhoofd had gekust en ze kon het gevoel van schaamte omdat ze de spot met hem had gedreven maar niet kwijtraken. Ze ging verslagen op een keukenstoel zitten en begon haar wake.

De derde keer. 'Ik geloof dat dat alles is, Viktor. Je hebt ditmaal geweldig werk voor ons geleverd, maar dat heb je eigenlijk altijd al gedaan. Er heerst in Londen enorme bewondering voor wat je voor ons doet en men is je enorm dankbaar. Ik kan je in alle eerlijkheid zeggen, Viktor, dat je onze beste agent bent. Ik weet niet of we elkaar nog zullen ontmoeten, maar het is een voorrecht geweest om met je samen te werken. Wees voorzichtig. Ik wens jullie beiden goedenacht.' Mowbray had naar hen geglimlacht en was naar de badkamer gegaan alsof hij niets te maken wilde hebben met wat zij die nacht verder deden. Ze hadden geweten, zij en Viktor, dat dit de laatste keer kon zijn. Na de seks hadden ze over het berijpte, knisperende gras bij het Westerplatte-monument gelopen, hun armen stijf om elkaar heen. Hij had haar verteld dat ze sterk moest zijn; zij had hem verteld dat er eens een dag zou komen dat ze voor altijd samen zouden zijn. De laatste kus. De liefde was gebleven.

De chauffeur bracht de laatste armvol takken. Ze waren droog, omdat ze tegen de regen beschut waren geweest door overhangende dennen. Behalve de takken had hij ook een krant uit de auto bij zich. De koplampen van de auto in de duinen verspreidden hun licht over het strand. Jerry de Pool keek toe hoe Tsjelbia in zijn dure pak knielde en het krantenpapier diep tussen de takken stak. Hij zag een gouden schittering. De vlam spoot uit Tsjelbia's aansteker, het papier begon te branden en stak de takken aan. Het vuur knetterde.

Jerry de Pool hield zich afzijdig. Roman, de visser, pakte een paar vissen, waarvan sommige nog trilden, uit de emmer en haalde zijn mes door hun onderbuik. Zijn vingers gooiden de ingewanden achteloos op het zand en meeuwen krijsten aan de rand van de duisternis. Jerry de Pool huiverde, maar ging niet dichter bij het vuur staan. Roman gaf Tsjelbia een nog bloedende kabeljauw, toen een makreel en twee schollen. Tsjelbia gooide de vissen in de vlammen en gnuifde luidruchtig toen ze sisten en spetterden. Hij keek op naar Jerry de Pool.

'Doe ik dit thuis? Natuurlijk niet! Thuis eet ik in het Arlenkino of het restaurant van Hotel Kaliningrad of in het Casino Universal en dan betaal ik me blauw. Ik betaal voor iedereen. Ik ga uit eten en het kost me vijfhonderd Amerikaanse dollars. Hier eet ik voor niets en ga ik genieten van wat ik eet. Verse, gegrilde vis, beter is er niet. Kom wat dichterbij.'

Het was een bevel. Jerry de Pool deed een stapje dichter naar het vuur.

'Dichterbij.'

Een bevel. Jerry de Pool zou het niet in de wind slaan. In het café waar zijn Mercedes geparkeerd stond, had hij gezegd dat hij op het strand zou zijn. Noch die klootzak van Locke noch mevrouw North was naar het café gekomen, anders had hij het wel gehoord. Het café was nu algauw drie, vier uur dicht. Ze hadden hem moeten zoeken. Het zou hem een zorg zijn als ze dat hadden moeten doen. Zijn pensioen daar ging het hem om en daar hadden ze geen boodschap aan.

Het was nu na tweeën; hij had weer terug in de auto moeten zijn, slapend op de achterbank. Tsjelbia had hem gevraagd om te blijven en het was niet verstandig om het verzoek van een man als Tsjelbia niet te honoreren.

Hij kon de warmte van het vuur voelen en keek neer op het bobbelende vel van de vissen. Tsjelbia pakte zijn hand. Jerry de Pool voelde hoe hij omlaaggetrokken werd en was te bang om zich te verzetten. Tsjelbia's glimlachende gezicht was dicht bij het zijne. Hij kon zijn hand niet uit die van de Rus losrukken.

'Ik heb veel plezier beleefd aan het vissen en zal ook veel plezier beleven aan het eten van de vis. Dat geluk is mij beschoren geweest, omdat ik jou kwam zoeken. Jij werkt voor de Britse inlichtingendienst.'

'Wat zegt u nu?' Zijn hand werd dichter bij de vlammen, de bradende vis en het gloeiende hout gehouden. 'Ik weet niet waarom u zegt dat...'

'Hoe heten de geheim agenten die jij rondrijdt?'

'Dat is niet waar.' Een vlam speelde over zijn hand, schroeide hem en het vet van een vis spatte op zijn huid.

'Ik wil weten hoe ze heten.'

'Dat kan ik niet.' De pijn drong tot in zijn hersenen door. Nu werd zijn pols omklemd en zijn hand in de vlammen en de gloeiende sintels gehouden. 'Dat kan ik niet.'

'Zeg op.'

'Rupert Mowbray – de chef – en...' Hij zag hoe zijn eigen huid verschroeide, openbarstte, en hij voelde een helse pijn in zijn arm. Hij was hun niets verschuldigd. De vlammen likten zijn hand en een bijtende rook kringelde op van zijn manchet en zijn jas. Ze hadden hem zijn pensioen niet willen geven. 'En Gabriel Locke is zijn assistent en dan is er nog mevrouw Alice North.'

'Waarom zijn ze hier?'

'Om een officier...' De huid van zijn hand was wit van de kou geweest, toen roze geworden boven de vlammen en het gloeiende hout en begon nu zwart te worden. 'Om een officier van de basis te ontvoeren, weg te halen.'

'Welke officier?'

'Een kapitein, geloof ik.' De pijn was acuut: pure, vlijmscherpe steken. 'Ik heb zijn naam gehoord, ik geloof dat het Artsjenko was – Viktor Artsjenko. Ik geloof...'

'Artsjenko?'

Door de pijn en de lucht van zijn eigen, brandende vlees heen hoorde hij een soort verwondering in Tsjelbia's stem, een zekere verrassing.

Zijn pols werd losgelaten.

'Een man met wie ik zaken zou kunnen doen, zaken waar we beiden beter van zouden worden. Ik dank je, mijn vriend, ik dank je.'

Tsjelbia trok hem omhoog. Zonder zijn steun zou Jerry de Pool in elkaar gezakt zijn. Tsjelbia leidde hem over het zand naar het witte water van de branding. Zijn hand werd in het water geduwd en de kou nam de ergste pijn weg. Tsjelbia droogde Jerry de Pools hand met zijn eigen zijden zakdoek met monogram.

'Wat gaat u doen?' jammerde hij.

Ze liepen terug over het zand. Tsjelbia zei: 'Ik denk dat de vis zo gaar is. Laat ik je vertellen, mijn vriend, dat er in vijf jaar maar één man is geweest die tegen mij op kon, die niet bang voor me was. Hij is een man van formaat, een leeuw. Ik ga de vis eten die ik gevangen heb en jij eet mee. Ik nodig je uit om mijn gast te zijn.'

Jerry de Pool klemde zijn hand vast en boog onderdanig. 'Dank u.'

'Je hebt Gdansk drie keer bezocht, Viktor. Bij elk bezoek bleef je er overnachten. Tijdens de drie bezoeken werd er door een plaatselijke beambte van de FSB supervisie uitgeoefend op de delegatie, maar dit was een lage officier. Jij was de hoogste officier van die delegatie en zal je als zodanig gedragen hebben. Jij zou niet de halve nacht aan de bar doorgebracht hebben; jij zou je verontschuldigd hebben met de mededeling dat je naar bed ging, misschien om nog een paar documenten door te nemen voor de vergaderingen van de volgende dag. Ik heb een plattegrond, Viktor, van het Mercury-hotel. Er is een brandtrap. Ik heb ook een kaart van Gdansk, Viktor, en ik schat dat een atleet als jij, als hij een beetje doorloopt, er vijftien minuten over doet om aan de andere kant van de binnenstad te komen. Elke nacht die jij in Gdansk doorbracht, Viktor, heb je het hotel verlaten, ja of nee?'

'Nee.'

'Je bent naar het Excelsior-hotel gegaan voor een debriefing met je case-officers, ja of nee?'

'Nee.'

Als hij in het zwakke, flakkerende licht van de vlam keek, werd hij geconfronteerd met de stem en voelde hij de zachte overredingskracht ervan. De stem vermengde zich met zijn honger en zijn vermoeidheid. Hij voelde zijn weerstand breken.

'Dat waren fantastische uren voor jou met je case-officers, ja of nee?'

'Nee.'

'Telkens als je je case-officers ontmoette was dat een soort bevrijding voor je, ja of nee?'

Hij klemde zich aan het beeld van Alice vast. Ze was een waas. Hij stak zijn handen naar haar uit.

'Nee.'

'Ik wil je vertellen, Viktor, waarom ik denk dat de avonduren die jij met je case-officers doorbracht een soort bevrijding voor je waren. Ze gaven je het idee dat je een uiterst belangrijke figuur was, het middelpunt van hun wereld. Dat moet als een drug voor jou gewerkt hebben, omdat een spion de eenzaamste man ter wereld is. Je dronk hun vleierijen in. Voor je case-officers was je een held, gewaardeerd en vertrouwd. Elk miserabel stukje papier dat je hun gaf, zou door die mensen worden vastgehouden of het iets onbetaalbaars was. Ze zouden aan je lippen hangen, Viktor. Je was de belangrijkste man in hun leven, ja of nee?'

Haar gezicht kreeg scherpte, die weer vervaagde. Hij hield haar tegen zijn schouder en de warmte van de kaars ebde van haar wang door zijn overhemd en drong door tot zijn huid. Hij huiverde wild, kon zich niet beheersen. Hij wist dat hij zich aan haar vast moest houden als hij niet onder wilde gaan.

'Nee.'

'En je hebt hun verteld over de dood van je vader en grootmoeder, ja of nee?'

'Nee.'

'Hebben ze je een vrouw gegeven, Viktor? Dat doen ze meestal. Gevaarlijk om een hoer voor een uur naar een hotel te halen, geen goede veiligheidsprocedure. Was er een secretaresse of een stenografe die beschikbaar werd gesteld, Viktor? Een vrouw, ja of nee?'

Hij lag tegen Alice aan, en ze hadden hun armen stijf om elkaar geslagen. Als zij bij hem wegging, was hij verloren, was hij alleen in het donker.

'Nee.'

'Viktor, denk jij dat ik dom ben? Denk je dat? We vertrouwen elkaar. We delen ons eten, we delen de kou, we delen deze kamer, we vertellen elkaar geen leugens. Ben ik dom? Tijdens de debriefing logeerde er een Britse vrouw in het hotel. Telkens, op de data die jij in Gdansk was, was die vrouw er ook. Deed ze het lekker, Viktor, ja of nee?'

Hij voelde hoe haar armen hun greep op hem verloren. Het was of de huid op haar handen, armen en lichaam was ingevet en zij tussen zijn vingers weggleed.

'Ik geloof niet dat ze je betaald hebben, Viktor. Jij bent niet het soort man dat in geld geïnteresseerd is. Wij zijn hetzelfde. Onze bezittingen passen in één koffer. In je kamer is geen enkel teken van luxe of onmatigheid te bespeuren. Ik geloof niet dat er geld bij kwam kijken. Dat zullen ze fijn gevonden hebben, Viktor. De geheime inlichtingendienst van Groot-Brittannië laat zich vergelijken met de FSB, ze hebben er beide een gruwelijke hekel aan om geld uit te geven. Dat moet aan comités voorgelegd worden, iemand moet er zijn fiat aan geven en dan is er nog het gezeur over de omvang en regelmaat van de betalingen. Je had gelijk om geen geld te vragen. Je vroeg geen geld, omdat het afbreuk aan je wraak gedaan zou hebben. Jij was zuiver, Viktor. Het moet belangrijk voor jou geweest zijn om zuiver te zijn. Als je geld had gevraagd, was je er misschien achter gekomen dat het geld niet opwoog tegen de complimenten die ze je maakten. Een vrouw is goedkoop. Heeft ze je verteld dat ze van je hield, Viktor, ja of nee?'

Hij graaide naar Alice. Ze gleed van hem weg. Ze week terug en het licht van de kaars gaf haar een schaduw. Hij stak zijn handen naar haar uit, maar ze had haar armen over elkaar geslagen en stak geen vinger naar hem uit. Zonder haar was hij verloren. Telkens als hij zich in een crisissituatie bevond, was zij in zijn gedachten en kon hij haar aanraking voelen en susten haar woorden zijn angst. Nu gleed ze van hem weg.

'Maar belangrijker nog, Viktor, was je eigen veiligheid. Spionnen gaan niet met pensioen, lopen niet op een bepaalde dag weg om dat deel van hun leven definitief af te sluiten. Ze zijn verslaafd, Viktor, ze zijn net zo kwetsbaar als elke willekeurige verslaafde met een spuit op de Moskovski in Kaliningrad. De spion belandt uiteindelijk niet in een buitenhuisje, met zijn geheim veilig verstopt. Luister, Viktor. Er zijn maar twee mogelijkheden: arrestatie of vlucht. Nu komen we tot de kern van de zaak, Viktor. Je case-officers zullen je de schouderklopjes en het respect gegeven hebben waar jij zo naar hunkerde, plus de diensten van een vrouw, maar een vluchtkans hebben ze je niet geboden, ja of nee?'

Hij was Alice kwijt. Ze was weggeglipt en hij kon haar gezicht niet meer zien.

'Ik ben eerlijk tegen je, Viktor. Ik ben alleen maar eerlijk geweest. Om te beginnen hebben ze je te lang laten spioneren en ten slotte hebben ze je in de steek gelaten. Jij bent de onschuldige en zij zijn de beroepsmensen. Voor die mensen, in Engeland, ben jij waardeloos. Jij had er een jaar geleden uit moeten stappen, Viktor, maar ik kan hun mooie praatjes, hun oprechtheid, horen. Het stelde alleen allemaal geen ene reet voor, Viktor, ja of nee?'

Het water leek zich boven hem te sluiten. Ze was er niet om hem vast te houden. Viktor huilde.

'Een spion, ja of nee?'

Hij spartelde, de laatste poging van een drenkeling om zich te redden. 'Nee, nee, nee.'

Locke kwam bij het hek. Hij bleef bij de enkele spijl in het hek staan. Het zou geen grote stap zijn. Hij had al een belangrijke grens overschreden, had iemand vermoord. Hij wist niet wat hij aan de andere kant van het hek kon doen, behalve een soort persoonlijke loutering zoeken. De instructeurs op Fort Monkton hadden heimelijke verplaatsing in steden onderwezen – hoe je je te voet over trottoirs bewoog, hoe je je per taxi, metro, bus of auto verplaatste – slechts één instructeur had zich met verplaatsing op het platteland beziggehouden. Hij herinnerde zich een zonnige middag na een busrit naar het New Forest, in de buurt van Brockenhurst, waar ze met een stuk of tien nieuwkomers in een halve kring naar de instructeur hadden geluisterd en hadden gegiecheld, omdat het allemaal volkomen irrelevant leek.

Locke boog zich en dook onder de spijl door. Achter hem verdween het hek in de duisternis.

16

V. Welk deel van Rusland is sinds de dertiende eeuw een 'historisch militair ontvlammingspunt'?
A. Kaliningrad.

Hij hoorde de klok boven de ingang van het hoofdkwartier twee uur slaan. Bikov maakte zich op voor de genadeslag.

Zijn stem was zijdezacht. De kaars was bijna op.

'Ik denk, Viktor, dat ik in jouw plaats hetzelfde gedaan had. Jij had een motief door wat er met je vader en je grootmoeder gebeurd is; ik zou het ook gedaan hebben. Je had de gelegenheid voor de dead drops – het kasteel bij Malbork en de drie bezoeken aan Gdansk – en ik heb absoluut niets aan te merken op de procedures. Het belangrijkste nog, Viktor, was dat je toegang tot materiaal had. Daarin verschillen we.'

Hij bestudeerde elke beweging van het lichaam van zijn prooi. Hij wist dat het moment nabij was.

'Neem mij nu, Viktor, een nederige, aankomende kolonel, die zich het routinewerk van de FSB laat welgevallen. Ik had misschien het motief kunnen hebben, maar ik heb niets te bieden waarmee ik schade toe kan brengen. Ik ben maar een ambtenaar, een bureaucraat, een pennenlikker. Ik heb geen bijzondere vaardigheden, geen informatie die men wil hebben. Er komt geen geheim materiaal op mijn bureau. Mijn leven is saai, het jouwe niet. Op elk vel papier in de kluis van de admiraal staat het stempel TOPGEHEIM of GEHEIM of VERTROUWELIJK en jij, Viktor, hebt de sleutel van de kluis. Jij bent ervoor doorgelicht, jij hebt de betrouwbaarheidsverklaring; alles wat er in admiraal Falkovski's kluis ligt wordt door jou gelezen. Laat mij je een inzicht geven in het brein van een case-officer van een buitenlandse inlichtingendienst, Viktor.'

Zijn hoofd was omlaaggezakt en zijn ademhaling werd regelmatig.

Hij reikte langs de lage vlam, pakte de schouder van zijn prooi en schudde deze. Geen wilde beweging, gewoon genoeg om de slaap te verdrijven. Het hoofd van zijn prooi bewoog, en werd toen geheven.

'Dank je, Viktor. Het brein van een case-officer. Jij wilt graag slapen, nou dat kan, zo. Omdat hij jou bezit, is de case-officer een belangrijk man. Hij is een van de weinigen, in een organisatie die even passief is als de mijne, die een agent in het veld hebben. De papieren met het stempel TOPGEHEIM of GEHEIM of VERTROUWELIJK gaan van jou naar hem en hij stuurt ze door naar zijn klanten – misschien zelfs ook aan de Amerikanen – en dat geeft hem status, een opstapje naar het voetstuk van macht. Het doet er niet toe of de documenten, blauwdrukken, ontwerpen die je hem geeft van weinig waarde zijn, hij heeft een agent in het veld en zal die man daar zo lang mogelijk houden. Volg je me, Viktor?'

Zijn stem was een zacht gemurmel. De arme stakker, volledig verward door uitputting, zou moeizame pogingen doen om de val die voor hem gezet werd te zien en zou daar niet in slagen. Iets bleef aan Bikov knagen, op een irritante manier, maar hij kon niet thuisbrengen wat hij over het hoofd had gezien.

'Ik zei "weinig waarde", Viktor. "Weinig waarde", omdat alles wat er in de kluis van de vlootcommandant is weggeborgen oud is. Deze klotestaat waarin wij leven, de staat die je met reden haat, heeft geen geheimen van belang. Jouw case-officer, Viktor, is een bijzonder egoïstisch mens. Ik spreek de waarheid. Jij bent een speeltje voor zijn ego, hij is een parasiet op jouw rug. Toen je hem voor het laatst in het Excelsior-hotel in Gdansk zag, heeft hij je toen een uitweg aangeboden, Viktor? Hij heeft vast mooie dingen gezegd over bewondering en verplichting, maar heeft hij je een uitweg geboden? Ze stellen altijd nog een paar weken of een paar maanden voor.'

Hij zag de kronkelbeweging: het breekpunt was nabij. Nog een paar minuten, dan kwam de klap met de hamer.

'Je gelooft me toch, hè, Viktor? Ik spreek de waarheid. Hij is een egoïstische parasiet, kun jij dat tegenspreken? Waar is hij nú?'

Bikov had zich voorovergebogen en de vlam van de kaars speelde over zijn kin, die hij dicht bij Artsjenko hield. Het raadsel was bijna opgelost, maar één stukje van de puzzel paste niet. Hij kon niet zeggen wat hij over het hoofd had gezien. Het ergerde hem. Hij gleed op de genadeslag af.

'Waar is hij nu? In zijn club? In een kroeg, thuis? Geeft hij ook maar ene moer om jou, Viktor? Kun jij hem hier nu ergens zien? Nou?'

De waterlanders vloeiden weer en het lichaam van de stakker schokte. In de puzzel bleef het ronde gat open, maar het laatste stukje was vierkant. Hij concentreerde zich, om de irritatie, de ergernis, uit zijn geest te verdrijven. Hij sprak bij het laatste licht van de flakkerende kaars.

'Je hebt geluk dat je mij als vriend hebt, Viktor, want je case-officer heeft je in de steek gelaten. Ik ben je echte vriend, je laatste vriend.'

Hij hoorde het gesmoorde gesnik. Het was de eerste keer bij een verhoor dat hij een kernpunt over het hoofd had gezien en hij wist niet wat het was, alleen dat het aan zijn aandacht was ontsnapt.

Roman luisterde en hij dacht aan zijn dochter en zijn zoon en wat deze man voor hen kon doen.

'Het is heel eenvoudig,' zei Tsjelbia. 'Een van de dingen die ik bij import en export geleerd heb, is om het altijd simpel te houden. Wat ik zo geweldig vind, is dat ik, tot ik op dit strand kwam, niet besefte welke mogelijkheden we hebben. Het onverwachte is vaak bijzonder opwindend. Nietwaar?'

Roman knikte. Tsjelbia at vis met zijn vingers. Roman vond het ongelooflijk dat iemand die een pak droeg dat meer had gekost dan hij in een jaar verdiende, op een verregend strand bij een vuur ging zitten en met zijn vingers vis at. Als zijn kinderen zo gegeten hadden, het eten naar binnen hadden gepropt, zouden ze van zijn vrouw een tik tegen hun achterhoofd gekregen hebben. De Rus at als een varken en praatte.

'Dus, de simpele manier... Ik breng de pakken naar de haven in Kaliningrad. Een vissersboot uit Kaliningrad neemt het pak mee naar zee, krijgt daar vervolgens een probleem en drijft de verboden zone binnen. Het is maar een vissersboot, wie maakt zich druk? Misschien zal ik iemand van de havendienst moeten omkopen, maar dat kost weinig geld. De vissersboot drijft naar de internationale grens. Hij zet het pak overboord. Het is verzwaard, maar er zit een drijver aan. Alles is geregeld. Roman gaat de zee op. Roman scheidt zich af van de andere vissers, maar niet meer dan tweehonderd meter, en vindt de drijver. Hij vist het pak op en voegt zich weer bij de andere vissers. Hij brengt het pak aan land. Weet je dat het me duizend dollar per week kost om pakken over de grens naar de weg van Mamonovo naar Braniewo te krijgen? En dat gaat nog meer kosten, omdat de Polen met de dag moeilijker gaan doen. We praten straks nog wel, Roman, over het geld dat je krijgt voor het opvissen van het pak uit zee.'

Roman keek naar het tafereel. De Pool, Jerzy Kwasniewski uit Berlijn, voorheen uit Krynica Morska, kon niet eten vanwege zijn verbrande hand. Toen Tsjelbia al het vlees van een kabeljauw en een schol had gegeten, tilde hij een makreel uit het gloeiende vuur, en vertrok geen spier. Hij trok de kop eraf en gooide die naar de meeuwen; daarna stroopte hij het vlees van de graten en voerde Jerzy Kwasniewski alsof hij een kuiken in een nest was. Hij stopte kleine stukjes in de mond van de man en glimlachte naar hem. Roman had zijn handen vaak verbrand – aan omgevallen stormlampen, aan snijbranders – en hij wist hoe pijnlijk het was. Hij had gehuiverd toen Tsjelbia de hand in het vuur had gehouden, maar had zich er niet mee bemoeid. De helft van de makreel verdween in Jerzy Kwasniewski's mond, daarna nam Tsjelbia de rest zelf en praatte door terwijl hij zijn mond vol vis had. Hij zweeg alleen even om de graten uit te spugen. Hij pakte een van de schoenen die bij het vuur stonden te drogen en bekeek hem aandachtig.

'Wanneer ik wil weten of iemand er redelijk van leeft of dat hij moeilijke tijden meemaakt, kijk ik naar zijn schoenen, niet naar zijn pak of zijn jas. Iemand kan in een tweedehandswinkel een nieuw pak en een nieuwe jas van een overledene kopen, maar het komt heel weinig voor dat de schoenen van een ander goed zitten. Ik kijk naar jouw schoenen. Die zijn gepoetst, maar dat zegt me niets. Wat belangrijk is, is dat ze hun beste tijd gehad hebben. Jij hebt voor de Britse geheime dienst gewerkt en nu rijd je voor die mensen, maar ze hebben weinig respect voor je. Als ze respect voor je hadden, zou je het geld hebben om goede schoenen te kopen. Eén keer per maand kom jij met de auto uit Berlijn om mijn goede vriend Roman hier te ontmoeten en dan neem je een pakket van hem in ontvangst – zo'n vier, vijf kilo zwaar, ter grootte van een pak bloem – dat je dan in Berlijn aflevert. Je wordt betaald en kunt dan nieuwe schoenen kopen.'

Roman herinnerde zich zijn vaders preek. Tsjelbia veegde zijn handen af aan zijn zakdoek, haalde hem langs Jerzy Kwasniewski's mond en stak hem in zijn zak. Tsjelbia pakte Jerzy Kwasniewski's verschroeide hand en vervolgens de hand van Roman. Hun handen waren ineengeslagen. De transactie was beklonken. Voor geld. Roman herinnerde zich de preek die zijn vader gedurende de laatste wintermaand in de nieuwe kerk in Piaski had gehouden. Er had armoede geheerst in het dorp en voor het eerst sinds mensenheugenis was er ingebroken in een vakantiehuis van een Zweedse familie en waren er waardevolle voorwerpen gestolen. Er was geen geld in het dorp. Zijn vader had de gemeente, de vissersfamilies die in de winter werkloos waren, een oud spreekwoord bijgebracht: de duivel danst in een lege zak. Zijn vader had gezegd dat armoede of een lege broekzak tot verleiding of misdaad leidde en hun verteld dat in het verleden veel geldstukken werden gemunt met een kruis aan de achterkant, zodat de duivel niet kon afdalen in een zak waarin zich een van die munten bevond. Er zaten *zloty's*, een paar munten, in zijn zak, maar geen van die munten had een kruis aan de achterkant. Hij hield de twee handen stijf omklemd.

Uiteindelijk bevrijd van gezelschap, alleen zoals hij dat graag was, maakte de machinist de motor gebruiksklaar. Hij neuriede zacht voor zich uit en zijn vingers bewogen zich met de tederheid van een minnaar over de zuigers, leidingen en kabels. Hij zou geen andere baan op zee vinden. Geen van de rederijen die onder Libanese, Maltese of Liberiaanse vlag voeren, zou een machinist van 47 aannemen wiens laatste schip al meer dan tien jaar een kustvaarder, een roestbak, was geweest. Wanneer de *Princess Rose* naar de sloop ging, zou Johannes Richter volgen. Het schip werd dan schroot en hij ook. En er was geen werk in Rostock: Rostock liep over van werkloze werktuigkundigen van werven die tot 1990 de trots van de Oostzee waren geweest. Hij zou teruggaan naar zijn flat langs de spoorbaan tussen Rostock en Warnemunde en zijn bloemen op het balkon verzorgen. Hij zou geld hebben voor zijn dochters, wat voor hen heel belangrijk was, maar niet voor hem. Hij had de vastberaden uitdrukking op de gezichten van de teamleden gezien toen ze aan hun laatste maaltijd zaten. Winst of verlies, succes of fiasco, ze zouden op de hielen gezeten worden wanneer ze terugkwamen. De patrouilleboot was teruggekomen en had zijn felle licht over hen laten schijnen, die boot zou weer uitvaren wanneer de achtervolging werd ingezet. De *Princess Rose* zou op topsnelheid naar de kust varen, het team aan boord laten klauteren, met of zonder de agent, en dan op volle kracht naar de veiligheid van internationale wateren stomen. Twee extra knopen zouden al het verschil van de wereld kunnen maken. In de machinekamer bevond hij zich onder de waterlijn als de patrouilleboot een gat in de romp schoot. Hij was niet bang.

De stem van de schipper galmde van de brug door zijn radio. 'Starten maar, Johannes. Start de motor maar.'

De machinist zette de schakelaars om. Hij hoorde het donkere gerommel, de hartslag van zijn geliefde motor. Het was een mooi geluid. Het schip slingerde in een afnemende deining, de motor draaide stationair. En hij wachtte.

Hij had alleen maar die ene dag in het bos bij Brockenhurst gehad om zich voor te bereiden.

Het was bijna een aaneenschakeling van rampen. Als de radio in de wachttoren niet aan had gestaan, geen dansmuziek van een Poolse zender ten gehore had gebracht, zou hij tegen de poten van de toren op gelopen zijn. Als de jeep op het pad onder de toren bij het binnenste hek niet vol gas had gegeven om een modderplas te ontwijken, zou hij nog op het pad gelopen hebben en door de koplampen opgepikt zijn. Als er geen boom op het binnenste hek omlaag was gekomen en het in elkaar had gedrukt, zou hij niet geweten hebben hoe hij over tweeënhalve meter gaas en een halve meter prikkeldraad had moeten klimmen. Hij was snel doorgelopen, voortgedreven, en gevallen takken waren onder zijn voeten geknapt.

De stem die hij hoorde, was van Walter, de instructeur, toen ze in een halve kring om hem heen hadden gezeten. Het gerucht ging dat hij vroeger sluipschutter was geweest, maar hij was nu oud en zijn houdbaarheidsdatum voorbij. Volgens de roddels op Fort Monkton had hij vanaf de stadsmuren van Derry boven de Bogside enkele mannen doodgeschoten en hetzelfde gedaan van de bergen die uitzicht gaven op het Krater-district van Aden. Locke kon zijn stem horen, maar niet verstaan wat de klootzak precies gezegd had.

Vogels die door hem werden verstoord, vlogen krijsend van de toppen van de dennen de nacht in, en één keer klonk er het gestamp van hoeven die van hem wegrenden. Toen was hij met bonzend hart als een standbeeld blijven staan en had gedacht dat het misschien een hert of een everzwijn was geweest. Hij had gewacht tot het geluid was weggestorven. Hij ging snel verder, tot hij geen lucht meer in zijn longen kon zuigen. Hij zag haar gezicht en het voorhoofd dat hij gekust had voortdurend voor zich. Lage takken striemden in zijn gezicht en bleven achter zijn jack hangen. Tot twee keer toe liep hij drassig veen in. Op een bepaald moment werd zijn schoen van zijn voet getrokken en moest hij in de modder rondgraaien tot hij hem gevonden had. Op de boerderij naast die van zijn ouders had een jongen gewoond die Garin heette. Garin ging 's nachts naar een bos aan de rand van de weilanden en kon dan dicht bij het hol van een vos of een das komen zonder een twijgje te breken en zonder de dieren te verstoren als hij op het tapijt van mos ging zitten. Hij had Garin Williams een stomme gluiperd gevonden. De jongen was hopeloos in taal en literatuur, middelmatig in wis- en natuurkunde en was ook geen ster in geschiedenis en aardrijkskunde. Hij kon alleen maar in het holst van de nacht geruisloos een eikenbos binnen lopen. Hij had op Garin neergekeken. Nu zou hij een zucht van opluchting hebben geslaakt als Garin Williams naast hem was opgedoken om hem te leiden.

Ze kwamen langzaam weer bij hem terug, de woorden van de oude sluipschutter. Het Boek van Walter. Het ging over een stok en dat je moest doen of je blind was. Dat je bij aangelegde paden wegbleef en naar wildpaden moest zoeken en nooit een voet ergens vol neer moest zetten voordat je het terrein had getest. Dat je de dekking van bomen gebruikte en nooit als een silhouet tegen de lucht mocht afsteken. Dat je een open plek nooit door het midden overstak.

Locke ging tegen een boom staan en haalde de sleutels van zijn flat in Warschau en een paar zloty's uit zijn zak. Hij boog zich voorover en legde ze op de bladaarde aan de voet van de boom. Toen liep hij verder, terwijl hij heel voorzichtig de grond testte met zijn schoen en zijn arm gestrekt hield tot hij bij een hazelaar kwam. Het afbreken van een tak klonk als een geweerschot in het bos en hij wachtte tot het geluid weggestorven was, voordat hij de zijtakken eraf trok. Dit was zijn stok. Volgens het Boek van Walter moesten er op het platteland goede laarzen en een camouflagejasje gedragen worden. Locke droeg lichte schoenen met veters, een grijs pak, wit overhemd en een rode parka met gele biezen.

Hij hoopte dat Tasha, Justin, Charlie en Karen het moeilijk hadden, bad dat het ze slecht zou vergaan, omdat ze gekletst hadden en de aandacht hadden afgeleid toen ze naar Walter hadden moeten luisteren en zijn Boek hadden moeten leren. Bij de volgende grote boom, waar zijn stok overheen was gestreken, knielde hij en schraapte hij een handvol aarde bij elkaar. Hij spuugde erop om de substantie nat te maken en smeerde deze over zijn voorhoofd, wangen en kin, op zijn polsen en de rug van zijn handen. Ten slotte smeerde hij nog wat over zijn jas.

Locke ging verder. Hij vond een samenstel van kuilen en zigzaggende loopgraven, maar viel er niet in, omdat hij zijn stok had en Walter, en Alice, al zou zij dit nooit weten.

De basis sliep.

Terwijl de basis sliep, stonden er een paar radio's aan en schreeuwde een vrouw in het kwartier van getrouwde onderofficieren tegen haar man. Dichtbij huilde een baby en floot de wind door de kabels boven de straten. De zee fluisterde in de verte. Een hond blafte om aandacht, maar werd niet gehoord. Om elektriciteit te besparen was de helft van de straatverlichting uit en waren de lantaarnpalen die wel werden gebruikt, uitgerust met zwakke lampen. De slapende basis was een plek vol schaduwen. Helderder licht viel uit de ramen van de officiersmess, waar Vladdi Piatkin en vrienden die het ego van de zampolit streelden nog aan de bar zaten. Minder uitbundig licht scheen in het kantoor van de vlootcommandant, waar hij onbeweeglijk aan zijn bureau zat, met een klein sleuteltje voor zich. Het matte licht van een enkele tl-buis boven de ingang van de slaapzaal viel op de jonge dienstplichtigen van het 'parate' peloton. Booglampen verhieven zich boven de bewaakte hoofdingang en een zoeklicht speelde over de basis van een toren op de muren van het historische fort. Uitgemergelde straatkatten bewogen zich op hun buik door de schaduwen tussen de lichten. Alleen de katten wisten dat er indringers op hun terrein rondslopen terwijl de basis sliep.

Ze spraken niet. Op de kaart op het stuk papier stond de naam van een straat: ADMIRAL STEFAN MAKAROV. Een laag, houten gebouw in de straat was aangegeven als WINKEL. Bij een ander vierkant gebouw stond SPORTHAL. Ham tuurde naar de kaart die hij in zijn hand hield. Het was de kaart van een jongen die amper kon lezen en schrijven en daar moesten zij op vertrouwen. Ham zag de naam van de straat op een bord, naast het houten gebouwtje waar de dienstplichtigen zouden komen om chocola en frisdrank te kopen, en boven de dubbele deuren van de sporthal brandde een enkel licht. Lofty deed de tas open en graaide erin rond. Ze stonden op de hoek van een gebouw, tegenover de winkel en een klein eindje van de sporthal. Aan het eind van de straat, de Admiral Stefan Makarov, stond een vrijstaand gebouw van drie verdiepingen, een overblijfsel uit de tijd van een ander regime. Ham kon zich voortellen dat er eens een hakenkruis op het dak had gewapperd. Op de kaart was dit gebouw dubbel onderstreept en met een hanenpoot was er de naam naast geschreven: Federalnaja Sloezjba Bezopasnosi. Ham kon de gekrabbelde kaart maar met moeite lezen. Ze keken tegen de zijkant van het gebouw aan. Om erbij te komen, zouden ze open terrein moeten oversteken dat door de helft van de aanwezige straatlantaarns werd verlicht. Er kwam een open jeep langs de zijkant van het gebouw; de twee inzittenden waren weggedoken tegen de kou. De koplampen deden de ogen van een kat oplichten in een donkere hoek, voordat het geluid van de motor wegstierf.

'Dat is het,' fluisterde Ham. 'Als de kaart klopt, dan is dat het gebouw.'

Voor deze voor de hand liggende opmerking werd Ham beloond met een scherpe por van Billy's elleboog. Het deed pijn. Billy pakte Wickso's arm en wees, een kort armgebaar, naar de linkerkant van het gebouw. Daarna greep hij Ham beet en wees naar rechts. Ham voelde de angst. Langgeleden, in Poole, was dit moment 'Vluchten of Vechten' genoemd: doorgaan of teruggaan. Ze luisterden naar de nacht en de geluiden van de nacht; de jeep was verdwenen. Ham kreeg een harde duw, zoals bij zijn eerste parachutesprong, toen de instructeur hem door de opening van de rieten mand van de verankerde ballon had geduwd, zo'n kleine driehonderd meter boven een weiland in Dorset. Met dreunende voeten stormde hij de Admiral Stefan Makarov over en geloofde dat elke man en vrouw, elke officier, onderofficier en dienstplichtige op de basis wakker geworden moest zijn. De riemen die hij over zijn wetsuit droeg sloegen tegen zijn borst en maag. Hij klemde de Skorpion in zijn hand alsof zijn leven ervan afhing. Hij kwam bij een deur en een schaduw en trok zich erin terug. Hij luisterde en hoorde alleen maar de radio, de vrouw en de baby en het bonzen van zijn hart. Hij verliet de veilige plaats en liep langs nog drie deuren. De laatste deur in de straat was zijn doel. Hij keek over het open terrein.

Voor het gebouw stond een personenauto. Tussen de auto en de stoep naar een dichte, zware deur liep een schildwacht, het geweer over de schouder. Terwijl hij stampend op en neer liep, bracht hij zijn gehandschoende handen naar zijn mond om er, zinloos, in te blazen. Naast de deur was een raam en door dit raam zag Ham nog een schildwacht, die met zijn rug naar hem toe stond. De deur ging open en er werd een plastic beker naar buiten doorgegeven. De man die binnen stond, droeg een pistool aan zijn riem. De deur werd dichtgedaan. Twee dronkemannen, in uniform, van wie de een de ander ondersteunde, liepen zwaaiend aan de andere kant van het verlichte gedeelte van de straat.

Hij ging terug.

Ham vertelde Billy wat hij gezien had; even later kwam Wickso bij hen terug. Wickso zei dat er een onbewaakte brandtrap aan de achterkant was, met een gesloten stalen deur die tot elke verdieping toegang gaf. Billy zei dat ze via de achterkant naar binnen zouden gaan.

Ze zouden het gebouw binnengaan. Niemand van het team vocht dit aan. Lofty maakte spaghetti. Hij kneedde een kleine dertig gram van het spul tussen zijn handen, rolde de militaire springstof uit tot een steeds langer en dunner wordende sliert. Wickso had de detonator en Billy had het ontstekingsdoosje voor de stroomstoot. Lofty's handen bewogen snel. Ham zag zich als iemand die zich op het slagveld staande zou houden – had dat als kind op de speelplaats al zo gezien – maar er leek lood in zijn schoenen te zitten. Toen Lofty klaar was met de spaghetti, legde hij de slierten voorzichtig over Wickso's armen, als breiwol. Hams vingers omklemden de Skorpion met witte knokkels; Billy had Lofty's granaatwerper.

Ham dacht aan de politiecel en wenste even dat hij daar nu was. Billy zei dat ze het van snelheid en verrassing moesten hebben en een gigantische hoeveelheid geluk. Het zuur bleef Ham in de keel steken toen hij de bivakmuts over zijn hoofd trok.

In de stilte, alleen gadegeslagen door de katten, begaven ze zich naar de achterkant van het gebouw.

Er was hem vriendschap gegeven, hij was niet geslagen, geschopt of gestompt.

Hij was op van vermoeidheid.

In zijn ergste nachtmerries van de lange, afgelopen maanden had Viktor mannen in uniform gezien, mannen in zware leren jassen, mannen die een met stront bevuilde cel binnenkwamen en weer verlieten, mannen voor wie hij uitschot was geweest, maar in plaats daarvan waren hem alleen vriendschap, medeleven en vriendelijkheid betoond door de man in de armoedige kleren en de bemodderde laarzen.

Hij hoorde de woorden nauwelijks.

'Ik heb alle informatie, Viktor, ik weet alles. Ik weet van je grootmoeder en je vader. Ik weet van het kasteel bij Malbork en de bezoeken van de delegatie aan Gdansk en ik weet van de fout die je hebt gemaakt. Ik zal je vertellen welke fout je hebt gemaakt, Viktor. Een luciferboekje van het verkeerde hotel. Zo'n klein foutje. Je stopt een luciferboekje van een hotel waar je niet gelogeerd hebt in je zak en opeens is er argwaan gewekt en verandert er iets. Ik denk niet dat je je het moment waarop je het oppikte nog kunt herinneren. Een kleinigheid, een cadeautje voor jezelf, een luciferboekje, ondanks het feit dat je niet rookt. Je had die lucifers niet nodig, dus gaf je ze aan een andere officier. Ze werden gebruikt om de sigaret aan te steken van majoor Piatkin, de zampolit...'

Er ging een schok door zijn lichaam. Hij herinnerde het zich. Zo'n vluchtig moment, zo onbeduidend. Hij herinnerde zich de scherpe, sarcastische anekdotes over Piatkin waaraan de admiraal zo veel plezier had beleefd als hij ze vertelde, de glimlach van Falkovski en zijn bulderende lach. En hij herinnerde zich de minachting die hij als marineofficier had gevoeld voor de zampolit van de basis, een man die niets van maritieme oorlogvoering wist. De man was een clown, een idioot. De man was middelmatig. Piatkin was een verachtelijke, corrupte etter, en had hem onderuitgehaald. Een rat knaagde aan de palen waarop een imposant houten huis was gebouwd en het stortte in elkaar. Piatkin, een man die hij verachtte, had hem te gronde gericht. Hij zag Rupert of de mannen in de dierentuin of Alice niet meer. Boven hem, grijnzend en superieur, was het gezicht van Piatkin.

'Hoe zou jij majoor Piatkin beschrijven, Viktor? Een corrupte misdadiger? Een imbeciel? Of zou je hem een veiligheidsbeambte met een nieuwsgierige en achterdochtige geest willen noemen? Hij is je ondergang geworden, Viktor. Je bent nu alleen. Je case-officers logen. Je hebt alleen mij nog.'

Het lichaam van kapitein-luitenant-ter-zee Viktor Artsjenko zwaaide heen en weer en zijn stem was een schorre fluistering: 'Wat zullen ze met me doen?'

Hij zag hoe een hand het kleine vlammetje van de kaars omgaf. Een ademtocht streek over de kaars en in zijn gezicht en de vlam ging uit.

'Niets, Viktor. Je bent zo behulpzaam geweest en ik ben je vriend. We zijn samen.'

Een hand raakte zijn schouder en er werd een lichaam naast het zijne geschoven, een lichaam dat warm was. Een arm drukte hem dicht tegen het warme lichaam.

Bikovs majoor duwde de koptelefoon van zijn hoofd. Hij controleerde of de spoel op de taperecorder nog draaide. Hij gaf de sergeant zacht het bevel om naar beneden te gaan en de auto te starten. Uit zijn zak haalde hij een kap, handboeien en de riempjes waarmee de enkels van de gevangene bijeengebonden werden. Op zijn tenen liep hij achter zijn sergeant het kantoor uit en keek toe hoe deze de trap afging. Bikov was de beste ondervrager die hij kende, dacht hij. Zonder enig bewijs had hij met bluf een bekentenis weten los te krijgen. Ongelooflijk. Hij belde het militaire vliegveld van Kaliningrad op zijn gsm en waarschuwde de piloot dat ze binnen vijf minuten uit Baltijsk zouden vertrekken, met een gevangene. Hij verbrak de verbinding en er welde een vreugdeloos lachje in zijn keel op. 'Wat zullen ze met me doen?' Hij had de gejammerde vraag door zijn koptelefoon gehoord. 'Niets, Viktor...' Alleen maar een kogel op de binnenplaats van een gevangenis. Of een val door het geopende luik van een hoogvliegende helikopter. Hij moest moeite doen om niet in lachen uit te barsten.

Ze liepen de verroeste ladder op. Er hing een lichtje boven de ladder en ze hadden geen enkele dekking. Ze bevonden zich op de treden vlak onder het kleine platform en het licht scheen op hen neer. Lofty kneedde de slierten springstof om de scharnieren van de metalen deur en Wickso gaf hem de kleine detonator, die Lofty in het zachte materiaal duwde. Ze ademden allemaal gejaagd en Lofty leek een eeuwigheid nodig te hebben. Het enige wat de jongen op wie ze vertrouwden, maar die nog nooit in het gebouw was geweest en niets van het interieur wist, Ham had verteld, was dat het kantoor van de zampolitmajoor op de tweede verdieping was. Ze trokken elk een gasmasker voor hun gezicht. Alsof hij zijn zenuwen niet meer de baas kon, gebaarde Billy dat Lofty op moest schieten.

'Een spion?'

De prooi was geveld. Bikov zat op zijn hurken en had zich tegen de prooi aan gedrukt en zijn armen stijf om hem heen geslagen. Hij was de bidsprinkhaan. De tape draaide nu. Vanavond zou hij in Moskou slapen. De stakker zou op een betonnen brits in een cel liggen. In de kamers van de Loebjanka zou het licht lang aan blijven en zouden er flessen worden leeggedronken en koeriers met de afschriften van het verhoor naar de president in het Kremlin gestuurd worden. Er zou een crisis uitbreken en een ambassadeur zou een lijst krijgen met mensen die uitgewezen werden, en dat zou allemaal vanwege hem zijn, vanwege de vakkundigheid van Joeri Bikov. Hij kon niet bedenken wat hij over het hoofd had gezien, maar hij wist dat er nog een stukje van de puzzel ontbrak.

'Ja.'

'Zou ik dat alsjeblieft nog een keer kunnen horen? Een spion?'

'Ja.'

Het verbaasde hem niet dat hij geen blijdschap voelde. De jacht was voorbij. Hij was leeg, uitgeput. In het vliegtuig naar Moskou, terwijl de gevangene geboeid en met een kap over zijn hoofd in zijn stoel zat, zou hij slapen

'Elke keer dat je het zegt, Viktor, zul je je beter voelen, bevrijd voelen. Nogmaals: een spion?'

'Ja.'

Hij zag een gat, een kring van verkleurd beton. Het ontbrekende stukje in de puzzel dat hem dwarszat was rond. Hij zette door.

'Vanwege je grootmoeder en je vader? Je leverde je pakjes af op kasteel Malbork? Je hebt je case-officers drie keer in Gdansk ontmoet? Alles wat op admiraal Falkovski's bureau terechtkwam, heb je in de pakjes gestopt of aan je case-officers gegeven?'

'Ja... ja.'

'Het waren Britten, de case-officers die je in de steek hebben gelaten?'

Hij probeerde de tekenen boven het zwarte gat te lezen om de puzzel te voltooien. Hij luisterde niet naar het antwoord. Bikov was zich niet bewust van de spanning, de verstrakking, die plaatsvond in het lichaam van de prooi. Zonder erbij na te denken, op van vermoeidheid, vroeg hij weer:

'Wie hebben je in de steek gelaten?'

Zijn prooi draaide zich om. Handen werden om zijn keel geslagen. Nagels boorden zich in het vlees van zijn nek. Hij kon geen kreet slaken. Hij werd tegen de grond geduwd. Zijn prooi verhief zich boven hem en zette een knie in zijn maag. Kleine, gesmoorde jammerkreten weerklonken in zijn oren. Hij kon geen lucht krijgen. 'Wie hebben je in de steek gelaten?' Hij probeerde te schreeuwen, maar kon het niet. Hij zag de gekraste afbeelding boven het dierenverblijf, kon de vage omtrekken van een nijlpaard onderscheiden. Hij hoorde een doffe bons achter de gesloten deur. De benen van de prooi lagen over de zijne en verijdelden zijn pogingen om te schoppen en met zijn hakken op het beton te trappen om zijn majoor en zijn sergeant te waarschuwen.

Voor Bikov was het laatste stukje van de puzzel op zijn plaats gevallen, een redding uit het dierenpark; niet in de steek gelaten. Hij had moeten...

De vingers klemden zich steviger om zijn keel. Hij had een bewaker moeten aanstellen. Het volgende lawaai dat van buiten kwam, was niet dezelfde doffe bons, maar een knallend geluid – alsof er van grote hoogte een metalen vuilnisbak op beton viel. Zijn stem was een schor gerochel. Hij had een wacht van de marine-infanterie om het gebouw moeten plaatsen. Hij voelde hoe hij wegzonk.

De deur vloog open en vloog los de kamer in. Fel licht scheen in zijn gezicht. De vingers verslapten. Een grijs gas verspreidde zich. Boven hem was het plafond, om hem heen waren de kale muren en onder hem was de betonnen vloer. De vingers gleden van zijn nek en hij snakte naar adem en dronk de rook in die zich verspreidde van het plafond, de muren en de vloer. Hij had... De gedaantes waren grotesk, reusachtig en de rook kolkte om hen heen. De pijn werd voelbaar in zijn ogen en zijn longen brandden. Hij draaide zijn lichaam en de loop van een wapen boorde zich door zijn voortanden en bleef in zijn keel steken. Hij hoorde het geschreeuwde bevel.

'Viktor, maak je bekend. Wie is Viktor?'

Het bevel was in zijn eigen taal. Zijn ogen waren open. Hij durfde er niet in te wrijven om er de pijn uit te verdrijven. Er waren drie mannen in de kamer, in zwarte, nog steeds natte pakken, en de grote maskers beschermden hun gezichten. Hij zag hoe de hand geheven werd en toen scheen een zaklamp recht in het gezicht van zijn prooi. De handen strekten zich uit. Zijn longen waren vol en de rook had een laagje op zijn ogen achtergelaten. Armen grepen zijn prooi beet. Hij wentelde zijn lichaam om aan de rook en het martelende licht in zijn ogen te ontkomen. De explosie van een schot klonk vlak bij hem, maar hij was al weggerold.

En toen was de kamer leeg.

Hij bleef een ogenblik roerloos liggen. Hij hoorde het geluid van wegstormende voeten vervagen. Met zijn hand tastte hij naast zich, waar zijn prooi was geweest, maar zijn vingers vonden niets. Hij kroop naar de open deuropening, door het gas, en stopte twee keer vanwege de pijn die door hem heen sneed. Omdat hij was weggerold, was hij niet doodgeschoten. Op handen en voeten, terwijl zijn buik over de betonnen vloer schuurde, bewoog hij zich naar de open deur. Zijn ogen waren dicht toen hij erdoor ging en hij raakte het obstakel, dat zacht was, maar niet meegaf. Hij hoestte de rook uit zijn longen en zijn keel, maar als hij zijn ogen opendeed, zou de naaldscherpe pijn weer terugkeren. Hij zou zijn ogen niet opengedaan hebben als hij niet het vocht had gevoeld op het ding dat hem tegenhield. Zijn hand lag op het overhemd van zijn majoor, dat doorweekt was van bloed. Hij zocht een hartslag die er niet was. De hand van zijn majoor rustte losjes op de kolf van het pistool in de schouderholster. Hij hoorde het gezoem van de draaiende spoelen van de taperecorder. Zijn sergeant lag op zijn buik naast de buitendeur, maar zijn hoofd was opzijgedraaid en hij zag de twee kogelgaten in het voorhoofd, nog geen vijf centimeter van elkaar. Achter de sergeant was de deur die met een stang op slot had gezeten en die nu schuin aan één scharnier hing. Hij nam niet de tijd om de pols van zijn sergeant te voelen. Er stond een karaf met water op de tafel. Bikov greep de karaf en gooide het water in zijn gezicht om de pijn weg te wassen.

Op de overloop schreeuwde de marechaussee hysterisch in zijn radio.

Hij had iets wat duidelijk had moeten zijn over het hoofd gezien: de dierentuin. Aan het eind van de overloop stond de stalen deur van de brandtrap wijdopen en werd de rook de nacht in gezogen. Hij spatte het laatste water in zijn gezicht en hoestte de rest van het gas uit zijn keel en borst. Hij gebruikte de tafel om zich op te drukken.

Hij hoorde de stoten van de misthoorn toen het alarm werd geblazen.

Ze renden. De formatie waarin ze renden was een losse ruit. Billy voorop, Wickso en Ham met de agent, Lofty achteraan met de granaatwerper.

Ze renden, omdat de donkere, schaduwrijke hoeken van de basis verdwenen waren. Als reactie op de stoten van de misthoorn, gevolgd door het geluid van de sirene, waren er in elk raam lichten aangeflitst. Ze hoorden hoe die ramen en ook deuren werden opengegooid. Telkens als ze langs een raam of een deuropening kwamen, was er een gezicht dat hen aanstaarde. Ham schreeuwde: 'Ernstig incident bij de hoofdingang, barricadeer je deur.' Er ging weinig door Hams hoofd terwijl ze renden, maar het was van het grootste belang dat ze van de eerste minuten van algehele verwarring gebruikmaakten. Hij had beide mannen in het gebouw doodgeschoten en er was een straal bloed gespoten uit de man die zijn hand naar zijn schouderholster had gebracht. De druppels waren op een van de ooglenzen van het masker gespat en hadden vegen achtergelaten toen hij zijn hand over het glas had gehaald. Ze gingen richting kanaal en Billy's rug was een wazige vlek door de vegen.

De agent was dood gewicht en werd met elke stap zwaarder. Wickso en hij hielden hem stevig vast. Er klonk een haperend uitgestoten pijnkreet tussen hen in. Zijn gedachten waren erop geconcentreerd. De agent had geen jas en geen uniformjasje, en het witte overhemd lichtte elke keer dat ze door lampen beschenen werden op. De agent had geen riem en moest zijn broek vasthouden om te voorkomen dat hij afzakte, wat hem bij het lopen hinderde. Ze renden langs werkplaatsen, en de route die Billy nam ging over het grind. Hij hoorde het zachte gejammer uit de keel van de agent komen. Hij keek omlaag.

De agent droeg geen schoenen, geen laarzen. De man ging met zijn volle gewicht op het grind staan en zijn lichaam schokte. Ze renden onder een hoge lamp door. Het gezicht van de agent vertrok. Hij zag de zwarte sokken die al aan repen waren gescheurd. De agent was een passagier. Ze droegen hem naar de kade en achter hen vormden het geschreeuw, de stoten op de misthoorn en de sirene een kakofonie van lawaai.

Lofty gaf hun dekking. Wickso trok een klein zwemvest over de schouders van de agent en klikte de gesp dicht.

Ham zei: 'Hij kan niet rennen, hij heeft geen schoenen.'

Billy gooide de tassen in het kanaal en de zwarte diepte leek hen te roepen.

Ze sprongen in het water.

De telefoon bleef overgaan op zijn bureau en het alarm loeide uit de sirene op het dak van het hoofdkwartier. De vlootcommandant staarde naar het sleuteltje naast zijn hand. De gordijnen van zijn kantoor waren open en admiraal Alexei Falkovski had verwacht dat hij op tijd naar het raam gegaan zou zijn om de achterlichten van de auto richting poort te zien verdwijnen. Dan zou hij gebruikgemaakt hebben van de sleutel. De hele avond en de hele nacht had hij alleen maar gedacht aan de Straat van Korea en het lot van een vorige commandant van de Oostzeevloot, admiraal Rozjdestvenski, en de gevolgen die dit had gehad voor de reputatie van de marine, gevolgen die zich nog steeds deden gelden. Een vuist hamerde op zijn deur en een stem riep zijn naam met toenemend ongeduld. Het was elf minuten over drie 's ochtends. Hij had gedacht dat hij inmiddels de auto met zijn vriend, zijn chef-staf, zijn protégé, naar de hoofdpoort had zien rijden. Zijn deur werd opengedaan.

'Sodemieter op, eruit, opgelazerd, godverdomme!' schreeuwde hij.

De officier van de nachtdienst zei: 'De basis is aangevallen door terroristen. Twee van kolonel Bikovs collega's zijn vermoord in het FSB-gebouw, maar kolonel Bikov heeft het overleefd. De terroristen zijn op de vlucht en hebben Artsjenko bij zich. De basis is in staat van opperste paraatheid en het dienstdoende peloton staat op het punt om uit te rukken.'

Hij keek geen moment op. Zijn hoofd zakte verder omlaag en zijn ogen bleven op de sleutel rusten.

Ze tuimelden de officiersmess uit. De laatste klanten stapten onvast de stoep op. Er waren drie officieren bij Piatkin, de zampolit, gebleven om een glimp op te vangen van de auto die Artsjenko zou afvoeren. Als de zampolit van de basis kon hij er altijd op rekenen dat hij een paar hielenlikkers om zich heen had, mannen die om zijn grapjes lachten en roddelpraatjes met hem uitwisselden. Het drietal maakte deel uit van het netwerk dat hun dienstsalaris aanvulde uit de verkoop van wapens, bouwmaterialen en etenswaren uit de keuken aan Boris Tsjelbia, die goed betaalde. Op het moment dat de sirene begon te loeien, was het telefoontje binnengekomen en had de messbediende het bericht doorgegeven aan Piatkin. Hij en de drie anderen schreeuwden met dubbele tong bevelen naar elke voorbijlopende matroos of soldaat of langs racende officier.

'Extra bewaking bij de poort, sluit de basis af.'

'Dubbele patrouilles bij de hekken, driedubbele patrouilles.'

'Versperringen op de weg naar Kaliningrad.'

'Versterk de grens, gooi de grens dicht – geen verkeer doorlaten, geen treinen – sluit de luchthaven. Mobiliseer het parate peloton.'

Piatkin, zwaaiend op zijn benen, begon naar het wapendepot te draven, waar het parate peloton zich zou verzamelen en waar hij de leiding zou nemen. De drank leek in zijn lichaam te klotsen. Nog vaag, maar toch al aanwezig, was het voorgevoel van een naderende ramp. Hij was verantwoordelijk voor de veiligheid van de basis. Hij zou op een genadeloos onderzoek getrakteerd worden. Hij holde naar het wapendepot, voortgedreven door de catastrofe die hem bezocht had.

De rij strekte zich uit als een slang aan de achterkant van het gebouw.

Een voor een werden de dienstplichtigen een geweer uit het rek en twee lege magazijnen uitgereikt, waarna ze twee handenvol kogels uit een grote kist moesten scheppen. Slechts één man bediende de rij. Half gekleed en slaperig, namen de dienstplichtigen de spullen in ontvangst die hun gegeven werden en schuifelden weer naar buiten.

Vasiljev stond achteraan. Hij had hooguit twee uur onrustig geslapen, niet meer. Hij had hoofdpijn van de explosie van lawaai, het gegil van de sirene en het gekrijs van de sergeant. De sergeant was als een demente geest door de slaapzaal gerend en had de dekens van hen afgetrokken. Achter hem stelde het peloton zich op en door het gegaap, gehoest en gebrom van de manschappen was het metaalachtige geluid hoorbaar van kogels die in magazijnen geladen werden en het gekletter van kogels die op de grond vielen, plus het geschreeuw van de sergeant én het gekrijs van de zampolit.

Voor hem werd een geweer uitgereikt en verzamelde een soldaat kogels.

'Volgende.'

Er werd hem een geweer toegestoken. 'Nee, ik gebruik het zware machinegeweer.'

'Je gebruikt wat je krijgt.'

'Ik zou het zware NSV machinegeweer moeten krijgen.'

De soldaat wierp zijn handen met een theatraal gebaar in de lucht en slofte naar de achterkant van het depot. Toen hij bij de verste muur aankwam, schreeuwde hij naar Vasiljev dat hij hem moest komen helpen. De sergeant riep hem na dat het hele 'klotepeloton' niet op hem ging wachten, hij moest de groep maar inhalen bij het hoofdkwartier. Mikhail en Dmitri, twee zwaargebouwde jongemannen, de laatsten die half gekleed uit de slaapzaal waren gekomen, vormden de achterhoede van de rij. De stem van Piatkin verhief zich boven die van de sergeanten; het peloton moest zich direct naar het hoofdkwartier begeven. Hij liep langs het bureau en langs de geweerrekken in de zwakverlichte nis van het gebouw. Tegen de verste muur stond Vasiljevs wapen op zijn driepoot, zoals hij het daar had achtergelaten toen hij van de schietbaan was teruggekomen en het had schoongemaakt.

'Denk maar niet dat ik dat ding ga dragen. Als jij hem wilt hebben, mag jij hem zelf dragen. En hoeveel munitie?'

'Tweehonderd patronen, standaard met lichtspoor en...'

Een stem als een zefier zei achter hem: 'Hij wil 750 kogels – standaard, lichtspoor en pantserdoorborend, en hij wil nog een tweede loop.'

Vasiljev draaide zich om. De man die vlak achter hem stond, was tenger gebouwd en droeg smerige vrijetijdskleding. Er zat gedroogd bloed op zijn handen en zijn ogen waren dieprood, alsof hij gehuild had.

De soldaat snauwde: 'En wie denk jij dat je bent om bevelen te geven in mijn...?'

'Ik ben kolonel Bikov van de militaire veiligheidsdienst. Hij wil 750 kogels en nog een loop en hij krijgt ze, of ik jouw nek wél of niet moet breken. En ik wil een 82mm-mortier en 25 lichtfakkels. Hoe zit het?'

Hij kende Mikhail en Dmitri nauwelijks. Ze waren breedgeschouderd, met een enorme pens, en onafscheidelijk. Hij wist dat ze van de grote graanvlaktes uit Midden-Rusland, bij het Oeralgebergte, kwamen. Hij had van andere dienstplichtigen gehoord dat Mikhail 's nachts in zijn bed piste en Dmitri huilde, omdat hij thuis en zijn familie miste. Ze zaten nu een maand bij het peloton en hij had daar nooit iets van gemerkt. Ze stonden achter de armoedige, met bloed besmeurde man, terwijl hun hemd en jasje spanden om de geweldige, gezwollen spieren van hun schouders, en ze staken handen als hammen uit naar de 82mm-mortier en de kisten met granaten die de soldaat aanwees.

Ze hadden het machinegeweer en de patroonbanden, de mortier en de kisten. Ze liepen moeizaam met zijn vieren door het hele depot naar de deur. De soldaat schreeuwde dat hij hun handtekeningen moest hebben.

Een tweede peloton van de marine-infanterie was bij het wapendepot aangekomen en begon een rij te vormen.

Vasiljev ging op weg naar het hoofdkwartier.

Het bevel sneed door de nachtelijke lucht. 'Jij hoort bij mij. Jij gehoorzaamt mijn bevelen.'

'Waar gaan we heen?'

'Naar de dichtstbijzijnde plek aan het water waar geen hekken en geen regelmatige patrouilles zijn.'

Hij wees naar het kanaal. Nu leidde Vasiljev. Zijn rechterhand, die hij om de loop had geslagen, en Bikovs rechterhand om de kolf droegen het zware machinegeweer; met hun linkerhand tilden ze de munitiekist. Achter hen, met de kracht van boerenjongens, liepen Mikhail en Dmitri met de 82mm-mortier en de kisten met lichtfakkels. Ze konden niet rennen, konden zich ternauwernood op een drafje voortbewegen. Na honderd meter kreeg hij de indruk dat de officier het moeilijk had, maar hij had zijn gezicht gezien en geloofde niet dat dit een man was die snel van zijn zwakte blijk zou geven.

Vasiljev zei: 'Mag ik vragen, kolonel, of ze overste Artsjenko hebben meegenomen?'

'Ze hebben overste Artsjenko bij zich.'

'De sergeant zei dat overste Artsjenko een verrader was en dat terroristen hem hadden bevrijd en...'

'En ze hebben ook twee goede mannen vermoord. Hoe heet jij?'

'Vasiljev, kolonel.'

'Je voornaam?'

'Igor, kolonel.'

'Spaar je krachten, Igor, en praat niet. Verspil alsjeblieft je krachten niet.'

Een zoeklicht zwaaide over de basis, flitste tussen gebouwen en over wegen, en terwijl zij moeizaam hun weg vervolgden, viel het licht op het glinsterende kanaal.

De bundel van het zoeklicht gleed van de basis naar het strand, onder de muur van het fort waar de lamp stond opgesteld. Even kruiste de kegel de lengte van het strand en de zeewering, toen schoot het licht verder, over het water. De lichtbundel had de kracht om zich door de mist te dringen die op de regen gevolgd was. Wanneer het licht op een strekdam of een boei boven een gezonken wrak viel, bleef het daar even op rusten alvorens verder te gaan. Het vond een witte vlek, zwenkte verder en kwam toen met een schok terug. De kegel van het zoeklicht bleef op vijf mannen schijnen, één in het wit gekleed en half uit het water, die zich vastklemde aan iets wat de mannen achter het zoeklicht alleen konden identificeren als een zwarte, drijvende zak. Een van de mannen schreeuwde in zijn radio wat het zoeklicht had gevonden en de ander hield het licht op het doelwit. Het doelwit was dicht bij de muur aan de westkant van het kanaal. De lichtbundel bleef de zwemmers volgen.

Locke was van het pad af en kon zich sneller voortbewegen over een tapijt van dennennaalden, waarbij zijn stok het lopen vergemakkelijkte. Er waren nu geen braamstruiken meer die aan zijn kleren bleven haken en zijn handen openhaalden en ook minder hazelaars die hem in zijn gezicht striemden wanneer hij er tegen op liep. Hij was de rij loopgraven en bunkers voorbij en hij geloofde dat dit gebied, waar nu dennen stonden, was opgegeven bij die vroegere strijd. Voorzover hij zich kon herinneren, was het voor het eerst in zes jaar dat hij het gewicht van zijn mobiele telefoon niet aan zijn riem had.

Hij ervoer een gevoel van vrede. In Warschau hing de telefoon altijd aan zijn riem, had hij hem elke dag van de week en het weekend bij zich gehad, was het apparaat elke nacht opgeladen en voortdurend binnen handbereik geweest. De aanwezigheid van de telefoon en de verbinding die het apparaat vormde met zijn werk, had zijn status als geheim agent bevestigd en had symbool gestaan voor voortdurende verantwoordelijkheid.

De mobiele telefoon zat in de zak van Alice' jas, die over de rug van een stoel in de keuken van de bungalow hing. Pas wanneer dit allemaal voorbij was, wanneer ze haar jas nodig had, zou ze zijn mobiele telefoon vinden. Hij wilde geen contact met de wereld buiten de landtong en het bos.

Zonder de telefoon was hij vrij van die wereld. Hij was bevrijd van Ponsford en Giles en van die zak van een Rupert Mowbray. Hij was verlost van het spookbeeld van de dode man die onder de pontonbrug dreef.

Hij hoorde heel vaag een geluid dat niet paste bij de beweging van de takken hoog in de dennen en zijn voetstappen op het tapijt van naalden.

Dertien kilometer van de boerderij van zijn ouders, in een rechte lijn over de velden, rotsen en met varens begroeide heuvels, was een steengroeve. Met de regelmaat van de klok hadden ze op werkdagen om zes uur 's ochtends met dynamiet nieuwe brokken graniet losgewerkt. Als kind, in de maanden dat hij naar school ging, was hij door de vage knal van de explosie heen geslapen, maar tijdens de vakanties had zijn vader hem uit bed geschopt en was hij naar de melkstal gesleept om te helpen. Elke ochtend in zijn vakantie werd er om kwart voor zes gemolken. Nors had hij het vee in de vakken in het melkhuis gedreven en hij had zich op elk van die ochtenden heilig voorgenomen om zo snel mogelijk uit de kou, de koeienstront en de lucht van de boerderij weg te zijn. Tien minuten voordat het dynamiet tot ontploffing werd gebracht, terwijl de melk uit de uiers van de beesten werd gezogen, waarschuwde een sirene voor de explosie. Tien minuten lang, als de wind uit het oosten kwam, kon hij die sirene vaag horen in het melkhuis.

Het was hetzelfde geluid. Hij wist dat ze op de vlucht waren.

17

V. Waar vindt men de langste landtong van Europa?
A. Kaliningrad.

De eerste sport van de ladder was gebroken toen ze het water ingegaan waren, de tweede schoot los toen ze weer uit het water van het kanaal kwamen.

Volgens Wickso's horloge hadden ze er zeven minuten over gedaan om het kanaal over te zwemmen en gedurende de laatste twee waren ze in de lichtcirkel gevangen gehouden. Ze hadden er niet aan kunnen ontkomen en konden dat nog niet. Billy had de ladder beklommen en lag op zijn buik om de eerste van de twee opblaasbare tassen aan te pakken; Lofty stond op een sport even onder de waterspiegel en die begaf het. Hij viel terug en de tas gleed in het water en leek tergend langzaam buiten handbereik te drijven. Lofty moest de stang van de ladder loslaten om hem op te halen. Het was niet moeilijk, want ze werden beschenen door het zoeklicht, maar ze verloren meer tijd. Ze hadden niet langer het verrassingselement. Het element snelheid hadden ze wel mee en ze hadden ook nog altijd een gigantische hoeveelheid geluk nodig. Snelheid, maar op dit moment worstelden er drie van hen en de man die ze als Fret kenden in het water met twee opblaasbare tassen.

Lofty greep de tas en stortte zich op de ladder. Hij ging omhoog en hees de tas voorbij Billy's schouder. Lofty rukte aan de rits van de tas en toen kwam Fret naast hem, snakkend naar adem. In de bundel van het zoeklicht zag Lofty Frets bleke gezicht; het witte overhemd plakte aan zijn lichaam, zijn broek hing half op zijn knieën. Tijdens het zwemmen was hij een van zijn sokken kwijtgeraakt en zijn voetzool zat onder de bloedstrepen. Toen kwam Ham boven met de andere tas, gevolgd door Wickso. Lofty, op zijn knieën, trok de resterende wapens, de wapens die ze niet nodig hadden gehad bij de ontvoering, uit de zakken en controleerde of ze droog waren gebleven, voordat hij hun allemaal de reservemagazijnen toegooide.

Hij griste de granaatwerper van de grond. Ze lieten de tassen achter en zetten het op een lopen – elk op hun eigen gejaagde manier – naar de dekking van de houten hut. Eindelijk waren ze het zoeklicht kwijt.

Het licht zwiepte heen en weer, leek hen bijna kwaad te zoeken, dacht Lofty toen hij omkeek. Eerst dwaalde het voor hen uit, huppelde het tussen de schuren, hutten en gebouwen, toen scheerde het terug en scheen op de oever van het kanaal. Het zwaaide weg, zocht de breedte van de waterweg af en pikte toen een roeiboot op. Lofty zag vier mannen in de roeiboot en twee van hen zaten met gebogen ruggen aan de riemen. Maar de boot was een zijsprong voor het zoeklicht en het zwenkte hortend terug naar de houten hut.

Geen van hen had iets gezegd sinds ze aan de overkant van het kanaal waren, toen ze in de buurt van het half gezonken schip en het landingsvaartuig waren geweest. Daarvoor had Ham gesproken. Nu was het weer Ham. 'Hij heeft geen schoenen.'

'Zijn probleem,' kraste Wickso. 'Hij zal zich moeten redden.'

'We hebben nog elf kilometer voor de boeg.'

'Zijn voeten zijn wel het laatste waar ik me zorgen over maak,' zei Billy.

Een geweersalvo raakte het bovenste houtwerk van de hut en een paar schoten hadden zich misschien in het dak van plaatijzer geboord. Ze waren aan de lichtbundel van de schijnwerper ontkomen, maar niet aan het aanhoudende, indringende geblèr van de sirene, en in de verte konden ze kreten horen en het geronk van jeepmotoren. Ze renden verder.

Er knerpten glasscherven, stukjes metaal, scherpe stenen en andere rommel onder hun vier paar laarzen. Lofty vormde de achterhoede, de achterste punt van de ruitvorm. Hij hoorde elke gesmoorde kreet die Fret slaakte en zag hoe de man met zijn volle gewicht aan Wickso's en Hams schouders ging hangen. Hij voelde Frets pijn. Hij herinnerde zich het moment waarop hij zich op zijn stoel achter het stuur van de oude Mercedes had omgedraaid en hij langs Ham door het open portier naar buiten had gekeken en hetzelfde gezicht had gezien, achter de ruggen van de mannen die hem de doorgang hadden versperd. De man, Fret, had hen beschermd. En toen moest hij aan Alice North denken, langs de weg naar Braniewo, bij het hek van de boerderij. Ze waren het die twee verschuldigd.

Billy riep naar achteren: 'Waar wij het gat geknipt hebben, zou een auto daar door het hek kunnen rijden?'

Wickso antwoordde: 'Waarschijnlijk wel.'

Billy riep weer: 'Hoe lang duurt het om de draden van het contact van een auto door te verbinden?'

Ham antwoordde: 'Minder dan een minuut, maar dat valt buiten het plan.'

Ze renden in het donker. Er klonken geen schoten meer, maar het geschreeuw was luider en het licht van de schijnwerper doorkliefde de ruimte tussen gebouwen. Ze waren omringd door struiken en brandnetels. Ze moesten in beweging blijven. Om de tien stappen draaide Lofty zich om en keek wat er achter hem gebeurde, met de granaatwerper in de aanslag. Als ze op de hielen gezeten werden en hij schoot, zou hij wel hun positie bevestigen, dus schieten gebeurde alleen in geval van uiterste noodzaak.

Het wagenpark lag voor hen. Het was een ruim en open terrein, maar er was slechts één rij van zes trucks en een tweede rij van zes jeeps. Billy leidde het team. Niemand zou een bevel van Billy aanvechten. Hij rende naar de verste jeep, degene die het dichtst bij het hek stond. Hij gaf de tekens: Lofty reed, Ham verbond de draden door en Wickso scheen bij. De geluiden achter hen werden luider, alsof ze een wespennest hadden verstoord en de insecten met hun angels de achtervolging hadden ingezet.

De agent Fret, werd achter in de open jeep gegooid en hij haalde hortend en stotend adem. Billy ging naast hem zitten. Wickso hield de zaklantaarn dicht bij Hams koortsachtig bewegende vingers en een metalen plaat kletterde op de vloer van de jeep. De draden schokten in Hams handen. Lofty trapte de pedalen in. De motor schudde, hoestte, sidderde en sloeg aan. Ze zaten er allemaal in. Hij gaf plankgas. Prima idee van Billy. Geen lichten, maar een wolk van uitlaatgassen achter hen; hij racete met de jeep de mist in, richting hek.

Lofty klemde zich vast aan het stuur. Kon de koplampen niet gebruiken om te zien waar hij heen ging. Over gaten, hobbels en steenhopen, zwaaiend en stuiterend, raasde hij door de struiken. Er was een greppel, om het regenwater af te voeren, en hij reed er slingerend door, waarbij de wielen even geen vat kregen, en toen, voor hem, doemde het hek op. Er gloeide een licht, rood, op het dashboard bij zijn benen, maar het werd half verborgen door de granaatwerper op zijn schoot. De beslissing was aan Lofty. Hij kon de zee al horen. Hij zou naar het strand rijden en zonder licht langs de vloedlijn rijden, waar het zand het hardst was, en dat zou hun snelheid geven. Het hek kwam op hem af. Hij reed er volgas tegenop en de voorkant van de jeep steigerde. De wielen sloegen even door, voordat ze weer grip kregen, en het gaas van het hek schuurde gierend over de motorkap. Het gewicht van het hek smeet de voorruit omlaag en het gaas sloeg

Lofty in het gezicht. Hij hoorde het gevloek van Billy, gevolgd door het gebrul van Fret en het geluid van kleren die gescheurd werden, en toen waren ze erdoor.

Hij gooide het stuur om in de richting van het geluid van de zee.

De motor sputterde en sloeg af.

Ze kwamen slippend tot stilstand en het rode lampje wierp een helder licht op zijn been. Lofty zei: 'Geen brandstof, die klotejeep heeft geen benzine meer, verdomme. We hebben een jeep met een lege tank gepakt, we...'

Billy was de wagen al uit en Wickso, Ham en Fret volgden. Hij hoorde Hams stem, die het bericht opstelde dat als signaal verzonden zou worden. Lofty zakte terug in zijn stoel, zwaaide zijn benen uit de jeep en holde achter de anderen aan. Ze moesten Rybacij zien te bereiken, vandaar was het open terrein tot het achtkilometerpunt van het verwoeste dorp.

Ze konden de veerboot niet gebruiken, omdat niemand wist hoe de motor gestart werd.

'Wat gaat er met hem gebeuren? Wat gaat er met overste Artsjenko gebeuren?' had hij gevraagd en in de verwarring had hij geen antwoord gekregen.

Naast de ingang van de binnenhaven, bij de verhoogde weg die van noord naar west liep, hadden ze een roeiboot genomen en de forse jongens van het boerenland hadden zich aan de riemen gezet.

'Wordt overste Artsjenko doodgeschoten?' had hij gevraagd en hij had geen antwoord gekregen.

Ze waren geland. Soldaten, onderofficieren en officieren hadden om hen rondgelopen en hij had gezien hoe de kolonel de leiding nam. Eerst had hij niets gezegd, had hij het geschreeuw over zich heen laten gaan, maar toen de stemmen waren verstomd, had hij zacht en kalm gesproken en zijn instructies gegeven. Hij wilde een ondersteuningsvoertuig. Zodra de soldaten gewapend en in formatie waren opgesteld, moesten ze per truck naar de andere helft van het schiereiland overgebracht worden en daar ingezet worden om de grens af te grendelen. Zonder zijn uitdrukkelijke toestemming dienden geen andere troepen vooruit te gaan. Met een ervaren onderofficier achter het stuur van het voertuig, een UAZ-469, waren ze in noordelijke richting langs de kade gereden en daar had de kolonel twee achtergelaten zwarte tassen, een paar stel zwemvliezen en enige gasmaskers bekeken.

'Hij heeft mijn leven gered,' had Vasiljev gezegd. 'Hij was de enige vriend die ik had.'

Er was een arm om zijn rug geslagen, die even druk had uitgeoefend, en toen waren ze weer ingestapt. Ze waren naar het wagenpark gereden en daar had men de kolonel de lege plek laten zien waar een jeep geparkeerd had gestaan; hij had gezien hoe de schouders van de kolonel zich samentrokken, alsof de spieren zich gespannen hadden. Ze hadden de bandensporen gevolgd en het profiel van de banden was zichtbaar geweest in het licht van hun koplampen. Even later waren ze door een gat in het gebroken hek gegaan en waren hun lichten op de jeep gevallen. De kolonel had zijn schouders gerecht alsof hij van een last bevrijd was. Ze reden terug naar de weg die over het schiereiland liep en de eerste truck met soldaten raasde voorbij, op weg naar de grens.

Ze kwamen bij de ruïnes van de verwoeste gebouwen van Rybacij en reden tot de uiterste grens van de plaats.

Hij bleef erover doorgaan. 'Ik kan mijn vriend niet doodschieten. Ik kan...'

De kolonel gebaarde naar de chauffeur dat hij moest stoppen; voor hen was alleen maar mist en duisternis. De kolonel sprong uit de wagen en stak toen zijn hand uit om die van Vasiljev te pakken en hem uit de UAZ-469 te helpen. Daarna tilde de kolonel met Mikhail en Dmitri de wapens en kisten uit het voertuig. Achter hen was een steeds groter en breder wordende colonne soldaten.

De kolonel zei: 'Ik vraag je niet om je vriend dood te schieten. Ik zeg niet dat overste Artsjenko, jouw vriend, doodgeschoten zal worden. Er wacht hem een onderzoek dat volgens de wet en eerlijk zal verlopen, maar wel grondig zal zijn. Igor, ik wil dat hij gevangengenomen wordt en ik wil dat de vier terroristen die hem ontvoerd hebben doodgeschoten worden. Vertrouw me, Igor. Wil je me vertrouwen en doen wat ik vraag?'

Hij liet zijn hoofd hangen. Hij mompelde dat hij dat zou doen.

'Waarom heb je dat machinegeweer?'

'Ik oefen ermee. Overste Artsjenko zegt dat ik de beste ben.'

'Wil je voor mij met je machinegeweer op de vier terroristen schieten? Wil je dat doen, Igor?'

De ogen, die door de wagen verlicht werden, biologeerden hem en de zachte stem had een kalmerende invloed. Hij was te jong, te onervaren, om te weten hoe een cobra zijn slachtoffer met zijn ogen gevangen houdt voordat hij zijn gif in hem spuit. Het was alsof ze alleen waren en er zich achter hen geen leger verzamelde. Hij stamelde: 'Dat zal ik doen.'

'Je bent goed met het machinegeweer?'

'Met dat wapen ben ik kampioen van de marine-infanterie van de Oostzeevloot.'

'Jij zult mij een kampioen laten zien, de beste, en je zult me vertrouwen.'

Voor hen was het vliegveld. Achter het vliegveld was de raketinstallatie. Achter de raketinstallatie was de schietbaan. Een van de mannen had zijn leven gespaard. Hij had het mes in de hand van de lange man gezien en zijn keel was blootgelegd, maar zijn leven was gespaard.

'Dat zal ik doen.'

'Stel het wapen op.'

Naast de weg was een zandbult; hij torste het machinegeweer erheen en begon het wapen schietklaar te maken. Hij hoorde hoe de kolonel Mikhail en Dmitri instrueerde onder welke hoek en over welke afstand ze de eerste lichtfakkels moesten afschieten. Hij was een simpele ziel en hij voelde iets van trots opwellen, omdat de kolonel hem had gevraagd en het hun had bevolen. Hij geloofde dat de mist begon op te trekken. Hij bracht de eerste band met vijftig kogels aan in het staartstuk van het wapen en sloeg de klep omlaag. Er klonk gekletter in de nacht toen hij het machinegeweer doorlaadde en erachter ging zitten. Hij vertrouwde de kolonel, alsof de kolonel zijn nieuwste vriend was. De kolonel hurkte naast hem neer.

'Ik zal de band voor je invoeren.'

'Dat hoeft niet, kolonel, maar...'

'Jij bent Igor en ik ben Joeri. We zijn samen. Het is beter dat ik de band voor je invoer en voor je waarneem, Igor.'

Hij was een dienstplichtige, een wezen van geen enkel belang. De kolonel van de veiligheidsdienst was een man van formaat. Vasiljev wist niet waarom een man die zo belangrijk was, naast hem ging liggen en de band met standaard-, lichtspoor- en pantserdoorborende munitie vasthield. Naast hen, een eindje verder op de weg, klonk de knal waarmee de eerste lichtfakkel uit de mortier werd geschoten.

Locke had de fakkel niet zien klimmen, maar zag hem uit elkaar spatten. Even leek het hem toe of de fakkel in de hemel bleef hangen, één werd met de optrekkende mist, voordat hij langzaam begon te vallen en Locke hem uit het oog verloor.

Alice hoorde het salvobericht binnenkomen; er klonk een piep op het paneel en er knipperde een lichtje. Ze speelde het bericht af. Hams stem klonk afstandelijk, op een vreemde en metaalachtige manier afwezig.

'Fret opgepikt. Hebben westkant van Morskoi-kanaal bereikt. Trekken verder. Achter ons is hel losgebroken. Over.'

Ze zat op de stoel met haar jas over de rugleuning in de donkere keuken met de duisternis. Haar mond was opengevallen. Ze kon de muren en de kastjes onderscheiden, de prenten aan de muur en de rij pannen. Haar moeder zou die stalen pannen, de houten kastjes en de prenten mooi gevonden hebben. Ze probeerde niet aan hem te denken. Zij had die boodschap eigenlijk niet moeten ontvangen of door moeten geven; dat had Locke moeten doen. Maar Locke, de lafaard, was weggelopen en zou nu tegen een boom of op het strand zitten of... Ze vervloekte hem. Ze zette de radio aan en drukte de knoppen in die de verzonden boodschap zouden coderen.

Haar stem klonk helder en scherp. 'Dit is het bericht dat ik net ontvangen heb. Hier komt het woordelijk: "Fret opgepikt. Hebben westkant van Morskoi-kanaal bereikt. Trekken verder. Achter ons is hel losgebroken." Meer heb ik niet. God, ik voel me zo machteloos.'

Ze beëindigde de uitzending.

Op de brug kon de schipper de vibraties van de draaiende motor voelen. Hij hoorde het gedempte gejank van de sirene dat over het water werd aangevoerd, gevolgd door het geluid van moeizame voeten op het binnentrapje. De deur naar de brug vloog open.

Hij staarde voor zich uit, door het raam, maar de mist verhulde de paar verspreide lichten aan de kust het dichtst bij het schip. Waar de wind de roep van de sirene oppikte, op de basis, zag hij niets. Hij kreeg de indruk dat Mowbray de hut uit was gerend en zich op het trapje had gestort.

De stem bulderde achter hem: 'Ze hebben hem opgepikt. Ze zijn onderweg.'

'Maar het hele schiereiland is in rep en roer,' zei hij grimmig. 'Hoe ver zijn ze gekomen?'

'Aan deze kant van het kanaal, ze hebben er flink de pas in. Ik heb altijd al gezegd dat het mogelijk was. De twijfelaars kunnen doodvallen, zorg dat het schip vaarklaar is.'

'Ze hebben de hele basis op de been en ze moeten nog een flink eind.'

'De twijfelaars – doodvallen, kunnen ze – zeiden dat het niet mogelijk was. Dit zal een triomf zijn voor...'

'Worden ze op de hielen gezeten?'

De kapitein draaide zich om. Hij zag hoe Mowbray met zijn ogen knipperde. De man sputterde: 'Dat kunnen ze best aan. Daar zijn ze voor opgeleid.'

'U hoeft niet naar mij te luisteren, luister maar naar wat er buiten gebeurt. Wat hoort u? U hoort niets? Ik hoor de sirenes. Ik hoor het alarm. Kunt u me zeggen wat er allemaal in Kaliningrad gelegerd is?'

'Ik weet wat er allemaal in Kaliningrad gelegerd is.'

Mowbrays blaffende stem verried zijn angst, dacht de kapitein.

Wat hij van zijn leven op zee wist, was dat blaffende mannen, de mannen die zeker van hun zaak waren, altijd degenen waren die angst in hun hart droegen. 'Op de basis van Kaliningrad heb je een brigade van de marine-infanterie, twee artillerieregimenten voor de kustverdediging en een raketregiment. Zij worden ondersteund door onderscheppingsjagers, bommenwerpers en aanvalshelikopters en op de basis zijn vervolgens nog fregatten, destroyers, patrouillevaartuigen en... Wilt u nog meer?'

Mowbray: 'Sinds wanneer hebt u zich bij de twijfelaars gevoegd?'

'Een paar minuten geleden, meneer Mowbray, toen ik de sirenes hoorde.'

'Ze zijn incompetent, het zijn Russen. Ze zullen als een kip zonder kop rondlopen, zullen niet weten waar ze moeten zoeken, waar ze heen moeten. Ik ken de Russen, het zijn gekken.'

'Er is maar één goede vent voor nodig,' zei de kapitein. Hij zag de woede in Mowbray opwellen en wist uit ervaring dat woede hand in hand ging met angst.

'En we hebben de nacht en de mist mee.'

'We hebben nog twee uur nacht en mist is geen vriend die je kunt vertrouwen, die trekt op.'

'U hebt het geld aangenomen.'

De kapitein draaide zich om. De deur sloeg achter hem dicht. Hij had het geld aangenomen en wilde meer. Hij wilde een boomgaard met olijf- en citroenbomen en een kleine villa met een terras en uitzicht op de heuvels boven Korinthos, en hij was een man van zijn woord. Hij zou doen wat hij kon. Het was jaren geleden dat hij voor het laatst met zijn vrouw naar de kerk was geweest, maar op dat moment, op zijn brug, bad hij dat de mist boven het water zou blijven hangen. Voor het eerst zag hij lichtfakkels in de lucht: één hoog en een andere die, zwakker wordend, terugviel boven het land. Hij keek of er voldoende vermogen was en trok toen de hendel terug. Hij hoorde het schurende geroffel van de ankerketting die werd opgehaald.

Het vel papier trilde in Ponsfords hand. 'Ik kan niet echt geloven dat dit mogelijk is. Mijn god...'

Hij gaf het vel papier aan Giles, die het voor zijn bril hield. Er stond maar anderhalve regel tekst op. Hoe vaak moest die zak ze lezen? Vijf keer, zes? Het papier werd teruggegeven en Giles schudde zijn hoofd alsof hij niet kon geloven wat hij gezien had.

Zijn hand ging naar de telefoon. Giles fronste zijn wenkbrauwen. Ze zaten in de dependance van de communicatiecentrale – het 'Oorlogshuis', zoals het vertrek bij de dienst werd genoemd – op de verdieping onder de archiefkelder. In dit bijgebouw bevonden zich twee veldbedden, een tafel met een bord sandwiches onder huishoudfolie, een automaat voor warme dranken en een muurscherm met een grootschalige kaart van de oblast Kaliningrad en het Poolse gebied ten oosten van de Vistula. Het bericht was door een glazen deur aan de andere kant van de dependance gekomen, waar technici achter een rij apparaten zaten. Ponsford was jaren geleden voor het laatst in deze kamer geweest, maar Giles – van Geheime Operaties – moest hier vaker geweest zijn, toen Kabul op de kaart had gestaan of die klotestad Herat of dat godverlaten hol Kandahar. Hij pakte de telefoon en zijn hand beefde nog steeds.

'Wie bel je?'

'De directeur-generaal, wie anders?' Hij toetste een nummer in.

'Ik denk niet dat je hem te pakken krijgt.' Giles tuitte zijn lippen.

Hij luisterde en de telefoon bleef overgaan. 'Belachelijk, natuurlijk krijg ik hem te pakken. Op een avond als vanavond is hij zeker op zijn post. Hij heeft daar een fantastisch bed, een kast vol schone kleren, een douche. Die is er wel. Waarom zou hij er niet zijn?'

'Oké, Bertie, als jij dat denkt.' Giles haalde zijn schouders op.

Een stem antwoordde. Boodschappen voor de directeur-generaal werden doorgestuurd naar de nachtdienst. Zou men zo goed willen zijn om te wachten op de verbinding? Ponsford gooide de hoorn op de haak.

'Dat zou ik nooit gedacht hebben.'

Giles trok een zuur gezicht. 'Jij bent nogal goed in clichés, Bertie. Wat doet men tijdens een warme zomer in een kurkdroog bos bij mogelijk brandgevaar, Bertie?'

Hij zei ruw: 'Dan hakken ze een brandgang.'

'Recht in de roos, Bertie. Ze hakken dan een brandgang tussen zichzelf en het gevaar. Alle heren op de vijfde verdieping hebben hun verheven positie verworven door brandgangen te hakken.'

'De schoften,' zei Ponsford binnensmonds.

'Bekijk het eens van hun kant, Bertie. Zij hebben – en dat staat in de notulen – hun fiat aan een verkenning gegeven, meer niet. Een vuur springt niet over een flink brede brandgang. Het team is het kanaal overgestoken, heeft Fret opgepikt en de hel is achter hen losgebroken.' Hij wees met een priemende vinger naar de kaart op het scherm. 'Twaalf kilometer van het kanaal naar de plaats van inscheping, een aardige afstand – een hele afstand – dat zul je met me eens zijn. Wat ik wil zeggen, Bertie, verdomme, is dat het team een zware klus voor de boeg heeft.'

'Ik kan niet zeggen dat ik de man mag, maar nu doe je Rupert Mowbray toch echt tekort.'

'Mowbray? Die zak van een Rupert Mowbray?' Giles snoof honend. 'Godallemachtig, Bertie, ga me niet vertellen dat je denkt dat Mowbray de leiding heeft. Hij zit op een of ander schip, kilometers van de actie, en we hebben het hier over echte actie, actie waarbij de pleuris is losgebroken, blaartrekkende actie. Die opgeblazen snotneus van Locke is de enige met een beetje verstand daar, en hij zit aan de verkeerde kant van de grens en kan geen enkele invloed op de gebeurtenissen uitoefenen. Weet je wat ik geleerd heb van Geheime Operaties? Je zet een commando- en controlestructuur op, je zet de beste mensen aan het werk, en ze blijken altijd te ver weg te zijn. Telkens als je denkt dat er een vaste hand op de helmstok ligt, is dat niet het geval. We leren het nooit. Ik bedoel dit niet persoonlijk, niet jij maar wij. We leren het niet, omdat we te verblind roem najagen.'

'Ik wil je niet beledigen, maar je houding is wel wat negatief,' zei Ponsford.

Giles lachte, niet om wat Ponsford zei, maar om de man zelf. De lach spleet zijn vale gezicht. 'Bertie, het is in handen van mannen die we niet kennen, zowel aan hun kant als aan de onze. Geloof het of niet. Op dat stomme scherm van die imbecielen daar kunnen we een grote foto van de vlootcommandant van Baltijsk – admiraal Alexei Falkovski – laten verschijnen en allerlei oorlogstactieken bedenken aan de hand van zijn mogelijke reacties, verspilde tijd. Aan hun kant zal het afhangen van de kwaliteiten van een of andere pelotonscommandant of onderofficier of zelfs een armzalige dienstplichtige met een gat in de kont van zijn camouflagebroek. Aan onze kant hebben we het over een kluizenaar, een oplichter, een drop-out en een ziekenhuisportier, godbetert. Ditmaal hebben de kleine mensen de leiding.'

Giles sjokte naar de deur. Ponsford staarde naar het scherm.

'Sorry, Bertie, ik draafde een beetje door. Ik ga even een luchtje scheppen.'

Locke was een modern mens.

De moderne mens zorgde voor zichzelf, omdat niemand anders dat zou doen. Hij at voedsel dat zijn lichaam niet zou ondermijnen met cholesterol, hij dronk af en toe en nooit te veel. Hij bleef in conditie, bevorderde zijn carrière door de juiste dingen tegen belangrijke mensen te zeggen, liet zich door de laatste technologische uitvindingen het leven gemakkelijk maken en was verstandig. Hij onderscheidde zich van de rest van de mensen als iemand die voorbestemd was om het ver te brengen; het zou hem voor de wind gaan. Na Fort Monkton en de colleges tijdens zijn proeftijd in Vauxhall Bridge, na als agent te zijn aangenomen bij de inlichtingendienst, was Locke verteld dat hem een glansrijke toekomst wachtte als hij een schone lei wist te behouden, dat hij het tot assistent-adjunct-directeur zou kunnen brengen of misschien zelfs wel tot de verheven positie van adjunct-directeur-generaal. Omdat de laatste personeelsvoorschriften dit vereisten, had hij de beoordelingsrapporten kunnen inzien van zijn laatste jaar in Engeland en zijn eerste jaar overzee in Zagreb, vóór zijn overplaatsing naar Warschau. Ze waren in gloedvolle bewoordingen gesteld: hij was bij de tijd, hij was een agent die 'niet terugschrok voor werk', hij was een man 'met aanleg voor besluit- en beleidsvorming', hij was een 'zelfstandig denker'. Het was een kaartenhuis dat was ingestort. Zijn carrière en zijn toekomst waren met hetzelfde aplomb gecrasht als een ouderwets computersysteem.

Hij liep als in een delirium, als een gek. Hij voelde geen vermoeidheid in zijn longen en geen pijn in zijn benen. Terwijl zijn carrière over een verre horizon verdween, rende hij in de richting van het daglicht in de verte.

Drie keer waren er vrachtwagens langs hem gereden op weg naar het hek. Er was geen weg terug. Als enige van het hele gezelschap wist Locke hoe het af zou lopen.

Voor hem uit, ver weg, spatten de lichtfakkels uiteen. Ze hingen even stil en gleden toen aan hun parachute omlaag tot ze tussen de bomen van het dichte bos verdwenen. Hij begreep het patroon waarin ze werden afgevuurd. Ze klommen tot hoog in de mist en brandden zich er een weg doorheen; ze zouden het felste licht op het strand werpen, maar ook de duinen en de zee beschijnen, om het team en Fret van het strand weg te houden en te zorgen dat ze in beweging bleven. Het zou niet lang meer duren, dacht Locke, terwijl zijn hart tekeerging en droge twijgjes onder zijn voeten knapten, voordat hij schoten zou horen.

Het team had moeite om het tempo erin te houden. Links van hen was het vliegveld en het pad. Tussen de duinen, rechts van hen, en het pad bestond de bodem uit hard zand en zandsteen, met kniehoge struiken, die door de herfststormen van hun bladeren waren ontdaan. Ze zouden op het strand sneller vooruitgekomen zijn en Fret zou niet half getild, half voortgesleept hoeven worden, maar de fakkels die hen opspoorden waren het felst boven het strand.

Telkens als er een fakkel werd afgeschoten, en als feestvuurwerk hoog de nacht in klom, draaide Lofty zich om, zakte door zijn knieën en hield de kolf van zijn geweer tegen zijn schouder. Zijn vinger lag op de trekkerbeugel van de granaatloop die aan de onderkant van de lade bevestigd was. Hij kon een granaat over een maximale afstand van vierhonderd meter afvuren, maar de fakkels werden afgeschoten op wat hij op een afstand van duizend meter of meer schatte, en de mortier die ze uitbraakte, was voortdurend buiten bereik. De trucks hadden een versperringsmacht vooruitgebracht. Achter de mortier was een rij lichten, de drijvers voor de jagers, die het team constant en onafwendbaar naar die versperring opjaagden. Het leek wel of degenen achter de mortier op mysterieuze wijze wisten wat het tempo van het team was en zich daarbij aanpasten.

De lichtfakkels zouden hun dood betekenen, maar ze konden niet stoppen en wachten tot de mortierschutters binnen het bereik van de granaten gekomen waren. Ze zetten door en bleven een paar meter buiten het licht van de langzaam vallende fakkels. Billy had het moeilijk.

Lofty was de oudste van het stel, dan kwam Billy, dan Wickso en ten slotte Ham, maar Billy had het zwaarder dan de anderen. Wanneer ze zich in ruitformatie voortbewogen, werd hun tempo bepaald door Billy en Lofty wist dat dit gedaald was. Het was 05.05 uur. Ze lagen achter op schema, al minstens tien minuten, en Billy ging steeds langzamer. Ze waren het eind van het vliegveld genaderd en na het vliegveld kwam de raketinstallatie, dan het begin van de schietbaan plus de tweeduizend meter tot de doelen, gevolgd door vijfhonderd naar het punt op het strand ter hoogte van de gezonken rubberboot. Minstens tien minuten te laat, maar het kon meer geweest zijn. Ze moesten het tempo opvoeren.

Lofty fluisterde: 'Doorlopen, Billy. We staan allemaal achter je, maar het moet sneller, Billy.'

In het Eskader hadden ze het tempo er uiteindelijk wel uit gekregen, maar die tijd was voorbij, was als zand door hun vingers gelopen. Hij kon Billy's hijgende ademhaling horen en de struikelende voetstappen van Ham en Wickso met Fret. Ze moesten sneller. Hij dacht aan de zerken in hun geometrische formaties en de geesten in het donker. Hij hoorde het geritsel van bladeren die hij aan had moeten harken. Rechts van hen ging weer een lichtfakkel de lucht in en hij kon het lege strand zien en de rimpels van witte, brekende golven. Hij wist dat de mist aarzelend optrok en hij wist dat de fakkel hen opspoorde.

'Sneller. Je kunt sneller, Billy. Je moet gewoon sneller.'

Ze sprongen uit het voertuig.

Vasiljev, de dienstplichtige, ging gebukt onder het gewicht van het machinegeweer. Hij liet het wapen op het midden van het pad vallen, tussen de bandensporen. Even was hij alleen; de kolonel stond naast de boerenzonen en fluisterde iets tegen hen, terwijl zij de mortier opzetten en de voetplaat bijstelden. Toen kroop de kolonel over de voren in het pad, pakte de geladen band en hield hem klaar in zijn handen.

'Nu ga jij schieten, Igor.'

'Ja, kolonel.'

'Ik ben geen "kolonel". Ik ben je vriend. Ik ben Joeri. Nu schiet jij. Igor.'

'Ja. Nu schiet ik, Joeri.'

'Omdat jij de beste schutter bent en ik niets weet, moet je me vertellen hoe je schiet.'

De stem klonk kalmerend in zijn oor. Hij lag achter het machinegeweer en had de kolf stijf tegen zijn schouder gedrukt. Zijn linkerhand was om de greep van de kolf geklemd, zijn rechterhand lag om de trekkerbeugel. De stem klonk strelend in zijn oor.

Hij dreunde de gegevens op: 'De kogels hebben een kaliber van 12,7mm. Er zitten vijftig kogels in een band en elke serie van tien bestaat uit één pantserdoorborende kogel, zeven standaardkogels en twee lichtspoorkogels. Om nauwkeurig te schieten los ik korte salvo's twee tikken op de trekker, omdat dit een onderdrukkingswapen is en omdat het onmogelijk is om na het eerste gerichte salvo het vizier op het doelwit te houden. De mondingssnelheid is 845 meter per seconde en...'

'Hoe voel je je, Igor, wanneer je schiet?' De stem was fluweelzacht.

'Of ik droom,' zei hij zacht. 'Een gelukkige droom.'

De kolonel floot scherp. Hij hoorde de knal van de mortier die werd afgeschoten.

In zijn hoogste stand slingerde de 82mm-mortier de granaat over een afstand van 1100 meter weg. De lichtfakkel explodeerde en de parachute ging open op een hoogte van 400 meter. Door de remmende werking van de parachute bleef de fakkel minstens vier minuten in de lucht. Wanneer de fakkel de hemel verlichtte, leek de mist eronder te verschrompelen en werd het terrein overgoten met een steeds feller wordend wit licht.

Lofty had de mortier horen afgaan, maar had dit keer niet de moeite genomen zich om te draaien. Ze schoten nu tenminste aardig op. Het was de achtste lichtfakkel die was afgevuurd en bij de eerste twee had het team zich languit tegen de grond gegooid en hadden Ham en Wickso over Frets lichaam gelegen. Ze hadden toegekeken hoe de lichtspikkel de lucht in ging, hadden de explosie gezien en beseft dat het licht uit hun buurt zou neerkomen, waarna ze snel verder waren getrokken. Toen de derde fakkel werd afgevuurd, hadden ze alleen even geknield. Billy had de verspilde tijd vervloekt en ze waren struikelend doorgehold. Bij de vierde, vijfde, zesde en zevende fakkel waren ze gewoon blijven lopen en werd Billy in het gelijk gesteld, omdat de fakkels het strand en de zee verlichtten.

Lofty keek omhoog en had dat beter niet kunnen doen, want het licht verblindde hem. De fakkel was recht boven hem tot ontploffing gekomen en bleef boven hem hangen. Hij knipperde met zijn ogen, als aan de grond genageld, en boog zijn hoofd. Toen hij om zich heen keek, stonden de anderen net als hij doodstil, alsof ze op een foto waren vastgelegd: hij kon de kreukels in hun wetsuits, Frets plakkende hemd, de stiksels op hun riemen en het bloed op Frets voeten zien. Toen gaf Billy Wickso met een korte gekapte beweging een klap. Ham gooide eerst Fret tegen de grond en greep toen met Wickso de knieën van Lofty's wetsuit om hem omlaag te trekken. Na de knal van de uiteenspattende fakkel daalde er een diepe stilte over hen neer en het licht verdrong de mist die ze allemaal voor hun beschermer hadden gehouden. Het licht dreef de spot met hen, leek zich niet van hen te verwijderen. Het hing daar, als een oog, boven hen.

Ze lagen op zanderige grond met stenen en pollen gras, tussen de lage bosjes, en Lofty wist dat de minuten wegtikten.

Hij lag op zijn buik, half over Fret, en kon voelen hoe de man rilde. 'Wat gaan we doen, Billy?' Zijn stem klonk smekend.

'Wat is het bereik, hoe ver is dat ding hier vandaan?'

'Minstens duizend meter, dat haal ik niet.'

Billy mompelde: 'En misschien halen zij ons niet.'

'We moeten doorgaan, Billy, we kunnen hier niet blijven liggen. We...'

Billy snauwde: 'Vertel me godverdomme niet wat we niet kunnen doen. Goed, we gaan door. Jezus.'

Ze drukten zich op en die arme gozer – Fret – ging met zijn blote voeten recht op een paar vlijmscherpe stenen staan. Eén voet was tot bloedens toe opengehaald en aan de andere was de sok aan flarden. Ham en Wickso hielden hem overeind alsof hij een schotwond had opgelopen. Het drietal struikelde tegen Billy op, die niet in beweging was gekomen, en Lofty zag hoe Ham Billy met een elleboog opzij stootte en hoe Billy bijna viel. Lofty ving hem op. In het licht boven hen kon hij het schuim in Billy's mondhoeken en het spuug op zijn lippen zien. 'Ben je wel oké, Billy?'

'Natuurlijk ben ik oké. Zie ik er niet oké uit? Ik vorm de achterhoede. Doorlopen.'

Lofty had altijd gedaan wat Billy gezegd had. Hij liep door. Billy was de sergeant geweest, Billy was de leider. Dat was zijn rol. Billy had hem gezegd dat hij het hoofd van de man onder water moest houden en Billy had hem gezegd wat hij tegen de rechercheurs van de criminele opsporingsdienst moest zeggen. Hij liep door, omdat Billy hem dat gezegd had.

'Je bent oké, Billy.'

'Ik vorm gewoon de achterhoede, ik ben vlak achter je.'

Lofty liep Billy voorbij. Voor hen was een streep van schaduw, als de lijn die de vloed achterlaat. De rand van de lichtcirkel van de fakkel was hun doel. Ze holden weer. Frets schreden waren aangepast aan die van Ham en Wickso, en Lofty volgde hen op de voet. Hij geloofde dat de fakkel begon te doven, dat de lichtcirkel kromp en dat de schaduw op hen af leek te komen. De duisternis achter de schaduw was hun doel. In het licht werd de mist teruggebracht tot kleine zomerwolken. Hij was heel dicht bij Ham en Wickso en hij pakte Fret bij zijn middel. Zij trokken en hij duwde hem. De schaduw en het donker erachter waren bijna binnen bereik. Het licht was tot schemering verzwakt. Ze waren het eind van de landingsbaan voorbij en... Van schemering naar daglicht, de seconde nadat een volgende fakkel omhoogging, zijn licht vrij gaf en bleef hangen. Het kleine groepje om Fret bleef hollen en Lofty – in dat zonlicht – besefte dat hij Billy's gehijg, zijn voetstappen, het gevloek niet meer hoorde.

Toen, ver achter hem, klonken de woorden: 'Opschieten, klootzakken. Rennen. Kom op, doorgaan.'

'Wanneer je zover bent, Igor. Schiet wanneer je zover bent.'

'Maar niet op Viktor, niet op overste Artsjenko?'

Hij kon het witte licht op het witte overhemd zien, en het overhemd danste tussen drie mannen op en neer. Zijn ogen waren goed, boven het gemiddelde, maar de vergroting van het vizier zorgde ervoor dat hij ook Viktors achterhoofd zag. Tot twee keer werd dat hoofd in de nek geworpen alsof het reageerde op een pijnscheut. Hij geloofde dat Viktor niet meer hard kon lopen, maar dat de mannen om hem heen hem aanspoorden en overeind hielden. Achter hen viel een vierde man steeds verder terug. Igor Vasiljev, 22 jaar, zoon van een taxichauffeur uit Wolgograd, had nog nooit een gevechtssituatie meegemaakt. Zijn vader had erop aangedrongen dat hij zich voor zijn dienstplicht als vrijwilliger aanmeldde bij de marine-infanterie. De marine-infanterie werd niet naar Tsjetsjenië gestuurd. Alles was beter dan naar Tsjetsjenië gestuurd te worden. Igor Vasiljev had nog nooit met zijn geliefde machinegeweer op een menselijk doelwit geschoten. Hij concentreerde zich. Het doelwit in het dradenkruis was nu los van de groep die zijn vriend ondersteunde. Zijn stem dreunde geluidloos de details van het vuurmechanisme van het wapen op, alsof deze bezigheid hem nog meer tot rust zou brengen. 'Gasbediend, met gordel gevoed, luchtgekoeld wapen met horizontaal schuivend staartstuk, gladde loop met conische flitsdemper, munitie naar staartstuk aangevoerd met behulp van slijtagebestendige patroonband, in staat om op 500 meter 16 millimeter pantser te doorboren.' Zijn doelwit bevond zich op 1150 meter, zonder bescherming en was zo'n 20 meter van de groep verwijderd. Hij had alleen nog maar op de schietbaan geschoten en op stilstaande doelen. De rug van de man, die breder leek door de wetsuit, vulde het kruispunt van de draden. Het doelwit viel, krabbelde overeind en probeerde verder te rennen. Zijn vinger lag op de trekker. Hij aarzelde.

'Zodat ik kan zien dat je de beste bent, Igor, en ik trots op je kan zijn. Schiet.'

Hij haalde langzaam de trekker over.

De lichtspoorkogel kwam voorbij met de knal van een zweep, een helder, vliegend licht, ter hoogte van hun middel. Een volgende kogel, op kniehoogte, spatte tegen een steen. De derde leek gedempt, zonder energie. Ze renden door. Toen schreeuwde Billy.

Eén gil, kort, afgebroken. Billy's schreeuw werd gesmoord. Weer een kort salvo en toen klonk alleen nog het geluid van hun rennende voetstappen en het gekletter van de magazijntassen aan hun riemen. Hij wist wat hij te zien zou krijgen. Terwijl hij doorrende, draaide Lofty zijn hoofd en keek hij om in de poel van daglicht van de fakkel. 'Billy is gevallen – geraakt – de klos.'

Hij draaide zich om. Er floten nog meer kogels langs hem heen. Er liep iemand tegen hem op, stootte hem om. Wickso, diep gebogen, kwam hem voorbij en liep haastig door naar de plek waar Billy was gevallen. Lofty richtte de granaatwerper naar het licht dat op hen neerdaalde en schoot, herlaadde en schoot nog een keer. In de verte, achter het licht, klonken explosies met tussenpozen van twintig seconden, die hun doel ver misten.

Hij kroop naar hen toe.

Wickso had zich over Billy heen gebogen. Lofty zag de geheven hand en in de vingers was een spuit. Lofty hoorde Billy's gekreun. Toen zag hij Billy's rechterbeen. Dat was er boven de knie afgerukt. Hij wist dat de kogels die voorbijgevlogen waren uit een zwaar machinegeweer kwamen, maar hij had nog nooit de schade gezien die ze aanrichtten – een geamputeerd been met rauw vlees – en het zwarte materiaal van de wetsuit was aan flarden geschoten. Hij kon het bloed, vlees en versplinterd bot zien. De barnsteen, in plakband verpakt, ging op en neer op Billy's borst. Er kwamen nog twee salvo's over, maar die waren te hoog en hij nam aan dat die bedoeld waren voor Ham en Fret, die nu naar de nieuwe schaduwlijn moesten rennen terwijl de fakkel daalde.

'Neem hem ze af,' schreeuwde Wickso.

Lofty's hand ging naar de tassen aan Billy's riemen. Hij zag Billy's ogen, open, maar niet meer gericht. Hij tastte naar de granaten in de tasjes.

'Is hij in orde?'

'Doe niet zo stom.' Wickso was agressief kalm, alsof hij de professional was. '"Is hij in orde?" Die kogel heeft zijn poot eraf gerukt. Nee, hij is niet "in orde" en dat wordt hij ook niet.'

Hij had er vier granaten bij en Wickso stak de injectienaald met morfine in Billy's buik door de spleet die hij had gemaakt in de wetsuit.

'Leg je geen tourniquet aan?'

'Niet de granaten, verdomme, pak zijn laarzen. Jezus. Een tourniquet? Waarom? Ze schieten hem toch dood. Die laarzen zijn voor Fret.'

Wickso hield Billy's hand vast. Billy kon niet praten. Zijn ogen hadden hun glans verloren. Lofty hoorde het geronk van een motor en in de verte waren koplampen zichtbaar die nog een flink eind van hen verwijderd waren. Hij trok de laars van Billy's rechtervoet, wilde zeggen dat het hem speet, maar kon de woorden niet vinden. Hij trok aan de laars tot hij losschoot. De andere laars lag een eindje verderop. Hij stak zijn hand uit en pakte de pijp van de wetsuit. Het bloed druppelde op zijn hand. Hij deed zijn ogen dicht en trok op de tast de laars uit.

De fakkel, aan zijn parachute, viel op de grond en ging uit.

Hij zag Wickso met watervaste pen een enkele letter op Billy's voorhoofd schrijven: M, voor morfine. Lofty vuurde nog een granaat af op het naderende voertuig en wist dat het verspilde munitie was. Het voertuig volgde hen en zou voortdurend buiten het bereik van de raketwerper zijn.

Wickso liep snel en Lofty kon hem bijhouden, maar ze bevonden zich op open terrein terwijl ze door een voertuig werden achtervolgd. Ze haalden Ham en Fret in.

Ham torste het gewicht van Fret en ging langzaam. Wickso's vingers friemelden onhandig aan de veters. De laarzen gingen aan Frets voeten, over de wonden en het bloed. Ham vroeg naar Billy terwijl de veters werden aangetrokken. Wickso zei dat Billy dood was. Lofty wist dat er tijd verloren was gegaan – tijd die ze niet konden missen – en dat hun schema naar de knoppen was. Lofty geloofde dat het een goede leugen was, het druiste tegen de erecode van het Eskader in om een gewonde achter te laten. Wickso deed er goed aan om te liegen – en Ham leek er genoegen mee te nemen. Terwijl ze verder renden, sneller dan voorheen, omdat Fret nu meeliep, verstuurde Ham het bericht. Op het moment dat hij het verzond, struikelde Wickso over een uitstekende wortel en viel voorover. Hij vloekte en trok Fret bijna met zich mee. Toen drong het tot Lofty door: Fret had nog geen woord gesproken sinds ze hem uit die kale kamer hadden weggehaald, nog geen lettergreep, woord of zin. Maar hij moest weten dat de jacht op hen was ingezet. Achter hen weerklonk het gegier van de automotor duidelijk in de nacht. Zou er een zerk voor Billy of een van hen komen? Als er een zerk voor Billy kwam, van Portland-steen, zou een steenhouwer er de volgende tekst op kunnen beitelen: 'Zijn bestaan kon ontkend worden'. En dat gold ook voor de rest van het team.

Om hem tot grotere snelheid aan te sporen, gaf Lofty Fret een stomp in zijn rug.

Alice zond het bericht door. Ze herkende Hams stem en hoorde hem naar adem snakken. Toen klonk er gekanker en ze geloofde dat het Wickso was, want er lag een nasaal West-Londens accent in de vloek. Ze luisterde ingespannen of ze Viktors stem kon horen, maar die was er niet. Ze stuurde het bericht, bot en kort, naar Mowbray op de *Princess Rose*. Ontdaan van de zendercode en de afkondiging – DELTA TWEE UITGESCHAKELD. GAAN NAAR RV. AANKOMST OVER ONGEVEER EEN UUR – trof het bericht haar als een mokerslag. Het zou over een uur licht worden.

18

V. Waar had volgens een spion in de zomer van 2000 de hergroepering plaatsgevonden van Totsjka-raketten, compleet met atoomkop, die op NAVO-bases in Europa gericht konden worden?
A. Kaliningrad.

De fakkel deed het strand in een okerkleurige gloed baden. Het felle licht viel tot voorbij het punt waar het hek uit het bos kwam. De kleur werd zachter op de duinen. Roman staarde door de ruimte tussen de omgedraaide schouders van Tsjelbia en het gebogen silhouet van de Pool die thuisgekomen was. Hij vond het strand er verderop uitzien als stofgoud. Met zijn scherpe ogen keek Roman naar de langzaam dalende fakkels en de op vuurvliegjes gelijkende rode vlekjes van de lichtspoorkogels en zijn goede oren vingen het vage geratel van het machinegeweer op.

Zonder zich om te draaien, vroeg Tsjelbia vanuit zijn mondhoek: 'Is het gebruikelijk dat ze 's nachts oefenen?'

'Nee, dat is niet gebruikelijk.'

Tsjelbia ging erop door. 'Houden ze sóms nachtoefeningen?'

'Heel af en toe, de normale situatie is dat ze de munitie en brandstof niet hebben om 's nachts of zelfs maar overdag te oefenen. De normale situatie is dat de soldaten aardappels of koolrapen rooien op de velden.'

Tsjelbia haalde zijn schouders op. 'Dan begrijp ik niet wat hier gebeurt.'

'Kijk, kijk, daar is uw antwoord.'

Roman wees, niet naar het daglicht in de verte dat een valse dageraad creëerde, maar op het vergeelde zand waar het hek naar de zee liep. Hij zag de soldaten, klein als mieren, en de kleine vormen van vrachtwagens, waarvan de koplampen op de duinen schenen. Toen kwam er nog meer licht, omdat het zoeklicht van de toren over het strand zwaaide. Slechts één keer, veertien jaar geleden, was Roman getuige geweest van soldaten en vrachtwagenlichten op het strand en had hij het zoeklicht gezien dat vanuit de toren omlaagscheen en de fakkels die vanachter het hek waren afgevuurd en had hij de galmende knallen van geweerschoten gehoord. Een week later was hij bij de garage in Krynica Morska geweest om de motor van zijn boot te laten repareren. Er was een brigadier van politie in de garage geweest, die nieuwe banden voor zijn auto nodig had. Terwijl de bougies van de motor werden vervangen en de nieuwe banden om de wielen werden gelegd, had de brigadier Roman over een noodsituatie in het afgesloten militaire gebied aan de andere kant van het hek verteld. Een matroos had zijn officier met een knuppel afgetuigd en was toen naar het hek gevlucht. Hij was gepakt, en de brigadier van politie had niet geweten wat er met hem gebeurd was, maar had meesmuilend gegrinnikt bij de gedachte. Er was vanuit het noorden en zuiden een kordon gelegd; naar het westen was er de zee geweest en naar het oosten de lagune. In de afgelopen veertien jaar had Roman vaak aan de blinde vlucht van de matroos en het net dat hem gevangen had gedacht.

Tsjelbia staarde in het donker en naar het vallen van de fakkels wat weer schemering bracht over het strand. 'Wat betekent dat, Roman?'

Als iemand die in het vissersdorp Piaski woonde, zich nooit met andermans zaken had bemoeid, zich nooit had ingelaten met de rellen in Gdansk, verder aan de kust, nooit een politieke mening had geuit, nooit de aandacht op zichzelf had gevestigd of in moeilijkheden was geraakt, had Roman zich onmogelijk in de gedachten van die vluchtende matroos kunnen verplaatsten. Maar in de zak van zijn spijkerbroek zat een bundeltje Amerikaanse dollarbiljetten, gekregen van Tsjelbia, een misdadiger.

Zijn stem klonk schor. 'Iemand is op de vlucht, wordt achtervolgd, dat probeer ik u te vertellen.'

Tsjelbia knikte, alsof dit antwoord hem tevreden stemde. Roman zag hem Jerzy Kwasniewski's hand pakken, de verbrande hand, en hoorde hem zacht zeggen: 'Iemand is op de vlucht, wordt achtervolgd, zou dat Artsjenko kunnen zijn?'

Roman voelde de pijn zelf toen de vuist zich om de verbrande hand sloot.

De Pool gaf een schreeuw en hakkelde: 'Artsjenko zou in de avond bevrijd worden, acht of negen uur geleden.'

Tsjelbia liet de hand vallen en zei peinzend: 'Toen ik hem ontmoette, vond ik hem een leeuw. Hij kwam bij me thuis met een handgranaat. Hij zei dat hij me zou vermoorden als ik hem niet gehoorzaamde. Hoeveel mensen bedreigen mij met de dood? Niet veel, dat kan ik jullie wel vertellen. En ik geloofde hem. Ik geloofde dat hij me zou vermoorden. En wilde hij geld, zoals jullie? Ik had een vrachtwagen vol wapens van de basis gehaald, voor de export. Hij kwam bij me thuis en dreigde me te vermoorden en zou dat ook gedaan hebben. Wat hij wilde, was dat er één wapen van de honderden die er in de vrachtwagen geladen waren werd teruggegeven. Een. Waarom wilde hij één machinegeweer uit al die wapens? Hij had de wilskracht én de arrogantie van een leeuw. Ik heb hem dat ene wapen gegeven en hem een voorstel gedaan dat hem een rijk man zou maken. Hij sloeg het af. Ik bied jullie een regeling aan en jullie grijpen haar met beide handen aan, omdat jullie hebberig zijn. Hij is op de vlucht en wordt achtervolgd. Laten we hier blijven om te zien hoe het afloopt.'

In het laatste licht van de fakkels in de verte, voordat ze doofden, zag Roman de glimlach op het gezicht van Tsjelbia.

De Pool brabbelde kruiperig: 'Je kunt de lichten van het schip zien. Het schip wacht op Artsjenko. Ze hopen dat ze hem van het strand naar het schip kunnen brengen.'

'Ik zal je nog wat zeggen, Kwasniewski.' Weer pakte Tsjelbia de verbrande hand, maar ditmaal moest zijn vuist stijver gesloten zijn, want de schreeuw klonk schril op in de nachtlucht. 'Mocht jij me, na mijn geld aangenomen te hebben, ooit verraden zoals je Artsjenko en de mensen die hem helpen verraadt, breek ik je rug met een moker, en, geloof me, daar zou ik nog plezier aan beleven ook.'

Rond de auto op de duinen begon zich een menigte te vormen, vage gedaantes tegen de achtergrond van de bomen. Roman hoorde zijn vrouw zijn naam roepen. Hij riep terug. Ze kwam struikelend van de duinen en marcheerde over het strand op hem af. Meeuwen vlogen alle kanten op. Hij zag haar in het licht van het vuur. Ze begon tegen hem te foeteren. Ze had geslapen, was wakker geworden en hij was weg geweest. Ze had gedacht dat hij dood was, door de zee meegevoerd. Ze was met een escorte van buren en vissers gekomen, die allemaal voor deze noodsituatie uit hun bed waren getrommeld. Haar stem galmde en, warmlopend voor haar onderwerp, begon ze tegen hem te schreeuwen. Ze droeg haar zware laarzen en haar wollen badjas, en de zoom van haar nachthemd kwam eronderuit. Haar woorden geselden hem en hij hoorde het gegiechel van zijn buren en zijn collega-vissers. Hij kromp ineen onder haar tirade.

'Mijn schuld,' zei Tsjelbia zacht. 'Boris Tsjelbia biedt zijn verontschuldigingen aan, mevrouw. Ik heb uw man opgehouden. Mijn oprechte excuses.'

Ze gaf zich direct gewonnen. Er werd een thermosfles verse koffie geopend en eerst aan Tsjelbia gegeven. Ze aten uit zijn hand, stuk voor stuk. Roman wachtte op de volgende fakkel die afgeschoten zou worden en op het volgende salvo van het machinegeweer. Er was een man op de vlucht die achtervolgd werd; er lag een schip op zee dat klaarlag, en de kou drong diep in Romans lichaam.

Ze waren tussen de duinen en het hek met de kleine mazen en het prikkeldraad erop.

Het hek liep evenwijdig aan het strand en erachter waren de bunkers en silo's van de raketeenheid. Erboven waren drie wachttorens en booglampen. Het terrein dat ze overstaken was kale aarde, zonder bosjes. Het werd doorkliefd met greppels en korte kloven, waar de regen van jaren ondiepe afvoerkanalen had gecreëerd. Er werden nog een paar fakkels afgevuurd, maar het machinegeweer schoot niet, en ze konden bijna een kilometer lang doorlopen, waarbij ze de greppels als dekking gebruikten. Tot twee keer toe was er op hen geschoten vanuit de wachttoren van de raketeenheid, maar de wapens die gebruikt werden waren geweren met een klein bereik. Voorovergebogen, zo dicht mogelijk bij de grond, bewogen ze zich gejaagd voort. Wanneer een greppel ophield, kropen ze er als krabben uit, zetten het op een lopen en lieten zich in de volgende greppel vallen. Wickso ging voorop. Ham hoorde de gierende ademhaling van Lofty, die hem op de voet volgde. Het terrein, gekerfd door natuurlijke loopgraven, gaf hun een kans, een kleine kans.

Een van Hams handen klemde het Skorpion machinepistool vast, de andere was begraven in de doorweekte stof van Frets overhemd. Hij voelde even weinig voor het wapen als voor de agent. Ham Protheroe was geen man van emoties. Hij had geen gevoelens van genegenheid gekend voor de mannen van het Eskader met wie hij had gemarcheerd en geoefend. Geen gevoelens van liefde voor zijn ouders, die hem nu uit hun leven gebannen hadden. Geen gevoelens van medeleven voor de weduwen en gescheiden vrouwen die betaald hadden voor zijn etentjes en goede wijnen, die hun creditcards hadden 'verloren' en die hem in hun bed hadden toegelaten. Gevoelens van genegenheid, liefde en medeleven waren hem allemaal vreemd. Zijn geest was een vacuüm, geleegd en gereinigd.

Voor hen stonden weer bosjes. Bij de bosjes zouden ze de schuilplaatsen en greppels kwijtraken. De mist was tot enkele, verspreide wolken opgetrokken. Ze zouden zichtbaar zijn. Wanneer ze de bosjes bereikten en niet langer de dekking van de greppels hadden, zouden ze van mistwolk tot mistwolk moeten rennen, als ze zich niet bloot wilden geven.

Het was maar goed dat Ham geen emoties kende en niet ver vooruitkeek, toen hij Fret voor zich uit duwde.

De fakkels kwamen sneller en het was moeilijker om dekking te vinden, Voor het eerst liet Ham Frets shirt los en liet hij hem alleen rennen.

'Leg eens uit – want ik weet er niets van af – hoe je schiet.'

Hij lag achter het machinegeweer. Hij sprak op fluistertoon. De woorden waren honingzoet en hadden een kalmerende uitwerking op de dienstplichtige. Vasiljev besefte het niet, maar hij was het stadium van trouw voorbij. Alleen overste Artsjenko had ooit met hetzelfde respect tegen hem gesproken. Toen Viktor nog thuis woonde, had zijn vader hem nooit met respect behandeld en hij deed dat ook nu niet, wanneer hij eens per jaar met verlof thuiskwam. Zijn vader praatte nog altijd tegen hem alsof hij een kind was en niet de kampioenschutter op het zware NSV machinegeweer. Van zijn pelotonssergeant en de instructeurs op de schietbaan had hij respect noch vriendschap gekregen en anderen hadden geprobeerd hem te verdrinken toen hij had geprotesteerd tegen de diefstal van het wapen dat van hem was. De officier die toezicht uitoefende op de schietbaan en de mannen in het wapendepot hadden geen enkel respect voor hem, terwijl ze toch wisten dat hij was uitgekozen om de Oostzeevloot bij de kampioenschappen te vertegenwoordigen, en ook de dienstplichtigen met wie hij de slaapzaal in de kazerne deelde toonden geen respect voor hem. Hij dacht niet aan Viktor Artsjenko, die zijn successen had gevolgd, die met hem over het kasteel bij Malbork had gepraat, die hem af en toe had gevraagd om hem naar Kaliningrad te rijden. Hij werd ingepalmd door de vriendschap en het respect die hem geboden werden. Tijdens die nachtelijke uren ging zijn trouw op een ander over.

Igor Vasiljev, een simpele ziel, zou niet kunnen begrijpen dat hij een marionet was in de subtiele, gevoelige vingers van een sublieme poppenspeler.

'Ik schiet goed, omdat ik sterk ben.'

'Zouden de meeste mannen hun schouder breken door de terugslag?'

'Het geweer komt niet met een klap terug tegen de schouder, maar met de kracht van een harde duw. Je moet alleen wel sterk genoeg zijn om te blijven richten.'

Er waren vier lichtfakkels in de lucht, die als treden van een trap omlaagkwamen. Toen hij hen voor het laatst had gezien, vier mannen en niet vijf, hadden ze zich als vluchtende konijnen voortbewogen, wegschietend en zigzaggend over een kleine afstand, om dan dekking te zoeken. De laatste keer dat hij hen in het vizier had en het dradenkruis over het groepje had bewogen, had hij gedacht dat hij een schietkans had, maar die was weer voorbijgegaan. Telkens als hij naar de schietbaan ging, zag hij het stuk terrein waarover ze nu vluchtten. Hij kende het terrein dicht bij de schietbaan even goed als het eind van de Oelitsa Lenina, de straat in Wolgograd waar zijn ouders woonden. De vele ritten naar de schietbaan, hobbelend achter in de truck, hadden ervoor gezorgd dat hij het terrein voor de raketinstallaties als zijn broekzak kende. Hij wist dat er greppels waren, en daar zijn trouw op een ander was overgegaan, had hij tegen de man die nu met de patroonband in zijn handen naast hem lag gezegd waar het struikgewas weer begon en op welke afstand de fakkels afgevuurd moesten worden.

De stem, een zacht gemurmel in de wind, stoorde hem niet. Hij wist dat ze uit hun dekking moesten komen en wachtte.

'Ik zou het niet kunnen. Ik zou in paniek raken zodra ik het doelwit zag. Hoe blijf jij zo rustig?'

In zijn eigen woorden had hij het niet kunnen uitleggen. Het was als een tweede natuur voor hem, een talent dat hem geschonken was. Hij gebruikte de taal van de instructeurs. 'Je moet altijd kalm blijven. Je moet beheerst ademhalen. Wanneer je schiet, ben je gestimuleerd en opgewonden en daardoor kun je soms slecht richten. Je moet je longen niet volzuigen en je adem proberen in te houden, want door de opwinding gaat het dan kloppen in je hoofd en splijten je hersenen. Je ademt uit en wacht dan even om te schieten. Je houdt je adem niet in, maar je wacht even. Er is een verschil. Je moet je mond altijd openhouden wanneer je schiet, want als je hem dichtdoet, wordt je gehoor door het lawaai van de schoten beschadigd.'

'Ik begrijp het, Igor. Kijk.'

De mannen kwamen uit hun dekking.

De fakkels hingen boven hen. De ruitformatie was kleiner. Er liep één man voorop. In het brede gedeelte van de ruit was zijn vriend, en een andere, in het zwart geklede figuur liep naast hem, maar niet al te dichtbij. De vierde man liep achter zijn vriend en vormde de achterhoede. De trouw was weggeëbd, maar niet geheel verdwenen. Het dradenkruis bewoog met kleine schokjes weg van de achterste man en zijn vriend en hij hield de kolf iets minder stijf vast. Het vizier ving het doelwit op dat naast zijn vriend rende. Hij kreeg het doelwit in het kruis en raakte het weer kwijt toen het wegdook en zigzagde, om het vervolgens weer op te pikken.

Hij hield het doelwit in het vizier. Het was zijn expertise die het dradenkruis op de vergrote wervelkolom van zijn doel hield. Zijn vinger gleed van de trekkerbeugel naar de trekker.

Ham rende.

Vóór hem kwam een fakkel neer; de parachute zakte in elkaar en het laatste restje lading verbrandde. Hij maakte een sprongetje om het ding te ontwijken. De koorden van de parachute waren duidelijk zichtbaar in het licht van de drie fakkels die nog boven hem hingen.

Het moment waarop hij over de koorden, die als een berijpt spinnenweb van een struik hingen, heen was, richtte Ham zich in zijn volle lengte op. Bij de volgende stap dook hij automatisch in elkaar.

Sommige mannen zigzagden onder vuur, andere liepen rechtop en geloofden dat hun niets kon gebeuren. Er waren er ook die zich diep bogen om een kleiner doelwit te bieden. Ham bukte en wist niet dat het dradenkruis van zijn stuit naar zijn achterhoofd sprong.

Ham hoorde niets en was zich niet bewust van het schot dat een einde aan zijn leven maakte.

Ham hoorde de knal niet die ver achter de kogel aan kwam. Hij zag niets van de grond en de bosjes die op hem af schoten om een einde aan zijn val te maken. Ham was zich niet bewust van het bloed, het weefsel, de stukjes hersenen en botsplinters die in een boog wegspoten.

Lofty schoot twee keer achter zich. Wickso haakte de radio los van Hams lijk. Ze sprintten naar Fret, die weggedoken was. Ze zigzagden, bukten, holden voorovergebogen over het terrein en toen ze bij Fret kwamen, gristen ze hem mee. Ze gingen over het hek van de raketbasis. De ruitformatie was verbroken.

Ze stuurde het bericht door.

Ze kende het nasale accent van Wickso's stem. Andere stem dan van Ham. Hams stem was rustiger, minder vinnig, en de klinkers werden beter uitgesproken. Er klonk iets verveelds in Hams stem.

Het bericht – DELTA EEN UITGESCHAKELD. GAAN DOOR NAAR RV. VERMOEDELIJKE AANKOMSTTIJD 25 MINUTEN – werd doorgestuurd naar de *Princess Rose*.

Haar leven gleed aan haar voorbij alsof ze verdronk.

Ze was de 'kleine engel' van Albert en Roz North. Ze was het verwende kleine meisje en hun oogappel. Ze was het kind dat van geen enkele dankbaarheid blijk gaf, het kind dat de ambitie had om van hen los te komen en haar eigen weg te gaan. Ze was het meisje dat van hen wegglipte, maar toch nooit zo ver dat ze het vangnet van een beheerd fonds moest ontberen. Ze ging gestadig op de middelbare leeftijd aan en na Rupert Mowbrays pensionering was haar carrière tot stilstand gekomen.

Andere alleenstaande vrouwen van haar leeftijd bij de dienst wisten zich met intriges in het leven en de hotelkamers van hogere functionarissen te dringen en waren beschikbaar zodra de scheiding een feit was. De hogere mannen zochten vrouwen die begrepen welke beperkingen er door geheimhouding werden opgelegd. Ze had mensen vaak genoeg horen zeggen dat de eis tot geheimhouding aan menig ideaal huwelijk met iemand buiten de begrenzingen van Vauxhall Bridge Cross een eind had gemaakt. Zij was niet ingegaan op alle uitnodigingen voor een snel etentje in een restaurant en een vluggertje in een hotel. Zij had de herinnering aan Viktor en een barnsteen om haar nek. Ze had niets. Verloren op een landtong in Oost-Europa, voelde ze hoe de liefde uit haar wegvloeide.

Ze geloofde dat Ham en Billy, en Wickso en Lofty, die nu met Viktor vluchtten, de beste kerels waren die ze ooit gekend had. Ze zat aan de tafel in de keuken van het vakantiehuis, bij de radio, en wachtte met angst op het piepsignaal en het rode, knipperende lampje die haar voor het volgende bericht zouden waarschuwen. De slechtste kerel die ze ooit had ontmoet, was Gabriel Locke. Ze balde haar vuist en sloeg op de tafel.

Ver achter Locke was het kordon van soldaten die bij het hek langs de grens uit de vrachtwagens waren gesprongen. Hij dacht aan thuis, aan zijn jeugd. Zijn moeder, de vrouwen van de omliggende boerderijen en hun kinderen vormden vroeger soms een rij hoog op de met varens begroeide hellingen boven de weilanden. Ze bewogen zich dan met hun stokken door de varens en over de rotsen en dreven de vossen omlaag naar de heggen, waar de mannen een tweede kordon vormden, waar zijn vader was. Het kind, Locke, had het vreselijk gevonden. De vossen werden opgejaagd en naar de geweren gedreven. Er werd gezegd dat de vrouwtjesvossen erger waren dan de mannetjes, omdat ze de lammeren pakten die in de vroege lente geboren werden om aan hun jongen te voeden. Als het alleen een kwestie van afschot van ongedierte was geweest, had Locke er misschien vrede mee gehad, had hij er misschien de noodzaak van ingezien. Het waren de kreten van plezier en het opgewonden geschreeuw, terwijl de geweren donderden en de vossen omtuimelden, waarvan hij zo'n afkeer had gehad. Hij had geweigerd om er ook maar iets mee te maken te hebben en op de zaterdagochtenden waarop de drijvers en de mannen met jachtgeweren bij elkaar waren gekomen, was hij naar een van de schuren of stallen gegaan en had hij zich verstopt. De spanning en sensatie die zij bij de jacht ondervonden, was iets wat hij in zijn ouders en de kinderen van de omliggende boerderijen haatte. Natuurlijk had hij gezien wat vossen met lammeren deden en hij had geweten dat het leggen van vergif het alternatief was, maar diep in zijn ziel, meegedragen tot in zijn volwassen leven, was er de oerangst geweest voor een kordon dat een prooi naar de geweren dreef. Het kordon was achter hem en voor hem uit waren de lichtfakkels, die hij door de dennen zag, en af en toe klonk het rommelende salvo van een zwaar wapen.

Het bos was diep en de bomen stonden dicht om hem heen. Hij

liep struikelend door naar het licht van de fakkels en het machinegeweer.

Nu bevond hij zich tussen de oude loopgraven en de bunkers. Hij trok zich niets aan van de kraters waar hij in terechtkwam of van de ruwe, betonnen hoeken van de verzonken bunkers, die het vel van zijn schenen schraapten. Lage takken sloegen in zijn gezicht en er waren doornstruiken die zich aan zijn jasje haakten en in zijn broek bleven steken. Hij dacht aan de mannen die hier geweest waren, in hun mangaten, in hun loopgraven, in de bunkers, en aan de twee linies die hen in een steeds kleiner wordend gebied hadden teruggedrongen. Geen ontsnapping mogelijk. Hadden ze geloofd dat het de moeite waard was wat ze deden, toen ze van loopgraaf tot loopgraaf, van bunker tot bunker, vochten? Hadden ze er in hun laatste uren van gedroomd dat over een halve eeuw hun namen nog op de lippen van mensen zouden liggen? Wanneer de fakkels op hun hoogste punt waren, regende het lichtschilfers tussen de dennen. Hij had een antitankwapen gezien, half begraven in dennennaalden, en geweren en stapels mortierhulzen, nog altijd herkenbaar ondanks de dikke laag mos. Hij vond twee geraamtes, in elkaar verstrengeld, alsof de lijken nog copuleerden, de armen om elkaars witte ribbenkasten geslagen, en hij dacht aan de kameraadschap tot in de dood. Terwijl hij voortliep, holde, geloofde Gabriel Locke dat hij in een walhalla van helden terecht was gekomen.

Zijn schoen schopte tegen de schedel. Hij rolde van hem weg. Nog steeds gevangen in zijn helm stuiterde hij tegen een boom, en Locke voelde hoe de schok zich van zijn tenen naar zijn enkel en knie verspreidde. Werd de naam van de man die in die schedel geleefd had nog steeds uitgesproken door een oude, zwakke vrouw? Hij viel. Hij snakte naar adem en zocht steun bij een wirwar van boomwortels. De wortels van de door een storm omgewaaide den verhieven zich boven hem en de laatste lichtfakkel wierp een patroon van fijne schaduwen over zijn gezicht. Om meer houvast te krijgen, bewoog hij zich dichter naar de wand van wortels en aarde aan de voet van de omgevallen boom, en viel. Takken begaven het onder zijn voeten. Hij maaide met zijn armen. Hij had, in een reflex, zijn ogen dichtgeknepen, om ze te beschermen toen hij in het gat viel. Hij verplaatste zijn handen om zich op te drukken, zijn ogen half toegeknepen, en voelde iets zachts onder zijn vingers. In het licht dat er was zag hij de rugzak en de vier enveloppen die erop lagen. Hij pakte ze en liet ze in de binnenzak van zijn jack glijden.

Hij kroop uit de kuil. Hij wist dat hij bij het team in de buurt was. Het bos werd dunner en de lucht was lichter. Hij nam grotere passen en holde sneller in de richting van de exploderende lichtfakkels.

Igor Vasiljev had één lijk gezien, maar had er alleen een vluchtige glimp van opgevangen in de koplampen van de UAZ-469. Ze waren er hobbelend en slingerend langsgereden, toen de onderofficier om de dichtste bosjes en hoogste duinen was gezwenkt.

De onderofficier bracht de grote jeep een meter of twee van het tweede lijk tot stilstand.

Naast het lijk verhief zich een heuveltje in het terrein. Het was de aangewezen plaats om zijn machinegeweer op te stellen. Hij stapte uit en Mikhail en Dmitri hesen het zware machinegeweer over de open achterkant van de grote jeep. Hij ving het wapen op, liet het zakken en duwde hard op de driepoot om hem stevig te verankeren. De kolonel kwam naast hem staan met de patroonbanden en de boerenzonen tilden de mortier uit de jeep en... Vasiljev keek naar het lijk. Omdat hij nog nooit bij een gevechtshandeling geschoten had, had hij nooit de ernstige schade gezien die werd aangericht door een 12,7mm-kogel. Hij zag de keel, de kin en de onderkaak en verder niets. Hij ging achter het machinegeweer zitten. De bovenkaak, de neus, wangen, ogen en bovenkant van de schedel waren verdwenen.

Hij staarde met opengesperde ogen naar wat er niet was. Terwijl het braaksel omhoogkwam, hoorde hij het afgemeten bevel van de kolonel.

De lichten van de UAZ-469 werden uitgezet en het lijk werd een van de vele vormen in het donker.

De arm was om zijn schouders. De stem zei sussend: 'Jij bent de beste, Igor.'

Hij voelde het braaksel, dat een smerige smaak had, tegen zijn tanden. Het drupte over zijn lippen. Hij spuugde het uit, op de grond. Met zijn mouw veegde hij het van zijn mond.

'Er zijn admiraals en generaals, commandeurs en brigadegeneraals, kapiteins en kolonels. Het zijn uitstekende militairen, maar ze staan nu machteloos. Omdat jij de beste bent, omdat jij de techniek onder de knie hebt, ben jij alleen belangrijk. Jij...'

Vasiljev zei: 'De loop is nu warm. Het was een goede prestatie om die eerste treffer te scoren toen hij nog koud was. Met een koude loop kan het vuur te laag liggen. De loop schiet beter als hij warm is.'

Locke zag hen. Hij bevond zich bij de laatste bomenrij. Voor hem uit waren de lichten van een kermis. Het deed hem denken aan de kermis die met Pinksteren naar Haverfordwest kwam en waar zijn ouders hem als kind mee naartoe hadden genomen; het was een beetje als het vuurwerk boven de Theems op de vooravond van het nieuwe millennium, toen hij alleen in de menigte op de oever had gestaan, omdat iedereen die hij kende al iets anders te doen hadden. De lichtfakkels brandden boven hen en de lichtspoormunitie vloog hun voorbij, en ze fascineerden hem, zoals de lasershow boven de rivier dat ook had gedaan. De fakkels verlichtten het terrein en de lichtspoorkogels wierpen bij inslag rode vonken in het rond.

Hij schatte dat ze zo'n zeven- à negenhonderd meter van hem verwijderd waren. Er hingen drie lichtfakkels in de lucht en dat waren Lockes bakens. De fakkels volgden de mannen op de voet. Om het groepje te vinden, hoefde hij alleen maar te kijken waar de fakkels hun scherpste schijnsel wierpen.

Sprintende figuren, klein op die afstand, kwamen zijn kant uit. Toen ze door de felste poelen licht kwamen, kon hij het witte overhemd zien, kon hij het goed zien. Wat moeilijker te onderscheiden was, waren de in het zwart geklede gedaantes. Omdat hij uitgeput was en het steeds moeilijker werd om lucht in zijn longen te krijgen, viel het Locke moeilijk om te tellen en zich te concentreren op wat hij zag. Hij had lang uitzicht op het witte overhemd en de vorderingen die het bij de sprintjes maakte, maar hij kon er geen moment zeker van zijn dat er meer dan twee figuren in de buurt van dat witte overhemd voortijlden. De lichtspoorkogels verschenen in rechte strepen naast hen of boven hen. Maar twee... Hij werd gedekt door de bomen. Hij kreeg de indruk dat ze zo'n twintig, dertig meter renden, voordat ze uit het zicht verdwenen, om even later weer op te doemen: het witte overhemd en de twee waar er vier hadden moeten zijn.

Hij had geen besef van gevaar, voelde geen bedreiging. Hier was waar hij had willen zijn, had verkozen te zijn. Hij hoorde de knal van de ontploffing van de volgende lichtfakkel en het donkere geratel van het mitrailleursalvo. Ver achter hem klonken de geluiden van de drijvers van het kordon. Maar de angst had hem verlaten. Hij stapte uit de laatste bomenrij. Er was geen weg terug meer; die kans was er ook nooit geweest.

Locke begon te rennen.

Er ging weer een waterval van lichtfakkels de lucht in en meer lichtspoorkogels trokken in rode strepen voorbij. Samen leidden ze hem naar zijn bestemming.

Hij struikelde niet meer, was lichtvoetig, viel niet. Hij was een vrije geest. De loopgraven, bunkers, oude achtergelaten wapens, geraamtes en de schedel lagen achter hem. Voorbij het punt waar hij op toeliep, zag hij de speldenpuntjes licht van de koplampen, die slingerend zijn richting uit kwamen. Hij voelde niet hoe de struiken aan zijn benen rukten, zich in zijn broek boorden, en hij voelde evenmin de steentjes die tussen zijn sokken en de binnenzolen van zijn schoenen werden geklemd. De duisternis klauwde naar hem.

Hij hoorde hen.

Geen stemmen, maar hun hijgende, stokkende ademhaling. Even staken ze af tegen de lucht, om vervolgens te verdwijnen en even later weer op te duiken. Het gehijg klonk dichterbij.

Met een stem die ijl klonk in de nachtlucht, riep Locke: 'Deze kant op, ik ben hier, Locke.'

Een opgehoest gegrom antwoordde hem uit het donker: 'Locke? Jezus christus.'

'Ja, Locke.'

'Heb je ondersteuning?'

'Ik ben alleen.'

Ze waren bij hem, kwamen tussen de bosjes uit en een zwarte gedaante botste tegen hem op en wierp hem omver. Een hand greep hem en sleurde hem overeind. Het witte overhemd zwenkte om hem heen. De hand liet hem los en alle lucht was uit zijn longen geperst. Zij waren doorgelopen. Tijdens de eerste meters van zijn achtervolging dacht Locke dat hij hen niet zou inhalen. Wat had hij verwacht? Een bos rozen, een kop thee? Had hij gedacht dat ze hem een hand zouden geven, hem op zijn rug zouden slaan en bedanken? Hij probeerde grotere passen te nemen. Zijn benen waren nu zwaar, zijn longen leeg, en al zijn spieren deden zeer. Het witte overhemd was zo'n tien meter voor hem uit en de zwarte gedaantes liepen ernaast, slechts twee.

Hij riep hun na: 'Waar zijn de anderen?'

Van de hijgende gedaante rechts: 'Even kakken. Waar dacht je verdomme dat ze waren?'

'Waar zijn ze?'

Van links: 'Uitgeschakeld, ze zijn uitgeschakeld.'

Even begreep Locke het niet. 'Dood? Is "uitgeschakeld" dood?'

Met fluitende ademhaling: 'Ham dood, heeft geen kop meer. Billy uitgeschakeld, geraakt. Misschien dood, misschien ook niet.'

'Jullie hebben hem achtergelaten?'

'Stomme lul, er zijn hier godverdomme geen regels. Wat doe je hier?'

De bomenrij was zichtbaar tegen de lucht. De donkere muur die door de bomen gevormd werd wenkte hen, leek om hun komst te schreeuwen. Hij had zijn achterstand ingehaald. Als hij zijn hand had uitgestoken of een duik naar voren had genomen, had zijn vuist misschien een wetsuit of de kraag van het witte overhemd kunnen pakken. Toen ze langs de hoge aarden wal kwamen waar de verste doelen van de schietbaan opgesteld stonden, spatte er een fakkel boven hen uiteen. De bomen staken hun takken naar hen uit. Hij zag hoe Lofty en Wickso de schouders van het witte overhemd grepen en omlaagdrukten. Ze vervolgden hun weg kruipend op hun buik. Omdat hij rende en zij kropen, kwam hij eerder bij de bomen aan. Hij dook omlaag en de vochtige aarde was in zijn neus en de naalden waren in zijn mond. Hij keek achterom. Hij kon elk stukje bast van de dennen zien, elke dennenappel aan de lagere takken, elk zijblad aan de varens. Even richtte Wickso zich knielend half op en stak zijn arm zo ver mogelijk de lucht in. Terwijl het licht hem overspoelde, maakte hij het vingergebaar. De lichtspoorpatroon schoot op hen af, kogels boorden zich in de stammen en naalden, takken en dennenappels regenden op hen neer.

'Ik kwam helpen.'

'Lofty, ik vraag me af waarom iemand hier zou komen om te helpen.'

'Wickso, hij heeft óf God gevonden, wat niet goed is, óf te lang in de zon gezeten, wat nog erger is. Geef hem Hams...'

Het wapen werd hem in de hand gedrukt. Ze waren op hun buik verder gekropen. Meer kogels raakten de bomen boven hen of ketsten jankend af op stenen, terwijl het lichtspoor een regen van vonken verspreidde. Locke kroop hen op handen en voeten achterna, de kolf van het wapen stevig in zijn hand geklemd. Op Fort Monkton, op de schietbaan in het gebouw, had hij met een Walther P5 geschoten, had hij er op twee middagen een halfuur mee geoefend. De eerste keer had de instructeur gezegd dat hij 'knudde' was. Hij had het als een grap afgedaan, iets wat bijzaak was, twee middagen vrij van de elektronische apparatuur waarover nieuwe agenten konden beschikken. Schieten had een onbelangrijke nevenactiviteit geleken, even nuttig als de cursus heimelijke verplaatsing door bosgebied, zoals die in het New Forest was gegeven. Als kind had hij nooit geschoten met zijn vaders superposé. Al zijn beoordelingen voor elektronische communicatie, operatieterreinanalyse, rapportage waren vergezeld gegaan van rode sterren voor uitmuntend werk. Ze waren nu alledrie overeind gekomen en hadden het op een lopen gezet.

'Wat is dit voor wapen?'

Lofty's gegromde: 'Skorpion, Tsjechisch, 7,65mm, *blowback*, enkelschots of automatisch.'

'Ik weet niet hoe ik ermee om moet gaan.'

Wickso merkte bits op: 'Dan zou ik dat godverdomme maar leren.'

Hij huiverde. Het verschil was nu: hij kon de bomen zien. Hij kon de zee op het strand horen en kon de stammen van de bomen zien zonder hulp van het licht van de fakkels.

'Trap hem in.' Nadat hij het bevel had gegeven, deed Piatkin een stap opzij.

Hij had een kloppende pijn in zijn hoofd, maar hij was nu in elk geval nuchter. De korporaal van de marechaussee, een beer van een vent op wiens blote rechterarm een getatoeëerd meisje danste, ging voor de deur staan, haalde diep adem en zwaaide de moker naar achteren.

Het deurpaneel werd bij de derde slag verbrijzeld.

De korporaal stak zijn hand door het versplinterde paneel en draaide de sleutel om. Hij gooide wat er van de deur over was open en ging uit de weg. Piatkin zou alleen naar binnen gaan. Achter hem en de korporaal waren de mannen die het personeelskantoor van de vlootcommandant bezetten, allemaal behalve overste Artsjenko.

De schoft. Piatkin vloekte. De bovenste la bij de dichtstbijzijnde poot van het bureau was open en de sleutel zat er nog in. Het pistool lag op de vloer. De borst, armen en wat er restte van het hoofd lagen op het bureau. Het hoofd had bij zijn val de inktpot omgestoten. Een gedeelte van het weggelopen bloed, vermengd met inkt, had een klein, paars stroompje gevormd, dat door een open slof Camel-sigaretten tot stilstand was gebracht. De bovenkant van het hoofd en veel van het bloed bevonden zich rond de lamp aan het plafond.

De waarnemend bevelhebber van de vloot was in Moskou. Het hoofd van Geheime Operaties was in Severomorsk.

Piatkin haatte deze man die Artsjenko's beschermheer was geweest. Hij zag weer de koude gezichten van de mannen die rechter over hem zouden spelen. Hij gaf opdracht om de kamer af te grendelen en het lijk van admiraal Alexei Falkovski met rust te laten. Als hij tekortschoot, zouden ze hem levend villen.

Hij marcheerde naar het commandocentrum in de bomvrije bunker onder het hoofdkwartier.

Vladimir Piatkin, de zampolit, wist niet hoe hij zich aan de catastrofe die hem dreigde te verzwelgen, kon ontkomen.

'Zeg eens, meneer Mowbray, want ik geloof dat ik nu het recht heb om die vraag te stellen, waarom hebt u ons hier eigenlijk gebracht?'

Mowbray beet op zijn lip. 'Hoe ver zijn we uit de kust?'

De stuurman zei dat ze vijf zeemijlen van het strand waren. Een uur lang hadden ze, in een bijna gespannen stilte, vanaf de brug naar de lichtfakkels en de voortijlende strepen van lichtspoormunitie gekeken. De kapitein had het bevel tot volle kracht vooruit gegeven. De *Princess Rose* stoomde op naar het land, niet hoog en trots, maar laag door het gewicht van haar vracht. De dageraad druppelde over de bomenrij, die hij in het oog hield.

'Waarom, meneer Mowbray?'

Hij verhief zich in zijn volle lengte. 'Ik had de visie om te zien wat nodig was. Een veilig, drijvend platform. We konden er een boot van inzetten, waarmee we ongezien aan land konden komen en onze agent oppikken, om er ten slotte in het donker naar terug te keren en uit hun territoriale wateren te verdwijnen.' Zijn stem stierf weg. 'Mijn visie van een plan om op terug te vallen.'

'We zijn te laat.'

Gewichtig, alsof hij zijn studenten toesprak, antwoordde Mowbray: 'Ik ben nooit bereid geweest om mislukking onder ogen te zien. Het is gewoon onaanvaardbaar.'

De stuurman, die achter hem stond, sprak met zachte, verdrietige stem. 'Maar er is nu sprake van een mislukking, meneer Mowbray, van een fiasco. Het is gebeurd.'

Hij draaide zich om en snauwde. 'Onaanvaardbaar. Mislukking is nooit en zal nooit aanvaardbaar zijn.'

De verrekijker van de stuurman werd hem aangereikt. De stuurman wees naar de zwakke lichtjes van de marinebasis in de verte. Zijn ogen waren niet zo goed als die van de stuurman en met de verrekijker op het land gericht, stelde hij de scherpte bij. Hij zag eerst de bewegende lichten en even later zag hij de zich verspreidende boeggolf. Toen kon hij de omtrekken van de metaalgrijze patrouilleboot onderscheiden, de boeg recht op de *Princess Rose* gericht.

'Alsjeblieft. Ik smeek jullie om al het mogelijke in het werk te stellen.'

Igor Vasiljev, de dienstplichtige, klemde zich aan de zijkant van het open voertuig vast, terwijl Bikov de onderofficier van het pad stuurde. De UAZ-469 steigerde en slingerde door het struikgewas en hij hield het machinegeweer tussen zijn knieën geklemd. Hij was trots. Men was zich van zijn bekwaamheid bewust. Ze reden het struikgewas uit en klommen naar de top van de duinen, en het strand, een open vlakte, ontrolde zich voor hen.

Zijn naam werd zacht geroepen. Ponsford was in slaap gesukkeld. Hij kwam met een schok uit zijn stoel en liep naar de glazen deur. Het bericht was op dun, goedkoop papier gedrukt. De gedachte kwam bij hem op – en het was bijna hoogverraad om die gedachte uit te spreken – dat die vervloekte accountants het nu in het gebouw voor het zeggen hadden. Weer een overwinning voor de papercliptellers, dacht hij afwezig: goedkoper papier voor berichten naar het bijgebouw van het communicatiecentrum. Hij keek op zijn horloge. Vijfentwintig minuten sinds het laatste bericht was doorgegeven en twee uur sinds... Waar was Giles in godsnaam? Hij groef in zijn geheugen: Ik ga even een luchtje scheppen. De technicus gaf hem het tweede bericht.

Hij kon niets aan de gezichten aflezen. De technici die in de Oorlogskamer in de kelder werkten wisten hun emoties te verbergen, of het bericht dat ze doorgaven nu een triomf of een ramp betrof. Voor de tweede keer was er geen frons of zweem van bezorgdheid op het gezicht van de jongeman te zien. En ze leverden nooit commentaar op de berichten. Ponsford nam het papiertje in ontvangst.

Hij kreeg een schok.

Het tweede bericht – DELTA EEN UITGESCHAKELD – leek hem harder te raken dan het eerste, trof hem dieper. Hij had de mannen nog nooit gezien, had ze nooit ontmoet, kende hen alleen maar van de oude dienstfoto's in hun dossiers. Het was de taak van Peter Giles en Mowbray geweest om hun antecedenten na te trekken. Hij besefte hoelang geleden het was dat Giles 'een luchtje was gaan scheppen'. De technicus was weer teruggelopen door de glazen deur, was weer gaan zitten en had zijn stoel naar de apparatuur gedraaid die de berichten ontving. De technici waren stuk voor stuk jonge mannen en vrouwen, verliefd op hun apparatuur, en hij vroeg zich af of ze een hart hadden, of ze de berichten die ze decodeerden lazen en of ze erdoor beroerd werden. Hij kon niet helder denken. Op het scherm waar voorheen de vergrote kaart van de Mierzeja Wislana-landtong zichtbaar was geweest, een landengte die op Russisch grondgebied de Baltijskaja Kosa werd, prijkte nu een karikatuur van een hoofd en schouders, primitief getekend, alsof het door Giles' kleinzoon aan de keukentafel was gedaan en niet afgemaakt omdat het kind geen belangstelling meer had gehad. Het hoofd van de karikatuur was een lege cirkel. Geen ogen, geen oren, geen mond, geen gezicht. Waarom had Peter Giles dat getekend terwijl hij sliep? Het leek lang, een eeuwigheid geleden, dat die zak van een Mowbray met galmende stem had gezegd: 'Mijn dank voor jullie verhaal van die man uit Grozny. Er wordt een ondervrager teruggeroepen naar Moskou. Moet zich nu op de basis in Baltijsk bevinden.' Een belangrijk man, een man met gezag. Een onbekend gezicht vulde het scherm. Giles had gezegd: 'Ditmaal hebben de kleine mensen de leiding'. Bertie Ponsford moest zijn last met iemand delen.

Via de intercom liet hij de technicus weten dat hij meneer Giles ging zoeken. 'Ik ben zo weer terug.'

Ponsford nam de lift naar de open binnenplaats. Sommige rokers gebruikten de terrassen boven de Theems aan de achterkant van het gebouw om een 'luchtje te scheppen', anderen gaven de voorkeur aan de brandtrappen en een enkeling ging met zijn identiteitskaart door de elektronische hekken aan de voorkant om een beschut plekje langs de oprijlaan te zoeken. De binnenplaats, waar de stilte alleen verbroken werd door een vloerwrijver, deed Ponsford aan een Amerikaans hotel denken – van een hotelketen, zoals een Holiday Inn of een Marriot – zielloos, zonder hart. Ze logeerden in dat soort hotels wanneer ze 'overzee' gingen om de indruk te wekken dat er een speciale relatie met de Amerikanen bestond. Vergeet het maar. Hij liet zijn blik langs de hoge potplanten dwalen. Een dorre omgeving en daar bracht hij zijn leven door. Zielloos, harteloos, dor, de werkomgeving van Bertie Ponsford.

Hij liep de terrassen op. Jezus, waren die twee echt aan het neuken? In de schaduw dook een paartje weg, dat vervolgens uiteenweek en hem vijandig opnam. Hij keek naar de balustrades, de banken en de andere beschaduwde plekken. Hij vroeg zich af of hij hen kende en wenste hun bon voyage. Ze moesten van de recentelijk uitgebreide Afghanistan-afdeling zijn, een verwaande club, pas sinds kort belangrijk, en het tijdsverschil met hun operatiegebied betekende dat er altijd een volledige nachtdienst was. Jezus christus, om op het terras te neuken. Systematisch controleerde hij de brandtrappen. Hij kwam weer terug op de binnenplaats en liep naar de hoofdingang. Hij kende iedereen van de oudere mensen die in de nachtdienst de belangrijkste ingangen bewaakten bij naam. Als hij tegen hen praatte, hen bij hun voornaam noemde, straalden ze van trots en voelde Ponsford zich populair. Hij was bijna vergeten waarom hij aan zijn nachtelijke missie door het vaag verlichte, stille gebouw begonnen was. Twee mannen die voor de dienst een taak uitvoerden waren uitgeschakeld.

'Goedemorgen, meneer Ponsford.'

Ze kwamen allemaal óf van een garderegiment óf waren paraveteranen óf hadden bij de marine gediend. Ze droegen hun schone, gestreken uniform met hun lintjes met trots en hij had zich kunnen scheren in hun glimmende schoenen. Hij wist dat ze de verhuizing van het armoedige Century House naar de Amerikaanse properheid van Vauxhall Bridge Cross stuk voor stuk verschrikkelijk hadden gevonden.

'Hallo, Clarence, jij kunt me helpen. Heb je meneer Giles gezien?'

'Niet sinds hij naar huis is gegaan, meneer.'

'Nee, nee, hij ging alleen even een luchtje scheppen.'

'Ik geloof het niet, meneer. Hij had zijn jas aan en zijn hoed op, en hij had zijn aktetas onder zijn arm. Zei dat hij naar huis ging, meneer.'

Ponsford zocht steun bij de muur. Hij leek een nijdige, schurende janktoon te horen. Hij weigerde te geloven – piekerde er niet over – dat die janktoon van de motor van de vloerwrijver kwam. De motor van een kettingzaag doorkliefde zijn brein en de mist trok op. Met een kettingzaag met een supergroot blad zou je een brandgang kunnen zagen.

'Blijft u nog, meneer?'

'Ja, ik blijf nog, Clarence,' zei hij terwijl hij de lucht door zijn tanden naar binnen zoog.

'Is het een grote operatie, meneer? Daar heb je er tegenwoordig niet veel meer van.' De oude soldaat lachte. 'Maar daar gaat u mij niks over vertellen, hè, meneer?'

'Nee, daar ga ik je niets over vertellen.'

Hij keerde de hoofdingang, waardoor zijn oude vriend Peter Giles verdwenen was, de rug toe. Ze hadden dezelfde introductiecursus gevolgd en waren samen hogerop gekomen. En nu had de lul een veilig heenkomen gezocht – ieder voor zich – en was hij achter de brandgang verdwenen. Hij ging terug naar de lift die hem weer naar de Oorlogskamer in de kelder zou brengen. Als degenen die het overleefd hadden en Fret zouden ontsnappen, moesten ze zich nu dicht bij het strand bevinden. Het geratel van de tanden van de kettingzaag weerklonk luid in zijn hoofd.

19

V. Waar kun je volgens de reisbureaus in Rusland de prachtigste en meest onbedorven stranden vinden?
A. Kaliningrad.

Ze hoorde de boodschap.
Alice luisterde.
Wickso's laconieke stem klonk duidelijk in haar koptelefoon en van beknoptheid, zoals bij de eerste berichten, was geen sprake meer.
'Delta Drie voor Roof, wat voor nummer Roof ook maar heeft. We zijn bij de rand van het bos. We hebben de duinen, het strand en de zee voor ons liggen. De hele omgeving wordt door fakkels verlicht, het is hier verdomme midden op de dag. Ik ben hier met Lofty en Fret. We moeten door de duinen en over het strand, dan de zee in, de rubberboot omhooghalen en... Ze hebben een zwaar machinegeweer op ons gericht.'
Ze dacht dat Wickso haar voor de gek hield. Hij leek zo dichtbij, met die scherpe klank in zijn stem, alsof hij naast haar stond. Hemelsbreed was hij niet ver weg. Ze herinnerde zich de ongedwongen hoffelijkheid waarmee Wickso haar voor het hek van de boerderij bij Braniewo koffie uit zijn thermosfles had gegeven, toen Ham haar had verteld dat het niet gelukt was om Fret in de dierentuin op te pikken. Lofty had troostend zijn arm om haar heen geslagen. Ze hoorde hem, helder in haar koptelefoon. 'Moeten de rubberboot gebruiken, moeten door de duinen en over het strand. Ze hebben een kordon gelegd tussen ons en de grens, dat hadden we eigenlijk wel kunnen verwachten. We worden ingesloten. Nou ja, zo is het nu eenmaal. O, en Locke is op komen dagen.'
Haar mond viel open; even later leken haar tanden te klapperen Hij had gezegd: 'Ik ga even naar buiten. Ik ben een tijdje weg.' Wickso praatte gewoon door, alsof hij zich niet over onderschepping van

het bericht bekommerde. Ze zat roerloos op haar stoel en drukte de koptelefoon stijf tegen haar oren.

'Hij dook opeens op, alsof hij nog net voor sluitingstijd de kroeg, de Last Chance Saloon, had gehaald. Waarom? Zei dat hij kwam helpen. We gaan zo het strand over. Als we uit de kroeg komen... nee, nee, wannéér we uit de kroeg komen, bent u mij een drankje schuldig, mevrouw. We gaan nu. Over.'

Ze schakelde naar 'zenden'. Ze kon de laconieke manier waarop hij gesproken had niet evenaren. Met trillende stem zei ze: 'Ontvangen voor verzending naar Plundering. Verzend volgende berichten rechtstreeks naar Plundering Twee. Niet naar mij. Schakel over op desbetreffende golflengte. Communiceer rechtstreeks met Plundering Twee. Over.' Ze was te zeer van haar stuk gebracht, te geschokt, om er een persoonlijk woord van bemoediging aan toe te voegen. Ze zouden zich beledigd gevoeld hebben, had ze snel bedacht, als ze hun geluk had gewenst, geluk was al buiten het bereik van Billy en Ham. Ze moest hen niet nog zwaarder belasten met emoties. Viktor moest bij Wickso in de buurt zijn geweest. Het zou niet professioneel zijn geweest om Wickso te vragen of hij de koptelefoon en microfoon aan Viktor door kon geven. Wat had ze moeten zeggen? 'Hoe is het weer daar bij jou? Ik hou van je.' Ze had niets te zeggen en als ze zijn stem duidelijk in de koptelefoon had gehoord, zou ze waarschijnlijk in tranen uitgebarsten zijn, en dat zou niet professioneel zijn geweest.

Ze duwde de koptelefoon van haar hoofd en griste haar jas van de stoel.

Ze liet de deur van de keuken achter zich openstaan, en toen ze naar het hek achter het huis holde, hoorde ze de scharnieren zingen in de wind.

Haar jas bleef achter het prikkeldraad hangen toen ze over het hek klauterde. Ze rende tussen de bomen door. Wanneer ze op het strand waren of in de zee, wanneer ze door de fakkels verlicht en door het machinegeweer beschoten werden, zouden er geen berichten meer verzonden worden. Ze wilde het zien, de laatste kans op een drankje in de saloon. Ze moest er zijn, moest er getuige van zijn. Dat was ze hun verschuldigd. De verrekijker tikte tegen iets in haar jaszak. Ze kon niet zeggen waar hij tegen aan kwam en het kon haar ook niet schelen. Ze kwam bij het pad tussen de bomen.

Een auto kwam haar achterop en de koplampen beschenen haar fel. De auto week uit om haar te passeren en een man zwaaide vrolijk naar haar, alsof het niet hoogst ongewoon was dat er in alle vroegte een jonge vrouw door een gat van een dorp, midden in de negorij, marcheerde. Ze kwam langs de kerk. De auto was er gestopt. Ze zag dat de man die naar haar gezwaaid had het ordekleed van een priester droeg. Moest ze ook naar binnen gaan en hem smeken een kaars voor hen te branden? Ze hield haar pas niet in.

Ze holde in de richting van de duinen en het strand en zag, als een baken, de koplampen van een lukraak geparkeerde verzameling auto's.

Alice North rende alsof de duivel haar op de hielen zat. Zij was verantwoordelijk. Zij was met het afschrift van de notulen naar Rupert Mowbray gegaan. Zij had op zijn ijdelheid ingespeeld en daar voelde ze zich schuldig over. Ze moest daar op het strand zijn om de afloop te zien.

De koele wind waaide haar tegemoet toen ze op de top van de duinen kwam.

Dit was waar ze Gabriel Locke een graf had laten zien. Aan de andere kant van de geparkeerde auto's, waar de duinen overgingen in het strand en de kust, draaide de motor van een personenauto; de bestuurder gaf gas en de lichten boorden zich omlaag door het donker. Ze struikelde in het losse zand van de duinen. De mensen stonden zwijgend bij elkaar. Ze hield haar pas in en liep de laatste meters naar de menigte, en bij het licht van de vlammen zag ze de sombere uitdrukking op hun gezichten.

Een eindje van het vuur, achter de ruggen van de mensen, trippelden meeuwen op en neer en vochten om de vissenkoppen. Ze vroeg zich af of Gabriel Locke spoedig aas voor de vogels zou zijn. Ze wist niet waarom hij 'even' in de nacht was verdwenen en wat hij kon doen om te 'helpen'. Ze zag Jerry de Pool en de verminkte, zwartgeblakerde hand, die hij tot een klauw had gebald, en volgde zijn blik over het strand.

Waar ze keek scheen een spookachtig wit licht op het strand.

De fakkels verdreven de eerste schaduwen van de dageraad en de nachtelijke mist smolt weg. De duinen, het strand en de branding lagen bloot in het licht, een intens schel schijnsel, dat elke dekking en schuilplaats wegnam. Wickso schatte de afstand van de rand van het bos tot de laatste helling van de duinen op zo'n 75 meter. De breedte van het strand van de duinen tot de kust, waar de zee in kleine golfjes op het zand viel en zich weer terugtrok, was nog eens 150 meter. Van de branding tot de gezonken rubberboot kwam er ten slotte nog honderd meter bij. Of ze nu renden of zwommen, er was geen bescherming. Uit de kust, ver van de plassen licht, was de romp van een schip, en aan de boeggolf kon hij zien dat het op hen af kwam, een grijze vorm in de verte.

'Wie gaat eerst, Wickso, jij of ik?'

'Hij niet,' zei Wickso grijnzend terwijl hij op Fret neerkeek. 'En Locke kan het ook niet zijn...'

Locke mompelde iets wat Wickso nauwelijks hoorde, iets over 'rugdekking geven'. Hij hield de Skorpion van zich af of het ding zou bijten.

'... gaat tussen jou en mij, Lofty.'

'Ik wil wel.'

'Dan ga jij eerst, Lofty.' Hij maakte de pieper van zijn riem los. Het apparaatje bracht met lange uithalen een schrille, zich herhalende janktoon voort. Hij haakte het aan Lofty's schouderriem, waar het goed gezien en gehoord kon worden. Naarmate Lofty dichter bij de rubberboot kwam, zouden de pieptonen korter worden en het kortst zijn wanneer hij zich boven de boot bevond. 'We volgen je, zodra je in het water bent. Twee doelwitten. We gaan het hun niet gemakkelijk maken. Wanneer we bij je komen, ben jij onder water en breek je de flessen. Als het op een andere manier kon, zou ik het doen. We moeten roeien met de riemen die we hebben.'

Hij hoorde Locke iets over 'dekkend vuur' mompelen. 'Hoor eens. Ik heb jou niet gevraagd om mee te komen en ik begrijp ook niet waarom je dat gedaan hebt, dus zou je gewoon je kop willen houden?'

Lofty legde de granaatwerper in Wickso's schoot en haalde toen de granaten die hij over had uit de tassen. Het waren er zes, niet dat het er veel toe deed, en er zat nog een zevende in de buis. Alle granaten die hij had afgevuurd, waren verspild geweest. Lofty lag niet langer op zijn buik, maar had een knielende houding aangenomen, als een sprinter in de startblokken.

'Als ik niet...'

'Daar moet je het niet eens over hebben, Lofty. Dat is je reinste gelul.'

'Ja, ja.'

'Je kunt het, Lofty, en wij komen meteen achter je aan.'

Hij zag hoe Frets lichaam beefde en zijn armen leken te verkrampen; hij had zijn handen krampachtig in elkaar geslagen, alsof hij het schokken wilde onderdrukken. Het was een snelle beweging, als een vriendelijk gebaar bedoeld. Wickso nam Frets nek in zijn hand en kneep hard. Fret hapte naar adem. Dat gaf hem iets anders om over na te denken, dacht Wickso. En dat moest hij ook, dat moesten ze allemaal. Lofty zou er, in de wetsuit, algauw 15 seconden over doen om bij het strand te komen, vandaar 25 om de zee te bereiken en dan... En dan bleef hij met de brokstukken achter. Hij kneep nog eens in Frets nek, deed hem weer pijn. Ditmaal niet als vriendelijk gebaar, maar om hem voor te bereiden.

Hij blafte tegen Locke: 'Jij komt gewoon achter me aan. Blijf bij me, ik ga niet op je wachten.'

Hij voelde hoe de angst hem de keel dichtkneep, erger dan hij in

Frets nek had geknepen. Hij had Billy en Ham gezien. Hij kende de kracht van het machinegeweer en besefte hoe goed de man was die ermee schoot. Van angst kreeg hij kramp in zijn buik.

Lofty bewoog nerveus, of hij wachtte op een startschot. Het begon te schemeren, het werd donkerder. Twee fakkels waren neergekomen en een derde zweefde lager boven het strand. Een halfduister verspreidde zich over de duinen, het strand en de zee.

Wickso snauwde: 'Godsamme, Lofty, schiet een beetje op, of wil je godbetert eerst nog een kop thee?'

Lofty stond overeind en er viel een schaduw over hem. Hij deed een eerste aarzelende stap uit het bos. Hij moest de felle klank in Wickso's stem gehoord hebben en misschien was de angst aanstekelijk. De duisternis leek zich over de kale duinen naar het strand te verspreiden. Hij was nu een eindje van het bos. Het klonk Wickso als de knal van een pistool in de oren. De fakkel spatte boven hem uit elkaar en hing daar, terwijl het licht de schaduwen wegschroeide. Lofty liep op een sukkelgangetje van hen weg.

Wickso begreep welk spelletje er met hen gespeeld werd. Ze hadden de fakkels opzettelijk uit laten gaan. De schutter, of de man die de schutter aanwijzingen gaf, wilde hen uit het bos drijven. Door de fakkels te laten dalen en de natuurlijke schemering te herscheppen, probeerden ze hen te verleiden om zonder enige dekking uit het bos te komen. Het felle licht, het teruggekeerde daglicht, viel op Lofty. Wickso keek toe, spoorde hem inwendig aan. Misschien had Lofty een kwart van de afstand door de duinen afgelegd. Hij probeerde te sprinten, maar kon dat niet omdat het zand onder zijn voeten zacht was en meegaf. Hij had te veel van Lofty gevraagd; daar stond tegenover dat er te veel van hen allemaal was gevraagd. Lofty was de simpele ziel, de man die geleid werd en bladeren van graven harkte, Lofty.

Hij zei, en zijn stem klonk hol: 'Wanneer we gaan, wordt er niet gestopt. Jullie stoppen niet voor mij, ik stop niet voor jullie. We volgen Lofty.'

Lofty was nu halverwege de duinen; voor hem lag het open strand, waar kinderen in dat licht hadden kunnen spelen. De grote man holde en zijn laarzen gleden weg in het rulle zand. Wickso trok Fret overeind en hield hem stevig bij zijn kraag vast. Hij verstrakte. Wickso wierp een blik achterom naar Locke. Hij zag een wezenloze blik. Hij schraapte speeksel op, spuugde het uit zijn droge mond. Lofty passeerde de rand van de duinen.

'Schiet hem neer.'

Hij hoorde Bikovs stem.

Het vizier was afgesteld op 1200 meter. Hij had het doelwit tien seconden gevolgd, vanaf het moment dat hij uit het bos tevoorschijn was gekomen. Tijdens de conditietraining lieten de instructeurs de dienstplichtingen door het losse zand van de duinen bij het verwoeste dorp Rybacij rennen. Hij wist hoe moeilijk het was om snel te lopen op het duinzand. Vergroot in zijn vizier, pompten de knieën van het doelwit, maar hij kon zich niet afzetten.

Hij had zijn vinger om de trekker. Hij hield zijn adem in, trok de trekker langzaam aan en het bonkende wapen drukte tegen zijn schouder. Het lawaai knalde om hem heen op.

Terwijl Vasiljev de baan van de lichtspoorkogel volgde, ging het doelwit neer. In het vizier hield het doelwit de pas in, bleef rechtop staan en viel. Het doelwit werd niet zijwaarts, voorwaarts of achterwaarts geslingerd; de man ging door de knieën, zakte in elkaar.

Hij nam zijn vinger van de trekker.

Vasiljev zei: 'Ik kan u wel vertellen, kolonel Bikov, dat er niemand is, geen dienstplichtige, geen onderofficier-instructeur of officier die een bewegend doelwit op 1200 meter had kunnen raken, alleen ik kan dat. U hebt me zien schieten. Wat ben ik, kolonel Bikov?'

'Jij bent de beste, Igor.'

'De loop was warm. Ik hoefde niet door het lichtspoor geholpen te worden, omdat mijn eerste schot perfect was. U zal niet gauw iemand beter zien schieten, kolonel.'

'Wanneer de laatste man van het team probeert te vluchten, met Artsjenko – en dat zullen ze wel moeten – dan zal ik je nog beter zien schieten. Jij bent de allerbeste.'

'Hebt u gezien, kolonel, dat ik een zogenaamde "dodelijke zone" heb gemaakt? Die heeft de vorm van een sigaar, het soort sigaar dat een officier rookt. Binnen de dodelijke zone van een machinegeweer kan geen doelwit overleven. De dodelijke zone is de afwijking die veroorzaakt wordt door de verschuiving van de driepoot en is dertig meter lang en twee meter breed. Wanneer ik schiet, is alles in de "dodelijke zone" er geweest.'

'Petje af, Igor.'

Hij hoorde alleen de lof die hem werd toegezwaaid. Hij nam zijn oog niet van het vizier toen hij het dradenkruis wegdraaide van het lijk, dat zwart onder het felle licht lag, en terugzwenkte naar de bomenrij waar het doelwit uit gekomen was. Als hij zijn oog van het vizier had genomen, zijn hoofd had gedraaid, zijn blik over de rij kogels had laten gaan die wachtten om naar het sluitstuk aangevoerd te worden, zou hij de ogen van de kolonel gezien hebben en beseft hebben dat die niet bij de honingzoete woorden pasten. En als hij verder had gekeken dan die ogen, waar de mortier stond opgesteld, zou hij de minachting van de onderofficier hebben gezien en de woede die een waas over de gezichten van de boerenzonen had gelegd. Maar dat deed hij niet. Vasiljev – trots, tot het uiterste gestimuleerd, de beste – wist niet dat hij veracht en gehaat werd.

Terwijl de lichtfakkel daalde, werden er twee nieuwe fakkels afgeschoten. Hij stond op eigen benen. Hij had geen behoefte meer aan de vriendschap van overste Viktor Artsjenko. Zijn superioriteit was bewezen. Hij keek naar de bomen en wachtte tot de laatste man tevoorschijn zou komen en hij een glimp van het witte overhemd in het dradenkruis zou opvangen.

De arm kwam omhoog.

Ze zagen de zwarte mouw en de hand, die besmeurd was met zand en bloed. De hand was tot een vuist gebald alsof er pijn onderdrukt werd. Wickso kon er niets aan doen. De arm was geheven boven een zacht rimpelend meer van grashalmen, alsof hij uit diep water was opgestoken en nu door het oppervlak kwam. Wickso was het liefst in tranen uitgebarsten.

'Laten we een minuut wachten,' zei Wickso.

De bomenrij was een veilige plek. Zolang ze daar bleven, beschermd door de dennen, kon hun niets gebeuren. Zijn gedachten gingen met hem op de loop. Hij hield zijn hand op Frets schouder en voelde het kloppen van het bloed in de aderen boven aan de wervelkolom. Locke was achter hem en werd genegeerd. Hij kon de hele duinenrij en het grootste gedeelte van het strand zien, en hij kon de zee duidelijk zien, tot op elk klein, oprukkend golfje. Voorbij de golven en witte golftoppen was het schip. Het leek heel langzaam in hun richting te komen. Ver ten oosten van het schip, maar sneller naderend, was een boeggolf, helder wit in het schemerlicht. Als hij de boeggolf kon zien, wist Wickso, waren ze te laat, was het schema naar de knoppen. Het werd ochtend. Hij verstuurde een bericht.

Geen franje, geen attenties, geen zendercode, geen afmeldingen, geen gebabbel. Delta Drie was uitgeschakeld, ze gingen naar de rubberboot.

De minuut was verstreken en werd gevolgd door nog een minuut.

Wickso zei: 'Nog één minuut, om op adem te komen, en dan gaan we het proberen.

Hij was blij dat hij Lofty niet kon zien. De wuivende grashalmen, dun en geelgroen, verborgen Lofty. En hij was heel blij dat hij hem niet kon horen. Wickso was bekend met de dood in het veld. Hij hoopte dat Lofty bewusteloos was. Als hij nog leefde, maar dodelijk verwond was, zou zijn hartslag teruglopen tot twintig of dertig, omlaag van zestig tot tachtig, en zou hij in coma raken, onderweg van het leven naar de dood. Het coma zou de resterende hartslag ten slotte tot stilstand brengen. Wickso hoopte dat Lofty nu klinisch dood was en binnen twintig minuten – na de sluipende hersenbeschadiging – biologisch dood zou zijn. Hij hield van Lofty, had kunnen huilen om de grote, stille man die nu in de duinen lag, door het gras aan het zicht onttrokken.

'We wachten nog één...'

Fret draaide zijn hoofd en keek naar hem op.

'We wachten nog één minuut. Begrijp je wat ik zeg?' Wickso sprak langzamer, als tegen een kind, en stak een vinger op. 'Nog één minuut.'

'Ik versta Engels. Je hoeft niet zo nadrukkelijk te spreken. Ik versta elk woord dat je zegt.'

'Sorry. Dat wist ik niet. Sorry, meneer.'

'Ik heet Viktor, hebben we nog één minuut?'

Vanuit zijn ooghoek zag Wickso dat Locke de Skorpion had weggelegd en dat zijn hand nu op de granaatwerper lag. Hij zag ook de diepe, donkere rimpels in Lockes voorhoofd, alsof hij het wapen bestudeerde om er een waarheid in te ontdekken.

Locke zei: 'Jullie moeten weg, jullie hebben geen minuut meer.'

Wickso vloog op: 'Wij gaan wanneer ik dat zeg. Wij gaan wanneer ík zover ben. Ik heb hier verdomme de leiding. We gaan wanneer ik besluit dat het moment gekomen is.'

Locke zei: 'Je hebt geen minuut meer.'

Viktor zei zacht tegen Wickso: 'Ik begrijp dat je bang bent. Ik ben ook bang. Drie weken lang ben ik bang geweest, soms panisch, soms niet, maar wel bang. Daar ben je niet minder om. Er wordt te veel van je gevraagd. Je bent een bijzonder moedig mens. Het is beter dat je de angst onder ogen ziet.'

Locke zei: 'Vergeet de angst, verdomme, ga nou maar.'

Wickso draaide zich om. Hij gaf Locke een klap, stompte hem met gebalde vuist tegen de zijkant van zijn kin en zag het hoofd terugschieten. Toen Lockes hoofd weer naar voren kwam, sloeg hij opnieuw. Zijn derde stomp veroorzaakte een scheur in Lockes lip. Hij stortte zich op hem en de klappen volgden elkaar in razend tempo op. Wickso had Billy zonder zijn been gezien, Ham zonder het bovenste gedeelte van zijn schedel en had Lofty zijn arm in een pijnscheut boven het gras zien steken. Locke vocht niet terug, beschermde zijn gezicht niet, staarde alleen maar terug, en Wickso zou hem met zijn nagels de ogen uitgekrabd hebben als hij niet van Locke af was getrokken. Viktor hield hem in zijn armen, gaf hem geen bewegingsvrijheid, hield zijn armen zo stijf om hem heen dat Wickso niet bij Lockes ogen kon komen. Voor hem uit was het stuk open duin, het strand dat geen dekking bood en de zee waar de mist was opgetrokken, en hij zag zichzelf vergroot in het dradenkruis van een geweervizier.

Wickso zei hijgend: 'We gaan als ik dat zeg.'

'De overwinning heeft vele vaders, maar de nederlaag is enig kind.'

Misschien had hij dat ergens gelezen, maar hij wist niet in welk boek. Misschien was het hem verteld, maar Bertie Ponsford kon zich niet herinneren wanneer of door wie.

De technicus had hem het bericht aangereikt door de glazen deur tussen het bijgebouw en het communicatiecentrum. Hij had het vier, vijf keer gelezen, had gebeden dat de woorden zouden verdwijnen, veranderen, uitgewist zouden worden. DELTA DRIE UITGESCHAKELD. Hij kon er niets aan veranderen.

Bertie Ponsford voelde de eenzaamheid.

Hij draaide zich om naar het scherm. De omtrek van een hoofd zonder gezicht keek op hem neer. Hij was niet erg goed in technische zaken. Hij kon maar net overweg met het chinagraph-potlood dat met het beeld op het scherm verbonden was – eigenlijk treurig dat hij daar maar net mee overweg kon. Hij tekende uit de losse hand een paar oren en wat haar op de schedel van het hoofd. Hij waagde zich niet aan de ogen, omdat hij niet wist of die dicht bij elkaar of ver uit elkaar stonden, en evenmin aan een mond. Hij gaf de tegenstander, de vijand, iets van leven, maar hij kende de man niet – het enige waar hij zeker van kon zijn, was dat een van Giles' 'kleine mensen' hem had geklopt.

Hij ontruimde zijn tafel.

Bertie Ponsford geloofde dat ze een spelletje speelden, een spel van oude mannen. Maar anderen waren zich ermee gaan bemoeien, jongere mannen, die de regels niet kenden. Jonge mannen hadden het plezier in het spel bedorven door zich er op een lompe manier mee te bemoeien. Hij zocht zijn papieren en dossiers bij elkaar en deed ze in zijn aktetas.

De technicus zat met zijn rug naar hem toe, zijn neus diep in een tijdschrift gestoken. Zijn vertrek zou niet opvallen.

Hij volgde in het voetspoor van de directeur-generaal, ging waar Giles hem was voorgegaan. Hij praatte het voor zichzelf goed. Het was verstandig om een brandgang te hakken.

Met de lift zoefde hij naar de verdieping van de Rusland-afdeling. Als hij voortmaakte, kon hij het gebouw uit zijn voordat de eerste mensen van de dagdienst aan het werk gingen.

Zijn gehaaste, zware voetstappen weergalmden door de gang, langs de genummerde deuren, langs de mededelingenborden met advertenties voor vakantiehuisjes en uitnodigingen voor spelers van de zondagse sportploegen, de borden waar ook de mededelingen van het huisorkest en het opera- en toneelgezelschap en de laatste wijzigingen in het gezondheids- en veiligheidsreglement van de dienst werden opgehangen. Hij haalde zijn kaart door het apparaat bij de ingang van zijn kantoor.

Het zag er allemaal zo verdomd normaal uit.

Om het normaal te houden, zou Bertie Ponsford een brandgang moeten hebben – een behoorlijk brede brandgang. Vanaf het begin van dit avontuur was zijn naam prominent in de notulen aanwezig geweest. Hij controleerde of al zijn papieren van zijn bureau verwijderd waren en in de kluis waren opgeborgen. Zonder brandgang zou hij ten onder gaan. Hij pakte zijn jas van de kapstok. Het was een droom geweest. Hij keek uit het raam en zag de vroege forenzen en de eerste voorbijrazende bussen op de Embankment aan de andere kant van de rivier. Ongeacht of hij dit overleefde of er aan onderdoor ging, hij zou nooit meer met Rupert Mowbray praten. Hij herinnerde zich Ruperts afscheidsfeestje. Alle oudere mannen waren dronken geweest en de jongere beambten hadden hen gegeneerd of geamuseerd gadegeslagen. De gesprekken waren over de goede oude tijd gegaan, toen het werkgebied van de dienst nog wijdvertakt was. De karaf en de kristallen glazen waren hem aangeboden en toen had Mowbray – aangeschoten – hun met vochtige ogen het verhaal verteld over de ergste ochtend die hij ooit bij de dienst had meegemaakt, veertig jaar geleden: de verbijsterde, sombere stilte in het hoekje van het gebouw aan Broadway, toen het nieuws was binnengekomen van de executie van kolonel Oleg Penkovski. 'Zakdoek in de hand en de flessen uit de kast en niemand die ook maar lachte, een beetje als de dodenwake voor een gewaardeerde vriend. Een uiterst moedig mens die verloren ging, omdat wij niet van onze reet kwamen en ook maar een vinger voor hem uitstaken.' Niemand had Mowbray toen verteld dat hij goedkope onzin stond uit te kramen. Even later was het gesprek weer op de goede oude tijd gekomen. Oude mannen die zich stonden af te trekken, en hij, Bertie Ponsford, was er een van.

Hij deed de deur achter zich dicht.

Terwijl hij door de gang liep, haalde hij de kop van zijn oplaadbare scheerapparaat over zijn wangen, kin en bovenlip. Tegen de tijd dat de lift hem bij de binnenplaats afzette, geloofde hij dat hij zich redelijk toonbaar had gemaakt. Zijn laatste gebaar voordat de liftdeuren opengingen en hem blootgaven aan de buitenwereld, was het rechttrekken van zijn das. Crisis? Wat voor crisis? Bij de buitendeur waren de eerste beambten van de dagdienst al druk met hun pasjes in de weer. Hij glipte weg, richting hoofdingang.

De koele ochtendlucht omgaf hem. De straatverlichting brandde nog, maar de ochtendschemering deed afbreuk aan hun sterkte. De eerste auto's arriveerden, werden bij het hek doorgelaten. Vroege fietsers in hun opzichtige lycra kleding stapten af. De stroom voetgangers dromde om hem heen. Hij bleef op de stoep staan en zocht een taxi.

'Goedemorgen, meneer Ponsford,' klonk de opgewekte stem achter hem. 'Op weg naar huis?'

Hij keek om. Clarence keek hem glunderend aan.

'Ja, op weg naar huis.'

Clarence knipoogde. 'Het zit allemaal in het bakkie, meneer Ponsford?'

'Waar kan ik het beste een taxi vinden?'

'De beste kans op een taxi is altijd aan de andere kant van de brug. Goede nacht geweest? Goed gedaan, meneer Ponsford, als ik zo vrij mag zijn.'

'Hoe bedoel je?'

De tweede knipoog was vetter, ging vergezeld van een grijns. 'Een grapje, meneer Ponsford. Iemand als u blijft geen hele nacht op als het niet echt de moeite waard is – een heel, hééł belangrijke actie, waar het bij de dienst om draait – zoals vroeger. Als u me niet kwalijk neemt.'

Hij vervolgde zijn weg, ver van een landtong in het Oostzeegebied. Hij ordende zijn gedachten. Wanneer het laatste bericht binnenkwam, zou hij zich achter zijn brandgang bevinden, met de telefoon thuis van de haak. Hij zou veilig in bed liggen. Hij zou veilig zijn voor het lot van Fret en voor Mowbrays team en voor de jonge Locke, bij wie de gekte had toegeslagen. Allemaal zijn zorg niet meer.

Hij liep stevig door en zwaaide naar een taxi.

Wat hem betrof mochten anderen de druk overnemen.

Het probleem lag op Piatkins bord.

Landmacht- en luchtmachtofficieren verdrongen elkaar nu in het commandocentrum en er werd gezegd dat er generaals op weg waren uit Kaliningrad. Het was zijn probleem, het schip in territoriale wateren. Iedereen keek naar hem. Omdat er niemand anders was, had hij de verantwoording op zich genomen, maar deze last drukte nu zwaar op hem. De beschuldiging spookte steeds weer door zijn hoofd: het falen van de beveiliging kon alleen door zijn onbekwaamheid of zijn intenties veroorzaakt zijn. Hij zou wegrotten in de gevangenis of vervroegd met pensioen worden gestuurd. In het drukke commandocentrum was er alleen om hém heen nog ruimte. Het schip. Er was hem verteld wat er met het schip was gebeurd: de motorstoring in Gdansk, de reparaties, de bevrachting, toen de tweede storing. Er was hem verteld dat het schip was geïnspecteerd en boven alle verdenking bevonden. Er was hem verteld dat het schip de *Princess Rose* heette en dat het nu op eigen kracht richting strand voer en benaderd werd door een patrouilleboot. De commandant van de patrouilleboot eiste dat hij instructies kreeg. Vladdi Piatkin had de kaart keer op keer bekeken. Als zampolit van de Oostzeevloot had hij slechts een elementaire kennis van maritieme aangelegenheden. Het schip voer onder Maltese vlag. Hij vertrouwde het niet. Als hij in paniek raakte, de patrouilleboot te vroeg het bevel gaf om op het schip te schieten, zou hij gevierendeeld worden door de onderzoekscommissie die zou volgen. Niemand, geen van de geüniformeerde, met lintjes behangen officieren bood aan om hem te helpen. Hij verzond zijn bevel.

'Onderscheppen en dan van de kust wegleiden. Schiet pas bij verzet en wanneer bewezen kan worden dat het schip actief bij de landactie betrokken is. Haal dat kloteschip daar weg.'

De schipper zei: 'Ik ben nu drie zeemijlen uit de kust. Ze zijn te laat. We hebben gedaan wat we konden. Het is niet onze schuld, meneer Mowbray. We zijn een kustvaarder, geen oorlogsschip. Over vier of vijf minuten is de *Nanoetsjka* bij ons. We zullen moeten draaien en zeggen dat we niet beter wisten, dat we dom zijn geweest. Dat we nog een probleem met de aandrijfas gehad hebben en dan kunnen we alleen maar hopen dat ze ons geloven, anders komen ze aan boord. We blijven hier zo lang als we kunnen, meneer Mowbray, maar ik zie ze niet op het strand. Wat kan ik doen?'

Mowbray voelde zich oud, moe. Er zou geen auto bij de luchthaven klaarstaan. Geen bands, geen klaroengeschal, geen ontvangstcomité. Felicity zou hem afhalen. Hij zou naar huis gaan en de vuile kleren uit zijn tas halen, en terwijl de wasmachine draaide in de keuken, zou hij zich een whisky inschenken en haar zeggen dat als 'zij' belden, ze 'hun' moest vertellen dat hij naar de meent was gegaan om een wandeling te maken. Niet dat ze zouden bellen. Zonder tamtam, met een nauwelijks waarneembare procedure, zou hij uit het bestand van de dienst gewist worden. Er zou hem nooit meer gevraagd worden een lezing te houden op het Fort; hij zou nooit meer een uitnodiging ontvangen voor een reünie van de ouwelullenclub; hij zou van de adressenlijst met ex-functionarissen geschrapt worden en zijn levenswerk zou voor niets zijn geweest. Er zou een brief van hooguit drie regels van het assistent-hoofd van de universiteit komen, getekend door een secretaresse, waarmee zijn hoogleraarschap in strategische studies naar de prullenbak verwezen werd. Het was allemaal zo oneerlijk.

De dageraad wierp haar licht op het zeildoek over het ruim met kunstmestzakken. De fakkels werden nog steeds hoog boven het strand geschoten, maar hun licht verbleekte in de langzame zonsopgang achter de dennen van het bos. Hij kon de boeggolf van de naderende patrouilleboot nu goed zien. Misschien waren er nog vijf minuten over, misschien zes, en dan was het plan tot mislukken gedoemd. Wie kon hij de schuld geven? 'Zij' zouden hem de schuld geven, wie zou hij de schuld geven? Locke natuurlijk. Locke zou de zondebok van zijn persoonlijke bittere gevoelens worden.

'U moet doen wat u kunt,' zei Mowbray kortaf. 'Doe wat eervol is.'

Hij was ontspannen. De hand van de kolonel masseerde zijn schouder. Hij had laten zien dat hij de beste was en zou dat weer laten zien. Vasiljev lag achter het zware machinegeweer en wachtte tot de laatste twee uit hun dekking kwamen. In gedachten creëerde hij zones achter de duinen en op het strand en de zee, waarbinnen de kogels dodelijk accuraat zouden zijn.

Viktor zei: 'Het zijn te veel minuten.'

Locke hoorde Wickso zeggen: 'Het is bijna zover.'

Hij vroeg: 'Hoe werkt de granaatwerper?'

Hij geloofde dat Viktor nu op het randje van zijn zelfbeheersing balanceerde, alsof hij bij een kuil stond, omlaagkeek en daar alleen een donker gat kon zien. Locke zag hoe Viktor Wickso's beide handen in de zijne nam en drukte om de man kracht te geven. Hij vond dat Viktor goede handen had, sterke handen, en ze lagen om die van Wickso en maakte een eind aan het beven. Het scheen Locke toe dat Viktor uit een slaap wakker was geworden en het ochtendlicht hem de werkelijkheid liet zien.

Viktor zei: 'We kunnen twee dingen doen, we kunnen vluchten en het risico nemen of we kunnen ons overgeven en dát risico nemen. Ik kan me niet overgeven.'

Er klonk misprijzen in Wickso's stem. 'Jij zou niet alleen kunnen vluchten, want je weet niet hoe. Je moet duiken, dan de flessen met perslucht breken, de motor starten. Jij zou het niet...'

Locke vroeg: 'Hoe schiet je de granaatwerper af?' Best een knappe kerel, vond hij; de foto in het dossier of de foto die Alice het team had laten zien, had hem zeker geen recht gedaan. Gewoonlijk zou Locke niet naar een andere man kijken en gecharmeerd zijn van zijn uiterlijk; hij zou dat denigrerend gevonden hebben. Viktor was in zijn ogen een knappe man. De kaak, met modder bespat, stak uitdagend vooruit. Alice hield van die man. Hij had Alice gekust en Viktor zou zich hem herinneren.

'Hoe schiet je granaten met dit ding af?'

Viktor zei: 'Ik ga proberen het water te bereiken. Jij mag hier blijven als je dat wilt, je aan hun genade overleveren. Als de keuze tussen een snelle of een langzame dood is, kies ik een snelle. We hebben geen tijd meer.'

'Begrepen,' zei Wickso.

'Hoeveel granaten hebben we nog en wat is hun bereik?'

In zijn binnenzak zaten vier brieven. Hij had die brieven af moeten geven, maar had dat niet gedaan. De enveloppen lagen tegen zijn borst. Wickso gaf geen antwoord. Het licht verspreidde zich voor hun ogen en de fakkels hadden minder kracht. Locke kon het silhouet van de *Princess Rose* en de naderende V-vormige boeggolf zien. Hij wist wat hij ging doen. Hij hoorde Wickso mompelen dat ze de pieper bij Lofty moesten oppikken, god, hadden ze er daar maar één van? Treurig. Hij zag hoe Wickso zich van zijn buik opdrukte en zijn vuist zich om het gedrongen machinepistool sloot, voordat hij de weggegooide Skorpion aan Viktor gaf. Wickso stond rechtop en Viktor stond naast hem. De duinen, het strand en de zee strekten zich voor hen uit. In Hereford, in het 'dodemanshuis', had hij een demonstratie meegemaakt van vuurkracht op korte afstand: gekneveld, voorzien van prop en blinddoek, hadden ze gijzelaars gespeeld, terwijl het oorverdovende lawaai, de rook en het geknal van de schok- en rookgranaten en scherpe munitie, om hen heen was losgebarsten. Hij herinnerde zich de stilte die eerst in de kamer had geheerst, gevolgd door het oorverdovende tumult en de snelheid van de aanval. Aan het eind van die middag, voordat ze naar huis waren gestuurd, was hun geleerd hoe ze met explosieven moesten omgaan. Wat hem ook nog bijstond, waren de arrogantie en minachting die de officieren van de Speciale Eenheden voor hen hadden gehad, omdat ze maar burgers waren. Er was niet veel gezegd, hun lichaamstaal was duidelijk geweest. Hij herinnerde zich de verbindingsofficier tijdens de vergadering in Vauxhall Bridge Cross: 'Ik geloof niet dat de SAS staat te springen om erheen te gaan, niet naar Kaliningrad.' Hij was in Kaliningrad, de mannen die het 'dodemanshuis' hadden bestormd, waren er niet. Hij voelde geen arrogantie, want van zijn verwaandheid was hij reeds lang gezuiverd. Hij was er, omdat hij ervoor had gekozen om er te zijn, zoals zij ervoor gekozen hadden om er niet te zijn.

'Ik ga op kop,' zei Wickso. 'Zigzag met je hoofd omlaag, loop wat je lopen kan. In het water duik je, blijf je zo veel mogelijk onder. De rubberboot ligt honderd meter uit de kust.'

Locke was kalm. 'Hoe schiet je dit stomme ding af?'

Hij graaide naar de tassen aan Wickso's riemen en trok er de granaten uit. Hij vulde er zijn zakken mee. Hij ging staan. In de verte kon hij het kordon horen optrekken van het hek bij de grens. Ze hadden te veel tijd nodig gehad. De fakkels hingen in een lichtere lucht. Te veel tijd.

'Tel tot vijftig en ga dan. Geef me vijftig tellen.'

Hij begon te rennen.

Locke hoorde Wickso verbeten zeggen: 'We laten je achter. Je weet dat je achtergelaten wordt.'

Hij draaide zich niet om, zwaaide niet nog een laatste keer.

Locke hoorde Wickso schreeuwen: 'Hij is geladen. Gebruik de onderste trekker. Die schiet een losse flodder in de granaat. Herladen gaat door de loop. Loop omhooghouden en de granaat erin laten glijden. Maximumbereik is vierhonderd meter. Explosieradius vijf meter, ontstekingsvertraging is vier seconden of explosie bij contact. De als fosfor gemerkte granaten zijn de beste, beter dan de gewone. Met de grendel op de werper laad je de volgende losse flodder in de kamer. Zorg dat je dichtbij komt, erbovenop. Fosfor steekt ze in de fik.'

Zijn stem stierf weg.

Locke liep zigzaggend, zoals zij zouden lopen, en voelde de kou van de ochtend op zijn gezicht.

Ze zag hen, het waren er twee, niet drie.

Er brak een opgewonden tumult rond Alice los. De menigte maakte zich los van het vuur: ze keken uit naar het strand in de verte en het hek dat naar zee liep, over de militaire voertuigen en soldaten op het zand.

Er renden twee mannen op de duinen. Alice hield de kleine verrekijker stijf tegen haar ogen gedrukt. Ze kon de mannen duidelijk zien, omdat de dalende fakkels recht boven hen waren en het zwakke, lage zonlicht op de plek viel waar ze liepen. Het was een goede verrekijker, geen dienstkijker, maar een cadeautje van haar vader. Alles wat van haar vader kwam, was het beste van het beste. Met een vergroting van tien en het zonlicht op het strand, kon ze het tweetal goed zien. Een paar minuten geleden – en er was sinds dat moment een eeuwigheid verstreken – had zij, met de menigte, een enkele, in het zwart geklede figuur uit de bomen tevoorschijn zien komen. In de cirkel van de lenzen was het nijdige rode lichtspoor op hem afgevlogen. Ze had hem neer zien gaan. Even was er geen beweging geweest, toen was er een hand geheven... en teruggevallen. Daarna waren er geen lichtspoorstippen meer geweest, maar ze had geloofd dat ze, op de wind, het gedempte geluid van gejuich van het kordon had gehoord, dat zich vermengd had met de golfslag van de zee.

Ze waren zo klein, zo ver van haar verwijderd, maar ze kon door haar kijker toch de voorste man in het zwart onderscheiden en, een meter of drie achter hem, de andere figuur. Ze zag het witte overhemd en de speldenknop blond haar. Ze kon Locke niet zien. De lenzen hielden het tweetal gevangen: om hen heen was het duinlandschap en voor hen het open strand en de zee. Er was geen dekking. Ze had geloofd dat het de grote man, Lofty, was geweest die was neergegaan. Ze geloofde dat het Wickso en Viktor waren die lukraak zigzaggend door de duinen kwamen, naar de plek waar Lofty was gevallen.

Alice had de indruk dat de menigte de ontwikkelingen volgde of het een variétévoorstelling, een show, was. Ze was tijdens haar laatste jaar op de kloosterschool met haar ouders naar Rome geweest. De tweede dag hadden ze het Colosseum 'gedaan'. Haar vader was geïnteresseerd geweest in de logistiek van de bouw, haar moeder had alleen de vele zwerfkatten gezien die er leefden en Alice was als kind stil geworden bij de gedachte aan een enorme menigte die zich vermaakte met het opwindende schouwspel van iemands dood. Toen degene die zij voor Lofty had aangezien was gevallen, had de menigte zich een luide zucht gepermitteerd – het was maar een show, de val van een acrobaat van het hoge koord. Als ze bleef kijken door haar verrekijker, zou ze het lichtspoor zien komen en zou het witte overhemd en de speldenknop blond haar misschien vallen. Waar was Locke?

Ze liet de verrekijker zakken. Ze drukte de helften samen en liet ze in haar zak glijden.

Ze hoorde het gerammel toen ze de kijker losliet. Ze kon niet meer kijken. Haar hand voelde in haar zak het ding waar de kijker tegenaan had getikt. Ze kon het niet langer aanzien. Ze haalde de mobiele telefoon uit haar zak. Niet van haar.

Om haar heen nam de opwinding toe. Ze draaide zich om. Wiens telefoon? Waar was de telefoon vandaan gekomen? Ze had haar rug naar de lichtfakkels, maar het machinegeweer had niet geschoten – het vervloekte machinegeweer kon wachten tot ze op het strand waren. Ze zette de telefoon aan. Het apparaat bracht een paar tonen voort, vibreerde, en het schermpje lichtte op. Er werd een berichtenenvelop zichtbaar. Ze klikte. Het bericht zou duidelijk maken wiens telefoon in haar zak was gedaan. Ze wist het. Ze had het bericht op de radio gehoord: 'O, en Locke is op komen dagen.' Ze las de tekst.

GABRIEL, PROBLEEM AAN ONZE KANT. POLITIE WIL DAT JIJ HELPT BIJ ONDERZOEK NAAR DOOD VAN RUSSISCHE CONSUL IN GDANSK. KUN JIJ HELPEN? LIBBY.

Ze begreep het. Ze was maar een employee bij de Algemene Dienst, telde niet mee, maar ze wist waarom hij in het station bij Gdansk had geslapen, waarom hij haar gekust had, waarom hij in de nacht was verdwenen, waarom hij was komen opdagen, waarom hij niet op de duinen rende.

Alice zag de gezichten in de menigte. Aangename opwinding, macaber vermaak, kijken naar een executie, het gepeupel in het Colosseum. Ze concentreerde zich op Jerry de Pool. Hij was haar doelwit en alleen hij zou haar taal begrijpen.

'Smeerlappen die jullie zijn. Arme, treurige smeerlappen. Jullie krijgen al snel ergens een kick van, hè? Dit is godverdomme geen tvshow. Dit gaat om mensenlevens. Aardig van ze – hè? – om jullie een beetje te vermaken. Jullie zijn zielige figuren. Jullie hebben met z'n allen niet half zo veel lef als zij in hun pink. Jullie zijn lafaards, lafaards, lafaards. Geniet maar van de show zolang hij duurt, jammer dat je niet nog eens zo'n show te zien krijgt. Godvergeten jammer. Doe iets.'

De stem sprak Engels met een accent, klonk zacht. 'Maar wat, mijn kind? Wat bedoel je met iets? Wat wil je dat ze doen?'

Ze draaide zich om. Hij had de auto bestuurd die haar gepasseerd was en hij had naar haar gezwaaid. De wind drukte het habijt van de priester tegen zijn benen en trok aan zijn witte haar.

'Wat dan ook.'

'Als er iets gedaan kan worden, zal dat gebeuren. Genoeg godslasteringen, mijn kind, we zijn in allemaal in Gods hand. Dit zijn eenvoudige mensen, maar het zijn geen lafaards.'

'Doe dan iets,' zei Alice.

20

V. In welke plaats liggen de verloren graven?
A. Kaliningrad.

'Wanneer ze halverwege zijn, midden op het strand,' mompelde Bikov.

'Ik kan het midden van het strand niet zien, ik kijk door het vizier.'

'Het midden van het strand.'

'Ik kan alleen dingen door het vizier zien, waar is het midden?' vroeg Vasiljev fel. 'Dat moet u me vertellen, u moet het sein geven.'

'Ik geef het sein.'

'Dat is godverdomme het enige wat u moet doet: het sein geven. Waarnemen. Is dat te veel gevraagd? Vertel me alleen wanneer ik moet schieten. Op welk doelwit?'

'Nog niet, een ogenblikje.'

Op dat moment vond Vasiljev – de dienstplichtige uit Wolgograd – de kolonel waardeloos. Hij, Vasiljcv, had het machinegeweer. Hij had het doelwit in het dradenkruis. Hij had de macht. Het enige wat van de kolonel van de militaire veiligheidsdienst gevraagd werd, was waarnemen en het sein geven, en hij aarzelde. Begreep hij niet dat er een bepaald ademhalingspatroon bij het schieten kwam kijken? De man die het sein gaf, de waarnemer, de aangever van munitie, was een knecht. Hij had het tweetal op de duinen kunnen pakken, twee figuren die worstelden op los zand, dat weggleed onder hun voeten. Hij had kunnen schieten toen ze van de laatste helling van de duinen naar het strand gleden, waarbij ze elk hun val met hun handen gebroken hadden. Maar telkens als hij had kunnen schieten, de twee had kunnen pakken, was er in zijn oor gepreveld dat hij moest wachten.

Ze renden. Er waren momenten dat hij hen beiden in het vizier had, dan opeens geen van beiden of één. Hij geloofde dat ze langzamer gingen, alsof de vaart uit de sprint uit het bos was. Hij geloofde dat het eerder door de zon dan door de fakkels kwam, maar kleine lichtvlekjes weerspiegelden van het strand en schenen in het vizier. Hij knipperde met zijn ogen. Door zijn ogen dicht, open, dicht en weer open te doen, verloor zijn aanleg richting en zag hij alleen het strand door het vizier. Hij vloekte, bewoog het vizier van de telescoop een fractie. Er fladderde een aalscholver door het dradenkruis. Er was een aalscholverkolonie. Afleiding; hij vloekte weer. Hij had de twee weer. De zwarte gedaante was gestruikeld, was op een knie gevallen; het witte overhemd bleef staan en trok de gedaante overeind. Het moment was perfect.

'Kan ik nou schieten, verdomme?'

'Even wachten.'

'Waar wacht u op?'

'Het midden.'

Ze hadden hem moeten laten schieten wanneer hem dat uitkwam. De machinegeweerschutter was de baas. Bij infanterietactieken was hem geleerd dat de machinegeweerschutter mocht schieten als het beste moment zich voordeed. Hij wist dat hij verkeerd ademhaalde. Hij hapte naar lucht. Zijn rechterhand omklemde de beugel boven het ijzeren frame van de kolf, die stijf tegen zijn schouder drukte, zijn linkerhand ging naar het vizier. Hij hoefde niet te kijken om het vizier een streepje verder te klikken en nog eens honderd meter toe te voegen. Ze waren niet meer allebei in het dradenkruis. Hij twijfelde tussen de twee figuren. Óf de zwarte gedaante óf het witte overhemd. Ze waren beiden doelwitten, niet meer en niet minder. Hij had geen gevoelens voor de gedaante die hij niet kende of voor de man die zijn vriend was geweest. Hij stelde het vizier af en zijn vinger ging terug naar de trekkerbeugel.

'Wie? Wie van de twee, godverdomme?'

De stem van de onderofficier galmde in zijn oor. 'Zo spreek je niet tegen een officier.'

'Neem dan een beslissing, verdomme.'

De onderofficier liet zijn stem dalen. 'Hij is een goede vent, kolonel. Artsjenko is populair. Ik wil niet...'

Opnieuw een gepreveld antwoord van Bikov. 'Ik had respect voor hem.'

'Ik wil zijn verraad niet goedpraten, maar hij had de beste reputatie van alle officieren: efficiënt en eerlijk. We vertrouwden hem.'

'Een sterke figuur, een uitmuntend officier.'

Vasiljev schreeuwde: 'Wie?'

De prevelende stem klonk koud, alsof er ijs overheen was gekomen. 'Een van de twee of allebei. Ga je gang maar.'

Vasiljev nam zijn oog met een snelle beweging van het vizier. Hij keek over de loop. Hij zag de duinen en het brede strand en de twee nietige menselijke figuurtjes, zwart en wit, midden op het gouden strand. Zonder de vergroting leken ze zich met een slakkengang voort te bewegen. Zijn oog schoot terug naar het vizier. Hij zag louter zand. Hij zwenkte het vizier naar rechts en zag alleen het strand. Naar links, hij zag een waas, toen meeuwen en zand. Hij stelde het vizier af. Vasiljev zoog gulzig lucht binnen, vulde zijn longen. Hij vond hen. Achter de twee, onscherp, was de glinsterende zee. Zijn vinger ging van de beugel naar de trekker. Met open mond liet hij zijn adem wegsijpelen. Hij had hen in het dradenkruis en begon de trekker over te halen. Hij hield zijn adem geleidelijk aan in.

Hij hoorde de fluittoon van de naderende granaat.

De granaat ontplofte.

Vasiljev kromp ineen.

De scherven gierden.

Doordat hij ineen kromp, zijn hoofd afwendde en zijn onbeschermde schouders wegdraaide, bewoog hij het geweer. Hij zag zand, aarde en vuil als een kleine wolk in de lucht hangen. De inslag was niet in de buurt. Zijn oog was weer aan het vizier. Hij hoorde de onderofficier laatdunkend spugen. Waar hij hen nu zocht, zag hij alleen het waas van de wolk. Hij schoot. Hij kon de dodelijke zone niet zien. De lichtspoorkogels parelden uit de loop en gingen op in de wolk. De kolonel voerde de patroonband aan. De kolf drukte tegen zijn schouder en het gedonder van het wapen drong tot diep in zijn oren. Hij hield zijn vinger om de trekker – geen twee stoten – liet hem niet los. De wolk trok op. Hij had zijn vinger nog steeds om de trekker, drukte hem nog steeds met alle kracht in, toen de patroonband al leeg was en de koperen hulzen niet langer zijwaarts wegvlogen.

'Klootzak,' snauwde de onderofficier. 'Zo ver weg dat die granaat niet eens een schram op je mooie jongensgezicht zou achterlaten. Je hebt gemist.'

'Een patroonband. Geef me een patroonband.'

De onderofficier greep de patroongordel die om Bikovs nek hing. Vasiljev had het sluitstuk omhoog. Hij drukte de eerste kogel met een klik in de kamer en laadde het machinegeweer door. Ze waren bij de waterkant gekomen. Zijn ademhaling ging snel, onbeheerst. Hij zwenkte het vizier naar de twee figuurtjes. Hij zag het hoofd van zijn vriend en het witte overhemd. Ze renden, hielden elkaars hand vast, de zwarte arm en de witte arm, en trokken elkaar voort. Hij zoog de lucht binnen om zijn longen te vullen.

De onderofficier zei smalend: 'Je zei dat je de beste was en je schoot verdomme mis.'

Geen zachte druk, maar een ruk. Hij had hen beiden in het vizier.

Zijn vinger trok aan de trekker. Beiden waren in het dradenkruis, zouden zich in de dodelijke zone bevinden. Stilte. Geen hamerslag, maar alleen het schrapende geluid van het mechanisme dat naar voren ging. Het geweer ketste. Zijn adem kwam zuchtend naar buiten. Even was zijn brein volkomen leeg. Hij hoorde het geschreeuw van de onderofficier en Bikovs geprevel, maar verstond het niet. Hij zocht naarstig naar een reden. Er was geen instructeur die hem kon helpen. Er heerste hier niet de rust van de schietbaan. Hij spande het wapen opnieuw. Hij haalde de trekker over. Stilte. Hij deed het sluitstuk omhoog en trok de patroonband los, maar de eerste kogel zat nog steeds vast in de kamer. Vingers naar binnen. Geen gevoel in zijn vingers en onhandig gefriemel toen hij de kogel eruit peuterde: een pantser doorborende kogel met de zwarte punt en rode cirkel op de rand van de huls. Als het ding was afgegaan terwijl hij zijn vingers in de kamer had, zou hem dat zijn gezicht gekost hebben. Hij haalde de kogel uit de band en liet hem vallen. Hij legde de tweede patroon in het staartstuk, klapte het sluitstuk dicht en laadde het wapen weer door.

'Arrogante klootzak, waardeloze lul!' De onderofficier knielde naast hem neer.

Ze gingen naar het water. Hij moest wachten. 'Probeer rustig adem te halen,' zeiden de instructeurs. Zijn hart ging tekeer. Hij stelde het vizier nog een klik bij. Hij ademde twee keer diep in.

'Waar kwam die granaat vandaan?'

'Schiet nou maar.'

'Ik weet niet,' antwoordde de prevelende stem. De hand bewoog zacht over zijn schouder. 'Zodra je er klaar voor bent. Ik heb geen idee.'

Hij staarde in het vizier. Hij had zijn ademhaling onder controle. Vinger op de trekker. Ze waren bij het water. Hij geloofde dat het de zon was, niet van de fakkels. Waar de zee op het strand kwam, waar de golven uitliepen, was het licht zilver en werd het weerspiegeld. Het helle schijnsel brandde in zijn oog. Het licht danste op de golftoppen en hij zag de plons waarmee ze te water gingen. Hij kon niet in het vizier kijken, maar hij schoot.

Hij geloofde dat ze in het water waren.

Locke had de granaat afgevuurd, maar het projectiel was ver voor de oorsprong van de lichtspoorkogels neergekomen.

Hij begreep niet waarom de schoten op het tweetal op het strand een eeuwig lijkende kakofonie van patronen was geweest, terwijl Lofty met korte salvo's was neergeschoten en hij had evenmin begrepen waarom er gewacht was. Ze hadden het water bereikt. Hij kroop naar voren. De struiken rukten aan zijn jas en broek en schramden de handen die de granaatwerper vasthielden. Het geknal van het machinegeweer was weer begonnen. Hij moest doorgaan.

Ze hielden nog steeds elkaars hand vast.

Het schuim spatte om hen heen omhoog. Wickso bleef Viktors hand vasthouden tot het aflopende strand het water tot hun knieën had gebracht en ze niet meer konden rennen. Ver van hen vandaan, met het zonlicht op de roestige romp, was de *Princess Rose*, die genaderd werd door de boeggolf. De salvo's, die eens zo nauwkeurig waren geweest, waren nu wild. Wickso wist niet waarom ze de zee nu in een wijde boog om hen heen deden opspatten.

Wickso schreeuwde: 'Er is geen andere manier.'

'Is er nooit geweest.'

'We gaan het doen.'

'We zijn broers.'

'Blijf bij me.'

De pieptoon weerklonk in Wickso's oor. Hij liet Viktors hand los. Samen doken ze naar de brekende golf die op hen af spoelde. De lichtspoorkogels leken het water in brand te steken. Het was twaalf jaar geleden sinds hij voor het laatst hard gezwommen had. Met Billy, Ham en Lofty in de ruwe, winterse zee, bij een grijs kiezelstrand in Murlough Bay, voor de kust van Antrim, tijdens een excursie vanuit het Ballykilner-kamp. Met zwemvliezen toen. De zwemvliezen waren achtergelaten bij de bomenrij. Hij had met die dingen aan niet door de duinen kunnen rennen en had ook niet bij de zee kunnen stoppen om ze over zijn laarzen aan te trekken. Hij crawlde en alleen zijn armen en het puntje van zijn hoofd vormden een doelwit. Hij keek niet om.

Er werd weer geschoten, maar door het zeewater in zijn oren hoorde hij de inslag in het water en de drukgolf van de overkomende kogels niet. Ook had hij de pieper die hij van Lofty's riem had gewrikt dicht bij zijn oor en de tonen werden steeds korter. Hij was ver van het strand; hij gleed weg van Billy en Ham en van de herinnering aan Lofty's ogen, die met een stille smeekbede naar hem hadden opgekeken in de duinen. Ze waren langs Lofty gelopen, waren bijna over hem gestruikeld, en Lofty had zijn handen op zijn maag gehad, over een gat dat groot genoeg was om er een sinaasappel in te leggen, en hij was niet blijven staan om hem morfine te geven, alleen om de pieper weg te grissen. Een salvo raakte het water voor hem. Hij wist niet of Viktor achter hem ploeterde of als een lijk op het getij dreef. De pieptonen vervloeiden en hij zoog de lucht in zijn longen.

Hij dook.

In elk geval iets wat het deed. De pieper was goed. Zijn handen graaiden in zand, daarna een rots en toen zag hij de omtrekken van de leeggelopen rubberboot. Zijn vingers raakten eerst de motor en hij klemde zich eraan vast. Toen begon hij zich op de tast langs de zijkant van de gezonken boot te bewegen. De belletjes van zijn ademhaling vlogen langs zijn ogen. Hij vond de flessen en brak ze. De rubberboot tolde in het rond toen de lucht erin ging. De schroef van de motor sloeg tegen zijn knieën en de zijkant van de boot kwam hard onder zijn kin omhoog. Verdoofd, pijnlijk geraakt, trapte hij zich omhoog.

Wickso kwam boven. Het zout van het water was in zijn mond en hij spuugde het uit. De rubberboot dreef van hem weg. Hij maaide met zijn armen en haalde uit met zijn voeten. Een jaar of tien geleden, als lid van het Eskader, zou hij zich met de behendigheid van een otter over de gladde zijkant van de boot gewenteld hebben. Hij probeerde naarstig houvast te krijgen op de ronde zijkant, klauwde ernaar, voordat hij zich langzaam optrok en over de kant in de boot hees. Hij voelde de kracht uit zijn lichaam wegvloeien. Hij spartelde, naar adem snakkend.

Hij zette de schakelaar om. De motor kuchte weerspannig, sloeg toen aan.

Hij zag het dobberende blonde haar en het witte overhemd. Het hoofd en het lichaam waren de plek waar de boot was bovengekomen ruim veertig meter gepasseerd. Het hoofd en het overhemd dreven en er was geen beweging in de armen.

Wickso draaide de gashandel open.

Hij was te ver terug, maar de wanhoop hield hem op zijn plaats.

Hij lag op zijn buik en hij had alle granaten uitgestald die hij nog had.

Locke was niet dichtbij genoeg gekomen; hij wist het, maar hield de loop toch schuin omhoog.

'De boot. Schiet op de boot, Igor.'

De gassen spoten in Bikovs gezicht en de hulzen vlogen voor hem uit het wapen. Het lawaai weergalmde in zijn oren. Hij voerde de patroonband in en volgde de streep van de lichtspoorkogels.

Hij zag hoe de kleine, zwarte gedaante in de boot werd opgelicht alsof hij aan een elastisch koord was verbonden. Toen zakte hij in elkaar. Misschien was de man tegen de stuurstok gevallen, want de boot draaide opeens stuurloos rondjes en elk rondje voerde het vaartuig verder weg van het witte vlekje dat nu afstak tegen de dieper wordende kleur van de zee. Granaten explodeerden bij hen in de buurt. Bikov sloeg er geen acht op.

'Goed werk, Igor. Het is bewezen. Jij bent de beste.'

'Ik wist dat het niet mijn schuld was dat het wapen ketste, dat de patroon beschadigd was.'

De granaten zuchtten in hun vlucht, als door kinderen gegooide stenen. Ze ontploften, als rotjes die geen gevaar met zich mee brachten. Hij geloofde dat ze op maximale hoogte werden afgevuurd en sommige kwamen ergens naast hen terecht en sommige misten hen volledig. Hij vroeg zich af waarom er één man was achtergebleven en een futiel offer bracht door zonder enige vaardigheid, zonder doel, te schieten. Hij voelde een diepe afkeer van de jongen.

'Igor, heeft overste Artsjenko je iets over kasteel Malbork verteld?'

'Ja.'

'Igor, heeft overste Artsjenko je aangemoedigd om je aanleg voor het machinegeweer verder te ontwikkelen?'

'Ja.'

'Igor, heb ik het goed gehoord dat overste Artsjenko in het water van de haven is gesprongen om jouw leven te redden en dat jij hem hebt bedankt?'

'Maar toen wist ik de waarheid nog niet.'

Hij haatte de jongen. Het kwam zelden voor dat Joeri Bikov iemand haatte. Hij geloofde dat te veel ondervragers de mensen die ze moesten verhoren haatten. Hij voelde zelden haat. Hij voelde geen haat jegens de vrouw die hem financieel uitzoog en hem zijn dochter niet liet zien. Hij had geen haat gevoeld jegens Ibn ul Attab, die hij misleid en bedrogen had in een Tsjetsjeense grot. Hij voelde geen haat jegens Artsjenko, met wie hij bij kaarslicht een bord soep had gedeeld. Haat, zou hij gezegd hebben, was beneden zijn waardigheid, maar hij haatte de jongen.

Er werden geen granaten meer afgeschoten. Hij stelde zich even een enkele man voor, als een rat in de val, met een nutteloze granaatwerper in zijn hand en een lege tas of zak. Straks, over een minuut – een paar minuten – zou hij het infanteriekordon achter hem het bevel geven om op te rukken en de man uit zijn schuilplaats te verdrijven. Het verwonderde hem vluchtig dat het offer zo'n futiel gebaar geweest was, niet echt doorgezet. Hij dacht er nog even over na. Toen hij opkeek, zag hij het stipje dat Viktor Artsjenko's hoofd was op en neer gaan in het water en hij geloofde dat de man langzaam dichter bij de rubberboot kwam, terwijl die voortracete op zijn futiele koers.

'Igor, wat moet er met overste Artsjenko gebeuren?'

'Hij zou voor zijn verraad moeten sterven, kolonel.'

'Door jouw toedoen, Igor?'

'Ik heb zijn hoofd in mijn vizier. Het is een moeilijk schot over het water, op die afstand en met zo'n klein doelwit. Ik zou het kunnen, maar ik geloof dat ik het beter niet kan doen.'

'Waarom niet, Igor?'
'Verdrinken gaat langzamer.'
'Igor, schiet op de boot.'
Hij hield de patroonband vast en was klaar om de band in te voeren. Hij hoorde hoe Vasiljev inademde. Zijn gedachten versnelden. De dienstplichtige zou een kortstondige beroemdheid zijn, zou een onderscheiding krijgen, en wanneer zijn diensttijd erop zat en hij terugging naar een droevig klotebestaan in die kutstad van Wolgograd, zou hij opscheppen over zijn capaciteiten tot iedereen in zijn omgeving hem zat was. Verraders werden helden. Rehabilitatie was een populaire Russische methode. Dus wat had de toekomst voor een beroemde beul in petto? Een smerig raam in de Loebjanka keek uit op de binnenplaats, waar een oude man met grijs haar en een stok voortschuifelde op pantoffels, de gepensioneerde beul die geen slachtoffers meer eiste. Hij werkte met twee emmers naast zich. Een met eau-de-cologne om de lucht te verbergen en de andere met wodka. Het enige waarvoor hij op een drukke dag zijn werk onderbrak, was om zijn revolver te herladen en wodka te drinken. Hij zou eens een beroemdheid zijn, toen een vervelend mens en uiteindelijk zijn vergeten.
Twee salvo's, twee korte tikken op de trekker.
'Is de boot gezonken?'
'Hij is alleen in het water, kolonel. Wanneer hij moe wordt, verdrinkt hij. Herstel, hij is al moe en zal snel verdrinken.'
Bikov keek op. Hij liet zijn blik over de zee gaan. De zon was voor de fakkels in de plaats gekomen. Het schip, dat er zelfs op deze afstand smerig en onaanzienlijk uitzag, was langzamer gaan varen en de patrouilleboot cirkelde eromheen. Hij vond dat het een gewaagd of wanhopig plan was geweest. Een schip voor de kust, een team dat 's nachts aan land was gezet voor een ontvoering, een race terug naar de plaats van inscheping, een gezonken rubberboot, een vertrek uit territoriale wateren voor zonsopgang. Tijd was hun ondergang geworden. Waarom zouden ze het gedaan hebben? Hij schudde zijn hoofd, bijna met iets van verdriet. Joeri Bikov, kolonel bij de militaire veiligheidsdienst, had geen vrienden voor wie hij zijn leven zou wagen. Het was waanzin geweest. Wat hem nog het meest in verwarring bracht, was dat Artsjenko niets voorstelde, van ondergeschikt belang was. Artsjenko was de prijs van de onderneming niet waard. Hij ging naar de onderofficier en beval dat het uitgestrekte infanteriekordon moest oprukken en paraat moest zijn, moest uitkijken naar een enkele man – waarschijnlijk zonder munitie – en hem moest opjagen. De onderofficier liep met hangende schouders weg. Bikov herinnerde zich de Argoen-vallei, waar hij heen was gegaan om het leven van een

man te redden die hij niet had ontmoet. Hij voelde zich nederig en begreep wat hier gebeurde.

Toen ging Bikov naast de driepoot op het duin zitten en voelde de warmte van de zon op zijn gezicht. Het ene moment keek hij naar de rij mieren die langs zijn laarzen trok, het volgende naar de blonde speldenknop in de verte van een uitgeputte man die zou verdrinken. Hij glimlachte naar de dienstplichtige. 'Igor, wil je wat wodka?'

In zijn verdoofde oren hoorde hij de verbazing van de jongen die hij haatte. 'Nee, kolonel. Waarom vraag je dat? Nee, dank je wel!'

Hij laadde de laatste granaat. Er stond een fosformerk op. Locke ervoer een gevoel van schaamte.

Hij had zijn aanval niet voldoende doorgezet.

De granaten waren van te grote afstand afgevuurd. Ze waren op willekeurige plaatsen neergekomen, hadden de aanleg van de machinegeweerschutter niet kunnen verstoren. Hij was niet dichtbij gekomen. Hij had als een waanzinnige herladen. Hij had de granaten uit zijn zakken gehaald, had ze naast elkaar gelegd, met bevende handen in de loop geduwd en keer op keer geschoten.

Zijn naam zou niet rondgaan. Hij geloofde dat hij te laat was, maar kroop toch naar voren. Er gonsden vliegen om zijn hoofd, de zon wierp haar warmte op zijn huid. De boot was gezonken, Wickso was verloren. Hij had één keer omgekeken, had het blonde haar en het witte overhemd gezien. Viktor leefde nog, maar het was te laat. Zijn vader zou geweten hebben wat wraak was, zou vergif gelegd hebben voor de ratten als ze in de kippenren achter de keuken kwamen en de eieren aten, zou zich geen seconde hebben druk gemaakt over de helse dood van de ratten.

Hij had gehoopt Viktor te redden, maar was niet ver genoeg opgedrongen. Het ging om wraak. Een schoolboek kwam bij hem op, tekst die voor examens geleerd moest worden, hetzelfde zonlicht dat in de klas viel en de woorden van Shakespeares joodse koopman: '... wraak. De schurkerij die gij mij leert, zal ik ten uitvoer brengen en het zal zwaar gaan, maar ik zal het onderrichte overtreffen.' Maar hij had slecht één granaat, een fosforgranaat, over. Terwijl hij als een slang voortkroop, kon Locke het licht op de glanzende loop van het machinegeweer zien en de twee mannen die erbij zaten.

De boot was uit zijn zicht gezonken.

Wickso was met de boot verdwenen.

Hij was alleen. Hij voelde de brandende zon op zijn gezicht. Hij kon alleen kleine bewegingen met zijn handen maken en beperkt trappen met zijn voeten, maar dat was voldoende om hem drijvend te houden. De golven tilden hem op en lieten hem weer zakken, maar de eb voerde hem verder van de kust. Ondanks het zeewater dat in zijn ogen spatte, kon hij het schip zien en hij geloofde dat het gestopt was of langzamer was gaan varen.

Hij was alleen, zoals zijn grootmoeder dat was geweest toen zijn vader was geboren. Alleen, zoals zijn vader dat was geweest toen hij zijn orders had opgevolgd en door de zich verspreidende paddestoelwolk was gevlogen. Alleen, zoals hij dat was geweest op de afhaalplaats bij kasteel Malbork en alleen toen hij het hek in de dierentuin de rug had toegekeerd. Hij zou verder de zee op drijven, tot hij zich niet meer kon verzetten en dan zou hij verdrinken.

Hij probeerde te schreeuwen, maar had geen stem, en Billy, Ham, Lofty en Wickso konden hem niet horen. Hij was hun in stilte dankbaar. En hij probeerde naar de kust te schreeuwen dat ze hem af moesten maken, erbarmen met hem moesten hebben, maar de woorden bleven met de zoute smaak in zijn mond steken.

Viktor dreef.

De patrouilleboot voer nog een keer om hen heen en de door de luidspreker vervormde stem schreeuwde dat ze moesten keren als ze niet geramd wilden worden.

Toen draaide de boot naar hen toe en schoot er schuim op van de schroeven van de *Nanoetsjka*. De scherpe boeg richtte zich recht op de *Princess Rose*.

De kapitein schreeuwde van de brug: 'Als ik iets kon doen, zou ik dat doen. Maar ik kan niets doen.'

Rupert Mowbray stond op de plek op het dek, bij de reling, waar ze geraakt zouden worden. Hij had zijn armen gespreid en daagde hen uit, gaf hun een doelwit.

De stuurman stond onder aan het bemanningsverblijf en had een armvol van de witte, porseleinen borden uit hun messroom gehaald, die hij nu, in een gebaar van futiele woede, een voor een in de baan van de patrouilleboot gooide.

De machinist, omlijst door zijn luik en boven zijn trap naar de buik van het schip, beet op zijn lip en omklemde een vervaarlijke sleutel.

Ze waren allemaal in de greep van de waanzin. Elk van hen maakte een zinloos opstandig gebaar.

Maar de kapitein gooide het roer om en de *Princess Rose* draaide. De patrouilleboot kwam hun voorbij. De stootkussens schuurden langs de romp van de gedoemde tramp, die slingerde na de aanvaring met de afschampende patrouilleboot. De kapitein huilde. Mowbray spuugde. De laatste borden van de stuurman spatten naast de kanonniers op het voordek uiteen. De machinist liet de sleutel kletterend op het dek bij zijn voeten vallen. Ze keken achterom, in de verte. Ze konden allemaal het kleine dobberende hoofd in het water zien.

Mowbray zei met sonore stem: 'Verdomme, heren, het eind van de droom van een oude man en het einde van het leven van een jongeman zijn geen leuke dingen om te zien.'

De patrouilleboot was langszij. Voor hen was de open horizon van de Oostzee.

Ze liet haar verrekijker zakken.

Ze richtte zich tot menigte. 'Hij is in het water. Wat gaan jullie doen?'

Alice zag het onbegrip op de gezichten. Ze ging naar Jerry de Pool, die zijn blik afwendde. Ze schopte tegen zijn scheen. 'Zeg het tegen hen, hij is in het water. Wat gaan ze voor hem doen?'

Jerry de Pool strompelde bij haar vandaan en haalde zijn schouders op. 'Ze weten dat hij in het water is. Wat denk je dat ze zullen doen?'

Ze zei schor: 'Zeg het hun en vraag het.'

Het werd hun gezegd en gevraagd. De visser, Roman, trok een berustend gezicht en haalde zijn schouders op: er kon niets gedaan worden. De Rus wapperde met zijn handen en het licht viel op de edelsteen aan zijn ringvinger: er was niets mogelijk. Van de dorpelingen, mannen en vrouwen, lachten er sommigen, terwijl anderen somber keken of haar blik vermeden. Ze had de verbrande hand van Jerry de Pool in haar vuist en leidde hem weg bij de visser en de Rus vandaan. Ze dwong hem voor elke man en vrouw te blijven staan en haar verzoek te herhalen: 'Wat ga jij doen?' Een vrouw met een dikke buik en grote borsten, een vrouw die emotie, romantiek, liefde en machteloosheid zou herkennen, probeerde Alice te troosten en tegen zich aan te drukken, maar ze werd weggeduwd.

Ze voer tegen hen uit: 'Als hij een van jullie was, wat zouden jullie dan doen? Hem negeren, hem aan zijn lot overlaten?'

Alice stond naast een boot. Het was een stevige boot, die hoog op het strand was getrokken, een van de vele. Ze duwde er met haar volle gewicht tegenaan. Haar voeten gleden weg in het rulle zand en ze kon de boot niet in beweging krijgen. Niemand hielp haar. De dorpelingen hadden zich in een halve cirkel om haar opgesteld, maar toch zo ver weg dat ze niemand beet kon pakken en naar zich toe kon trekken om te helpen. Ze keken toe. Ze spande zich tot het uiterste in en de boot bewoog niet, zat vast in het zand. Ze hoorde het gekrijs van meeuwen. Ze zette haar schouder tegen de planken van de boot. Ze hijgde, snakte naar adem. Ze hoorde de stem, een gemompelde reactie en toen het scherpe antwoord.

Alice verstond de taal niet en begreep niet wat er gezegd werd.

De priester kwam naast haar staan, zijn schouder tegen de hare, zijn gewicht gevoegd bij het hare. Toen de schouder van de visser, toen het gewicht van de Rus.

Jerry de Pool zei tegen haar: 'De pastoor zegt dat we de boot te water moeten laten. Zij zeggen dat er een machinegeweer is. De pastoor is een zeer geleerd man. Hij sprak in het Latijn tegen hen, als bij een zondagsmis. Ze zullen de boot te water laten.'

'Vraag hem wat hij gezegd heeft,' eiste Alice van Jerry de Pool.

Het werd doorgegeven. De pastoor bromde naast haar: '*Quem Dei diligunt, adolescens moritur*.'

Jerry de Pool zei: 'Dat heeft hij verleden jaar tegen het dorp gezegd, toen een visser zijn leven verloor op zee. De woorden komen van Plautus.'

Ze had op een kloosterschool gezeten. Alice zei zacht: 'Ik begrijp wat hij zegt. "Wie door de goden worden bemind, sterven jong." Hij spreekt ware woorden.'

'Ze zullen met het machinegeweer te maken krijgen.'

De boot gleed van het strand in het water en de menigte bleef duwen tot ze tot hun middel in het water stonden. De visser was er het eerst in, toen de Rus, toen Jerry de Pool. Als laatste klauterde Alice aan boord. De motor ratelde, hoestte donkere rook uit en de boot schoot vooruit.

De menigte stond op het strand. De priester stond voor hen, streng, zijn handen stijf gevouwen voor zijn borst, maar ze zag hoe hij ze even losmaakte om een kruis te slaan.

De boot beukte op volle kracht door de toppen van de golven.

Locke hoorde het geknal van geweerschoten.

Hij was de slang in het gras. Hij had de bosjes achter zich gelaten en was nu in de duinen. Hij zocht zich in sluipgang een weg over het zand tussen de graspollen. Er zat zand in zijn mond en neus en hij probeerde het uit zijn ogen te knipperen. Het zat in zijn overhemd, broek en schoenen, maar hij hield de loop van de granaatwerper bij het zand uit de buurt. Er mocht voor zijn laatste granaat – een witte fosforgranaat – geen zand in de loop komen. Elke kronkel bracht hem verder van het geweervuur en dichter bij hen. Hij hoorde hen praten, vermengd met het geweervuur.

De jongeman knielde, de oudere man stond. Hun schaduwen vielen over het machinegeweer. Hoewel de zon achter hen was, hield de oudere man zijn hand boven zijn ogen. De jongeman wees over de duinen en het strand naar de zee.

De jongeman lachte. 'Wat denken ze te doen?'

De oudere man zei: 'Ze zijn te ver. Het kordon kan ze niet raken. De kogels hebben het bereik niet.'

'Weten ze dan niet dat ik er ben en hoe goed ik kan schieten? Wanneer ze dichterbij zijn, kan ik die boot tot zinken brengen.'

'Ja, omdat jij de beste bent.'

Een rij soldaten stond werkeloos achter hen. Locke, in het zand gedrukt, keek toe. Hij kende genoeg Russisch om de woorden te verstaan, maar de belediging van de oudere man bracht hem in verwarring. De ogen van alle soldaten waren gericht op de plek waar de jongeman naar wees. Hij geloofde dat hij niet veel verder dan honderd meter van hen en het machinegeweer verwijderd was. Hij zou nog dichterbij kruipen. De vliegen zoemden om zijn gezicht, kropen over zijn huid. De jongeman lachte luider en wees weer, maar de oudere man had zijn blik afgewend.

Hij werkte zich dieper in het zand. Uiterst behoedzaam draaide Locke zijn hoofd. De graspollen prikten in zijn gezicht. Hij legde de raketwerper neer, waakte ervoor dat de loop niet in het zand lag en gebruikte toen zijn handen om het gras opzij te duwen. Hij keek in de richting die de jongeman had aangewezen. Hij zag de boot, voorbij het punt waar het hek naar zee liep. De boeg wierp een heldere golf op, terwijl de boot langs de kust voer, maar uit de buurt van het strand bleef. Hij trok de grashalmen los, schoof zijn handen over het zand en duwde meer gras opzij. Locke zag het met blonde haar bekroonde hoofd en een zweem van het witte overhemd. Hij had nog een kans.

Het zou beter dan wraak zijn, het zou vervulling zijn.

Hij geloofde dat hij gezegend was.

Hij hoorde de jongeman vragen: 'Wat is mijn beloning?'

'Een parade, een orkest, een medaille en roem – als je dat wilt.'

'Ik wacht tot ze stoppen om hem uit het water te halen, dan schiet ik.'

Locke draaide zijn hoofd terug. De plek waar hij lag was een nest geworden. Hij zou hier wachten. Hij zou pas in beweging komen als het niet meer mis kon gaan. De soldaten hingen achter de twee mannen rond en hielden hun geweren losjes vast, maar hij geloofde dat ze beter op zouden letten als het machinegeweer weer schietklaar werd gemaakt.

Tsjelbia zei: 'Mevrouw North, ik constateer dat u een beambte van de inlichtingendienst bent, een belangrijke dame. Ikzelf ben slechts een onbeduidende zakenman en houd een bescheiden inkomen over aan activiteiten in de import en export. Op dit moment doen mijn vrienden en ik iets wat waanzin is, gekkenwerk. Het gaat mij niet om een geldelijke beloning, mevrouw North, maar om medewerking. Ik wil dat er deuren geopend worden en mensen een andere kant op kijken. Mijn collega, Jerzy Kwasniewski, is een oude man, in de nadagen van zijn leven. Hij heeft geen pensioen na een leven lang gediend te hebben. Hij zou een pensioen moeten hebben. Ons aller lot ligt nu in Gods handen, maar ook in die van Roman, een buitengewoon en eerlijk mens. Hij heeft een snellere boot nodig. Mevrouw North, krijgen we een snelle boot, een pensioen en medewerking? Dit zijn zeer bescheiden verzoeken. Ik geloof dat het belangrijk is, mevrouw North, voordat wij uw agent gaan redden, dat wij uw woord hebben dat ze ingewilligd worden. Uw woord zou een bevredigende garantie zijn. Geeft u ons uw woord?'

'U kunt krijgen wat u maar hebben wilt, meneer Tsjelbia.'

De jongeman strekte de spieren van zijn handen, veegde zijn ogen schoon en boog zijn rug. Hij liet zich zakken, pakte de kolf van het machinegeweer en drukte die voor de laatste keer tegen zijn schouder. Hij grijnsde. De oudere man ging moeizaam naast hem liggen, alsof zijn knieën stijf geworden waren, en tilde de patroonband op, waarbij hij op zijn ellebogen leunde. De soldaten waren nu waakzaam en er vonden op fluistertoon korte en nerveuze uitwisselingen plaats.

'Ben je klaar?'

'Wanneer ze langzaam gaan varen om hem op te pikken, dan ben ik klaar. Kan ik rekenen op je vriendschap, kolonel?'

'Daar kun je op rekenen, zoals overste Artsjenko op jouw vriendschap kon rekenen. Je vriend verraden is erger dan je land verraden. Schiet en geniet er maar van.'

Hij zag hoe de mond van de jongeman vertrok; de hand die dicht bij de trekkerbeugel zweefde kwam omhoog en veegde snel in een oog. Het gezicht van de oudere man was uitdrukkingsloos.

'Wat moet ik doen?'

'Je moet doen wat je denkt dat je plicht is.'

De jongeman spande het wapen, zijn vinger was weer bij de trekkerbeugel. Hij zoog lucht in zijn longen. Het oog waarin was geveegd was nu aan het vizier.

Locke klemde de granaatwerper in zijn hand en trok zijn knieën op.

Hij sprong vooruit en zijn leven gleed aan hem voorbij, niet het verleden, maar de toekomst.

Locke zag... Handen die uitgestoken werden om de kraag van het witte overhemd te pakken. De man werd omhooggetrokken en viel hard op de vloer van de boot.

Hij rende. Het hoofd was schuin weggedraaid van het vizier, maar de vinger bleef om de trekker en de lichtspoorkogels scheerden weg, maar te hoog. Eerst verwarring op het gezicht, toen irritatie en woede. De oudere man gaapte hem aan.

Locke zag... De vervoering deed Rupert Mowbrays gezicht stralen en zijn arm schoot juichend omhoog, voordat hij de schakelaar van de radio omzette om een bericht te versturen.

Hij viel aan. Hij voelde een diepe kalmte. De vermoeidheid was weg uit zijn benen. Achter hen, achter de driepoot en het machinegeweer, stonden de soldaten als aan de grond genageld en de twee grote jongens bij de mortier waren roerloze beelden.

Locke zag... De kurk die uit de hals van de fles schoot, knalde tegen het plafond en de champagne liep in de glazen die door Bertie en Peter werden opgehouden.

Hij bestormde hen. Het zand zakte niet langer onder zijn voeten weg. Een gevoel van vrede had bezit van hem genomen. De oudere man draaide zich bij hem vandaan; zijn handen gingen omhoog om zijn gezicht te bedekken en hij liet de patroonband vallen. Officieren schreeuwden. Soldaten schouderden hun geweren.

Locke zag... De handpalmen die op de tafel van de vergaderzaal werden geslagen toen Amerikanen, Canadezen, Israëliërs, Fransen en Duitsers hun bijval betuigden, na afloop van de uiteenzetting van de directeur-generaal over operatie Roof.

De loop van het machinegeweer zwaaide in zijn richting. Het was zoals hij het zich wenste en alle angst was verdwenen. De eerste geweerschoten die op hem afgevuurd werden en de lichtspoorkogels die over en ver naast hem spoten, hoorde hij nauwelijks.

Locke zag... Ze liepen hand in hand, tussen de bomen, waar lentebloemen bloeiden.

De loop van de granaatwerper was op de jongeman, de driepoot en het machinegeweer gericht. De eerste klap, een mokerslag, sloeg tegen zijn arm. De tweede, als van een houweel, sloeg tegen zijn heup. Hij wankelde twee keer, maar bleef het geweer gericht houden. Hij was een tiental stappen van hen verwijderd. Hij keek in het kleine, zwarte gat van de flitsdemper van het machinegeweer. Hij haalde de trekker over. De granaat werkte zich naar buiten, raakte de rechterpoot van de driepoot, caramboleerde zijwaarts weg, rolde een eindje en lag stil. Hij werd weer geramd door een inslag. Hij ging neer. Hij was op zijn knieën. Hij staarde naar de loop. Er klonken de explosie van de fosforwolk en het geknal van de lichtspoor- en standaardkogels en de pantserdoorborende patronen.

Locke zag...

Het tijdschrift van de technicus lag naast zijn stoel op de grond. Het bericht werd gedecodeerd. Hij trok het vel papier uit de printer en liep naar de glazen deur.

De dependance naast het communicatiecentrum was verlaten.

Twee bedden waar niet in geslapen was, twee stoelen die niet gebruikt werden, een opgeruimde tafel en een leeg scherm.

In het centrum, waar geen daglicht kwam en verse lucht was, mochten de technici vrijetijdskleding dragen. Op zijn gymschoenen slofte hij zacht over de vloerbedekking van de dependance terwijl hij om de tafel heen liep. Waar waren ze? Hij riep achterom naar zijn collega's dat hij het bericht persoonlijk ging afleveren. Hij wilde de boodschapper zijn die blijdschap bracht op uitgeputte gezichten, die een glimlach deed doorbreken op een vermoeide mond. Hij slenterde naar buiten en nam de lift naar boven.

Hij klopte eerbiedig op de deur van de directeur-generaal. Een scherpe stem riep dat hij binnen kon komen. Een jongeman hing net zijn jas aan de kapstok en een oudere vrouw zette haar computer aan. Een jonge vrouw hield zich met het koffiezetapparaat bezig. Was de directeur-generaal aanwezig? Dat was hij niet; hij zou niet voor de middag in het gebouw verschijnen. Hij liep weg.

Terug door de gang, weer twee verdiepingen omlaag. Een andere deur.

Was Peter Giles al aanwezig? Weer een loom en ongeïnteresseerd antwoord. Nee, het was laat geworden de vorige avond, maar hij zou morgen weer op het werk zijn. Er werd hem en passant gevraagd of het belangrijk was of dat het kon wachten. Hij klemde het enkele vel papier in zijn hand alsof het zijn persoonlijk eigendom was en hij alleen gemachtigd was om het af te leveren en trok de deur achter zich dicht.

De technicus ging nog een verdieping naar beneden, liep weer een gang door en klopte daar op een deur.

Had men meneer Ponsford gezien? Nee, hij had een voicemail achtergelaten. Hij had tot laat gewerkt en was naar huis gegaan, waar hij niet gestoord mocht worden, kon iemand anders hem misschien helpen? Dat was niet het geval. Hij liet de mensen van de Rusland-afdeling aan hun koffie en computers, aan het uitspellen van de Moskouse kranten van gisteren en aan de afschriften van het radionieuws van gisteren. De irritatie begon aan hem te knagen.

Hij had de hele nacht dienst gehad. Door de berichten had hij hun nacht doorleefd. Hij kende de mannen als het Delta-team, kende hun zendercodes, en ze waren allemaal uitgeschakeld, uitgeschakeld, verdomme, dood, verleden tijd, en de verheven heren die deze mannen kenden en gestuurd hadden, waren vertrokken en niet teruggekomen. Hij was maar een eenvoudige technicus en bewoonde een zitslaapkamer in Hackney. Hij zou proberen de rest van de dag te slapen, achter dunne gordijnen die het daglicht niet konden tegenhouden. Zou 'proberen' te slapen, maar dat zou hem moeilijk vallen, omdat hij alle berichten had gelezen. Hij was bij het team geweest.

Hij wist niets van een blokhut boven de oever van een Schots meer, waar een man in de schaduw van Beinn Odhar Mhor had geschilderd, maar hij wist dat Delta Een was uitgeschakeld. Ook wist hij niets van een dossier in een afgesloten kast op een politiebureau aan de zuidkust waarop 'Geen Verdere Vervolging' was geschreven, maar hij wist dat Delta Twee was uitgeschakeld. Hij wist niet dat 's ochtends vroeg de wind de bladeren tegen de rijen zerken op de begraafplaats van Passchendaele blies, maar hij wist dat Delta Drie was uitgeschakeld. En evenmin wist hij dat brancards met slachtoffers van de eerste verkeersongelukken van de dag en van de eerste hartaanvallen vliegensvlug door de gangen van een ziekenhuis in de West Midlands werden geduwd, maar hij wist dat Delta Vier was uitgeschakeld. Hij was tijdens hun laatste uren bij de mannen geweest.

De technicus kwam op het binnenplaatsje. Hij stond te midden van de onstuimige stroom personeel van de dienst die naar het werk kwam. Hij had geloofd dat hij er trots op was om hier te werken. De technicus kon niet geloven dat hij niet een van die figuren te zien zou krijgen – de directeur-generaal met zijn lijfwacht; Peter Giles, die mank liep wegens een heupprobleem; Bertie Ponsford met het scherpe gezicht van een jager – maar de zee van mensen trok langs hem heen en hij zag hen niet. Hij had de eerste regel van het bericht gelezen en had kunnen juichen.

Hij wist niet wie Fret was, hoe belangrijk Fret was, waarom het mensenlevens waard was geweest om Fret daar weg te halen of wat de vooruitzichten van een buitenlander in ballingschap waren. Hij was door die lange, donkere uren bij Fret geweest, had met hem mee gerend, was met hem in het water gesprongen en had uitbundig kunnen juichen om zijn redding. Hij wist ook niet dat Alice North ontslag zou nemen uit de dienst en dat ze met Fret zou gaan samenwonen en hem zou helpen een bescheiden salaris te verdienen als vertaler van Russische documenten, nadat alle nuttige informatie in korte tijd uit hem gezogen was.

Hij zag Clarence. Clarence had zijn regenjas over zijn uniformjasje aan en stond op het punt om naar huis te gaan na zijn nachtdienst; Clarence was de ogen en oren van het reusachtige, monsterlijke gebouw. Had Clarence de directeur-generaal gezien? Dat had hij niet. Had Clarence meneer Giles gezien? Die was naar huis en beslist niet teruggekomen. Had Clarence meneer Ponsford gezien? Niet sinds hij was weggegaan en een taxi gezocht had.

De technicus wist niets van brandgangen. En hij wist ook niet dat binnen twee jaar de onderscheidingen in de categorie Inspanningen van Andere Gasten discreet vermeld zouden staan in de nieuwjaarslijst en dat Giles en Ponsford zich in gezelschap van hun vrouwen naar het paleis zouden begeven.

Clarence knipoogde en fluisterde: 'Was het een grote operatie? U weet wel wat ik bedoel, een show zoals vroeger? Is het gelukt?'

'Tegen een hoge prijs.'

'Tja, maar het gaat toch om de show, hè? Ik ben blij dat het gelukt is.'

Hij zag Clarence weglopen of er een doelpunt gescoord was, alsof zijn ploeg iets had gewonnen, alsof een hoge prijs er niet toe deed. De technicus nam de lift terug naar de kelder. Hij wist wie Plundering Een was. Hij kon een naam – 'O, en Locke is op komen dagen' – aan de zendercode verbinden, maar geen gezicht.

Hij wist niet van het bestaan van een boerderij in West-Wales, waar de koeien bijna gemolken waren, of van een lijk dat onder een brug van een jachthaven dreef of van een pakje dat niet was afgehaald in Oost-Polen of van een kus of van het moment dat een machinegeweer was afgegaan en een fosforgranaat was ontploft.

De technicus ging achter zijn bureau zitten en sloeg de toets voor een interne e-mail aan.

Hij was zich niet bewust van een kolonel die met ernstige brandwonden aan zijn armen op een eerstehulpafdeling lag en die, na een verblijf in het militaire ziekenhuis, ontslag zou nemen uit het leger om in het verre oosten van Rusland werk te vinden in een houtzagerij, waar hij met geen woord over de oorzaak van zijn littekens zou praten. Of van een dienstplichtige die op de intensive care lag, omdat het fosfor op zijn gezicht en handen was gespat en de vlammen door zijn uniform waren gedrongen, en die naar huis zou gaan om 's nachts zijn vaders taxi door de straten van Wolgograd te rijden, wanneer zijn mismaakte gezicht niet gezien kon worden. Of van de begrafenis met militaire eer van de admiraal die het bevel had gevoerd over de Oostzeevloot, waarbij verscheidene hoge officieren in de rij hadden gestaan om hem te prijzen.

Hij verstuurde de boodschap.

Hij wist niets van de met bloed bevlekte brieven, die van een verschroeid, met honderd kogels doorzeefd lijk waren gehaald en die na gepaste tijd met de lijken geretourneerd zouden worden. Noch wist hij dat Rupert Mowbray, onder de booglampen aan de grensovergang bij Braniewo, uit zijn mondhoek zou zeggen: 'Net als bij de Glienickerbrug. Het is een geruststellende gedachte dat er weinig verandert.' En Libby Weedon zou beamend knikken, terwijl de Russische soldaten van de donkere uren van de vroege ochtend gebruikmaakten om de vijf anonieme koffers naar de gereedstaande lijkwagens te dragen, waarna Libby Weedon en Mowbray zich haastig uit de voeten maakten omdat Mowbray een vliegtuig moest halen om die middag in Bologna een lezing te houden voor de Italiaanse inlichtingendienst.

De technicus ruimde zijn bureau op, gaf zijn vervanger instructies en trok zijn jas aan.

Hij wist niet dat na die gepaste tijd de mannen van inlichtingendiensten die vroeger elkaars vijanden waren en nu nieuwe vrienden, samen iets zouden drinken en lachen en samen zouden vergeten.

De technicus liep het gebouw uit om zijn bus te pakken en naar zijn huis met de dunne gordijnen en zijn bed te gaan.

Wat hij wel wist, was dat hij niet langer het machinegeweer hoorde, zoals hij dat de hele nacht had gehoord, maar hij zag een strand, waar de zee de voetsporen van mannen die naar het water waren gerend nog niet had uitgewist, waar de zon op de bloedvlekken viel en haar licht op de lege hulzen liet rusten, waar de meeuwen rondvlogen en de stilte was weergekeerd.

De technicus voelde de woede in zich gloeien.

Het was een hele show geweest, maar tegen een hoge prijs.